Economía Moderna, 2

Alianza Universidad. Textos

Kelvin Lancaster

Economía moderna
2. Macroeconomía

Versión española
de Antonio Ruiz Díaz
y José Vergara

Alianza
Editorial

Título original:
Modern Economics: Principles and Policy

© 1973 by Rand McNally College Publishing Company
© 1977 by Rand McNally College Publishing Company
© Alianza Editorial, S. A., Madrid, 1977
   Calle Milán, 38; ☎ 200 00 45
   I.S.B.N.: 84-206-8999-X (obra completa)
   I.S.B.N.: 84-206-8002-8 (tomo II)
   Depósito legal: M. 31.113-1977
   Compuesto en Fernández Ciudad, S. L.
   Impreso en Hijos de E. Minuesa, S. L.—Ronda de Toledo, 24.—Madrid-5
   Printed in Spain

INDICE GENERAL *

VOLUMEN 2

    * Para mejor información, este Indice abarca el contenido completo de los
dos volúmenes que componen la obra.

LISTA DE CAPSULAS SUPLEMENTARIAS

VOLUMEN 1

VOLUMEN 2

PROGRAMAS SUGERIDOS PARA DISTINTOS CURSOS

Diversas combinaciones de capítulos de este libro permiten ajustarlo a, por lo menos, siete cursos diferentes con distinta finalidad o intensidad. A continuación se indican los diferentes capítulos elegidos por el autor para constituir los respectivos cursos.

I. *Curso completo de macroeconomía (un semestre)*
Capítulos 3, 19 a 32, 35 y 36; para una mayor orientación internacional, sustituir el capítulo 23 por el 34.

II. *Versión menos intensiva del curso I*
Capítulos 3, 19 a 22, 25, 29 a 32. Incluir también la lectura de las Recapitulaciones de los capítulos 23, 24, 26, 27, 28 y 35.

III. *Curso completo de microeconomía (un semestre)*
Capítulos 1 a 3, 4 a 12, 15 a 18, 36 y el 13 ó el 14; para una mayor atención al comercio internacional, sustituir el elegido entre los 13 y 14 por el 33.

IV. *Versión menos intensiva del curso III*
Capítulos 1, 3, 4, 6 a 9, 11, 12, 15 y 18. Incluir también la lectura de las Recapitulaciones de los capítulos 2, 5, 10, 16 y 17.
Considerar también la posible inclusión del capítulo 13 ó el 14.

V. *Curso completo de teoría económica y política económica (un año)*
Combinar los cursos I y III en cualquier orden, eliminando la duplicación de los capítulos 3 y 36.

VI. *Versión menos intensiva del curso V*
Combinar los cursos II y IV, en cualquier orden, eliminando la duplicación del capítulo 3.

VII. *Curso introductorio de microeconomía y macroeconomía (un semestre)*
Capítulos 1, 3, 4, 8, 11, 12, 15, 19 a 21, 29 y 32. Incluir también la lectura de las Recapitulaciones de los capítulos 6, 7, 9, 22, 30, 31 y 35.

Nota especial: Debe animarse a los estudiantes a que lean las cápsulas suplementarias de todos los capítulos, cualquiera que sea el programa utilizado.

A Deborah, mi esposa,
que aceptó compartirme con este libro
durante tres años.

Parte V

MACROECONOMIA

Esta parte, que comprende los capítulos 19 a 22, proporciona los fundamentos teóricos para el estudio de los problemas y la política a nivel macroeconómico. El capítulo 19 ofrece las bases generales del enfoque macroeconómico, el capítulo 20 describe la formación de las cuentas de la renta nacional y los capítulos 21 y 22 ofrecen un análisis de la economía como sistema macroeconómico.

Capítulo 19

LA VISION DE LA ECONOMIA
EN MAGNITUDES AGREGADAS

19.1. Introducción

Por qué, además de la microeconomía,
existe la macroeconomía

Si la economía produjera un solo bien —por ejemplo, trigo—
la evaluación de su resultado total no plantearía ningún problema.
Dada la tecnología y los recursos disponibles y supuesta una meteo-
rología sin oscilaciones, podríamos estimar la *capacidad productiva*
de la economía expresándola por una cierta cantidad de toneladas de
trigo. Las posibilidades de producción de la economía no tendrían
más que una dimensión, con el límite superior representado por su
capacidad productiva.

Si la producción efectiva estuviera por debajo de la capacidad
productiva así determinada, sabríamos de inmediato que la economía
no estaba operando según sus posibilidades, así como la magnitud
de la distancia hasta el límite de su capacidad. Nos preguntaríamos
entonces la razón de ello. Podríamos suponer que no todos los recursos disponibles estaban plenamente empleados. Quizá existiese
desempleo laboral. En este caso, ¿por qué? ¿Qué política debería
adoptarse para asegurar el pleno empleo?

(Obsérvese que con sólo un producto no hay ningún problema
en lo que se refiere a la asignación de recursos entre industrias, a
corto plazo: los recursos, si no se emplean para producir trigo, tienen
que permanecer ociosos.)

En un mundo tan simple como el del ejemplo, tampoco habría
ningún problema para medir el crecimiento. Tanto si tomamos la

capacidad productiva como si tomamos la producción efectiva, podríamos comparar el número de toneladas de capacidad o de producción de este año con el número de las del año pasado, y descubrir si la capacidad, o la producción, habían aumentado o disminuido (y en qué cuantía), o si habían permanecido estacionarias.

Asignación

Aunque el trigo sea el único producto, tiene por lo menos dos modos diferentes de empleo. Puede utilizarse como alimento, *consumo,* o como semilla para obtener cosecha al año siguiente: *inversión*. No habría ningún problema para medir la distribución del trigo entre consumo e inversión, pues se trataría simplemente de anotar el número de toneladas dedicadas a cada uno de los dos modos de empleo.

¿Cómo podría distribuirse el trigo entre los dos modos de empleo? Dependería mucho de la organización de la economía. A igualdad de las demás cosas, es de suponer que las gentes querrían consumir el máximo posible. Pero, de otra parte, la cosecha total del año siguiente dependería, entre otras cosas, de la inversión en semilla: a más inversión, más cosecha.

Un sistema centralizado podría decidir simplemente la inversión requerida para que la producción creciera a un determinado ritmo, y asignar el resto al consumo. En un sistema descentralizado, con miles de explotaciones trigueras, podría resultar que el propietario o empresario de cada explotación tomase sus propias decisiones sobre inversión y que los consumidores tomasen sus propias decisiones sobre consumo. Esto introduce la posibilidad de que la cantidad total de trigo que este gran número de decisores se proponía consumir o ahorrar no fuese igual a la cantidad de trigo disponible: en este caso, alguien tendría que ceder.

Precio

Por último, supongamos que es molesto llevar consigo a todas partes el stock de trigo de nuestra propiedad y que tenemos *dinero,* que es algo relativamente fijo en cantidad total (pesetas oro, quizá) y que puede llevarse a cualquier parte y cambiarse por trigo en la medida necesaria. Existe ahora *intercambio* y, por tanto, hay un *precio* del trigo expresado en pesetas.

Tampoco existen ahora problemas de medida, problemas sobre lo que debe entenderse por *precio* o *nivel de precios:* es el precio del trigo, el único bien existente en esta economía, aparte del propio dinero. Si el precio del trigo sube de 10 a 12 pesetas por kilo, el nivel de precios ha aumentado en un 20 por 100: con la misma cantidad de dinero se comprará menos trigo. Podría, naturalmente, interesarnos el saber qué es lo que determina el nivel de precios, y empezaríamos por suponer que tendría algo que ver *tanto* con la cantidad total de dinero *como* con la cantidad total de trigo.

Existiendo un precio, podría resultarnos preferible medir el valor de la producción total de la economía en unidades de dinero en vez de hacerlo en cantidades. Si la producción fuera un millón de toneladas y el precio fuese 10.000 pesetas por tonelada, la producción de la economía, expresada en dinero, representaría 10.000 millones de pesetas.

Si se nos dijera que el valor de la producción había subido de 10.000 a 12.000 millones de pesetas, no podríamos deducir de ello si el *producto real* de la sociedad —la cantidad producida— había aumentado o no. Sólo podríamos hacerlo si se nos dieran *o bien* las cantidades directamente, *o bien* los valores y los precios en los dos períodos (o la relación entre ambos). Si el precio del trigo hubiese subido de 10 a 12 pesetas por kilo —un aumento del 20 por 100 en el nivel de precios— el aumento de valor de la producción, al pasar de 10.000 a 12.000 millones de pesetas, no supondría ningún cambio en la producción real. La cantidad habría sido de un millón de toneladas en ambos períodos.

Muchos bienes

Pero lo cierto es que las economías reales no producen un solo bien, producen decenas o cientos de miles de bienes diferentes. No hay un precio, sino decenas o cientos de miles de precios. La inversión y el consumo no son los empleos alternativos del mismo bien único, sino que la inversión se compone de cosas como máquinas y edificios, mientras que el consumo se compone de cosas como alimentos y vestidos: dos grupos de bienes completamente distintos.

En *microeconomía* nos concentramos en el estudio de la diversidad de las cosas, las diferencias entre los precios y entre las producciones y las asignaciones de los diferentes bienes. Tenemos una descripción total de la economía (no debería haber error sobre este punto), pero en términos tan complejos que no podemos contemplar fácilmente las realizaciones de la economía en su conjunto. De hecho, los árboles no nos dejan ver el bosque.

En *macroeconomía,* buscamos la imagen global que nos muestre las operaciones de la economía en su conjunto en lugar de su diversidad interna. Para ello, contemplamos la economía (al menos en los análisis más sencillos) *como si* produjera un solo bien. Llamamos al valor monetario de este bien «producción total», o PNB (producto nacional bruto); a su precio, «nivel general de precios», o simplemente «nivel de precios», y a la cantidad, «producción real», o PNB real.

Las preguntas que hacemos en macroeconomía básica son las mismas que nos hacíamos en la economía de un solo bien. ¿Cuál es el nivel de la capacidad productiva? ¿Está la economía operando a este nivel? En caso negativo, ¿por qué no? ¿Se ajusta la suma de los planes individuales a la cantidad total disponible de bienes? ¿Cómo se distribuye la producción entre consumo e inversión? ¿Qué es lo que determina el nivel de precios?

La macroeconomía es esencialmente *práctica*. Su propósito es obtener la visión *menos compleja posible* del funcionamiento de la economía en su conjunto, pero que sea suficiente para algún objetivo determinado, tal como el disponer las medidas para asegurar que la economía opera a un nivel cercano a su capacidad de producción.

No existe una visión *única* del funcionamiento de la economía en su conjunto que sea a la vez sencilla y útil para cualquier objetivo. Por esta razón, los economistas trabajan con una diversidad de representaciones o *modelos* de la economía

RECAPITULACIÓN 19.1. *Si la economía produjera un solo bien, podríamos juzgar muy fácilmente sus realizaciones totales midiendo directamente su producción y observando si correspondía al nivel de su capacidad productiva, comprobando cuánto había aumentado la producción desde el año anterior, entre otras cosas. Las economías reales producen cientos de miles de bienes diferentes, por lo que es extremadamente difícil medir y analizar las realizaciones totales. La macroeconomía es un modo simplificado de contemplar la economía como si ésta produjera un solo bien, la «producción total».*

19.2. Agregando cosas

Los problemas de reducir colecciones de muchos bienes a simples agregados

Supóngase la existencia de una economía que produce dos bienes, trigo y algodón, en lugar de la economía de un solo bien descrita en la sección precedente. Lo que nos interesa ahora es la visión macroeconómica de la economía, es la consideración de una sola producción y un solo nivel de precios, y no las diferencias microeconómicas entre los mercados del trigo y del algodón. Se supone que es una economía monetaria, de manera que existen precios, tanto del trigo como del algodón, que se expresan en pesetas.

Si la producción se compone de un millón de toneladas de trigo y 250.000 balas de algodón, es evidente que no podemos agregar estas cantidades en una sola cosa sumándolas directamente, ya que ni siquiera vienen expresadas en las mismas unidades. Indudablemente, podríamos pesar el algodón y expresar su cantidad en toneladas, de manera que los dos bienes aparecieran representados por las mismas unidades. Pero aunque ahora podríamos sumar estas cantidades, seguiríamos sin poder agregarlas directamente para *fines económicos.* ¿Por qué no? Como veremos a continuación, la razón es bastante simple.

Pesos económicos

Los usos económicos del trigo y del algodón son muy diferentes, y no hay razón para que la comunidad considere una tonelada de trigo como «equivalente», en ningún sentido, a una tonelada de algodón. Como *pesos físicos,* una tonelada de trigo y una tonelada de algodón son equivalentes, pero como *bienes económicos* no lo son.

La única medida razonable de equivalencia, desde el punto de vista del economista, es alguna forma de *precio* relativo. Si una tonelada de algodón se compra y se vende por 30.000 pesetas, mientras que una tonelada de trigo se compra y se vende por 15.000 pesetas, se tiene una prueba de que las gentes, en esa economía, dan a una tonelada de algodón el mismo valor que a *dos* toneladas de trigo. Por tanto, una forma correcta de agregar las producciones de trigo y de algodón consistiría en multiplicar por dos el número de toneladas de algodón, y sumar al producto el número de toneladas de trigo. Damos así a una tonelada de algodón doble *peso económico* que a una tonelada de trigo, porque los precios de mercado indican que la comunidad *valora* una tonelada de algodón en el doble de una tonelada de trigo. Para una producción de un millón de toneladas de trigo y 50.000 toneladas de algodón, nuestra agregación nos daría 1,1 millones de lo que podríamos llamar «equivalentes a toneladas de trigo».

Obsérvese que podríamos haber operado desde el otro extremo, dividiendo por dos el número de toneladas de trigo y sumando al cociente el número de toneladas de algodón, obteniendo así una medida (0,55 millones en este caso) expresada en «equivalentes a toneladas de algodón». Con miles de bienes diferentes en una economía real, no existe preferencia «natural» por un particular bien en función del cual se obtendrían los «equivalentes», y queremos evitar toda medida que suponga dar una mayor importancia al papel de cualquiera de los bienes.

Medidas en valor

Un modo directo de evitar el empleo de un bien concreto como referencia consiste en utilizar el *valor* de la producción como nuestra medida fundamental. Como el valor se obtiene multiplicando la cantidad de cada producción por su precio y sumando los productos, el procedimiento da necesariamente a cada producción un *peso* igual a su *precio,* y el resultado se expresa en «pesetas», que pueden tomarse como un equivalente general de todos los bienes. Para una producción de un millón de toneladas de trigo y de 50.000 toneladas de algodón, a los precios de 15.000 pesetas y 30.000 pesetas, respectivamente, el *valor de la producción* de la economía sería de 16.500

millones de pesetas ($=1.000.000\times15.000+50.000\times30.000$). Pero nuestra utilización del valor como medida crea un nuevo problema. Una tonelada de trigo (o de algodón) representa prácticamente la misma cosa siempre, aunque sujeta quizá a algunas variaciones de calidad de un año a otro y de un país a otro. Una peseta no, pues todos los precios pueden cambiar.

Supóngase que tanto la producción de trigo como la de algodón aumentasen en un 20 por 100, pasando de un millón de toneladas y 50.000 toneladas a 1,2 millones y 60.000, respectivamente, y que los precios del trigo y del algodón permaneciesen constantes a 15.000 pesetas y 30.000 pesetas la tonelada. Si calculamos los valores en las distintas medidas, hallamos que en «equivalentes a toneladas de trigo» ha aumentado en un 20 por 100, pasando a 1,32 millones (1,2+0,12), y que en «equivalentes a toneladas de algodón» ha aumentado en un 20 por 100, pasando a 0,66 millones (0,60+0,06). El valor en pesetas de la producción ha subido un 20 por 100, pasando a 19.800 millones de pesetas ($=1.200.000\times15.000+60.000\times30.000$). Todos los valores reflejan una variación del 20 por 100.

Pero si además los dos precios hubieran aumentado en un 10 por 100, pasando el del trigo a 16.500 pesetas la tonelada y el del algodón a 33.000 pesetas (permaneciendo constante el precio *relativo* del algodón respecto al del trigo), los equivalentes a «toneladas de trigo» y a «toneladas de algodón» reflejarían un aumento del 20 por 100, mientras que el valor en pesetas de la producción habría aumentado en un 32 por 100, pasando a 21.780 millones de pesetas ($=1.200.000\times16.500+60.000\times33.000$).

El nivel de precios

La medida en valor difiere de las medidas en cantidades porque los precios de los dos bienes han aumentado en un 10 por 100. Una peseta ya no es la misma cosa que antes, pues ahora son necesarias 1,10 pesetas para comprar la misma cantidad de trigo o de algodón o de cualquier combinación de trigo y de algodón, que antes podía adquirirse por 1,00 peseta. En este caso, podemos decir sin lugar a duda que ha habido un aumento del 10 por 100 en el *nivel general de precios*.

Conocida la variación del nivel general de precios, podemos separar la variación en cantidad, o variación *real*, de la variación en valor monetario, haciendo el ajuste correspondiente a la variación del precio. Pero hay que tener cuidado con los cálculos. El valor de la producción ha aumentado en un 32 por 100, ya que el valor corriente es $\dfrac{132}{100}$ del valor anterior, mientras que el nivel de precios corriente es $\dfrac{110}{100}$ del nivel anterior. Dividiendo la relación de los

valores entre la relación de los precios, $\dfrac{132}{100} \div \dfrac{110}{100}$, resulta

$\dfrac{132}{110} = \dfrac{120}{100}$, de modo que la producción real ha aumentado en
un 20 por 100. Es lo mismo que si se hubiera medido en equivalentes, y es igual a la variación efectiva de la producción tanto de trigo como de algodón.

Aunque podemos separar la *variación* de la producción si conocemos el cambio de valor de la producción y el del nivel de precios, todavía tenemos que decidir en qué «unidades» medir la producción real, y pasamos ahora a este problema.

Supóngase que en el ejemplo dado las cifras iniciales se refieren a 1970 y las finales a 1971. Operábamos antes tomando la variación en valor y eliminando la variación del precio. En lugar de ello, tomemos el valor efectivo en 1971 (21.780 millones de pesetas), y dividámoslo por la relación de los precios entre 1971 y 1970 $\left(\text{por } \dfrac{110}{100}\right)$. El resultado es 19.800 $\left(= \dfrac{21.780 \times 100}{110}\right)$. Esta es precisamente la cifra que obtuvimos para el valor de las producciones en 1971 *cuando los precios eran los mismos que en 1970,* y refleja un aumento del 20 por 100 sobre el valor *efectivo* de la producción en 1970 (16.500).

Por tanto, si tomamos el valor efectivo de la producción en 1971 y lo dividimos por la relación entre los precios de 1971 y 1970, el resultado que obtenemos es el valor que hubiera tenido la producción de 1971 si las *cantidades* hubieran sido las de 1970. Puede decirse, por consiguiente, que la cifra obtenida de 19.800 viene expresada en *pesetas de 1970,* pues lo está en precios de 1970. Así pues, la «unidad» en que se mide la producción real en nuestro ejemplo es esa peseta de 1970.

El segundo año de nuestro ejemplo no tenía necesariamente que ser 1971; pudo ser 1975 o 1974 o cualquier otro año, incluso uno anterior a 1970. Si hacemos el ajuste por medio de las relaciones entre los precios del año en cuestión y los de 1970, llamaremos a 1970 *año base* de nuestros cálculos.

El enfoque «como si»

En consecuencia, a los efectos macroeconómicos, procedemos *como si* la economía produjera un «bien único»:

1) Con una producción cuyo valor (PNB) es la suma de los valores de todos los bienes producidos por la economía. El valor se

expresa en pesetas, a los precios del período en cuestión (si es preciso resaltarlo, nos referimos a dichas pesetas llamándolas *pesetas corrientes*).

2) Cuyo precio es el *nivel general de precios* —medido como un *índice* relativo a los precios de algún *año base,* como en el ejemplo anterior—, nivel que es generalmente un simple número obtenido dando el número 100 al año base, con lo que aquél guarda con 100 la misma relación que el nivel de precios corriente tiene con el nivel del año base.

3) Cuya cantidad (producción *real* o PNB *real*) se mide generalmente corrigiendo el valor de la producción de acuerdo con la variación del nivel de precios respecto al del año base. Se expresa en pesetas referidas a un año determinado, y llamadas *pesetas de 1970* (o *de 1958*) si el año base es 1970 (o 1958), o *pesetas constantes* si no se especifica la fecha.

Por ejemplo, supóngase que el valor de la producción de este «bien único», en una economía imaginaria, fue de 27.000 millones de pesetas en 1970 y de 33.600 millones de pesetas en 1974, y que sabemos que el nivel general de precios en 1974, haciendo 1970=100, fue 112. Tendríamos entonces, para el año 1974:

Producción (PNB) en pesetas corrientes = 33.600 millones.

Producción real (PNB real) en pesetas de 1970 = $\dfrac{33.600 \times 100}{112}$

millones.

Por tanto, aunque la producción en *pesetas corrientes* ha pasado de 27.000 a 33.600 millones (aumento del 24 por 100), el PNB real en *pesetas de 1970* ha pasado solamente de 27.000 a 30.000 millones (aumento del 11 por 100).

En los ejemplos empleados en esta sección nos hemos limitado al caso en que las cantidades de todos los productos variaban en la misma proporción, y los precios, si variaban, también lo hacían en la misma proporción. En ningún momento ha habido ambigüedades: la producción real y la producción medida en equivalentes a trigo o a algodón variaban todas en la misma proporción. En estas condiciones, se cumple exactamente la siguiente relación:

Producción, en pesetas constantes del año base (producción real) = Valor de la producción del año corriente dividido por el índice del nivel de precios del año corriente respecto al nivel del año base

La sección siguiente está dedicada a los problemas que aparecen cuando las variaciones de las cantidades o de los precios no se presentan todas en la misma proporción.

RECAPITULACIÓN 19.2. *Aunque la economía produce un gran número de bienes diferentes, podemos tratarla como si produjera un solo bien a condición de que podamos expresar en una medida única todos los bienes producidos, empleando la técnica de agregación. Como el precio de un bien es una representación de su valor en la economía, la producción agregada se suele hallar dando a la producción de cada bien un peso correspondiente al precio del mismo bien. Pero como los precios varían de un año a otro, tenemos que especificar qué precios se emplean como pesos, y así, se dice que la producción viene en «pesetas de 1970», o en «pesetas de 1972», según que los precios empleados hayan sido los de 1970 o los de 1972. Podemos comparar directamente las producciones en años distintos sólo si vienen medidas en los mismos precios, de modo que si tenemos la producción de 1972 expresada en «pesetas de 1970», esta cifra puede compararse, por ejemplo, con la producción de 1971 si ésta se halla también expresada en «pesetas de 1970».*

19.3. Números índices

Cómo pueden expresarse los agregados en forma de números índices, y por qué éstos no pueden nunca ser perfectos

Si el precio del trigo aumenta un 20 por 100 entre 1970 y 1971 y el precio del algodón sube un 20 por 100, no cabe duda que, si el trigo y el algodón son los únicos bienes en la economía, el nivel general de precios debe también aumentar un 20 por 100.

Pero si el precio del trigo aumenta un 10 por 100 de 1970 a 1971 y el precio del algodón se eleva un 20 por 100, ¿qué puede decirse en este caso del nivel general de precios? Evidentemente, debemos admitir que el nivel general de precios ha aumentado *como mínimo* un 10 por 100 (puesto que todos los precios han aumentado por lo menos un 10 por 100), y *como máximo* un 20 por 100, puesto que ningún precio ha aumentado en un porcentaje mayor.

Promedios simples

El índice del nivel general de precios debería reflejar en este caso una variación comprendida entre el 10 y el 20 por 100, o, en cualesquiera circunstancias, entre el mayor y el menor porcentaje de variación de los precios individuales. Un procedimiento para obtener un índice general de precios que cumpla esta propiedad esencial sería tomar la media de las variaciones porcentuales: en el ejemplo trigo-algodón, el 15 por 100.

Pero un promedio simple puede llevar a falsos resultados. Supóngase que la gente gasta el 90 por 100 de su presupuesto en trigo y sólo el 10 por 100 en algodón; en este caso, el aumento de precio

del trigo tendrá un efecto mayor sobre lo que puede comprarse con
un determinado presupuesto que el aumento de precio del algodón.
Con un presupuesto de 10.000 pesetas, a los precios iniciales se
gastarían 9.000 pesetas en trigo y 1.000 pesetas en algodón. Comprar la misma cantidad de trigo a los nuevos precios costará 9.900
pesetas, y comprar la misma cantidad de algodón costará 1.200 pesetas. Por tanto, comprar a los nuevos precios las mismas cosas que
a los antiguos costará 11.100 pesetas. Se trata, pues, de un aumento
del 11 por 100, que está entre el 10 y el 20 por 100, pero mucho más
cerca del 10 por 100 a causa de la importancia presupuestaria relativamente mayor del trigo, el bien cuyo precio ha aumentado en un
10 por 100, que del algodón, cuyo precio ha aumentado en un 20
por 100.

Ponderación

Ahora bien, un promedio simple de dos cosas se obtiene dividiendo cada una de ellas por dos y sumando ambos cocientes. El
promedio simple de un 10 por 100 y un 20 por 100 es igual a
$1/2 \times 10$ por $100 + 1/2 \times 20$ por $100 = 15$ por 100. En una media
simple, damos igual *peso* (1/2 y 1/2) a las dos cosas. Un tipo más
general de promedio es la *media ponderada,* en la que no damos necesariamente pesos iguales, pero la suma de todos los pesos debe ser
siempre igual a la unidad, como lo es 1/2 más 1/2. Un método para
calcular una variación del nivel de precios consistirá, evidentemente,
en hallar una media ponderada de las variaciones de precio de los
bienes individuales, con pesos que representen su importancia relativa. En el ejemplo trigo-algodón, podríamos dar al trigo un peso de
9/10 (puesto que representa el 90 por 100 del presupuesto) y al
algodón un peso de 1/10. Una media ponderada de las variaciones
de los dos precios sería, pues, $9/10 \times 10$ por $100 + 1/10 \times 20$ por
$100 = 11$ por 100. Este es el mismo porcentaje en que ha aumentado
el coste en pesetas de comprar las cantidades iniciales de trigo y
algodón.

La media ponderada puede extenderse fácilmente a cualquier
número de bienes, con pesos que siempre sumarán la unidad.

Números índices

La media ponderada de este tipo se suele calcular de un modo
ligeramente distinto. En lugar de tomar los cambios porcentuales,
se toman los *niveles* relativos. Si se da el valor 100 a todos los
precios de 1970 (año base), el precio del trigo, en estas mismas
unidades, será 110 en 1971, y el del algodón, 120. Una media ponderada de los dos niveles de precios en 1971 será $9/10 \times 110 + 1/10$
$\times 120 = 111$. El resultado de este cálculo es un *número índice* o, en
este caso específico, un *índice de precios,* que indica que el nivel
de precios es un 11 por 100 más alto que el de 1970. Obsérvese

que el número obtenido, 111, es exactamente igual al número de pesetas necesario para comprar, a los precios de 1971, las mismas cantidades de bienes que fueron compradas en 1970 por 100 pesetas.

Cuando mencionamos en economía el *nivel de precios,* nos referimos normalmente a un número índice de precios calculado del modo que acaba de describirse. Este número índice puede interpretarse de dos maneras equivalentes:

1) es la media ponderada de los precios individuales, expresados en términos relativos a los del año base, igualados éstos a 100, con unos pesos proporcionales al gasto en los diversos bienes en el año base;

2) es el coste, en el año corriente, de comprar el conjunto (o «cesta») de bienes efectivamente adquiridos en el año base, expresado en relación a un gasto de 100 en el año base.

Un índice de precios puede no abarcar *todos* los precios. Muchos índices de precios se calculan, del modo antes esbozado, para un grupo de productos que cubren solamente una parte de la economía. El más conocido es el *índice de precios al por menor* (índice del «coste de vida»), que es un número índice de precios en consumo, con pesos que corresponden al gasto total de las *economías domésticas* en estos artículos. Existe también un *índice de precios al por mayor,* que abarca materias primas, productos agrarios y algunas manufacturas, ponderados de acuerdo con su importancia para la economía, y no simplemente para las economías domésticas. Existen también varios índices de *cotizaciones en bolsa,* que intentan condensar el nivel general de los precios de miles de acciones de sociedades anónimas.

El índice de precios que trata de representar el nivel general de *todos* los precios en los Estados Unidos se conoce como el *deflactor* del PNB. Este índice es el que se aplica al PNB en dólares corrientes para obtener el PNB real, o PNB en dólares constantes. Por razones técnicas, no se calcula como lo hemos descrito antes, pero aquí podemos ignorar esta diferencia.

El problema de los números índices

Todo índice es sólo un intento de conseguir el «mejor» indicador del curso de los acontecimientos que trata de describir. Pero no existe un número índice *perfecto.*

El mayor problema de los números índices es su fuerte dependencia de las propiedades del año base al que se refieren, pues las deducciones que se obtengan pueden variar si cambiamos la base. Esto es especialmente cierto si los precios o las cantidades de los diferentes bienes cambian en proporciones señaladamente distintas de un año a otro.

──── **Cápsula suplementaria 19.1** ────────────────────────

LOS NUMEROS INDICES EN LOS ESTADOS UNIDOS

Dos de las series más conocidas de índices de precios en los Estados Unidos son la de *precios al consumo* y la de *precios al por mayor*. Las dos se calculan en la actualidad tomando como base el año 1967: es decir, referidos los índices a 1967=100. Por supuesto, las series se inician antes de 1967. Con anterioridad a la última revisión, la base era la media del período de 1957 a 1959. Como la confianza en cualquier serie de números índices decae conforme aumenta la diferencia entre la estructura de la economía en el año (o años) de base y en el año en cuestión (lo más frecuentemente, el año en curso), las series se revisan periódicamente cambiando la base. En general, las revisiones incluyen otras mejoras tales como, por ejemplo, la inclusión de un número mayor de bienes.

El índice de precios al consumo se ha calculado tomando como base sucesivamente los años 1917-19 (desde 1913 hasta 1935), 1934-36 (1936 a 1949), 1947-49 (1950 a 1963), 1957-59 (1964 a 1970) y 1967 (1971 hasta la fecha), con algunas revisiones intermedias menores. Cuando se revisa una serie, la nueva serie puede «empalmarse» a la antigua. Por ejemplo, el índice de precios al consumo en 1950 viene expresado con base 1947-49. Si deseamos empalmarlo a una serie con base 1957-59, calculamos los índices de 1957, 1958 y 1959 con base 1947-49 y hallamos su media y dividimos después toda la serie 1947-49 por esta media, con objeto de obtener una serie continua. La mayoría de los números índices se publican también con subíndices para diversos grupos de artículos. Existen subíndices de precios al consumo para grupos como la alimentación, la vivienda y el transporte.

Puede ocurrir que se mantenga un índice en una forma anticuada debido a limitaciones institucionales. El índice oficial de precios percibidos y pagados por los agricultores continúa calculándose con base 1910-14 porque la legislación obliga a sostener los precios agrícolas de acuerdo con dicha relación de precios en aquellos años concretos.

Uno de los índices de precios más familiares para el hombre de la calle es el «Dow-Jones». Es un índice, relativamente simple, de las cotizaciones de una selección fija de acciones ordinarias en la Bolsa de Nueva York. La propia Bolsa de Nueva York publica un índice más complejo y con mucha mayor cobertura, pero el Dow-Jones mantiene su popularidad porque muchas personas se han acostumbrado a observarlo y pueden detectar de inmediato si lo consideran alto o bajo en relación con los niveles medios o con sus expectativas.

Entre los índices de cantidades, el más conocido es el índice de producción industrial del Sistema de la Reserva Federal. Es este índice el que se examina con todo cuidado ante cualquier señal de recesión en la economía, porque se dispone de él antes de que se publique la estadística que da a conocer el PNB real.

───

Consideremos una economía que produce dos bienes, A y B, en las cantidades, precios y valores de las producciones que se recogen, para los años 1950, 1960 y 1970, en la tabla 19.1. En 1950 son iguales los valores de las producciones de ambos bienes, así que los índices con base 1950 ponderarán igualmente a los dos precios. Como los precios en 1970 y 1950 son los mismos y como el índice para 1960 resulta igual a $1/2 \times 80 + 1/2 \times 120 = 100$, el índice de precios con base 1950 es igual a 100 para los tres años.

Calculemos ahora el índice de precios con 1960 como año base. Las producciones de los dos bienes en 1960 se evaluaron en 4.000 millones de pesetas y 24.000 millones de pesetas, respectivamente, dando una producción total en 1960 de 28.000 millones de pesetas, y unos pesos de $1/7 (= 4/28)$ y $6/7 (= 24/28)$. El cálculo se desarrolla en la tabla 19.2.

Por último, calculemos el índice de precios con 1970 como año base. Los pesos serán 1/5 y 4/5, y el índice será evidentemente igual a 100 para 1950. Para 1960, los precios de los dos bienes, considerando igual a 100 los de 1970, son 80 y 120, resultando un índice de precios para 1960 igual a $1/5 \times 80 + 4/5 \times 120 = 96$.

Podemos ahora reunir todos los números índices en la tabla 19.3. Vemos inmediatamente la incoherencia de los resultados. Los índices de precios con base 1950 no reflejan ninguna variación del nivel de precios, los índices de precios con base 1960 muestran un nivel de precios más alto en 1960 que en 1950 ó 1970, mientras que los índices de precios con base 1970 muestran un nivel de precios *más bajo* en 1960 que en 1950 ó 1970. Debe observarse que cuando los precios son iguales, como en 1950 y 1970 (o varían en la misma proporción), el cambio de base no afecta a la relación de los índices para esos años.

TABLA 19.1

Datos de precios y cantidades

Año	Cantidades (toneladas)		Precios (pesetas/tonelada)		Valor de la producción (miles de millones de pesetas)		
	A	B	A	B	A	B	Total
1950	100	100	100	100	10	10	20
1960	50	200	80	120	4	24	28
1970	50	200	100	100	5	20	25

TABLA 19.2

Indices de precios con base 1960

Año	Precios, para 1960=100		Valor del índice
	A	B	
1950	125	83,3	$1/7 \times 125 + 6/7 \times 83,3 = 89,3$
1960	100	100	$1/7 \times 100 + 6/7 \times 100 = 100$
1970	125	83,3	$1/7 \times 125 + 6/7 \times 83,3 = 89,3$

TABLA 19.3

Comparación de los índices de precios

| | Indice de precios con base | | |
Año	1950	1960	1970
1950	100	89,3	100
1960	100	100	96
1970	100	89,3	100

En general, no podemos hacer nada para salvar estas incoherencias. En algún caso particular, podríamos argumentar que el año base específico fue mal elegido, quizá porque la economía pasaba entonces por una situación anormal, pero el problema general subsiste. Cuanto menores son las incoherencias entre los índices de diferentes bases, menor es la variación habida de un año a otro en los precios relativos o en las cantidades relativas. Si las cantidades o los precios varían siempre en la misma proporción, las incoherencias desaparecen. Cuando consideramos los índices de precios en el plano conceptual, suponemos que las variaciones de los precios relativos o las cantidades relativas son lo suficientemente pequeñas para eliminar los problemas de incoherencia.

Indices de cantidades

Aunque nos hemos centrado en los índices de precios, también es posible construir índices de *cantidades*. En éstos, ponderamos las *cantidades,* referidas a las del año base consideradas como 100, en lugar de los precios. En el ejemplo que acabamos de utilizar (véase tabla 19.1), podríamos calcular índices de cantidades con base 1950 y obtendríamos 125 ($=1/2\times50+1/2\times200$) para 1960 y 1970. Un índice de cantidades muy conocido es el *índice de la producción industrial,* calculado de este modo para las producciones industrial y minera.

Existen dos métodos principales para calcular las variaciones de la producción real, es decir, de las cantidades. Uno consiste en tomar el valor de la producción corriente y dividirla, o *deflactarla,* por un índice apropiado de precios, para hallar el valor de la producción en pesetas del año base. El otro se funda en calcular un índice de cantidades ponderado con arreglo a los datos del año base.

En nuestro ejemplo anterior, podemos calcular el valor de la producción en pesetas de 1950 (véase la tabla 19.1). Como ocurre que el índice de precios con base 1950 no varía, los valores en pesetas de 1950 y en pesetas corrientes son iguales: 20.000 millones de pesetas en 1950, 28.000 millones de pesetas en 1960 y 25.000 millones de pesetas en 1970. Por tanto, según este cálculo, la producción real subió de 1950 a 1960 y bajó de 1960 a 1970. Los índices de cantidades con base 1950 son 125 para 1960 y 125 para 1970: según este cálculo, la producción subió de 1950 a 1960, pero no varió entre 1960 y 1970.

Esta incoherencia es de la misma naturaleza que las incoherencias que arrojan diferentes resultados en los índices de precios para diferentes años de base, aun cuando tanto los índice de cantidades como los índices de precios estén referidos a la misma base. La razón es que los *valores de la producción* en cada año *reflejan tanto* los precios *como* las cantidades de ese año, mientras que el *índice de precios refleja* solamente los *precios* de ese año, y el *índice de cantidades,* solamente las *cantidades.* El valor de la producción descendió entre 1960 y 1970 porque, a pesar de no variar las cantidades, el descenso de un precio (el de B) redujo el valor de su producción más que lo que aumentó de valor el otro bien a consecuencia de la elevación de su precio. El índice de cantidades, por supuesto, no registra ninguna variación, y el índice de precios no refleja ningún cambio porque la proporción en que ambos bienes participaron en el valor de la producción total *en el año base* fue tal que neutralizó en el índice las variaciones de los precios, pero no así para la proporción *efectiva* en 1960.

Los economistas han tenido que aceptar desde hace mucho tiempo los problemas de los números índices. En general, suponemos que las variaciones no son de tal magnitud que introduzcan incoherencias importantes, pero hemos de tomar muchas precauciones con los números índices que abarquen períodos en los que hayan ocurrido cambios fundamentales en la estructura de la economía.

RECAPITULACIÓN 19.3. *Si los precios de los diferentes bienes varían en diferentes proporciones, ¿qué podremos decir de la variación «general» de los precios? El método normal consiste en calcular una media ponderada de las variaciones de los precios individuales, dando mayores pesos a los bienes que representan una proporción más elevada del gasto total que a los que representan una proporción menor. El resultado es un índice de precios que se expresa siempre referido al año base: que es el año cuyo gasto se utiliza para la ponderación del índice. Pueden prepararse del mismo modo los índices de cantidades. Los índices referidos a bases distintas darán generalmente resultados diferentes (excepto si todos los precios o todas las cantidades varían en la misma proporción), lo cual representa un grado irreducible de imprecisión que tenemos que aceptar.*

19.4. La agregación de decisiones

*El mayor problema de la agregación es el de agregar
decisiones y no el de agregar precios o cantidades*

La agregación de cosas, con sus correspondientes problemas de
números índices, es sólo un aspecto de la simplificación inherente a
la macroeconomía. Otra forma de simplificación en macroeconomía
es la de considerar las relaciones entre los grandes agregados («renta
nacional», «inversión total», «consumo total», «cantidad de dinero»,
etcétera), en lugar de las relaciones entre las cosas tal como las ven
los decisores individuales.

Estas relaciones entre agregados son una *construcción artificial*
de los economistas. A lo largo de los próximos capítulos, por ejemplo, nos expresaremos como si el conjunto de las economías domésticas determinaran, como una sola unidad, su gasto total en consumo en relación con su renta total o sus saldos en dinero. En la
realidad, está claro que cada economía doméstica individual determina su propio consumo sobre la base de su propia renta. Las economías domésticas como grupo ni siquiera *tienen conciencia* de lo
que es la renta total, o el gasto total de las economías domésticas.
De hecho, sin las estadísticas recogidas por los servicios de estadística oficiales, *nadie* sabría lo que son estos agregados, y de hecho *nadie*
lo supo hasta la década de 1930.

El problema de la agregación

¿Cómo agregamos los *procesos de decisión?* Es ésta la pregunta
medular de lo que se conoce como el *problema de la agregación.*
El problema es el siguiente: dados 1.000 individuos de cada uno
de los cuales se sabe exactamente cómo variará su gasto cuando
varíe su renta, ¿podemos prever cómo variará el *gasto agregado* de
estos 1.000 individuos cuando varíe su renta agregada?

La respuesta, que en principio puede parecer sorprendente, es
que en general no podemos preverlo. La razón de ello es que la
misma renta agregada, si estuviera *distribuida de forma diferente,*
daría lugar a un gasto diferente. Considérese una población de dos
personas, una de las cuales gasta exactamente la mitad de la renta
que recibe, cualquiera que sea ésta, y la otra gasta la totalidad. Una
renta agregada de 100.000 pesetas dará lugar a un gasto agregado
de 50.000 pesetas si toda ella va al primer individuo, a un gasto
de 100.000 pesetas si va toda al segundo, y a uno de 75.000 pesetas
si se reparte por igual entre los dos; con diferentes gastos, compren-
didos entre 50.000 y 100.000 pesetas, para las distribuciones intermedias. Por la misma razón, un determinado gasto total puede ir
asociado con un gran número de rentas agregadas: un gasto de
75.000 pesetas puede proceder de una renta agregada de 100.000

pesetas repartida en partes iguales, de una renta agregada de 150.000 pesetas toda ella para el primer individuo, y de una de 75.000 pesetas toda ella para el segundo.

Obsérvese que si las dos personas se comportaran de la «misma» forma (gastando el 75 por 100 de su renta), no importaría la distribución y no existiría el problema de la agregación.

La visión en magnitudes agregadas

Cuando apareció por primera vez el análisis macroeconómico, los economistas tenían ya un considerable conocimiento (teórico) de los patrones de comportamiento individual y, como es natural, intentaron determinar los patrones del comportamiento agregado construyéndolos a partir de los individuales. El problema de la agregación dio mucho que pensar.

En la macroeconomía moderna reconocemos la existencia del problema de la agregación, nos damos cuenta de que no existe ninguna manera sencilla de enfocarlo y, en consecuencia, preferimos ignorarlo, renunciando a construir el comportamiento agregado sobre la base del comportamiento individual.

Partimos de la *visión en magnitudes agregadas,* y empleamos la investigación *empírica* para deducir los patrones de las relaciones agregadas. Tenemos, por ejemplo, estadísticas de la renta agregada de las economías domésticas y de su gasto agregado. A partir de ellas se determina la relación agregada entre el gasto y la renta de las economías domésticas (la *función de consumo)* comparando los valores efectivos de los dos agregados en todas las diferentes condiciones que podamos imaginar.

La teoría microeconómica del comportamiento del consumidor individual o de la empresa individual continúa utilizándose como una *guía* para orientarnos sobre el tipo de relación que puede esperarse entre los agregados, pero sólo como una guía. Al final, las relaciones entre los agregados se calculan *en sus propios términos* mediante métodos empíricos.

RECAPITULACIÓN 19.4. *Las economías domésticas individuales toman decisiones individuales sobre lo que harán con sus rentas. En macroeconomía procedemos como si las economías domésticas que componen el agregado tomaran una sola decisión sobre lo que harán con la renta agregada de todas ellas. La justificación de este método es esencialmente empírica y práctica: observamos las relaciones pasadas entre el gasto agregado y la renta agregada de las economías domésticas, y no las economías domésticas individuales, y deducimos nuestras relaciones a partir de este comportamiento agregado observado.*

──────── Cápsula suplementaria 19.2 ────────────────────────

EL BOSQUE Y LOS ARBOLES

Antes del desarrollo de la macroeconomía moderna en los últimos años de la década de 1930 y posteriormente, pudo decirse que los árboles apenas dejaban ver el bosque a los responsables de la política económica. Los economistas se orientaban por la microeconomía, acostumbraban a examinar el comportamiento de los mercados individuales y los precios relativos y a contemplar la economía como un conjunto de pequeñas unidades. Unicamente los que se ocupaban de la teoría monetaria examinaban la economía como algo global, pero ello sólo porque los efectos del dinero sobre la economía aparecen básicamente dispersos y no concentrados en ninguna industria o mercado aislado. Cuando vino la Gran Depresión, no existían ni siquiera datos fiables sobre el funcionamiento global de la economía.

La macroeconomía es, naturalmente, una técnica para observar el bosque en lugar de los árboles individuales, y está en la actualidad tan bien desarrollada como base analítica para la política económica que muchos decisores ya no miran más a los árboles. Este hecho puede originar distorsiones y crear riesgos a la política económica, como los originó en su día la antigua incapacidad para lograr una visión global de la economía. Por ejemplo, la tasa de desempleo total en 1949 era en los Estados Unidos el 5,9 por 100, una cifra alta; en 1963 era el 5,7 por 100, nivel cercano al de 1949. Con una perspectiva enteramente macroeconómica y fijándose sólo en las tasas de desempleo agregado, podríamos concluir que el desempleo fue alto en ambos años, pero que la situación fue ligeramente mejor en 1963 que en 1949. Pero con una perspectiva más microeconómica vemos una importante diferencia entre esos dos años, pues la tasa de desempleo de la población *no blanca* fue en 1949 del 8,9 por 100 —bastante elevada— pero fue aún más

──

19.5.   La economía como mecanismo

Por qué resulta útil tratar la economía como si fuera un mecanismo,
y por qué esto puede ser compatible
con el comportamiento no mecánico de los individuos

Como las simplificaciones macroeconómicas de la economía (que podemos llamar *macromodelos*), operan directamente sobre relaciones entre agregados y no toman en consideración directa a los individuos, tienen un carácter esencialmente *mecanicista*. Es decir, la economía se representa por un modelo análogo a una máquina en la que, girando una manivela sobre distintos valores del «nivel de impuestos» se obtendrían diversos valores de la producción (PNB). Algunos de los primeros macromodelos se representaron efectivamente por máquinas físicas (el profesor A. W. Phillips ideó una máquina hidráulica con este objeto en los años 50), pero en la actualidad la representación es un ordenador programado.

elevada, 10,8 por 100, en 1963, aun a pesar de que la tasa de desempleo total fue ligeramente inferior en este último año que en 1949. ¿Deduciríamos necesariamente que 1963 fue un año mejor que 1949?

Unos valores idénticos para los agregados económicos pueden ocultar grandes diferencias en la distribución de las rentas, en el impacto del desempleo sobre los diferentes grupos de personas o regiones del país, en la división de la producción nacional entre armamentos y viviendas, en las producciones relativas mediante procesos industriales contaminantes y no contaminantes.

La tendencia actual tanto en teoría como en política económica se dirige hacia una mejor síntesis de los enfoques microeconómico y macroeconómico. Sin las simplificaciones de la macroeconomía, perderíamos la pista del cuadro global, pero dentro de ese mismo cuadro global, no podemos dejar de observar algunos de los detalles. Como veremos en la parte final de este libro, todas las medidas económicas están ligadas entre sí: toda la política macroeconómica afecta a la distribución en el interior de los agregados lo mismo que al nivel de los agregados, y toda política dirigida a la distribución afectará a los totales. El arte de proporcionar una perspectiva económica a las decisiones políticas está en poder mostrar todos los efectos sin hacer tan compleja la historia que no pueda ser seguida por los responsables de la política. No podemos mirar simultáneamente al bosque y a todos los árboles y formar una idea clara de lo que vemos, por lo cual tenemos que mirar por separado a los agregados y a los detalles, para intentar, por último, llegar a una síntesis del cuadro global que contenga unos cuantos detalles apropiadamente seleccionados.

La economía en sí no es un mecanismo, pero el éxito creciente de los macromodelos induce a pensar que, para muchos fines, puede representarse bien por un modelo mecánico.

Una relación básicamente previsible y mecánica entre magnitudes económicas agregadas *podría* ser debida al carácter básicamente previsible y mecánico del comportamiento de los individuos que componen la economía. Puede que las gentes se parezcan más a las ovejas de lo que quisieran los humanistas y muchos cultivadores de las ciencias sociales, pero tampoco tiene por qué ser así.

Diversidades individuales

Es muy posible que los individuos se comporten de modo muy variado y que a la vez las relaciones agregadas sean relativamente estables, a condición de que las excentricidades individuales sean independientes entre sí.

Supóngase, por ejemplo, que todas las economías domésticas norteamericanas gastaran en cualquier caso el 90 por 100 de su renta y que echasen a suertes si gastar también o ahorrar el 10 por 100 restante. Con 60 millones de economías domésticas en los Estados Unidor, cabe esperar, como todo el mundo sabe, que el número de economías domésticas que decidirían *gastar* el 10 por 100 restante estaría muy cerca de los 30 millones. Según el cálculo de probabilidades, podríamos esperar en realidad que el número de tales economías domésticas no se apartaría de los 30 millones en más o en menos de 50.000, es decir, con una probabilidad de 9.999 sobre 10.000.

Si todas las economías domésticas tuvieran la misma renta, el gasto agregado estaría entre el 94,99 por 100 y el 95,01 por 100 de la renta agregada, con el grado de probabilidad indicado. Puede demostrarse que el resultado seguiría aproximándose mucho a éste aunque las rentas no estuviesen distribuidas con absoluta igualdad, a condición de que la distribución de la renta no tuviese relación con el proceso de decisión.

Por tanto, aunque no podamos prever el comportamiento de ninguna economía doméstica individual (más allá de prever que cada una de ellas gastará o el 90 o el 100 por 100 de su renta), sabemos que la relación gasto agregado a renta agregada será estable y, a todos los efectos prácticos, igual a 0,95.

Como ya se ha indicado, para la mayoría de los fines macroeconómicos no importa que los individuos se comporten todos del mismo modo o se comporten de modo diferente, pues las diferencias se anulan con los grandes números. Lo importante es si existe una relación estable entre los agregados, cualesquiera que sean las razones.

La consideración de la economía como un mecanismo ofrece un modelo muy operativo, pero puede que tengamos que ir más allá de los agregados y de sus relaciones para evaluar los resultados. Por ejemplo, el modelo podría prever un descenso de un 5 por 100 en la renta agregada en caso de adoptarse una determinada política. Ahora bien, un descenso de un 5 por 100 en la renta agregada podría significar una reducción del 5 por 100 en las rentas de *todos y cada uno* de los individuos o podría suponer que el 5 por 100 de la población había perdido *toda* su renta mientras que el 95 por 100 restante no había sido afectado. Las consecuencias humanas son claramente distintas en los dos casos, pero el modelo quizá no pueda distinguirlas.

Para llevar a cabo juicios definitivos sobre el carácter deseable o indeseable de determinadas medidas económicas, será con frecuencia necesario ver más allá de la información proporcionada por el macromodelo mecanicista.

RECAPITULACIÓN 19.5. *Los macromodelos de una economía son esencialmente mecanicistas. Esto no es incompatible con la imprevi-*

*sibilidad del comportamiento individual, pues las variaciones alea-
torias entre individuos se neutralizarán si se trata de una población
amplia.*

RESÚMENES DE LAS SECCIONES. *Para repasar el contenido de este
capítulo, hojéese el texto y vuélvanse a leer los trozos titulados «Recapitulación» que ponen fin a todas las secciones.*

TÉRMINOS Y CONCEPTOS DEL CAPÍTULO 19

Macroeconomía
Ponderación y pesos económicos
Números índices
Agregación
Modelo mecanicista

EJERCICIOS

Todos los ejercicios se basan en los siguientes datos, correspondientes a una economía cuyos únicos productos fuesen prendas de
vestir y alimentos.

	Precio de		Producción de	
	las prendas de vestir (pesetas/kilo)	los alimentos (pesetas/Tm.)	prendas de vestir (kilos)	alimentos (Tm.)
1960	1.000	8.000	800	500
1970	800	10.000	1.000	160

Calcular:

1. El valor de la producción en 1960 en pesetas corrientes.
2. El valor de la producción en 1970 en pesetas corrientes.
3. La variación porcentual de la producción en pesetas corrientes entre 1960 y 1970.
4. El índice de precios de 1970 con base 1960.
5. La producción real en 1970 expresada en pesetas de 1960.
6. El índice de precios de 1960 con base 1970.
7. La producción real en 1960 expresada en pesetas de 1970.
8. La variación porcentual de la producción real, en pesetas
de 1960, entre 1960 y 1970.
9. La variación porcentual de la producción real, en pesetas
de 1970, entre 1960 y 1970.

PARA REFLEXIÓN Y DISCUSIÓN

1. El índice de producción industrial en la Unión Soviética utilizó durante muchos años como ponderación los precios relativos de los diversos bienes que se producían cuando apenas comenzaba su desarrollo industrial. Muchos economistas occidentales sostuvieron que el índice construido de ese modo exageraba necesariamente el alcance del desarrollo industrial soviético. Partiendo de su conocimiento de los números índices, ¿cuál supone usted que es el fundamento de esta crítica?

2. ¿Debería el gobierno vigilar solamente las magnitudes agregadas en la economía y olvidarse de las variaciones en las industrias y sectores individuales?

3. Mediada la década de 1960, Holanda y Checoslovaquia tenían aproximadamente la misma población y la misma producción agregada (medida en dólares USA). ¿Deduce usted de esto que las dos economías podrían considerarse equivalentes?

Capítulo 20
LAS CUENTAS NACIONALES

20.1. Desarrollo y empleo de las cuentas nacionales

Por qué elaboramos y empleamos las cuentas nacionales

Consideramos en el capítulo precedente el problema de hallar el valor de la producción total (PNB en pesetas corrientes) en una forma un tanto ligera, como si se tratara simplemente de sumar los valores de la producción de todos los bienes obtenidos en una economía nacional. En la práctica, esto no es tan sencillo como parece, en especial a causa del peligro de la *doble contabilización*, del que nos ocuparemos en la sección siguiente.

De hecho, y esto puede sorprender al lector, antes de 1930 no se disponía de unas cifras que pudieran considerarse como representativas de la producción total de la economía. Existían muchos indicadores de aspectos particulares de la actividad económica. Los datos sobre los precios son relativamente sencillos de recoger, por lo que siempre se ha dispuesto de largas series históricas de ellos. Las alzas y bajas de los precios revelan algo sobre el funcionamiento de la economía, pero no nos dicen nada sobre el nivel de la producción.

Algunos bienes son homogéneos y fáciles de medir, por lo que la información sobre la producción de cosas tales como la electricidad, el trigo y el lingote de hierro o el número de vagones transportados por ferrocarril se ha empleado desde hace mucho tiempo como indicadores de la actividad económica. Un producto básico como el hierro o el acero oscilará en su producción en el mismo sentido que la actividad económica general, por lo que puede servir para indicar los movimientos de la producción, pero no podría ser más que un indicador.

Los números índices tienen una historia relativamente larga, y los índices de precios al por mayor, seguidos por los índices de precios al por menor y los índices de producción de manufacturas, se han elaborado desde la última parte del siglo XIX. Las estadísticas de empleo y de tasas de desempleo selectivas se han elaborado también relativamente pronto y se emplearon asimismo como indicadores de lo que estaba sucediendo en la economía.

Cuentas nacionales

Por consiguiente, los observadores de la economía tenían muchos indicadores a su disposición y podían averiguar con bastante facilidad si la actividad económica (especialmente la industrial) descendía o aumentaba y si estaba en un nivel notablemente bajo. Pero no existió una medida de la producción total de la economía hasta que se desarrolló la *contabilidad de la renta nacional*.

Las cuentas de la renta nacional son, ante todo, un intento de sumar los valores de todas las producciones de la economía de un modo bien concebido. Se trataba de encontrar medidas que fuesen independientes de los cambios sin importancia o institucionales que no afectan al flujo final de bienes. En particular, si se lleva a cabo la fusión de dos empresas, pero la empresa resultante hace exactamente lo que solían hacer por separado las dos anteriores, no deberá aparecer alteración en la medida de la producción total. El objetivo primario de las cuentas nacionales consiste en estimar el valor de la producción total del modo más exacto posible.

En el proceso de recogida y verificación de la información necesaria para medir la producción total, se obtiene mucha información sobre cosas tales como el volumen de producción procedente de los diversos sectores productivos (explotaciones agrícolas, fábricas, comercio al por menor, etc.), la asignación de la producción entre los diversos usuarios (consumidores, sector público, empresas) y la distribución de la producción entre los diferentes tipos de perceptores de rentas (trabajadores, propietarios, etc.).

Por tanto, las cuentas nacionales se componen de unas medidas de la producción total, acompañadas de una serie de tabulaciones que muestran dónde tiene su origen la producción (por sectores industriales, por industrias individuales, por regiones, de operaciones privadas y de operaciones públicas) y cómo se asigna (entre los consumidores y el Estado, entre residentes y extranjeros, entre las distintas regiones, por ejemplo). La producción total puede descomponerse en grandes grupos de bienes (de consumo no duradero, de consumo duradero, equipo de capital, edificaciones, por ejemplo) o de muchas otras formas. Las distintas descomposiciones son útiles para distintos fines, y un servicio de cuentas nacionales tan minucioso como el del Departamento de Comercio de los Estados Unidos proporcionará muchas, mientras que los gobiernos de otros países disponen de cuentas mucho menos elaboradas.

Lo más importante a nuestros efectos es que los modelos macroeconómicos se construyen a partir de las cuentas nacionales. El PNB de las cuentas nacionales es lo que consideramos como el «bien» producido por la economía, y entre los diversos rubros de las cuentas, como, por ejemplo, el «consumo» y la «renta personal», se supone que existen relaciones específicas cuantitativas.

RECAPITULACIÓN 20.1. *Las cuentas nacionales representan un intento de calcular el valor total de la producción de la economía y de mostrar dónde tiene su origen esta producción, a qué amplias finalidades se aplica y cómo se divide entre las diferentes categorías de perceptores de rentas.*

20.2. Para evitar la doble contabilización

El problema capital al construir las cuentas nacionales

Parece que el método más directo para determinar el valor total de la producción de la sociedad *(producto nacional)* durante un año determinado sería localizar cada empresa que haya producido algo durante el año, hallar el valor de lo que produjo y sumar las cifras de todas las empresas.

Aunque este procedimiento proporciona la base para determinar el producto nacional, no puede utilizarse en la sencilla forma indicada, a causa del problema de la doble contabilización.

El peligro de duplicación

En una empresa, el valor de su producción se contabiliza normalmente por los ingresos totales que obtiene de sus ventas. Una empresa que elabora alimentos congelados y vende 100.000 paquetes de guisantes congelados a 100 pesetas cada uno registrará una cifra de ventas de 10 millones de pesetas. Pero esta cifra no es un verdadero índice de la producción de la empresa transformadora de alimentos, puesto que incluye el valor de los guisantes recibidos por la empresa para la transformación, cuyo cultivo no formó parte de las operaciones de la empresa citada.

Supongamos que todos los guisantes, fundamentales para sus operaciones, se los proporciona un solo agricultor, que le entrega la cantidad necesaria para 100.000 paquetes de guisantes congelados a un coste total de ocho millones de pesetas. Supondremos en principio que el agricultor vende toda su producción a la empresa conservera.

──── **Cápsula suplementaria 20.1** ────────────────────

PNB INSTANTANEO

Para que el conjunto de las cuentas de la renta nacional tuviera un valor práctico, hubieron de tomarse al principio algunas decisiones arbitrarias acerca de lo que en aquellas debería incluirse o excluirse. Los resultados de estas decisiones son con frecuencia sensibles a las modificaciones de la estructura social o económica, como lo ilustra la siguiente receta para la confección de «PNB instantáneo».

Hágase que todos los hombres cuyas mujeres, madres o hijas se ocupan exclusivamente de las labores domésticas, las contraten formalmente como gobernantas, con una retribución igual al 50 por 100 de la renta del varón, y debiendo pagar cada uno la mitad de los gastos de la economía doméstica conjunta. El varón podrá convertirse formalmente en patrono registrándose como tal y pagando la cuota empresarial de la seguridad social correspondiente a la empleada. Según las normas estadísticas oficiales en los Estados Unidos, la paga de la empleada será considerada salario y entrará como tal en el cómputo del PNB, aumentando así éste en un 35 por 100 aproximadamente. La igualdad de rentas agregadas y gastos agregados se mantendría por contarse el pago realizado por el varón como una compra de servicios personales. La mitad de los antiguos gastos *de él* en bienes y servicios para la economía doméstica aparecerá ahora como gastos personales de consumo *de ella*.

Sin ninguna clase de cambio en los bienes y servicios *efectivos* producidos por esta economía, aparecería un gran aumento en el PNB registrado por las estadísticas. Esto ocurriría por ser actualmente una convención que en las cuentas de la renta nacional no se incluyan los servicios prestados en el hogar por las amas de casa, pero sí los servicios equivalentes prestados por los empleados domésticos retribuidos.

Se registrarían asimismo otros cambios estadísticos. La fuerza de trabajo se incrementaría aproximadamente en un 45 por 100, y la tasa de desempleo se reduciría en un tercio. Se observarían en la economía cambios reales además de los estadísticos. Según las normas vigentes del impuesto sobre la renta, la retribución de la esposa sería computable para el impuesto y, sin embargo, los pagos efectuados por el marido no tendrían la consideración de gasto deducible del impuesto. El matrimonio tendría en conjunto una base imponible igual al 150 por 100 de la renta del marido. Pagarían más impuestos y tendrían menos renta disponible, mientras que el sector público habría aumentado sus ingresos, dando lugar a importantes cambios en el funcionamiento de la economía.

────────────────────────────────────

Ahora bien, al confeccionar nuestro censo para estimar la producción total, enviaremos impresos *tanto* al agricultor *como* al transformador de alimentos, preguntando a cada uno de ellos su producción. Si ambos registran el valor de sus respectivas ventas totales, el agricultor anotará ocho millones de pesetas, y el conservero anotará 10 millones. La suma de 18 millones se refiere exactamente a los *mismos* guisantes cuyo valor final es solamente 10 millones de pesetas. Hemos contabilizado estos guisantes *dos veces,* la primera en la producción del agricultor y después en la del conservero.

Eliminación de la doble contabilización

Un modo de eliminar la doble contabilización en este caso sencillo es contar el valor de los guisantes solamente en la fase *final:* eliminar totalmente de nuestra cuenta los ingresos del agricultor. Sin embargo, este método no surtirá efecto si el agricultor vendió también guisantes directamente al consumo. Eliminar de nuestra cuenta la producción del agricultor equivaldría a dejar de contar los guisantes frescos, mientras que al sumar las ventas totales del agricultor a las del conservero se incluirán los guisantes frescos, pero se contarían dos veces los congelados.

La forma más sencilla de hallar el método apropiado para eliminar la doble contabilización es analizar las *cuentas completas* tanto del agricultor como del conservero. Supongamos que el agricultor tiene unos ingresos de nueve millones de pesetas, de las cuales ocho millones proceden de sus ventas al industrial transformador, y el resto, de sus ventas a los consumidores finales, y que su único pago son los salarios, por valor de ocho millones de pesetas. Por su parte, el industrial tiene una cifra de ventas de 10 millones de pesetas, y hace dos tipos de pagos: la compra de guisantes, ocho millones, y los salarios, por valor de 1.500.000 pesetas. En ambos casos, cualquier excedente de los ingresos sobre los gastos es un beneficio, que se supone abonado por la cuenta de la *empresa* a la cuenta privada del propietario.

Las cuentas corrientes simplificadas de estas dos empresas se registran en la tabla 20.1. Hay que señalar que los guisantes en peligro de ser contabilizados dos veces aparecen en realidad *tres veces* en estas cuentas: en primer lugar, como una venta del agricultor; después, como una compra del conservero y, por último, incorporados a las ventas de éste a los consumidores. En dos de estas tres ocasiones aparecen en transacciones compensadoras: una venta por el agricultor que también es una compra por el industrial.

Podemos eliminar la doble contabilización deduciendo siempre de las ventas de una empresa todas las compras de materias primas obtenidas de otras empresas.

Si operamos de este modo, contamos las ventas *completas* de nueve millones de pesetas en la empresa agrícola (que no ha comprado materias primas ni ninguna otra cosa a otras empresas), pero para el conservero contamos la *diferencia* entre sus ventas y su compras a otras empresas, o sea, dos millones de pesetas ($=10$ millones -8 millones). El total es 11 millones de pesetas. Obsérvese que es exactamente igual al total de las ventas a los consumidores (un millón de pesetas directamente del agricultor más 10 millones en congelados) e igual también a las rentas totales (9.500.000 pesetas en salarios del conjunto de las dos empresas más 1.500.000 de sus beneficios totales), circunstancia que no es accidental.

Tabla 20.1

Cuentas corrientes de las dos empresas

I. EMPRESA AGRICOLA

Gastos (pesetas)		*Ingresos (pesetas)*	
Salarios	8.000.000	Ventas al industrial	8.000.000
Beneficios desembolsados	1.000.000	Ventas a los consumidores	1.000.000
Total	9.000.000	Total	9.000.000

II. FABRICA DE CONSERVAS

Gastos (pesetas)		*Ingresos (pesetas)*	
Materiales (guisantes del agricultor)	8.000.000	Ventas a los consumidores	10.000.000
Salarios	1.500.000		
Beneficios desembolsados	500.000		
Total	10.000.000	Total	10.000.000

Valor añadido

La diferencia entre el valor de las ventas de una empresa y el valor de las materias primas y otras compras corrientes *a otras empresas* se conoce por *valor añadido bruto*. La idea del «valor añadido» se ve fácilmente en la empresa conservera: ha adquirido guisantes valorados en ocho millones de pesetas y los ha convertido en guisantes congelados que valen 10 millones, *añadiendo* así dos millones a los guisantes originales en virtud de la operación transformadora.

Suponíamos que la empresa agrícola de nuestro ejemplo no empleaba medios productivos obtenidos de otras empresas. Si, por ejemplo, hubiera comprado fertilizantes e insecticidas, el valor de estos productos habría debido restarse de las ventas para obtener el valor añadido bruto.

Como el valor añadido mide la diferencia en valor entre las cosas que salen de la empresa y las que entran en ella, se ajusta a nuestra idea de descubrir la «cuantía» de la producción que se ha llevado a cabo dentro de la empresa.

Obsérvese que al calcular el valor añadido solamente deducimos las compras a otras empresas. Estas compras suelen ser cosas como materias primas y piezas componentes, aunque pueden consistir también en servicios suministrados, como las comunicaciones y transportes. *No deducimos,* sin embargo, los pagos directos a las personas en concepto de salarios o beneficios.

Cálculo del PNB

Si consideramos el valor añadido bruto como la producción de cada empresa, eliminamos por completo la doble contabilización, pues cada rubro susceptible de ser contado dos veces aparecerá como una compra en alguna empresa y será eliminado.

El PNB en una economía cerrada (economía que no tiene transacciones con el resto del mundo) será igual a la suma de los valores añadidos brutos de todas las empresas de la economía.

En la simple economía utilizada como ejemplo, podemos observar que la suma de los valores añadidos es también igual al valor de las *ventas finales* (ventas a los consumidores; si no hay sector público), pues todas las demás ventas tienen que haber sido hechas a empresas y han sido anuladas.

RECAPITULACIÓN 20.2. *Para medir el valor del producto nacional no podemos sumar simplemente el valor de todo lo producido en la economía, porque algunos materiales y componentes se contarían entonces más de una vez. Eliminamos la doble contabilización restando del valor de la producción de cada empresa el valor de las compras a otras empresas, y obteniendo así el valor añadido. La suma de todos los valores añadidos es el producto nacional, que es igual a las ventas de bienes y servicios a los compradores que no son empresas.*

20.3. Equipo de capital, PNB y PNN

Por qué los bienes de capital requieren un tratamiento especial

En los ejemplos que hemos considerado en las secciones precedentes, todas las ventas de unas empresas a otras empresas han sido de componentes y materiales, es decir, *de cosas consumidas físicamente en la transformación subsiguiente.*

Si todas las operaciones entre empresas lo son de componentes y materiales, la diferencia entre todas las ventas agregadas y las ventas agregadas entre empresas es igual al valor añadido total y, por tanto, al producto nacional.

Surge, no obstante, un caso especial cuando se vende una máquina u otro elemento de equipo de capital. El equipo de capital es vendido por empresas y casi todo él es comprado por empresas, con lo que las ventas de equipo de capital son principalmente operaciones entre empresas.

Pero si una línea aérea compra un reactor nuevo el 1 de enero de 1970, su producción de servicios de viaje durante 1970 no «incorpora» la aeronave, pues ésta seguirá existiendo al final del año.

Por otra parte, un avión que se ha utilizado durante un año ya no
es un avión nuevo, y tiene menos valor.

Lo que se ha incorporado a la producción de la línea aérea son
los servicios de un avión durante el año, no el avión en sí. Sin embargo, el fabricante del avión vendió el avión, no sus servicios, así
que hay aquí una transacción de cierto tipo entre empresas, que
es necesario aclarar.

Transacciones corrientes y de capital

Al establecer las elementales cuentas de la sección precedente, las
denominamos cuentas *corrientes*. El término «corriente» significa
que todas las partidas incluidas podían ser *asignadas plenamente* a las
operaciones del año al que se refieren. Evidentemente, el coste total
de un avión que se utilizará durante muchos años no puede ser asignado plenamente a las operaciones de ningún año en particular.

Aunque el valor del avión no aparece en la cuenta corriente de
la línea aérea, *sí* apareció en la cuenta corriente del fabricante de
aviones el año en que lo vendió, como una parte de sus ventas.
Por tanto, cuando calculamos el PNB como suma de los valores añadidos brutos, el valor del avión *no* se anula, a diferencia de lo que
ocurrirá con los artículos corrientes como el petróleo o las materias
primas.

*Las ventas de equipo de capital, incluso si son a otras empresas,
no se cancelan al calcular el PNB. Cuentan como ventas finales.*

Así pues, la expresión *ventas finales* en las cuentas nacionales
incluye todas las ventas excepto las ventas entre empresas en cuenta corriente. En una economía cerrada, comprende las ventas a:

1) *las economías domésticas;*
2) *el sector público;*
3) *las cuentas de capital,* incluso de las empresas.

Aunque el coste inicial del equipo de capital no está «incorporado» en la producción del primer año, ni en la de ningún año individual, el *descenso en valor* que resulta del uso a lo largo del año
es claramente imputable a las operaciones del año. Si un avión
cuesta 300.000 dólares y dura diez años, podemos esperar que su
valor descenderá en una cifra cercana a 30.000 dólares como resultado de su uso durante un año. Este descenso (conocido por
depreciación o *desgaste del capital*) deberá aparecer de alguna manera en las cuentas corrientes. Si de las ventas de una empresa sólo
deducimos el gasto corriente en materiales y componentes, obtenemos el *valor añadido bruto,* como en la sección precedente. Si también deducimos el desgaste del capital durante el año, el resultado
se llama *valor añadido neto.*

Cálculo del PNN

La suma de los valores añadidos brutos en la economía es, por supuesto, el PNB. La suma de los valores añadidos netos se conoce como PNN (Producto Nacional Neto). En principio, deberíamos medir la producción total de la economía por el PNN y no por el PNB, ya que tendríamos que corregir éste por el hecho de que la economía ha reducido su capital a causa de haberlo usado a lo largo del año.

No obstante, por razones prácticas, es difícil obtener una estimación rigurosa del «verdadero» desgaste del capital durante un año. Las empresas introducen en sus cuentas partidas en concepto de depreciación que se determinan en parte por las normas del impuesto sobre la renta, y que no representan necesariamente las consignaciones que los economistas considerarían las más apropiadas. *Mientras que el PNB lo medimos realmente, sólo podemos dar una estimación representativa del concepto que denominamos PNN, razón por la cual utilizamos normalmente el PNB como patrón de medida de la producción.*

TABLA 20.2

Cuentas corriente y de capital: Líneas aéreas de Utopía, S. A.

I. CUENTA CORRIENTE

Gastos		Ingresos	
1. Combustible y repuestos	$ 20.000	5. Ingresos por pasajeros	$ 100.000
2. Salarios	$ 40.000		
3. Beneficio abonado a los propietarios	$ 10.000		
4. Depreciación, a la cuenta de capital	$ 30.000		
Total	$ 100.000	Total	$ 100.000

II. CUENTA DE CAPITAL

Activos	31 diciembre 1970	31 diciembre 1971
6. Avión	$ 300.000	$ 270.000
7. Fondos para amortización acumulados	———	$ 30.000
Total	$ 300.000	$ 300.000

Valor añadido bruto: 80.000 (5 menos 1).
Valor añadido neto: 50.000 (5 menos 1 y menos 4).

La empresa que compra un bien de capital no incluye la compra en sus cuentas corrientes. Puede mantener para este propósito una cuenta separada de *capital*, en la que se anotan los valores de los bienes de capital al final de cada período. Puede mantener intacto el valor contable de su capital haciendo *transferencias* de la cuenta corriente a los fondos de amortización (mantenidos en forma de valores mobiliarios) para compensar el descenso de valor de un año a otro: cuando el equipo se desgasta hasta quedar fuera de uso, estos fondos, si no existen complicaciones, deberán ser suficientes para atender exactamente a la reposición del equipo. La tabla 20.2 muestra unas imaginarias cuentas corrientes y de capital para una nueva línea aérea que dispone de un solo avión.

Podemos resumir ahora las relaciones entre PNB, PNN, ventas finales y equipo de capital, para una economía completamente autosuficiente (cerrada).

PNB = suma de los valores añadidos brutos de toda la economía
    = ventas finales totales.
PNN = PNB menos consignaciones por desgaste del capital.

RECAPITULACIÓN 20.3. *Aunque los bienes de equipo de capital suelen ser vendidos a otras empresas, no pueden cancelarse porque no se «agotan» completamente en la producción como las materias primas o los repuestos. Por tanto, todas las ventas de equipo de capital son consideradas ventas finales y contabilizadas en el producto nacional. En principio, debemos contar con el hecho de que el capital se «agota» parcialmente durante el período de nuestras cuentas. En la práctica, la medición del desgaste del capital es difícil, por lo que solemos medir la producción por el producto nacional bruto (PNB) omitiendo las estimaciones del desgaste del capital. Si del PNB restamos el desgaste del capital, obtenemos el producto nacional neto (PNN).*

20.4. Renta nacional

*El concepto de renta nacional
y su relación con la producción nacional*

La renta nacional es la suma de todas las rentas obtenidas de las actividades económicas en el curso del año. Procederemos en un principio como si el capital de la economía no se depreciara, con lo que el valor añadido bruto y el neto son iguales en cualquier caso y el PNB es igual al PNN. Denominaremos a la producción total sencillamente «Producto Nacional».

Una empresa produce utilizando recursos, y en una economía de mercado compra esos recursos. A lo largo de un año, una empresa paga salarios, intereses y rentas de la tierra a los propietarios de los recursos (factores productivos), y estos pagos son naturalmente rentas de estas personas. El residuo, la diferencia entre los ingresos por la venta de la producción y los pagos por materiales, trabajo y uso de la propiedad, es el beneficio del empresario y constituye la renta, o parte de la renta, del «propietario» de la empresa.

Por consiguiente, el valor de la producción total de una empresa es necesariamente igual a la suma de los valores monetarios de:

1) compras (materiales y repuestos) a otras empresas;

2) pagos, en concepto de salarios, intereses, rentas de la tierra, royalties, etc., por el empleo de recursos;

3) el beneficio residual, igual al valor de la producción total menos (1) y (2).

Las partidas en (1) son transacciones entre empresas que se restan del valor de la producción para obtener el «valor añadido». Las partidas en (2) y (3) son las rentas que reciben los participantes en las operaciones de la empresa; por tanto, su suma tiene que ser igual al valor añadido de la empresa.

Definición de la renta nacional

En una economía compuesta por entero de empresas como ésta, sin sector público y en la que todos los recursos son propiedad privada, todas las rentas dentro de la economía proceden de la venta de servicios de los recursos productivos a las empresas o de los beneficios residuales de las empresas. Por tanto, la suma, comprendidas todas las empresas, de los pagos a los propietarios de recursos más los beneficios tiene que ser igual a la suma total de las rentas percibidas por los miembros de la economía, que es la *renta nacional*. Pero la suma de estas partidas dentro de cada empresa es igual al valor añadido de la misma empresa, y consideradas todas las empresas, aquella suma es, pues, igual a la suma de los valores añadidos de todas las empresas, que es el *producto nacional*.

En una economía simplificada, sin desgaste del capital ni sector público, tendremos, pues:

Renta nacional = suma de todos los pagos a personas por el empleo de recursos más todos los beneficios residuales

= suma de los valores añadidos de todas las empresas

= Producto nacional.

Las relaciones contables para una economía de dos empresas se presentan en el ejemplo numérico de las tablas 20.3, 20.4 y 20.5.

¿Qué sucede si introducimos el desgaste del capital? La respuesta es relativamente sencilla, pues las consignaciones para desgaste del capital *no generan rentas.* Volviendo a la tabla 20.2, ésta muestra que las rentas generadas por la línea aérea se componen de salarios y beneficios, o ventas totales menos materiales comprados a otras empresas y menos consignaciones para depreciación. En otras palabras, si hay desgaste del capital, la suma de las rentas es igual al producto nacional *neto,* y no al producto nacional bruto.

En caso de que la línea aérea sustituya el avión inicial —y en el momento de hacerlo— o compre otro adicional, se genera renta. Nuestra contabilidad lo tiene en cuenta, pues el nuevo avión aparecerá como una venta del fabricante aeronáutico, y como rentas pagadas en la industria aeronáutica.

Por tanto, en la economía con desgaste de capital pero sin sector público, tenemos:

Renta nacional = total de las rentas pagadas
            = suma de los valores añadidos *netos* de toda la economía
            = PNN.

TABLA 20.3

Cuentas nacionales de una economía de dos empresas, I

EMPRESA *M*: EL INDUSTRIAL

(Cifras en millones de pesetas)

Ventas a las economías domésticas	80	
Ventas al agricultor *(entre empresas)*	20	
Ventas totales *(=valor de la producción total)*		100
Materiales comprados *(al agricultor)*	50	
Salarios pagados	35	
Pagos totales		85
Beneficio residual *(=ventas menos pagos)*		15
Ventas totales	100	
Menos compras a otras empresas	50	
Valor añadido		50
Salarios pagados	35	
Beneficios	15	
Rentas procedentes de las operaciones de la empresa		50

Tabla 20.4

Cuentas nacionales de una economía de dos empresas, II

EMPRESA *A*: EL AGRICULTOR

(Cifras en millones de pesetas)

Ventas a las economías domésticas	100	
Ventas al industrial *(entre empresas)*	50	
Ventas totales *(=valor de la producción total)*		150
Materiales comprados *(al industrial)*	20	
Salarios pagados	90	
Pagos totales		110
Beneficio residual *(=ventas menos pagos)*		40
Ventas totales	150	
Menos compras a otras empresas	20	
Valor añadido		130
Salarios pagados	90	
Beneficios	40	
Rentas procedentes de las operaciones de la empresa		130

Tabla 20.5

Cuentas nacionales de una economía de dos empresas, III

AGREGACION DE LAS EMPRESAS *M* Y *A*

(Cifras en millones de pesetas)

Producto nacional	= Suma de los valores añadidos	$= 50 + 130 = 180$
	= Ventas a compradores finales (economías domésticas)	$= 80 + 100 = 180$
	= Ventas totales menos ventas entre empresas	$= 250 - 70 = 180$
	= Salarios totales más beneficios totales	$= 125 + 55 = 180$
	= Renta nacional	

Obsérvese que no hay depreciación del capital en esta economía, de manera que las producciones brutas y netas son iguales. Todos los pagos por el empleo de recursos consisten en salarios, con lo que salarios y beneficios son las únicas formas de percepción de rentas. No hay sector público ni transacciones económicas exteriores.

Recapitulación 20.4. *El valor añadido neto de cada empresa es igual a las rentas pagadas por la empresa, incluyendo los beneficios de sus propietarios. Por tanto, en una economía simplificada, la renta nacional (la suma de todas las rentas pagadas) será igual al producto nacional. Esto ha de modificarse si la economía no está compuesta por entero de empresas privadas o si existe desgaste del capital.*

20.5. El sector público

Cómo el sector público puede complicar las cosas

Si toda la actividad del sector público se redujese al servicio de correos, y éste operase sin beneficios ni pérdidas, podríamos encajar el sector público en las cuentas de la misma forma que lo hicimos con una empresa individual.

El valor de mercado de los servicios proporcionados por el servicio de correos representa su producción, exactamente igual que si fuese una empresa privada. Para producir estos servicios emplea materiales y repuestos comprados a otras empresas, y servicios de los recursos (suponiendo que todos los recursos son de propiedad privada, incluso la tierra y los edificios) comprados a sus propietarios. Como en el caso de una empresa privada, los materiales y repuestos utilizados se deducen del valor de la producción para obtener el valor añadido por la oficina de correos. Este se suma al valor añadido total del sector privado para obtener el producto nacional.

Valor añadido por el sector público

Como hemos supuesto que la oficina de correos salda sus operaciones exactamente sin pérdidas ni ganancias, su valor añadido equivale a los salarios, rentas del suelo e intereses pagados a un número de personas, así que sumando estos pagos al total de las rentas pagadas por el sector privado se obtendrá la renta nacional, igual al producto nacional.

Parte de la producción del servicio de correos será utilizada en el proceso de producción del sector privado, pues los servicios postales se venden a las empresas igual que a las economías domésticas. Pero esta parte se habría deducido ya al calcular el valor añadido en las empresas privadas, así que no habría doble contabilización.

Supongamos ahora que el servicio de correos obtenga un beneficio en lugar de equilibrar exactamente sus ingresos y sus gastos, con lo que el valor añadido (producción menos materiales) es mayor que las rentas pagadas a los individuos en concepto de salarios, intereses, alquileres, etc. No llamaremos beneficio a la diferencia: al Estado no le gusta confesar que tiene «beneficios», ni siquiera en los Estados Unidos, donde no se opone ninguna objeción ideológica contra este término cuando se aplica al sector privado. La expresión que emplearemos será «excedente de la empresa pública». Este excedente es una renta para el sector público (o para la población en su conjunto), pero no para ningún individuo privado. ¿Lo incluimos o no en la renta nacional? La mayoría de los países lo incluyen, y así lo recomiendan las Naciones Unidas, pero la práctica

———— **Cápsula suplementaria 20.2** ————————————————

SIMON KUZNETS: PREMIO NOBEL 1971

Habiéndose concedido el primer Premio Nobel de Economía al desarrollo de las técnicas econométricas (a Frisch y Tinbergen) y el segundo a los avances de gran complejidad en teoría pura debidos a Samuelson, la Academia Sueca decidió conceder en 1971 el tercero a una persona que se ha pasado la vida estudiando los hechos económicos a través de los datos en bruto existentes: Simon Kuznets.

Kuznets nació en Rusia en 1901, pero llegó muy joven a los Estados Unidos. Hizo todos sus estudios en Columbia University, obteniendo en 1923 su B.S. y en 1926 el Ph.D. Su tesis doctoral fue dirigida por uno de los grandes investigadores que iniciaron el análisis de datos y el estudio de los ciclos económicos, Wesley Clair Mitchell. En 1927, se unió a Mitchell en el National Bureau of Economic Research —que había sido creado muy pocos años antes— para trabajar en las estadísticas de la renta nacional. Existían ya en los Estados Unidos algunas estimaciones de la renta nacional, e incluso una serie histórica hasta 1925 elaborada por el Bureau, y una sola estimación oficial, para el año 1923, pero no había series continuas, y las estimaciones existentes presentaban serios defectos conceptuales y estadísticos.

Cuando, pasado 1929, los Estados Unidos cayeron en la espiral descendente de la Gran Depresión, los políticos y sus consejeros se vieron horrorizados ante la falta de información esencial sobre la marcha de las grandes variables económicas y la carencia de datos sobre la producción global de la economía. El Senado ordenó que se elaborasen estimaciones oficiales de la renta nacional, y el Departamento de Comercio se dirigió al National Bureau y a Kuznets, que se trasladó de Nueva York a Washington. A comienzos de 1934, los Estados Unidos tenían su primera estadística fidedigna de la renta nacional, preparada por Kuznets y publicada como documento del Senado, que abarcaba el período de 1929 a 1932 y mostraba que la renta agregada había caído un 45 por 100 en aquellos tres años.

En 1936, Kuznets pasó a la universidad, como profesor de Economía en Pennsylvania, trasladándose después a la Johns Hopkins (1954-1960) y, por último, a Harvard hasta su jubilación. Ha continuado después sus investigaciones sobre los datos económicos y mantiene su relación con el National Bureau (que es una organización privada, a pesar de su nombre). Tras sus trabajos sobre las cuentas de la renta nacional, pasó a estudiar el uso de los datos de la renta nacional para el análisis de las fuentes y el proceso del crecimiento económico. La mención de la Academia Sueca destaca en realidad como la base para la concesión del Premio Nobel estos trabajos sobre el crecimiento más que los relativos a las cuentas nacionales.

Aunque Kuznets ha sido un iniciador en el campo de las cuentas de la renta nacional, las estadísticas oficiales publicadas después de sus trabajos originales no han seguido enteramente las guías que él trazó. Kuznets se ha mostrado especialmente en desacuerdo con la importancia que se ha dado a las cifras del PNB frente a otros conceptos de las cuentas (como el PNN y la renta nacional). Por encima de todo, Kuznets es un hombre con un gran amor por los datos, capaz de hacer hablar a los números. Una larga columna de cifras le sugiere de inmediato una hipótesis socioeconómica importante, que habrá de ser contrastada con otra larga columna de cifras.

en los Estados Unidos es excluirlo. En cualquier caso, tales excedentes son pequeños en los Estados Unidos.

Producción sin mercado

Pasemos ahora a considerar las actividades específicas del Estado: defensa, policía, administración general. El primer problema es
que estas producciones no se venden en ningún mercado, y tenemos
que decidir la manera de atribuirles un valor. La práctica universal
es considerar representado el valor de estos «productos» por el de los
materiales y servicios de los factores que se han empleado en su
producción.

Así pues, el valor añadido por la policía se representa por los
sueldos de los agentes de la autoridad (añadiendo, si tienen importancia, los alquileres correspondientes a los puestos de policía y otros
pagos similares), que se suman simplemente al valor añadido total
del sector privado, obteniéndose así el producto nacional. Los sueldos
de la policía se suman a la renta nacional del sector privado. Como
lo que se añade a la renta nacional es igual a lo que se añade al
producto nacional, podría parecer que las cuentas del sector privado
no son afectadas por las operaciones del sector público.

Importancia de las clases de impuestos

De hecho, las cuentas del sector privado pueden ser afectadas
de modo considerable o no ser afectadas, según la *forma* en que el
Estado recaude los ingresos necesarios para pagar sus operaciones.
El lector puede encontrar esta afirmación enigmática y más bien iló-
gica, y tendría buenas razones para ese punto de vista, pero debe
seguir el razonamiento con mucho cuidado.

Supongamos que el sector privado obtiene una producción anual
de 100.000 millones de pesetas y que no hay sector público. El producto nacional y la renta nacional son de 100.000 millones, suponiendo que no hay depreciación del capital. Se crea de pronto un
sector público, que contrata trabajadores desempleados con una nómina de 5.000 millones de pesetas. Suponemos que estos trabajadores producen unos servicios que valoramos a su coste (5.000 millones), pero como antes de crearse el sector público estaban desempleados, la producción del sector privado no se ve afectada. Por
tanto, la renta nacional se eleva de 100.000 a 105.000 millones de
pesetas a consecuencia de haber surgido la actividad del sector
público.

Ahora bien, el Estado tiene que obtener unos ingresos para
pagar su nómina. Entre los diversos medios para hacerlo, hay dos
que suponen impactos completamente distintos sobre las cuentas
de la renta nacional:

1) recaudar 5.000 millones de pesetas por medio de un impuesto del 5 por 100 sobre las ventas, que afecte a la producción final del sector privado;

2) recaudar 5.000 millones de pesetas por medio de un impuesto sobre todas las rentas, que se limite a obtener exactamente esa cantidad.

En el primer caso, como hemos supuesto que no hay ninguna variación de la producción real del sector privado, *el efecto del impuesto sobre las ventas es aumentar en un 5 por 100 el precio de mercado de todos los bienes finales producidos por dicho sector privado.* El aumento de valor de la producción privada (a los precios del mercado) será pagado al Estado en forma de un impuesto sobre las ventas, quedando 100.000 millones de pesetas para ser distribuidas como rentas, exactamente igual que antes. Como las propias operaciones del sector público añaden 5.000 millones tanto a la producción nacional como a la renta nacional, tenemos que la producción nacional es igual a 110.000 millones y la renta nacional es igual a solamente 105.000 millones de pesetas.

En el segundo caso, el valor de mercado de la producción privada no es afectada. La producción nacional será de 105.000 millones de pesetas, y la renta nacional *antes de los impuestos* será de 105.000 millones de pesetas. Pero los individuos pagarán 5.000 millones en impuestos sobre la renta, con lo que su *renta disponible* sólo alcanzará los 100.000 millones de pesetas.

Los dos casos son expuestos en la tabla 20.6.

TABLA 20.6

El sector público y las cuentas de la renta nacional

(*Miles de millones de pesetas*)

	El gasto del sector público es financiado por un	
	Impuesto sobre las ventas	Impuesto sobre la renta
1. Producción privada a los precios de mercado	105	100
2. *menos* impuesto sobre las ventas	5	—
3. Rentas del sector privado	100	100
4. Valor añadido (=renta generada en el sector público)	5	5
5. PRODUCTO NACIONAL (1+4)	110	105
6. RENTA NACIONAL (3+4)	105	105
7. *menos* impuesto sobre la renta	—	5
8. RENTA DISPONIBLE	105	100

Efectos de los precios

Podría parecer así que, aunque la economía produce *exactamente los mismos bienes y servicios reales en los dos casos,* tenemos un producto nacional de 110.000 millones de pesetas en un caso y de 105.000 millones en el otro.

Como las mismas cosas se valoran en 110.000 millones de pesetas en un caso y en 105.000 millones en el otro, la diferencia tiene que deberse a *una diferencia en los precios de mercado.* Por supuesto, esta diferencia se debe al impuesto sobre las ventas aplicado en el primer caso. Algunos países (pero no los Estados Unidos) presentan en sus cuentas nacionales dos valores para el producto nacional:

Producto nacional a los precios del mercado (incluyendo los impuestos sobre las ventas y similares);

Producto nacional al coste de los factores (excluyendo estos impuestos). En nuestro ejemplo, el producto nacional al *coste de los factores* es de 105.000 millones de pesetas en ambos casos.

Para completar nuestra comparación, fijémonos en la relación entre renta y gasto. En los dos casos hay una producción privada por valor de 100.000 millones de pesetas a los *precios anteriores al impuesto,* que tiene que ser comprada con la renta, y 5.000 millones en servicios del sector público que se *proporcionan gratuitamente.*

En el caso del impuesto sobre las ventas, las personas percibieron una renta de 105.000 millones de pesetas, que son libres de gastar en su totalidad, y hay una producción privada cuyo valor a los precios de mercado es de 105.000 millones de pesetas. Por sus 105.000 millones de pesetas, los consumidores reciben bienes privados que valen 100.000 millones al coste de los factores, más unos servicios del sector público por valor de 5.000 millones de pesetas.

En el caso del impuesto sobre la renta, las personas perciben una renta de 105.000 millones de pesetas, pero de ésta sólo 100.000 millones les quedan disponibles, que pueden gastar libremente en bienes privados. La producción de bienes privados es de 100.000 millones de pesetas, con los mismos precios de mercado que antes del establecimiento de un sector público, y hay 5.000 millones de pesetas en servicios gratuitos del sector público.

El mismo flujo real

Por tanto, los bienes y servicios «reales» y su distribución (si el impuesto sobre la renta recae en la misma proporción sobre todas las rentas) no son afectados por el método de financiación. Si:

1) tomamos las rentas disponibles,
2) corregimos las diferencias de precios,
3) y añadimos los servicios gratuitos del sector público,

obtenemos la misma «renta real efectiva» en ambos casos, como se ve en la tabla 20.7.

Tabla 20.7

El sector público y las cuentas de la renta nacional

(*Miles de millones de pesetas*)

	Caso del impuesto sobre las ventas	Caso del impuesto sobre la renta
1. Renta disponible	105	100
2. Variación de los precios	+5%	—
3. Renta disponible «real» (línea 1 ajustada a los precios originales)	100	100
4. Servicios del sector público gratuitos	5	5
5. Renta efectiva «real»	105	105

La línea 5 representa el valor, a los precios anteriores al establecimiento del sector público, de los bienes y servicios obtenidos por los miembros de la economía, ya sean comprados en el mercado u ofrecidos gratis por el sector público.

Las cifras de esta tabla se han deducido de la tabla 20.6. Respecto a la variación de los precios, véase el texto.

En el cálculo de las cuentas, excluimos de la renta nacional los impuestos sobre las ventas y los demás impuestos «indirectos» similares, pues no aparecen como renta de nadie en ninguna fase. Sin embargo, tenemos en cuenta los impuestos sobre la renta, pues las personas los incluyen como parte de su renta personal. Si se pregunta a cualquier persona cuál es su renta, dará la cifra *antes* de deducir el impuesto sobre la renta. La distinción es simplemente ilusoria, ya que la renta de un individuo (en el sentido de la cantidad que puede gastar libremente sin disminuir su riqueza) es en realidad su *renta disponible*. Es la renta disponible, después de ajustada a los precios (*renta disponible real*), la que es igual cualquiera que sea la forma en que el sector público financie sus operaciones.

Cualquiera que sea el mérito lógico de la convención, el *hecho* es que las cuentas de la renta nacional en los Estados Unidos se presentan incluyendo en el PNB tanto las consignaciones para el desgaste del capital como los impuestos indirectos (del tipo del impuesto sobre las ventas). Para obtener la renta nacional a partir del PNB, deducimos las consignaciones para el desgaste del capital (obteniendo el PNN o producto nacional neto), y después los impuestos indirectos y algunas partidas menores, llegándose así finalmente a la renta nacional.

En las cuentas de los Estados Unidos, las subvenciones al sector privado se consideran impuestos indirectos *negativos,* pues una subvención permite que un determinado bien sea vendido por una cantidad menor que las rentas que genera, mientras que un impuesto sobre las ventas presupone que los consumidores pagan una cantidad mayor que las rentas generadas.

Los beneficios de las empresas públicas (tales como la Tennessee Valley Authority, o el Servicio de correos) pueden ser considerados rentas directas del sector público. En los Estados Unidos se reúnen con los impuestos indirectos, ya que el beneficio del sector público puede representarse como un impuesto sobre las ventas, igual al beneficio por unidad, cargado sobre el precio de coste. Las pérdidas de las empresas públicas son tratadas como subvenciones.

No toda la renta nacional llega directamente a las personas. Entre las partes de la renta que no llegan están los beneficios no distribuidos de las sociedades anónimas, pues aunque los accionistas continúan siendo sus propietarios nominales, las decisiones están en manos de las sociedades. Análogamente, los impuestos sobre los beneficios de las sociedades se deducen en las cuentas de cada sociedad antes de pagar a los accionistas y no forman parte de las rentas personales. En los Estados Unidos, los pagos a la seguridad social son tratados de manera análoga a los beneficios no distribuidos de las sociedades, pues están fuera del control de las personas que posteriormente pueden recibir las pensiones y subsidios de la seguridad social y, por tanto, se excluyen de las rentas personales. En el otro sentido, los pagos de transferencia del sector público a las personas individuales son parte de la renta personal, pero no parte de la renta nacional, pues no representan pagos por servicios productivos corrientes. Por tanto, obtenemos la *renta personal* restando de la renta nacional los beneficios no distribuidos, los impuestos de sociedades y los pagos a la seguridad social, y sumando los pagos de transferencia percibidos por los individuos.

Si de la renta personal deducimos los impuestos personales, obtenemos la *renta personal disponible (RPD),* que es la parte de la renta total del país sobre la cual tienen las personas individuales un control final. La figura 20.1 muestra, en un gráfico de barras, las relaciones entre los principales componentes de las cuentas de la renta nacional en los Estados Unidos en 1970. El diagrama representa la interpretación oficial de estas relaciones, según el Departamento de Comercio.

RECAPITULACIÓN 20.5. *El sector público aporta su producción «gratuitamente» a la economía, pero compra recursos en el mercado. Este hecho introduce complicaciones en las cuentas de la renta nacional, en las cuales los principales totales son distintos cuando el sector público financia sus operaciones por medio de un impuesto sobre las ventas que cuando lo hace por un impuesto sobre la renta. Estas complicaciones surgen de las convenciones utilizadas en las cuentas.*

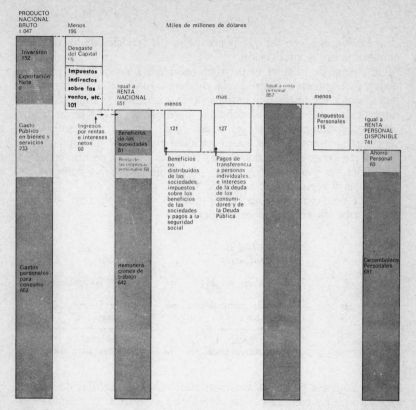

Fig. 20.1.—*Relaciones entre las principales magnitudes de los flujos de la renta y de la producción: Producto Nacional Bruto, Renta Nacional, Renta Personal y Renta Personal Disponible. Se ilustran estas relaciones con las cifras de las cuentas nacionales de los Estados Unidos para 1971.*

20.6. Producción, renta y gasto

Cómo podemos observar las cuentas desde tres puntos de vista diferentes y ver la renta total como un flujo circular

Hemos examinado la relación entre el producto y la renta nacional desde el lado de la producción, pero el resultado de la actividad económica se puede observar desde otro punto de vista: desde el lado del gasto.

Para cada bien que pasa por el mercado ha habido un comprador y un vendedor. Al observar las transacciones sobre la producción final en el mercado, hemos concentrado principalmente nuestra atención hasta ahora en el punto de vista del vendedor, que obtiene de ellas los ingresos con los que puede pagar los servicios de los factores empleados en la producción.

En lugar de calcular el producto nacional fijándonos en los vendedores (empresas), hallando la diferencia entre sus ventas y los materiales y repuestos que emplean (valor añadido) y sumando estas diferencias para obtener el producto nacional originado en el sector privado, podríamos mirar las cosas desde el lado del comprador. Calcularíamos entonces el gasto nacional fijándonos en los compradores (empresas e individuos), hallando los valores de sus compras de bienes de uso final (es decir, prescindiendo de las compras de materiales y repuestos) y sumando dichos valores.

Para una economía sin sector público y sin comercio exterior, tendríamos las siguientes relaciones:

	Enfoque basado en la producción		*Enfoque basado en el gasto*
Hallando el	Valor de las ventas totales	=	Valor de las compras totales
Restando las	Ventas de materiales y repuestos	=	Compras de materiales y repuestos
Se obtiene el	Producto nacional (=producción final)	=	Gasto nacional (=compras para uso final)

Las compras para *uso final* son relativamente sencillas de identificar. Todas las compras de las *economías domésticas* (consumo) son de uso final, como lo son todas las compras de *nuevo equipo de capital* (inversión) que realizan las empresas. Las compras, por parte de las empresas, de cosas que no son equipo de capital, hay que suponer, por el contrario, que se utilizan para la producción y no son de uso final. Por tanto, podemos determinar el *gasto nacional* (y así la producción nacional) sumando *el gasto personal para consumo* y el *gasto de las empresas privadas para inversión*.

El sector público como comprador

¿Qué ocurre si hay un sector público? Los productos propios del sector público no se venden en el mercado y por ello no se corresponden con ningún gasto de los miembros de la economía. En realidad, estos servicios se proporcionan gratuitamente a los individuos. Por otra parte, el sector público tiene que comprar los bienes y los servicios de los factores con los que obtiene su producción y, por tanto, los servicios no son gratuitos para la sociedad en su conjunto.

Resolvemos el problema del sector público considerando a este sector como un *comprador final*. Esto equivale a suponer que el sector público compra su propia producción *por cuenta* de las economías domésticas. Como la producción total del sector público se considera equivalente a los bienes y servicios que ha empleado para obtener aquella producción, hallamos el gasto nacional total sumando el gasto del sector público en bienes y servicios al gasto de los consumidores y al gasto para inversión de las empresas privadas.

Hay que señalar que en el «valor añadido» por el sector público *no se incluyen,* lo que es correcto, las compras de dicho sector en materiales y repuestos, mientras que en el gasto del sector público se *incluyen* estas partidas. Por tanto, la «producción originada en el sector privado» incluye los materiales y repuestos vendidos al sector público, mientras que el «gasto privado» no los incluye, por lo que no son iguales. No obstante, «producto nacional» y «gasto nacional» son iguales si se ha incluido correctamente al sector público.

La tabla 20.8 muestra la relación entre producción, renta y gasto en los Estados Unidos en 1970.

TABLA 20.8

Cuentas de la renta nacional de los Estados Unidos, 1970

(Miles de millones de dólares)

Método de la renta		*Método de la producción*		*Método del gasto*	
Salarios	602	Sector privado	860	Consumo	620
Otras rentas	194	Producción del sector público	114	Inversión	135
Impuestos indirectos y depreciación	178			Gasto del sector público	219
PNB	974	PNB	974	PNB	974

Los efectos del comercio exterior, que fueron pequeños (la exportación superó a la importación en menos de 4.000 millones de dólares), se han incluido en las partidas «otras rentas», «sector privado» y «consumo», en las columnas respectivas.

Comercio exterior

Si la economía comercia con el exterior hay una diferencia potencial entre el producto nacional y el gasto nacional que no existe en una economía cerrada. Aunque todo lo que representa una venta tiene que representar también una compra, el vendedor puede estar en España y el comprador en los Estados Unidos. Análogamente, algunas de las compras efectuadas por residentes en España pueden corresponder a ventas en Italia. Por consiguiente, aunque el *producto mundial* tiene que ser igual al *gasto mundial,* el producto *nacional* (valor de la producción y de las ventas de las empresas de un determinado país) no tiene por qué ser igual al gasto *nacional* (gasto de los residentes del país).

No obstante, en la mayoría de los países lo más frecente es que el valor total de las ventas al extranjero (exportaciones) se aproxime mucho al valor total de las compras en el extranjero (importaciones). Si los dos valores son exactamente iguales, el producto vendido en el extranjero es igual al gasto en bienes extranjeros, así que los dos efectos se anulan entre sí. Algunos países —por ejemplo los que reciben una gran ayuda exterior— mantienen un gasto nacional superior al producto nacional, en tanto que otros tienen un producto nacional superior al gasto nacional. En el año de máximas donaciones en ayuda exterior (1947), el producto nacional de los Estados Unidos sobrepasó al gasto nacional en 12.000 millones de dólares (4 por 100 del PNB).

Como cada venta corresponde a una compra —el valor de la producción corresponde a los pagos por los recursos y materiales incorporados en los productos y los gastos corresponden a las rentas—, resulta útil con frecuencia considerar la renta como algo que *circula* en un circuito a través de la economía.

Si tomamos una economía simplificada y cerrada (autosuficiente), sin sector público, en la que no se producen bienes de capital y todo el capital existente dura para siempre, podemos considerar la producción como generadora de una renta del mismo valor, que se convierte en un gasto suficiente para comprar la producción, completándose así el circuito que se recoge en la figura 20.2.

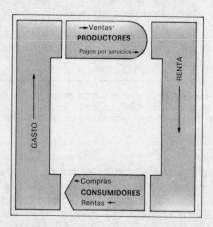

FIG. 20.2.—*El flujo circular de la renta para una economía simplificada sin sector público, ni sector de capital, ni sector exterior.*

Si existe un sector público, que recauda impuestos sobre la renta y los gasta en proporcionar servicios gratuitos, hay que añadir un circuito adicional, como se ve en la figura 20.3. Parte de la renta fluye hacia el sector público (vía impuestos), y después corre a unirse con el gasto de los consumidores y hace que el gasto total iguale al producto total.

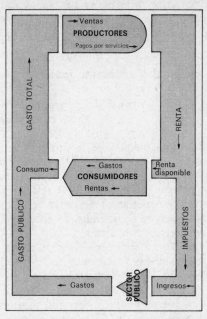

Fig. 20.3.—*El flujo circular de la renta para una economía con sector público.*

La renta no fluye *realmente* de esta simple manera circular. En cada fase del proceso se toma la *decisión* entre gastar y no gastar. Las decisiones pueden basarse en planes preestablecidos, pero con frecuencia siguen a los hechos. Por añadidura, hay que contar con el tiempo. En consecuencia, la producción vendida en un día cualquiera no se compra realizando un gasto determinado por las rentas pagadas ese mismo día, sino por rentas pagadas con anterioridad. Muchos problemas surgen en el funcionamiento de la economía por el hecho de *no* ser el flujo un circuito continuo automático. El estudio de las interrupciones del circuito y de cómo se divide en ramas separadas que no se ajustan automáticamente constituye el contenido fundamental de la *macroeconomía*, que será el tema de varios capítulos a continuación.

RECAPITULACIÓN 20.6. *Como cada venta tiene su contrapartida en una compra, podemos enfocar las cuentas de la renta nacional desde la vertiente del gasto. Las ventas totales de los productos finales tienen que ser iguales a las compras totales de los bienes finales, con algunas modificaciones debidas al comercio exterior. A efectos ilustrativos, es útil imaginar la renta, igual a la producción, circulando a través de la economía para originar el gasto que pague la producción. Este flujo es en verdad cualquier cosa menos sencillo y automático, y los capítulos siguientes se ocuparán de los problemas que se plantean por el hecho de no serlo.*

20.7. Producto nacional y bienestar material

*Algunas deficiencias del producto nacional
como índice de bienestar*

Como el PNB es una medida de la producción total de la economía, podría pensarse que es también un índice aceptable del bienestar material de la sociedad. Por supuesto, la comparación de los valores del PNB en pesetas corrientes podría reflejar solamente variaciones de los precios, y deberíamos deflactar aquéllos por medio de un índice de precios —como se ha indicado en el capítulo 19— para obtener el *PNB en pesetas constantes.*

Sin embargo, quedan muchos problemas prácticos y conceptuales, incluso después de ajustar las variaciones de los precios (y las variaciones de población). El PNB, claro está, no refleja la distribución de la renta —y no está adaptado para ese objetivo— pero existen otros problemas. Los bienes públicos han sido sumados (aunque solamente por su valor de coste, y no necesariamente ponderados de manera que reflejen su valor social), pero los males públicos no han sido restados.

¿Costes o ventajas?

Una buena ilustración del problema es la ofrecida por la producción dedicada a la defensa nacional. La existencia de una gran capacidad defensiva, ¿es una ventaja positiva en sí, que aumenta claramente el bienestar social, o es simplemente un coste para mantener intacto el sistema económico y social, que es del que se derivan las verdaderas ventajas? En este último caso, aquella parte de la producción total deberá ser restada en cualquier valoración total de las ventajas, pues de no hacerlo habrá una doble contabilización.

Consideremos una pequeña tribu de 100 personas, que viven, de modo sencillo y pacífico, produciendo una tonelada de alimentos por persona y año. Supongamos ahora que la tribu es amenazada por unos agresivos forasteros que han aparecido de pronto en las montañas. Para asegurar la pervivencia de su sociedad, 20 miembros de la tribu son retirados de la producción de alimentos para constituir una unidad de protección. Esta unidad consigue impedir la entrada de los invasores, pero la producción de alimentos se ha reducido en un 20 por 100. ¿Está, en algún sentido, peor la tribu que antes? Seguramente la mayoría de nosotros considerará que, en efecto, ha empeorado, y que el descenso del 20 por 100 de su producción de alimentos es un buen indicador de la pérdida de bienestar.

Sin embargo, las estadísticas ordinarias del PNB no mostrarían este hecho. Supongamos que la economía de la tribu está monetizada, que los alimentos se vendían en el mercado a 20 pesetas el kilo, y que cada miembro de la tribu percibía una renta anual de 20.000 pesetas, el valor de lo producido por él. El PNB representaría dos millones de pesetas, calculado bien a partir de 100 toneladas de producto a 20 pesetas el kilo, o a partir de cien rentas de 20.000 pesetas cada una. Ahora bien, supongamos que cuando la tribu se ve amenazada los hombres de la guardia son retribuidos con el mismo salario (20.000 pesetas) y que estos costes de defensa (400.000 pesetas) se financian por medio de un impuesto del 20 por 100 sobre la renta. El PNB continúa siendo de dos millones de pesetas (1.600.000 pesetas de rentas agrícolas más 400.000 de rentas de la guardia), y la tribu no ha empeorado en apariencia. Este resultado procede de considerar a cada hombre de la guardia como si contribuyese con una ventaja igual a su salario, que es, a su vez, el valor de lo que *habría producido* en la agricultura si hubiera seguido empleado en ella. Así es precisamente cómo se trata esta cuestión en las cuentas normalizadas de la renta nacional.

Podemos argumentar, por supuesto, que *después de la amenaza exterior* la tribu está mejor con su defensa que sin ella. Pero lo que las estadísticas indican es que la tribu disfruta exactamente *de la misma situación de bienestar que tenía* en tiempos de paz, aun cuando ahora está sujeta a una amenaza externa y cuenta con menos alimentos para todos.

Para poner un ejemplo más realista, el PNB de los Estados Unidos (en dólares de 1958) *cayó* de 361.000 millones de dólares en 1944 a 310.000 millones de dólares en 1947, pasada ya la segunda guerra mundial. Por otro lado, *si se deducen los gastos de defensa*, el PNB *subió* en realidad de 218.000 millones de dólares en 1944 a 293.000 millones en 1947. ¿Estaban mejor o peor los Estados Unidos en 1947 que en 1944?

Depreciación del medio ambiente

Otro problema es la depreciación del medio ambiente, que puede no contarse adecuadamente ni siquiera cuando se intenta estimar el PNN. La depreciación del equipo de capital privado empleado en la economía se contabiliza cuidadosamente y se deduce para el cálculo de los impuestos porque es un coste privado. Sin embargo, la depreciación de otros recursos que, como el capital, empeoran con el uso, no ha recibido nunca la cariñosa atención dedicada a la depreciación del capital. Sucede esto con el capital humano y asimismo con el medio ambiente como recurso. En este último caso, los costes de depreciación son en su mayor parte públicos y no privados, y el pago puede ser transferido a las generaciones futuras: dos razones que llevan fácilmente a descuidarlos.

El efecto de la economía sobre el medio ambiente es doble: hay cosas que se extraen del medio ambiente y hay cosas que se añaden a él. Algunos de los costes del desgaste ambiental, como el agotamiento de los recursos minerales, aparecen como costes privados, porque el derecho a los minerales se ha convertido en propiedad privada. Pero estos costes privados pueden ser muy distintos de los verdaderos costes sociales, por varias razones: la más importante de ellas es que la depreciación estimada por las sociedades mineras se relaciona únicamente con el precio pagado por los recursos minerales, pudiendo ser muy diferente de su valor social a largo plazo. Además, los costes privados pueden no reflejar el verdadero grado de agotamiento o los verdaderos costes sociales. El modo más barato (el menor coste *privado)* de obtener carbón superficial es simplemente ripar la cobertura no mineral, arrancar el carbón y después marcharse dejando una amplia y fea herida en el paisaje. Evidentemente, la depreciación del medio ambiente es mayor que el simple valor del agotamiento de los recursos de carbón.

La adición de cosas al medio ambiente, o contaminación ambiental, tiene todavía menos probabilidades de reflejarse en los costes privados, y sus características son las de un típico mal público. Casi toda la contaminación resulta de los efectos de la producción conjunta, pero no siempre es el resultado de actividades productivas, pues las aguas residuales y las basuras son productos conjuntos con las actividades de consumo.

El verdadero problema de la depreciación del medio ambiente no consiste en realidad en que los costes sean sociales en lugar de privados: ésta es sólo una cuestión de distribución. El problema está en que *los costes ni se pagan ni se contabilizan.*

Los Estados Unidos (y otros países industriales) han estado depreciando el medio ambiente durante siglos, y con especial rapidez en las décadas recientes. Si el capital ordinario se depreciase de este modo por falta de reparación o reposición, *deduciríamos* del PNB el valor de esta depreciación para obtener la verdadera estimación de la producción *neta.* Como esto no se ha hecho con la depreciación ambiental, hemos estado *sobreestimando* nuestra producción neta. Hemos estado robando, de hecho, a las generaciones futuras y contabilizando el robo como producción nuestra.

RECAPITULACIÓN 20.7. *E! PNB en pesetas constantes es una medida de la producción material de la sociedad. Sin embargo, como índice de bienestar material presenta deficiencias conceptuales y prácticas. Los gastos de defensa, por ejemplo, aparecen como si la defensa fuese una adición neta a las ventajas de la sociedad, aunque podrían ser simplemente un coste para mantener su actividad. La depreciación ambiental puede no ser contabilizada al estimar la producción neta, lo que lleva a una sobreestimación de la producción corriente.*

RESÚMENES DE LAS SECCIONES. *Para repasar el contenido de este capítulo, hojéese el texto y vuélvanse a leer los trozos titulados «Recapitulación» que ponen fin a todas las secciones.*

TÉRMINOS Y CONCEPTOS DEL CAPÍTULO 20

Producto nacional bruto
Producto nacional neto
Renta nacional
Renta disponible
Flujo circular de la renta

EJERCICIOS

Se dan los siguientes datos de una economía imaginaria, en 1972, viniendo expresadas todas las cifras en millones de unidades de la moneda del país en cuestión:

Salarios, 100.
Impuestos sobre la renta, 20
Consignaciones por desgaste del capital, 25.
Rentas, excepto salarios, 40.
Impuestos indirectos, 10.

Se conocen además los siguientes hechos: No existen sociedades anónimas y toda la renta es pagada directamente a las personas; no hay pagos de transferencia, y el gasto del sector público es exactamente igual a los impuestos (presupuesto equilibrado) dedicándose exclusivamente a la provisión de servicios públicos al país.

Calcúlense para esta economía, en 1972, los siguientes valores:

1. Producto nacional bruto.
2. Producto nacional neto.
3. Renta nacional.
4. Renta personal.
5. Renta personal disponible.
6. Producto bruto del sector público.
7. Producto bruto del sector privado.
8. Gasto para consumo, supuesta una inversión igual a 35.

PARA REFLEXIÓN Y DISCUSIÓN

1. Supóngase que la economía sólo consiste en un sector privado, sin sector público ni transacciones exteriores. ¿Cómo aparece-
rían las cuentas nacionales si las empresas en su conjunto sufrie-
ran pérdidas? (Esto sucedió en los Estados Unidos en 1932.)

2. Indique cuantos bienes y servicios se le ocurra que puedan
ser producidos por las economías domésticas para su propio uso,
pero que podrían ser comprados en el comercio o producidos con
trabajo contratado por la economía doméstica.

¿Cree usted que el PNB es *gravemente* subvalorado por omitirse
la producción en la propia economía doméstica?

3. En los Estados Unidos la producción nacional y el gasto
nacional son casi iguales. En unos cuantos países, los dos valores
difieren señaladamente. Sin preocuparse acerca de sus causas, ¿qué
cree usted que sería «mejor» para un país:

a) que su producción nacional fuera de 100 millones de unidades monetarias y su gasto nacional de 80 millones, o

b) que su producción nacional fuera de 80 millones y su gasto
nacional de 100 millones?

4. ¿Que sucedería al «flujo circular» si los perceptores de rentas decidieran no gastarlas en su totalidad?

Capítulo 21
ANALISIS RENTA - GASTO

21.1. Introducción

Qué pretende explicar el análisis renta-gasto

¿Qué influyó en el PNB real en los Estados Unidos para que descendiera casi un 30 por 100 de 1929 a 1933, a pesar de no registrarse una disminución de los recursos reales? ¿Y por qué razones se mantuvo por debajo del nivel de 1929 durante siete años consecutivos a partir de 1930? ¿Se debió solamente a factores históricos especiales o a la forma en que opera el sistema económico? ¿Podrían repetirse estos hechos? ¿Sabemos cómo evitar su repetición? ¿Por qué la economía no opera siempre al nivel de su plena capacidad?

Si se dispone de la información adecuada, ¿seremos capaces de prever el nivel del PNB real del país para una fecha determinada? ¿Podemos influir sobre ese nivel, o está completamente predeterminado? Si podemos influir sobre él, ¿qué debemos manipular para conseguirlo? ¿Podemos prever exactamente el efecto de nuestras manipulaciones? ¿Cuál será el efecto de un aumento de los impuestos sobre el PNB real? ¿Cuál el efecto de una súbita expansión de las inversiones de los empresarios? ¿Y el de una variación del gasto público?

¿Puede la economía operar con regularidad, o contiene un mecanismo interno que la obliga a fluctuar en su actividad? ¿Crecerá la economía de un modo automático a lo largo del tiempo, o necesita ser impulsada? ¿Existe el peligro de un estancamiento de la economía durante largos períodos?

Estas son algunas de las preguntas que el análisis renta-gasto puede ayudar a contestar.

Enfocamos este estudio desde un punto de vista macroeconómico. No intentamos, por ejemplo, descubrir por qué la economía no está operando al nivel de su plena capacidad investigando por separado por qué la Industria 1 no lo está, después haciéndolo con la Industria 2, y así sucesivamente hasta completar la lista de industrias. Suponemos que el problema está en algo que penetre la economía entera y que no puede encontrarse mediante una búsqueda industria por industria. Por tanto, procedemos según las líneas macroeconómicas habituales, tratando la economía como si produjera un único bien, al que llamamos producción real o PNB real: aunque suponemos que la producción tiene usos diferentes y, por tanto, la demanda puede provenir de diferentes sectores de la economía por diversas razones.

RECAPITULACIÓN 21.1. *El análisis renta-gasto es un estudio de la economía desde un punto de vista macroeconómico, ideado para contestar a preguntas tales como por qué hay recesiones, cuáles serán los efectos de las variaciones del gasto público y los impuestos y cuáles los efectos de las variaciones de la inversión sobre el nivel de producción de la economía.*

21.2. Detracciones e inyecciones

*Cómo puede romperse y repararse
el «flujo circular» de la renta*

Empecemos por una economía muy simplificada, cuya producción la compran solamente los consumidores. Podemos suponer que el producto del sector producción asciende a un determinado nivel real que se valora, a precios corrientes, en 100 millones de pesetas. No hay depreciación ni impuestos, así que los 100 millones obtenidos por la venta del producto se pagan en forma de *rentas personales,* es decir, salarios, remuneraciones por el empleo de recursos aparte del trabajo y beneficios, como se ha descrito en el capítulo 20 e ilustrado en la figura 20.2.

Si los consumidores no proyectan otra cosa que gastar su renta en el período siguiente, los 100 millones de pesetas darán origen, o generarán, un gasto de 100 millones de pesetas.

Equilibrio

En este caso, el valor de la producción corriente es exactamente igual al valor del gasto planeado. La renta, que constituye el lazo entre ambos, tiene también el mismo valor. Podemos imaginar los

100 millones en forma de un *flujo circular* sin obstáculos, como el
que se ilustra en la figura 21.1 (que representa en esencia el mismo
flujo que la figura 20.2). La venta de la producción proporciona
100 millones de pesetas, que se pagan en forma de rentas que totalizan una suma idéntica, a partir de la cual se generan 100 millones
de pesetas de gasto, que llevan a unas ventas posteriores por importe de 100 millones de pesetas y así sucesivamente, ciclo tras ciclo.

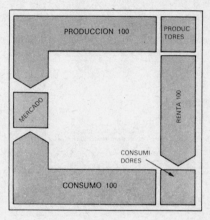

Fig. 21.1.—*El flujo circular de la renta, en equilibrio. (Unidad: millones de
pesetas.)*

En ausencia de algo que induzca a los productores a variar el
nivel de producción o a los consumidores a no gastar íntegramente
sus rentas, la situación podría resistir indefinidamente. Es una situación de *equilibrio*.

Detracciones

Supongamos ahora que los consumidores proyectan gastar en los
bienes producidos por la economía una cantidad *inferior* a sus rentas.
La hipótesis más realista compatible con este extremadamente simplificado modelo es que los consumidores gastan parte de sus rentas
en *otra* economía. Para ser más concretos, supongamos que todas
las rentas son pagadas en oro, el cual es aceptado en cualquier parte
del mundo y es la única clase de dinero, y que los consumidores
pasan unas vacaciones anuales en el extranjero, durante las cuales
gastan en conjunto 10 millones de pesetas.

Los 10 millones de pesetas gastados en el extranjero no se des-
tinan a comprar productos de la economía nacional, y sólo 90 de
los 100 millones de pesetas de las rentas quedan disponibles para
comprar la producción nacional. Si los productores continúan pro-

duciendo como antes, se encontrarán con que ya no pueden vender la producción en 100 millones de pesetas, pues los compradores sólo gastarán 90 millones. El flujo circular simplificado se ha roto, como lo refleja la figura 21.2. Han salido de la circulación 10 millones de pesetas, que se han perdido en el intervalo entre la recepción de las rentas y la creación del gasto. Decimos en este caso que los 10 millones de pesetas son una *detracción* del flujo renta-gasto.

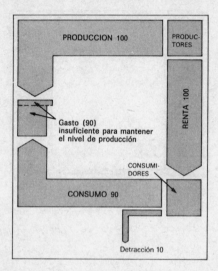

Fig. 21.2.—*Detracción del flujo circular de la renta, que conduce al desequilibrio. (Unidad: millones de pesetas.)*

¿Qué sucederá si los productores continúan obteniendo la producción inicial y los compradores tienen 10 millones de pesetas menos para gastar? Algo tiene que ceder.

Inyecciones

Antes de examinar este problema particular, consideremos qué tipo de acontecimientos evitaría que sucediera esto, a pesar de la detracción. Supongamos que otro país —no importa si se trata o no del mismo país donde nuestras gentes pasan sus vacaciones— desea algunos de los bienes producidos en el nuestro. En particular, supongamos que este otro país desea cambiar oro por 10 millones de pesetas de la producción nacional. Dicho gasto, que procede del exterior del flujo renta-gasto primario, se denomina *inyección* en el flujo de la renta.

La inyección añade 10 millones de pesetas al gasto total en la producción nacional, exactamente lo necesario para compensar los

10 millones de la detracción. La producción de 100 millones de pesetas genera ahora 100 millones de pesetas en rentas, de las cuales 10 millones se detraen y 90 millones van a comprar la producción nacional. A estos 90 millones de pesetas se añaden los 10 millones de inyecciones, dando un gasto total en producción interior de 100 millones de pesetas: exactamente el necesario para comprar la producción corriente. Aunque el flujo circular se ha roto, las pérdidas que sufre (detracciones) son compensadas exactamente por las ganancias (inyecciones), y puede sostenerse el nivel existente de la producción en tanto no se modifiquen las detracciones o las inyecciones. Esto se ilustra en la figura 21.3.

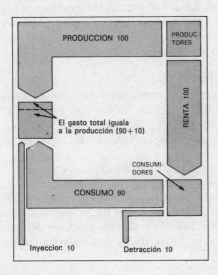

Fig. 21.3.—*Equilibrio mantenido por ser la inyección igual a la detracción. (Unidad: millones de pesetas.)*

Obsérvese que en este análisis no nos interesa lo que ocurre con las detracciones, a condición de que no se gasten en la producción interior, ni el origen de las inyecciones, a condición de que no procedan de las rentas interiores.

La condición compensadora

Estamos ahora en condiciones de enunciar la proposición fundamental del análisis renta-gasto:

El nivel de equilibrio de la producción de la economía puede mantenerse invariable si las detracciones totales, cualquiera que sea su causa, son exactamente compensadas por las inyecciones totales, cualquiera que sea su origen.

Si las inyecciones hubieran totalizado cinco millones de pesetas en lugar de 10 millones, habríamos vuelto realmente al mismo tipo de problema que teníamos cuando no había inyecciones. Con una producción de 100 millones de pesetas, tendríamos 100 millones de rentas que generarían un gasto, de fuentes internas, de 90 millones. Añadiendo la inyección de cinco millones del exterior, el gasto total interno sería de 95 millones de pesetas, inferior a los 100 millones de pesetas del valor corriente de la producción.

Lo que importa es la relación *entre* las inyecciones y las detracciones. Si las inyecciones son inferiores a las detracciones, las pérdidas en el flujo renta-gasto no se compensan con las ganancias del exterior. El gasto total, incluyendo las inyecciones, es menor que la renta total, que tiene que ser igual al valor planeado de la producción. Por tanto, el gasto es insuficiente para comprar la producción planeada, y algo tiene que cambiar.

Procesos de ajuste

Si los productores se encuentran con que, después de haber producido o proyectado producir bienes por valor de 100 millones de pesetas a los precios corrientes, los compradores sólo gastan 90 millones (o 95 millones), dispondrían de dos tipos de ajuste.

1) Podrían continuar vendiendo a los precios anteriores, pero reduciendo su *producción real* un 10 por 100 (o un 5 por 100).

2) Podrían continuar obteniendo la misma producción real que antes, pero reduciendo los *precios* un 10 por 100 (o un 5 por 100). Esto significa que *todos* los precios (incluyendo los precios de los factores y, por tanto, los *salarios),* descenderían un 10 por 100 (o un 5 por 100).

También es posible alguna combinación formada por una reducción de la producción real y una reducción de los precios, pero en este libro nos concentraremos normalmente en los dos casos extremos.

Tanto si el resultado es una reducción de la producción real como si es una reducción de los precios, o ambas cosas a la vez, podemos decir sin lugar a error que estas fuerzas están ejerciendo una *presión descendente* sobre la economía. Si las inyecciones hubieran superado a las detracciones (si la demanda exterior de producción nacional fuese de cinco millones de pesetas pero solamente se gastara en el extranjero un millón de pesetas de la renta nacional, por ejemplo), el gasto planeado *excedería* de la producción a los valores corrientes. Habría entonces una *presión ascendente,* que tendería a aumentar la producción real, el nivel de precios o ambos.

Un excedente de las detracciones sobre las inyecciones ejerce una presión descendente sobre la economía. Un excedente de las inyecciones sobre las detracciones ejerce una presión ascendente.

RECAPITULACIÓN 21.2. *La economía puede mantenerse en equilibrio solamente si la renta existente genera el gasto suficiente para comprar la producción a partir de la cual se genera la renta. Cualquier parte de la renta que no se gaste en esta producción (que se gaste, por ejemplo, en el extranjero) representa una detracción del flujo renta-gasto. El gasto que no depende de la renta (por ejemplo, las compras de los extranjeros) representa una inyección en el flujo. La economía sólo puede estar en equilibrio si las detracciones son iguales a las inyecciones. Hay una presión descendente (sobre los precios, sobre la producción real, o sobre ambas cosas) si las detracciones superan a las inyecciones, y una presión ascendente si las inyecciones superan a las detracciones.*

21.3. Guiones keynesiano y monetarista

Dos guiones diferentes para el ajuste de la economía

Vimos en la sección anterior que un excedente de las detracciones sobre las inyecciones provocaría una presión descendente sobre la economía, y que esta presión descendente podría originar una reducción de la producción real o un descenso de los precios, o acaso ambas cosas a la vez. No intentamos decir entonces *cuál* de estas cosas sucedería. Ello fue porque existe desacuerdo entre los economistas sobre la importancia a conceder a los dos tipos de ajuste.

Guiones, no teorías

Parece mejor describir las diferencias entre estos dos tipos como si fueran diferencias en los guiones o narraciones empleados para describir el proceso de ajuste. En realidad no existen dos *teorías* distintas enzarzadas en alguna especie de conflicto, pues las dos son compatibles con un análisis del equilibrio general de la economía formulado en toda su extensión. Las diferencias son esencialmente *de hecho* (pero no comparables con facilidad), y llevan a algunas diferencias importantes en el enfoque de la política económica.

Uno de los guiones es el *keynesiano*, debido a John Maynard Keynes (en el capítulo siguiente figura una cápsula suplementaria sobre él), de cuya obra se deriva todo el análisis gasto-renta. El guión keynesiano pone de relieve el efecto descendente sobre la *pro-*

——— **Cápsula suplementaria 21.1** ———————————————

LA TEORIA MONETARIA: UNA BREVE VISION ANTICIPADA

El papel del dinero en la economía será estudiado con detalle en el capítulo 26 (páginas 723 a 745). Sin embargo, no podemos aguardar hasta ese punto sin antes decir algo sobre el dinero, así que se aprovecha aquí una oportunidad para exponer por anticipado algunas de sus propiedades fundamentales. Por dinero entendemos el *stock* o *cantidad* de dinero, que se considera generalmente compuesta del efectivo (moneda metálica y papel moneda) en poder del público más los saldos totales de las cuentas corrientes a la vista. ¿Por qué los saldos de las cuentas corrientes a la vista? Porque en la mayoría de las transacciones los pagos pueden hacerse con cheques tan fácilmente (en muchos pagos, más fácilmente) como con dinero en efectivo. Por ello, 1.000 pesetas en una cuenta corriente a la vista pueden considerarse prácticamente igual, en cuanto a sus posibilidades de utilización, que 1.000 pesetas en billetes.

En el uso común, el término «dinero» se emplea de forma intercambiable con lo que debería denominarse con mayor propiedad «renta» o «gasto». Cuando hablamos de la demanda de dinero, o de la cantidad deseada de dinero, nos referimos al stock de dinero que será retenido *sin gastar*, no a la demanda de gasto. Podemos suponer que a todo el mundo le gustaría tener más renta o gasto (si ello no implicase renunciar a algo), pero no todo el mundo querría retener más dinero. Por lo tanto, mientras que la demanda de gasto o renta puede ser insaciable, la demanda de dinero para retener, sin gastar, permanentemente en la cuenta del Banco es finita y está determinada por las circunstancias de cada individuo.

Las gentes *retienen* dinero, en lugar de cambiarlo por bienes y servicios, porque necesitan una capacidad de reserva para futuros pagos, tanto esperados como inesperados. Esta es la razón de que las gentes mantengan fondos en sus cuentas bancarias y dinero en efectivo en sus bolsillos. Como los pagos esperados tenderán a ser mayores o menores en proporción a los niveles generales del gasto, que a su vez serán ma-

———————————————————————————————————————

ducción real, suponiendo (y aquí es donde surge el problema de hecho) que en el funcionamiento efectivo de la economía los precios reaccionan poco o muy lentamente y que los ajustes se efectúan reduciendo la producción corriente (lo que lleva a despidos y desempleo), con lo cual se logra la necesaria reducción de la producción real.

El guión alternativo es el *monetarista.* Es realmente el guión inicial, prekeynesiano, resucitado en la década de los 60 por Milton Friedman, economista americano contemporáneo. La narración monetarista hace hincapié en la *flexibilidad* de los precios, así que la presión descendente acabará originando reducciones de los precios y no de la producción real, aunque la producción real puede descender temporalmente mientras se esté llevando a cabo el proceso de ajuste de los precios. Como su nombre indica, los monetaristas están también muy interesados en la relación entre el flujo renta-gasto y la cantidad de dinero. Los keynesianos están muy interesados en la relación entre las detracciones y la renta.

yores o menores en proporción a las rentas, podemos esperar que las
gentes deseen retener saldos en dinero en cierta proporción con sus
rentas. Si las rentas aumentan, las gentes querrán retener más dinero; si
las rentas disminuyen, querrán retener menos.

¿Qué sucederá si alguien tiene en su cuenta bancaria más de lo que
desea, como término medio, retener en esa forma? Reducirá su saldo
gastando lo que le sobre, aumentando su gasto regular hasta que el
excedente haya desaparecido. Si tiene en su cuenta menos de lo que
desea, reducirá su gasto una temporada hasta reconstruir el saldo deseado. Por lo tanto, si la economía parte de una situación en la que todo
el mundo está reteniendo exactamente la cantidad de dinero que desea,
y la cantidad de dinero en la economía está aumentando (veremos más
adelante que esto puede hacerse a través del sistema bancario), podemos esperar que el gasto aumente. Si la producción real es invariable,
el aumento del gasto hará que los precios tiendan a subir. De esta forma, si las cantidades reales de bienes y servicios de la economía son
relativamente fijas, puede esperarse que un aumento de la cantidad de
dinero hará subir los precios. Por el contrario, puede esperarse que una
reducción de la cantidad de dinero haga descender el nivel general de
los precios.

La teoría cuantitativa del dinero es una forma extrema del análisis
anterior, que sostiene que el nivel general de los precios variará *en la
misma proporción* en que varíe la cantidad total de dinero, así que un
aumento de un 10 por 100 en la cantidad de dinero originaría un aumento de un 10 por 100 en el índice general de precios. La mayoría de los
economistas aceptan la existencia de una relación entre la cantidad de
dinero y el nivel de precios cuando la economía trabaja a pleno empleo,
pero no necesariamente cuando atraviesa una recesión. Solamente los
monetaristas, y no todos ellos, aceptarían que la teoría cuantitativa es
aplicable fuera de un conjunto restringido de situaciones económicas.

Un ejemplo

Para ilustrar las diferencias entre los guiones, continuemos con
nuestro ejemplo anterior. La producción de la economía se ha venido vendiendo en 100 millones de pesetas, los residentes del país
han empezado a pasar sus vacaciones en el extranjero, provocando
una detracción de 10 millones, y un tercer país ha empezado a comprar cinco millones de la producción nacional. La producción inicial
era de 100 millones de pesetas, que generaban una cantidad igual
en rentas que, a su vez, generaban 90 millones de gasto por parte
de los nacionales del país. Sumando el gasto de cinco millones inyectado desde el extranjero, el gasto total es de 95 millones de
pesetas: insuficiente para mantener la producción al nivel de 100 millones de pesetas. Existe una presión descendente. No importa si esto
se traduce en una reducción de la producción real o en un descenso
de los precios: seguiremos sin lograr el equilibrio mientras las detracciones sigan representando 10 millones de pesetas y las inyecciones cinco millones.

Supongamos que el *valor* de la producción se reduce a 95 millones, por disminuir la producción real, los precios, o ambas cosas.
Se generará así una renta de sólo 95 millones y, si persisten las
detracciones de 10 millones, el gasto de origen interior será de sólo
85 millones. Con la inyección de cinco millones, el gasto total será
de 90 millones, que sigue siendo insuficiente incluso para mantener
una producción reducida a 95 millones.

Si no sucediese nada que provocara un cambio en esta situación,
la economía descendería hasta el valor cero de la producción, pues
cada descenso en el valor de la producción originaría un descenso
igual en la renta, y el exceso de las detracciones sobre las inyecciones permanecería invariable y continuaría ejerciendo una presión descendente. La realidad nos indica que algo tiene que detener el proceso: por supuesto, algún cambio inducido en las detracciones o en
las inyecciones. Es en este punto donde podemos señalar las diferencias entre los dos guiones.

La narración keynesiana

Si el ajuste ha tenido lugar según la línea keynesiana, la producción real ha estado descendiendo. Ahora bien, un descenso en la
producción real significa una disminución de la cantidad real de
bienes y servicios disponibles para los consumidores. O bien, mirán-
dolo desde un punto de vista ligeramente distinto, las rentas monetarias de las gentes han estado disminuyendo mientras que los precios no lo han hecho, por lo que los consumidores se están empobre-
ciendo, si nos atenemos a los bienes y servicios reales que pueden
permitirse adquirir. Al empobrecerse, se reducirán los viajes al extranjero, para poder atender al consumo de las cosas más esenciales,
como los alimentos. Por tanto, la reducción de las rentas reales originará una reducción del gasto en viajes al extranjero y una disminución
de las detracciones. Cuando el gasto en viajes haya bajado a cinco
millones de pesetas, estará compensado exactamente por las inyecciones (que se supone no son afectadas por lo que sucede dentro
de la economía del país), y el nivel de la producción real al que
esto ocurra podrá ser mantenido indefinidamente. Si tuviésemos información sobre el nivel exacto de la renta para el cual la demanda
de viajes al extranjero sería igual a cinco millones de pesetas, podríamos *predecir* el nivel de equilibrio de la producción real: si el
gasto en viajes al extranjero fuese de cinco millones de pesetas a un
nivel de la renta de 75 millones, la producción de equilibrio sería de
75 millones, que daría una renta de 75 millones —de los cuales
cinco millones serían detracciones, compensados por una inyección
de cinco millones— y un gasto de 75 millones. La figura 21.4 ilustra
este caso.

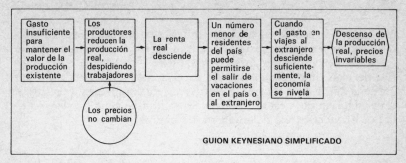

Fig. 21.4.—*Un guión keynesiano simplificado, para el efecto de un descenso del gasto planeado.*

La narración monetarista

El guión monetarista difiere considerablemente del anterior. Para empezar, los monetaristas señalarían que, en este caso particular, el excedente de las detracciones sobre las inyecciones significa que 10 millones de pesetas del stock monetario (oro) del país están saliendo de él, mientras que sólo cinco millones de pesetas están siendo inyectadas. En otras palabras, a menos que el stock de dinero esté aumentando mediante el empleo de sustitutivos del oro, el stock monetario del país disminuirá. Según la *teoría cuantitativa,* esto ejercería una presión descendente sobre la economía. Por tanto, la presión descendente aparece como reforzada por una relación inapropiada entre el stock de dinero y el nivel de las transacciones, así como por la escasez del gasto planeado en comparación con la producción. Obsérvese que el *efecto* real es el mismo (presión descendente), y de ahí que no se trate de dos teorías en oposición, sino de dos puntos de vista diferentes.

En cuanto al mecanismo de ajuste y nivelación, los monetaristas supondrían que el ajuste primario se manifestó en forma de reducción del nivel de precios. Si bien las rentas monetarias están disminuyendo, el nivel de precios (coste de vida) disminuye a la par. Las rentas «reales» de los individuos no bajan a medida que desciende el nivel interior de precios, pues pueden seguir comprando las mismas cosas que antes si sus compras se limitan al mercado nacional. Es de suponer que los precios en el extranjero se mantendrán invariables, con lo que las vacaciones en el extranjero seguirán costando 10 millones de pesetas, que ahora tendrán que salir de una renta *monetaria* menor. Si las rentas han descendido a 90 millones de pesetas, aunque los precios interiores hayan disminuido un 10 por 100, será ahora necesario algo más de un 11 por 100 de la renta para pagar las mismas vacaciones al extranjero que antes se podían obtener por un 10 por 100 de la renta. Por tanto, las gentes empezarán a reducir sus vacaciones en el extranjero: no porque se están haciendo notablemente más pobres en términos reales, sino porque el precio *relativo* de las cosas nacionales está disminuyendo respecto a las de fuera. Se puede obtener más por cada peseta gastándola en el interior del país. Finalmente, el gasto en el extranjero descenderá hasta un nivel tal que se compense con las inyecciones, cesando entonces la disminución de la cantidad de dinero y alcanzándose un nuevo equilibrio. El proceso está ilustrado en la figura 21.5.

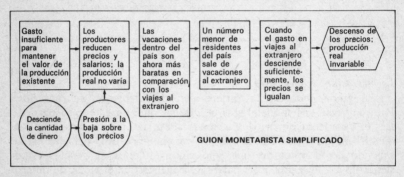

Fig. 21.5.—*Un guión monetarista simplificado, para el efecto de un descenso del gasto planeado.*

Los resultados finales

Las diferencias en los mecanismos de ajuste y nivelación de los dos guiones llevan a dos imágenes muy distintas del estado final alcanzado por la economía.

En el análisis keynesiano, la economía se ha estabilizado en un estado de *recesión* o *depresión,* con una producción real inferior al nivel de capacidad de la economía, y acompañada probablemente de desempleo. En el análisis monetarista, la producción real se mantiene invariable, pero el nivel de precios ha disminuido. Han sufrido algunas pérdidas los consumidores, que no pueden ya hacer frente a unas vacaciones caras en el extranjero, y en su lugar tienen que contentarse con una playa del país, pero esas pérdidas son relativamente pequeñas en relación con las predicciones del análisis keynesiano.

Los dos guiones, presentados aquí en el marco de una economía tan altamente simplificada, son hasta cierto punto una caricatura, pero ilustran la diferencia en cuanto a los elementos *puestos de relieve* en ambos enfoques, que podrían resumirse del modo siguiente.

El análisis keynesiano destaca:

1)   El efecto de las detracciones y las inyecciones sobre el flujo renta-gasto, en lugar de la relación entre saldos en dinero y renta y gasto.

2) La relativa inflexibilidad de los precios, por lo que los ajustes tienen lugar principalmente en forma de variaciones de la producción real.

3) La posibilidad de que la economía se estabilice por debajo de su capacidad de producción y permanezca en ese nivel durante un tiempo relativamente largo si no se toman medidas correctoras.

El resultado del análisis keynesiano es la recomendación de las medidas de política económica basadas en la manipulación directa de las detracciones y las inyecciones.

El análisis monetarista destaca:

1) Los efectos de las variaciones en la relación entre stock de dinero y nivel de transacciones, y no en las detracciones e inyecciones como tales.

2) La relativa flexibilidad de los precios (incluidos los salarios), por lo menos en un período no muy corto, de manera que los ajustes tienen lugar en forma de variaciones del nivel de precios.

3) La probabilidad de que la flexibilidad de los precios y los efectos relacionados con el nivel real de los saldos monetarios eviten que la economía permanezca mucho tiempo por debajo de su capacidad de producción real.

El resultado de aceptar el análisis monetarista será el resaltar la importancia de las medidas de política económica basadas en la manipulación directa del stock monetario de la economía.

¿Cuál es el significativo?

Los monetaristas, que son más optimistas que los keynesianos acerca de las posibilidades de la economía para salir automáticamente de las situaciones en que la producción es inferior a la capacidad productiva, tienen que reconocer que, al fin y al cabo, la depresión de la década de 1930 *fue una realidad.* Fue esta depresión lo que dio lugar directamente al desarrollo del análisis y la política keynesiana y al eclipse durante treinta años del enfoque monetarista. Pero los monetaristas modernos se apoyan en recientes descubrimientos empíricos que, según ellos, demuestran que la persistencia y la profundidad de la depresión se debió a una *política monetaria totalmente inadecuada.* Aun así, muchos economistas siguen sin convencerse, o desconfían de la *velocidad* de reacción del ajuste de los monetaristas.

Si es el guión keynesiano o el monetarista el más apropiado para el análisis de una situación concreta de la economía, ello depende de la respuesta a una cuestión de hecho: ¿tiene lugar el ajuste principalmente por medio de variaciones de la producción real, o por

variaciones de los precios y los salarios? Pocos economistas ponen
en duda las variaciones de la producción real, pero los monetaristas
tenderán a considerarlas como cambios a *corto plazo* que forman
parte del proceso total de ajuste y que quedarán corregidas cuando
los precios (o los saldos monetarios reales) hayan dejado de variar.
Los dos guiones son significativos, y la mayoría de los ajustes
reales representan una mezcla de ambas interpretaciones.

Por tanto, el análisis keynesiano, que nos ocupará el resto del
capítulo y otros capítulos posteriores, debe considerarse siempre
como significativo a corto plazo. Lo que se discute es si resulta
significativo para los problemas a largo plazo. Para ponerlo en los
términos más sencillos: un ejercicio keynesiano por el que mostramos,
por ejemplo, que la economía alcanzará el equilibrio entre detracciones e inyecciones a un nivel de producción real de 80 millones de
pesetas a precios constantes, y no al nivel de pleno empleo de 100
millones, es un análisis significativo. Pero deducir de ello que la
economía quedará necesariamente «clavada» en aquel nivel, a menos que se opere directamente sobre las detracciones e inyecciones,
puede no estar justificado.

Presiones ascendentes

Cuando la presión sobre la economía es *ascendente* y no descendente —por ejemplo, si las inyecciones, en el caso que consideramos, hubieran sido de 15 millones de pesetas, con un exceso de cinco
millones sobre las detracciones— el guión monetarista presenta
la misma forma que antes, pero invertida la dirección de los cambios. La economía en cuestión ganaría oro, aumentando su stock
monetario y dando lugar a un aumento del nivel de precios. Las
vacaciones en el extranjero serían ahora más baratas que antes, en
relación con los precios interiores, habría más viajes al extranjero
y aumentarían las detracciones. Cuando se alcanzara el nuevo equilibrio, el nivel de precios sería más alto que antes. Si la economía
no operaba inicialmente a toda su capacidad, sino que partió de una
fase de recesión, el guión keynesiano se presenta también en
la forma antes descrita, pero invertida la dirección. La producción
real aumentará, los consumidores dispondrán de unos niveles de
renta más altos y gastarán más en viajes al extranjero, con lo que
las detracciones aumentarán hasta equilibrarse con las inyecciones.
El nuevo equilibrio se obtendrá a un nivel más alto de la producción real, con un desempleo menor.

Sin embargo, si la economía *está ya produciendo al nivel de su
capacidad,* el guión keynesiano no puede funcionar en dirección
ascendente, porque la producción real ya está en su nivel máximo
y no puede aumentar más. Todo ajuste que tenga lugar operará sobre
los precios y no sobre la producción real, y los keynesianos aceptarían en estas circunstancias el esquema general del guión mone-

tarista, *pero solamente mientras la economía esté produciendo al máximo de su capacidad.* En el capítulo 25, dedicado al tema de la inflación, se volverá al análisis del efecto de la presión ascendente sobre una economía que funciona a toda su capacidad.

RECAPITULACIÓN 21.3. *Se cuenta con dos guiones diferentes para el proceso de ajuste cuando la economía está desequilibrada por presiones ascendentes o descendentes. El guión keynesiano destaca el ajuste por medio de variaciones de los niveles de la producción real y del empleo, mientras que el guión monetarista destaca el ajuste por medio de variaciones de los precios y salarios. Los procesos de ajuste en la realidad contienen elementos de ambos guiones, pero el guión keynesiano es probablemente el más significativo para las variaciones a corto plazo.*

21.4. El anillo renta-consumo

Extensión del análisis renta-gasto para considerar las detracciones e inyecciones internas

En nuestro análisis precedente sobre las detracciones y las inyecciones utilizábamos un ejemplo en el que el flujo durante el recorrido de la renta al gasto encerraba todo el funcionamiento de la economía interior, siendo las detracciones pérdidas o filtraciones hacia otras economías, y originándose las inyecciones en otras economías a su vez. Este es el medio más simple y claro de mostrar el efecto de las detracciones y las inyecciones.

Si este fuese el único contexto en el que podríamos utilizar el análisis detracción-inyección, sólo nos serviría para examinar problemas de las economías abiertas (economías con comercio exterior y relaciones de pagos importantes con el resto del mundo). Pero el análisis no arrojaría ninguna luz sobre los problemas internos de una economía autosuficiente ni sobre los problemas en una economía abierta que no surjan de detracciones e inyecciones externas. Ahora bien, podemos generalizar muy fácilmente el análisis para que abarque las detracciones e inyecciones *internas.*

Importancia del consumo

El componente mayor del gasto total en todas las economías es el *consumo,* es decir, el gasto de los consumidores, a partir de la renta, en bienes y servicios de nueva producción, para el consumo directo. Además, el factor dominante para determinar el nivel del consumo es el propio nivel de la renta. Por tanto, el flujo más importante en la economía es el flujo que va de la renta al consumo, de éste a la producción y, de vuelta, a la renta de nuevo. En nues-

―――― **Cápsula suplementaria 21.2** ――――――――――――――――

VARIABILIDAD DE LAS FUENTES DE INYECCIONES

En los Estados Unidos, la principal fuente de inyecciones en el anillo renta-consumo de la economía fue en 1970 el sector público, con un gasto público equivalente al 22,5 por 100 del PNB. La inversión privada, igual al 13,9 por 100 del PNB, le seguía en importancia, mientras que las exportaciones no llegaron a significar más que un 6,5 por 100 del PNB. Sin embargo, la importancia relativa de las principales fuentes de inyecciones ha cambiado históricamente en los Estados Unidos y varía de unos países a otros.

Si se exceptúan los períodos de las dos guerras mundiales, la inversión privada, y no el gasto público, representó la fuente más importante de inyecciones hasta la década de 1950. Si nos remontamos a 1901, el gasto público era un mero 3 por 100 del PNB (y su mayor parte fue gasto de las corporaciones locales), mientras que la inversión privada fue el 23,1 por 100 del PNB. En los setenta años transcurridos desde entonces, la inversión privada ha manifestado muchas alzas y bajas, pero ha tendido a descender en cuanto a proporción dentro del PNB, mientras que la proporción del gasto público ha aumentado en forma más o menos sostenida, si exceptuamos los períodos de las dos grandes guerras, durante las cuales el gasto público se disparó hacia arriba como era inevitable.

Incluso las exportaciones, que ahora son la partida menor entre las inyecciones, eran en 1901 más importantes que el gasto público: en realidad, representaron más del triple de éste. Las exportaciones no cedieron el segundo puesto al gasto público hasta después de la primera guerra mundial. No es corriente el papel muy secundario como inyección que en los Estados Unidos tienen en la actualidad las exportaciones; en la mayoría de los países las exportaciones son mucho más importantes, y en algunos constituyen la inyección dominante. Una estructura más típica que la de los Estados Unidos sería la de Australia, con el mismo orden relativo que en los Estados Unidos (gasto público, inversión privada, exportaciones), pero con magnitudes mucho más cercanas entre sí: gasto público, el 22,3 por 100 del PNB; inversión privada, el 16,8 por 100 del PNB, y exportaciones, el 14,7 por 100 del PNB.

Debe señalarse que el crecimiento en importancia del gasto público, en relación con las demás fuentes de inyección, ha sido una tendencia universal y de largo plazo, y ya era patente *antes* de la aparición de la teoría económica keynesiana. Aunque ésta ha puesto de relieve la importancia de un manejo correcto del gasto público en la política económica, y ha sido ciertamente un factor de crecimiento del gasto público respecto al PNB, no ha sido la causa principal. La secuencia causal aparece en realidad en sentido contrario: hubiera sido absurdo sugerir que la economía podría estabilizarse por medio de variaciones del gasto público cuando éste sólo representaba un 3 por 100 del PNB (como en 1901); fue la gran proporción del gasto público en el valor total de las inyecciones en la década de 1930 lo que dio carácter práctico a los remedios de Keynes.

――

tros ejemplos previos, suponíamos que éste era el *único* flujo completamente interior en la economía del país.

Para generalizar el análisis detracción-inyección, nos concentramos en este flujo, el *anillo renta-consumo*. Una *detracción* es cualquier desviación de la renta *fuera de este anillo,* y una *inyección* es cualquier gasto procedente *del exterior del anillo,* es decir, cualquier gasto no determinado por el nivel del propio flujo de la renta. El esquema se ilustra en la figura 21.6.

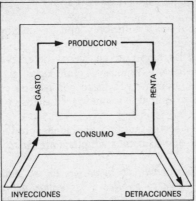

Fig. 21.6.—*El anillo renta-consumo.*

Tipos de detracciones

Una detracción es *cualquier* utilización de la renta que no consista en gasto para el consumo de la producción corriente de la economía del país. Entre los usos hacia los que puede ser desviada la renta están los siguientes.

1) Gasto en el extranjero, o gasto en bienes producidos en el extranjero (importaciones), como en nuestro ejemplo anterior.

2) El aumento de los saldos en dinero, bien sea guardando una parte de la renta monetaria debajo del colchón, o bien dejando que crezca el saldo bancario.

3) La compra de fondos públicos —«bonos»— o de acciones de sociedades, pues esto no es gasto en los bienes y servicios corrientemente producidos.

4) Desviación de la renta hacia el sector público en forma de impuestos, pues el gasto a partir de éstos queda fuera del control de los perceptores de rentas.

En los análisis más simplificados, englobamos normalmente 2) y 3), llamando *ahorro* a la suma, y no hacemos distinción entre el gasto que efectivamente se realiza en el extranjero y el gasto en bienes producidos en el extranjero.

Las principales formas de detracción del anillo renta-consumo son el ahorro, los impuestos y las importaciones. (Este orden es el tradicional y no representa necesariamente su importancia relativa en magnitud.)

Tipos de inyecciones

Una inyección es *cualquier* gasto en la compra de producción interior que no provenga directamente de decisiones del consumidor fundadas en la relación entre renta y gasto. Las principales fuentes de inyecciones son las siguientes.

1) Gasto en bienes interiores que se origina en el exterior, o sea, *exportaciones*.

2) Gasto de las empresas en bienes de nueva producción que no son los materiales y repuestos eliminados al calcular el valor añadido para la economía. Este gasto consiste en compras de *bienes de capital*, como maquinaria y nuevos edificios, y lo denominamos *inversión*.

3) Gasto del sector público en bienes producidos por la economía del país, al que llamamos simplemente *gasto público*.

Las principales formas de inyección en el anillo renta-consumo son la inversión, el gasto público y las exportaciones.

Condiciones de equilibrio

Como ya se ha indicado, lo más importante en el análisis renta-gasto es el equilibrio entre las detracciones *totales* y las inyecciones *totales*. Supongamos que tenemos una producción total por 100 millones de pesetas a precios corrientes, de los cuales los consumidores gastan cinco millones en importaciones, pagan 12 millones de impuestos y ahorran 11 millones. La suma total de las detracciones será entonces de 28 millones de pesetas, y el gasto en consumo, de 72 millones. Supongamos ahora que las exportaciones totalizan siete millones de pesetas, el gasto público 13 millones y la inversión ocho millones. La suma total de las inyecciones alcanzará, pues, la cifra de 28 millones de pesetas. La economía está en equilibrio, según el análisis renta-gasto, pues el gasto total, que se compone de consumo (72 millones) e inyecciones (28 millones), es exactamente igual al valor de la producción a los precios corrientes y a la renta antes de las detracciones.

Si la inversión descendiera a siete millones y se mantuvieran invariables las demás partidas, dejaría de existir equilibrio. Tendríamos ahora un gasto total igual al consumo (que sigue siendo de 72 millones) más unas inyecciones por valor de 27 millones solamente: un total de 99 millones de pesetas, insuficiente para comprar la producción corriente de 100 millones. Habría una presión descendente sobre la economía, a menos que se hiciera algo por evitarlo. Una de las cosas que podrían hacerse sería aumentar en un millón el gasto público, que pasaría así a 14 millones, restableciéndose el nivel inicial de las inyecciones totales, de 28 millones, y recobrándose a la vez el equilibrio. Esta es la clave de la política económica keynesiana básica, ilustrada en la figura 21.7.

La economía puede ser mantenida en equilibrio aunque ocurra una variación en el nivel de cualquier tipo de inyección o de detracción, si se realiza una variación compensadora en cualquier otra inyección o detracción, calculada de tal modo que asegure que la suma de las inyecciones siga siendo igual a la suma de las detracciones al nivel existente de la producción.

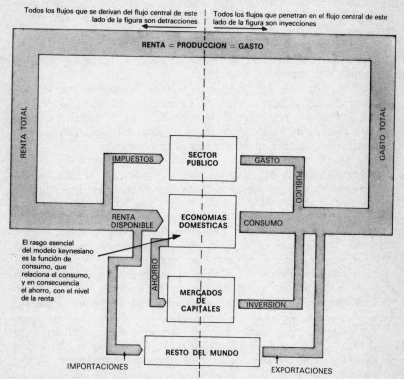

FIG. 21.7.—*Estructura básica del modelo keynesiano.*

Enlaces especiales

Aunque lo importante en el análisis gasto-renta es la relación entre la suma de las detracciones y la suma de las inyecciones, existen ciertos enlaces especiales entre algunos tipos particulares de detracciones y algunos tipos particulares de inyecciones.

Por ejemplo, la forma más importante de ahorro es la compra de nuevos bonos y acciones de sociedades, ya sea directamente por el consumidor, o indirectamente, cuando sus aportaciones a un fondo para pensiones o los aumentos de sus saldos bancarios son empleados de esta forma por las instituciones donde se han depositado. Las acciones y otras formas de *préstamo* son también una fuente muy importante de fondos para la financiación de los gastos de inversión de las empresas. Por tanto, hay un enlace entre *ahorro e inversión*. Esto no significa necesariamente que sean iguales, pero sí que existen buenas razones para examinar la relación entre ambos como una parte especial del análisis.

Análogamente, los gastos públicos y los ingresos públicos (principalmente los impuestos) están enlazados entre sí. La fuente principal de financiación del gasto público serán los impuestos. Tampoco aquí será necesario que los dos valores sean iguales: el sector público puede tener un *déficit* (excedente del gasto sobre el ingreso corriente) o un *superávit* (excedente del ingreso sobre el gasto) o un *presupuesto equilibrado* (igualdad de los dos), pero el gasto no puede ser planeado ignorando por completo el ingreso.

Por último, las exportaciones y las importaciones estarán enlazadas a través de las operaciones con el resto del mundo. No estudiaremos este enlace hasta los últimos capítulos, y la mayor parte de nuestro análisis se hará con referencia a una economía cerrada (sin comercio ni relaciones de pagos con el exterior).

RECAPITULACIÓN 21.4. *Una detracción no tiene necesariamente que proceder de la economía nacional, considerada en su conjunto, e ir a parar a una entidad completamente exterior, ni una inyección tiene que provenir forzosamente del exterior para entrar en la economía nacional. Llevamos a cabo el análisis básico renta-gasto considerando las detracciones e inyecciones que afectan al flujo principal de la economía interior, que es el intervalo en que el flujo va de la renta al gasto en consumo. Las principales detracciones de este anillo renta-consumo son los gastos en el exterior (importaciones), el ahorro y los impuestos. Las principales inyecciones son los gastos originados en el exterior de la economía (exportaciones), el gasto de inversión de las empresas y el gasto público. La economía permanecerá en equilibrio si una variación en cualquiera de las formas de detracción se neutraliza con una variación compensadora en cualquiera de las formas de inyección.*

RESÚMENES DE LAS SECCIONES. *Para repasar el contenido de este capítulo, hojéese el texto y vuélvanse a leer los trozos titulados «Recapitulación» que ponen fin a todas las secciones.*

TÉRMINOS Y CONCEPTOS DEL CAPÍTULO 21

Detracción
Inyección

Guión keynesiano
Guión monetarista
Anillo renta-consumo
Condición de equilibrio

EJERCICIOS

1. La producción actual de una economía es de 1.200 millones
de pesetas. El ahorro planeado es de 100 millones; el Estado recau-
dará impuestos por valor de 200 millones y los empresarios gastarán en inversiones 250 millones. Si no hay transacciones internacionales, ¿qué nivel de gasto público equilibrará la economía al nivel
de su producción actual?

2. Supongamos que los datos son los mismos que en el ejercicio 1, salvo que la economía exporta por valor de 20 millones e importa por valor de 16 millones. ¿Cuál será ahora el nivel del gasto
público que equilibraría la economía, manteniéndola en el nivel de
producción actual?

3. En la economía del ejercicio 1 (sin transacciones internacionales), el gasto público es tal que equilibra la economía a su nivel
actual de producción de 1.200 millones de pesetas. El sistema fiscal
es tal que cada peseta de producción adicional por encima de los
1.200 millones aumentará los impuestos en 50 céntimos. Si los niveles de ahorro e inversión no son afectados por el nivel de la producción, ¿cuánto aumentará esta última si el gasto público aumenta
en un millón de pesetas?

PARA REFLEXIÓN Y DISCUSIÓN

1. Considérese detenidamente cuál, entre las transacciones siguientes de una economía doméstica, representaría en sí una detracción del anillo renta-consumo:

Compra de acciones de Seat, compra de un automóvil nuevo,
compra de un automóvil usado, pago como entrada para la adquisición de una vivienda nueva, un regalo en dinero a un pariente que
vive en España, un regalo en dinero a un pariente que vive en el
extranjero, pago de una multa por mal aparcamiento, el impuesto
sobre las ventas al efectuar una compra, pago de la cuenta en un
restaurante.

2. ¿Cuáles de los hechos siguientes consideraría usted como una
inyección desde el exterior del anillo renta-consumo?

Compra de un automóvil nuevo por una economía doméstica,
compra de un automóvil nuevo por una empresa, compra de un auto-

móvil nuevo por un visitante extranjero, compra de un automóvil
nuevo por un organismo oficial.

3. Uno de los ejemplos de este capítulo se refiere al excedente
de las detracciones sobre las inyecciones cuando los residentes de un
país gastan 10 millones de pesetas en el extranjero y los extranjeros
gastan cinco millones en bienes del país. Supóngase que todo «el
extranjero», el resto del mundo, fuese un solo país. ¿Qué podemos
decir sobre las relaciones entre detracciones e inyecciones en ese
otro país?

Capítulo 22
EL MODELO KEYNESIANO BASICO

22.1. El punto de partida

Estructura básica del análisis keynesiano

El modelo keynesiano es una visión macroeconómica simplificada de la economía (o macromodelo) basado en las relaciones renta-gasto, con una especial referencia a las detracciones e inyecciones que afectan al anillo renta-consumo. En el modelo keynesiano más sencillo, *la única detracción es el ahorro,* que se supone está determinado directamente por el nivel de la renta real, y se admite que *la inyección clave es la inversión.* Se supone que los ajustes de la economía tienen lugar de acuerdo con el «guión keynesiano» analizado en el capítulo 21 e ilustrado en la figura 21.4 (página 587), es decir, que consisten en variaciones de la producción real y del empleo (si no están limitados por la capacidad de producción existente) más que de los precios.

La función de consumo

Un papel central en el modelo es el desempeñado por el comportamiento de las economías domésticas (consumidores) en sus decisiones relativas al reparto de sus rentas entre consumo y ahorro:

El nivel del gasto de las economías domésticas (consumo) está completamente determinado por el nivel de la renta disponible de las economías domésticas.

En el modelo básico, suponemos que la única detracción es el ahorro, que es entonces necesariamente igual a la diferencia entre la renta y el consumo. Por tanto, la decisión de consumir una determinada

───── **Cápsula suplementaria 22.1** ────────────────────────

JOHN MAYNARD KEYNES, 1883-1946

Como muchos revolucionarios, Keynes (pronúnciese Keins) pertenecía por derecho propio al «establishment». Pero a diferencia de algunos otros, nunca renunció a estas credenciales, gracias a lo cual pudo cambiar el curso del pensamiento económico y la dirección de la política económica por medio de una revolución de palacio, sin tener en modo alguno que tomarlo por asalto ni esperar largos años en el exilio.

Su padre fue John Neville Keynes, filósofo y economista de alguna nombradía en su tiempo, que asistió en vida (a la edad de 93 años) al entierro de su más famoso hijo. Maynard, como fue llamado siempre el menor de los Keynes, completó sus credenciales del «establishment» estudiando en Eton y después en el King's College de Cambridge. Fue en ambos lugares un alumno fuera de serie, y se dice que el mismo Alfred Marshall le pidió que eligiera la economía como principal campo de su actividad. No lo hizo así en principio, pues escogió las matemáticas como su principal especialización en la universidad, pero después se decidió por la Administración pública como profesión. Pasó dos años en el India Office, o departamento de administración de aquella colonia, y escribió un *Treatise on Probability,* pasando después al profesorado de la universidad de Cambridge, ahora ya como economista. También destacó en el *Economic Journal,* llegando a ser director de esta revista, la publicación económica de mayor prestigio en Gran Bretaña.

Su breve período como miembro de la burocracia inglesa que regía la India le inició en el camino que lo llevaría hasta la teoría económica «keynesiana», pues dio como resultado la publicación del libro *Indian Currency and Finance* (1913) y su nombramiento para formar parte de una Comisión Real encargada de investigar los problemas monetarios de la India. A partir de entonces desarrolló firmemente sus puntos de vista sobre lo que ahora identificaríamos como problemas macroeconómicos de la economía.

Durante la primera guerra mundial, Keynes trabajó en el Tesoro y llegó a ser allí una figura clave, hasta el punto de participar como uno de los representantes del Tesoro en la Conferencia de la Paz. Pronosticó inmediatamente la imposibilidad de que Alemania pagase las reparaciones exigidas por el Tratado de Versalles, y su libro *Las Consecuencias Económicas de la Paz* tuvo un éxito y una repercusión enormes.

Al final de la guerra, Keynes era un hombre famoso y extremadamente versátil, con publicaciones académicas sobre matemáticas y economía, escritos políticos, gran experiencia en la función pública y el periodismo (en el *Manchester Guardian*), y unas profundas relaciones con el arte, la literatura y el teatro. Fue miembro del círculo «Bloomsbury» (grupo intelectual «in» que contó entre sus miembros a Leonard y Virginia Woolf, E. M. Forster y Lytton Strachey), poseyó importantes colecciones de arte y de libros raros y redondeó sus conexiones con el mundo de la cultura al casarse con Lydia Lopokova, una «prima ballerina» del ballet ruso de Diaghilev. Pronto se hizo millonario (en dólares) de la forma más arriesgada posible —especulando en divisas extranjeras— y empleó el mismo talento financiero para aumentar los recursos económicos del King's College de Cambridge (del cual era tesorero), aumentándolos más de diez veces.

Durante la década de los 20, Keynes continuó desarrollando sus ideas sobre el funcionamiento global del sistema económico. Su *Tract on Monetary Reform* (1923) fue un ataque contra el fetichismo por el oro en los acuerdos monetarios internacionales —posición entonces más revolucionaria de lo que parece hoy— pero que sigue siendo famoso por una sola frase, dada como respuesta al argumento de que el mecanismo económico funcionaría a largo plazo: «A largo plazo, todos muertos». En 1930, había terminado su *Treatise on Money,* una obra que analiza los altibajos de la economía capitalista basándose en las relaciones entre ahorro e inversión. El *Treatise* representó por sí solo una importante contribución, pero Keynes vio más allá de él casi en el momento de su publicación, y este libro quedó completamente eclipsado por su obra maestra final, la *Teoría General del Empleo, el Interés y el Dinero,* publicada en 1936, pero ya influyente cuando estaba en borrador.

La *Teoría General* (siempre se la conoce por este título abreviado) es un libro de estructura muy cerrada, pero sus puntos más esenciales son muy fáciles de exponer: 1) El sistema capitalista no volverá necesariamente al pleno empleo desde una situación de depresión por medio de fuerzas automáticas y autogeneradas dentro del sistema. 2) No obstante, el sistema capitalista puede ser llevado hacia el pleno empleo por una política del sector público que proporcione un nivel suficiente de inyecciones para compensar cualquier deficiencia en el funcionamiento del sector privado.

Estas dos ideas representaron una verdadera revolución en la economía política. Otros antes, incluyendo a Marx, habían indicado que el sistema capitalista quizás no fuera un barco con mecanismos de navegación autocorrectores, pero ninguno había argumentado sobre líneas suficientemente cercanas a la teoría económica convencional como para hacer aceptable la idea: Keynes aportó las razones necesarias. Y lo que es más importante, Keynes no se limitó a escribir sobre la inevitable ruina del sistema capitalista, como hizo Marx, sino que señaló la solución. Después de la *Teoría General,* la responsabilidad de la salud final del sistema capitalista quedó asignada abiertamente al Estado, no a los empresarios y los banqueros, quienes hasta entonces se habían considerado los responsables.

Keynes se vio forzado por enfermedad a un semirretiro apenas un año después de la publicación de la *Teoría General.* Resurgió durante la segunda guerra mundial para ser uno de los principales arquitectos del sistema monetario internacional, que funcionó notablemente bien durante el primer cuarto de siglo siguiente a la guerra. Pronosticó algunos de los modernos problemas de la inflación y la necesidad de una moneda internacional que pudiera ser creada a voluntad a semejanza del papel moneda nacional, pero la *Teoría General* había sido su culminación. En sus últimos años llegaron los honores: recibió en Gran Bretaña la dignidad de Lord, con el título de Baron Keynes de Tilton y, lo que era aún más importante, vio traducidos sus principios económicos en disposiciones formales de los principales Estados del mundo comprometiéndose a una política de pleno empleo. Sin embargo, nunca obtuvo una cátedra de Economía en Cambridge, y en su tiempo no existía el Premio Nobel de Economía.

fracción de la renta encierra la decisión simultánea de ahorrar la fracción restante.

Para el análisis básico, la relación entre el consumo y la renta se toma en su valor aparente más sencillo: el consumo en cada período está determinado por la renta del mismo período. Más adelante veremos que se obtiene un análisis más satisfactorio si suponemos que el consumo está relacionado con las rentas pasadas, así como con la renta corriente.

La relación entre el consumo y la renta, cuando se expresa en términos exactos, se denomina *función de consumo*. Podría llamarse igualmente *función de ahorro,* pues implica una relación entre el ahorro y la renta.

Keynes introdujo la visión macroeconómica de la relación consumo-renta con su famosa observación: «La ley psicológica fundamental, en la cual todos estamos autorizados a confiar con gran seguridad tanto *a priori* como a partir de nuestro conocimiento de la naturaleza humana y de nuestra experiencia, es que los hombres están dispuestos, como norma general y por término medio, a aumentar su consumo cuando aumenta su renta, pero no tanto como aumenta la renta».

No existe ninguna «ley psicológica fundamental» con la que este efecto pueda relacionarse, sino que se trata de una sutil integración *empírica*.

Durante los últimos treinta años, se ha llevado a cabo una cantidad enorme de estudios empíricos sobre la relación entre renta agregada y consumo agregado. Todos ellos confirman las implicaciones generales de la observación de Keynes, es decir, que el nivel del consumo puede explicarse, en forma determinada y previsible, por el nivel de la renta, aunque no necesariamente por el nivel de la renta *corriente* tan sólo.

Inyecciones

Las inyecciones, que limitaremos aquí a la «inversión» (pues el análisis básico no depende de la naturaleza de la inyección), se suponen independientes de la renta. Esto no significa que contemplemos la inversión (o las demás inyecciones) como algo que no viene determinado por nada económico, sino solamente que no la consideramos determinada por la renta corriente. Siempre que nos ocupamos solamente de las variaciones de la producción y de la renta e ignoramos los demás sucesos de la economía, tomamos el nivel de la inversión como dado o *autónomo,* lo que únicamente significa que no está influido por las relaciones entre los niveles del gasto y la renta corriente.

El funcionamiento del modelo keynesiano básico es muy sencillo. Tomamos las inyecciones como datos. La economía puede estar en equilibrio solamente cuando las detracciones se igualan con el nivel de dichas inyecciones. La única detracción es el ahorro, cuyo nivel depende del nivel de la producción. Por tanto, el único nivel de producción que puede sostenerse es el correspondiente al nivel exacto de la renta para el cual el ahorro alcanza el nivel de la inversión (o de las inyecciones totales, si hubiera otras formas de inyección).

Para ofrecer un análisis formal de este mecanismo, debemos examinar con más detalle la relación consumo-renta.

RECAPITULACIÓN 22.1. *El modelo keynesiano es un modelo macroeconómico de la economía en el cual el anillo renta-consumo ocupa un lugar central. La principal detracción es el ahorro (la única detracción en los modelos más sencillos), que se supone completamente determinado por el nivel de la renta: esta relación se denomina función de consumo (o de ahorro). Se toma como inyección típica la inversión, pero todas las inyecciones afectan al modelo del mismo modo.*

22.2. La función simple de consumo

Relación entre consumo y renta

La relación exacta entre el consumo agregado (gasto de las economías domésticas) y aquello que lo determina se conoce por *función de consumo.*

La visión más sencilla de la función de consumo es la que se deriva directamente de la obra original de Keynes: el consumo agregado de las economías domésticas sólo depende de la renta agregada de las economías domésticas durante el mismo período de tiempo. Es decir, el gasto de las economías domésticas en 1970 está determinado completamente por la renta de las economías domésticas en 1970. Evidentemente, en 1970 las economías domésticas ahorraron un determinado nivel de renta y no otro, así que la determinación del consumo para otros niveles de renta sería siempre una expresión condicionada por muchos «siempre que». Pero puede suponerse que las economías domésticas saben lo que habrían hecho con su renta en 1970 si ésta hubiera sido más alta o más baja que lo que realmente fue.

Un ejemplo típico

La información relativa al consumo que correspondería (o que habría correspondido) a cada nivel de renta nos permite establecer una tabla que muestra las propiedades de la función de consumo. La tabla 22.1 se refiere a una economía imaginaria, con una información imaginaria completa sobre el comportamiento de las economías domésticas.

En todas las funciones de consumo, *renta de las economías domésticas* significa *renta disponible de las economías domésticas,* es decir,

Tabla 22.1

Función de consumo, «Subtopía», 1970

(Cifras en billones de pesetas subtopianas)	
Si la renta de las economías domésticas en 1970 hubiera sido	*El gasto de las economías domésticas en 1970 habría sido*
100	100
110	109
120	118
130	127
140	136
150	145
160	154
170	163
180	172
190	181
200	190

la renta una vez deducidos los impuestos y otros pagos igualmente obligatorios.

A un nivel de renta de las economías domésticas igual a 100, el consumo sería igual a la renta. Si la renta de las economías domésticas fuera 110, el consumo pasaría a ser 109: un aumento de nueve en el consumo para un aumento de 10 en la renta. Si la renta fuera 120, el consumo se elevaría a 118: otro aumento de nueve (=118 −109) en el consumo para un aumento de 10 (=120−110) en la renta.

Tal como se han establecido las cifras de la tabla, hay un aumento de nueve en el consumo por cada aumento de 10 en la renta, lo que está de acuerdo con la hipótesis de Keynes según la cual las gentes aumentarían su consumo cuando aumenta su renta, pero en una cuantía inferior al aumento de la renta.

La propensión marginal a consumir

Introducimos ahora esta importantísima expresión, que se puede definir del modo siguiente:

Cuando la renta varía en una pequeña cantidad, la relación entre la variación del consumo y la variación de la renta se conoce por propensión marginal a consumir. La propensión marginal a consumir es el aumento del gasto para consumo correspondiente al aumento de una peseta en la renta.

En la tabla anterior, la propensión marginal a consumir es 0,9 a todos los niveles, pues a cada aumento de 10 en la renta corresponde un aumento de nueve en el consumo. Por tanto, la propensión marginal a consumir (que en adelante citaremos a menudo por su abreviatura, *PMaC*) es 9/10 ó 0,9. La propensión marginal a consumir no tiene necesariamente que ser constante, aunque se la ha hecho así en la tabla.

La propensión media a consumir

Introducimos otro concepto importante, que ilustraremos partiendo de los datos de la tabla 22.1:

Para todo nivel determinado de la renta, la relación entre el consumo total y la renta total se conoce por propensión media a consumir (PMeC).

La propensión media a consumir, para una renta de 100, es, según las cifras de la tabla, 1,0 $(=\dfrac{100}{100})$, mientras que para una renta de 200 es 0,95 $(=\dfrac{190}{200})$. Debe señalarse que la propensión media a consumir *varía,* aunque la propensión marginal es constante en este caso particular definido por las cifras de la tabla.

Es posible que tanto la propensión media como la propensión marginal a consumir sean constantes. Esto tendrá lugar si ambas son iguales para cualquier nivel de renta y la propensión marginal es constante. Por ejemplo, supongamos que la propensión marginal a consumir tiene un valor constante de 0,9 y es igual a la propensión media para la renta de 100. El consumo correspondiente a una renta de 100 sería 90 $(=0,9\times100)$, a una renta de 110 sería 99, a una renta de 120 sería 108, y así sucesivamente hasta un consumo de 180 para una renta de 200, pues en cada uno de los 10 segmentos de aumento de 10 unidades en la renta entre 100 y 200, se añadirían nueve unidades al consumo hasta alcanzar éste el valor de 180 $(=90+100\times0,9)$. La propensión media a consumir para la renta de 200 sería 0,9 $(=180/200)$.

El ejemplo dado en la tabla 22.1 muestra una propensión marginal a consumir constante, y también muestra que el consumo es igual o menor que la renta para todos los niveles de renta incluidos en la tabla. Es posible una propensión marginal a consumir que varíe con la renta, y también es posible que, a niveles bajos de la renta, el consumo sea superior a la renta. La tabla 22.2 muestra una función de consumo más general, en la que la propensión marginal a consumir disminuye cuando la renta aumenta, pasando de 0,80 para una renta de 250 a 0,60 para una renta de 400. Para una renta de 200, el consumo es 205 —probablemente los consumidores están agotando sus depósitos bancarios o están vendiendo su activos—, lo que da una propensión media a consumir mayor que la unidad.

Gráfico de la función de consumo

La función elemental de consumo se representa a menudo gráficamente, como en los ejemplos de la figura 22.1, que ilustra los tipos de función de consumo dados en la tabla 22.1. Es usual medir la renta en el eje horizontal y el consumo en el eje vertical, como lo están en los diagramas. Las anotaciones de la figura 22.1 pueden resumirse como sigue:

1) La pendiente de la función de consumo, a cualquier nivel de la renta, mide la propensión marginal a consumir para dicho nivel de renta.

2) La pendiente de la recta que pasa por el origen y por un punto cualquiera de la función de consumo mide la propensión media a consumir para la renta correspondiente a dicho punto.

3) Si la propensión marginal a consumir es constante, la función de consumo se representa por una línea recta.

4) Si la propensión media a consumir es constante, la función de consumo es una línea recta que pasa por el origen, o que pasaría si se prolongara hacia atrás.

TABLA 22.2

Una hipotética función de consumo

Renta	Consumo	Propensión media a consumir	Variación de la renta	Variación del consumo	Propensión marginal a consumir
200	205	$\frac{205}{200}=1,03$			
			50	45	$\frac{45}{50}=0,90$
250	250	$\frac{250}{250}=1,00$			
			50	40	$\frac{40}{50}=0,80$
300	290	$\frac{290}{300}=0,97$			
			50	40	$\frac{40}{50}=0,80$
350	330	$\frac{330}{350}=0,94$			
			50	35	$\frac{35}{50}=0,70$
400	365	$\frac{365}{400}=0,91$			
			50	30	$\frac{30}{50}=0,60$
450	395	$\frac{395}{450}=0,88$			

5) El ahorro correspondiente a un determinado nivel de renta viene dado por la distancia vertical entre la función de consumo y la recta de 45° de pendiente, para la renta en cuestión.

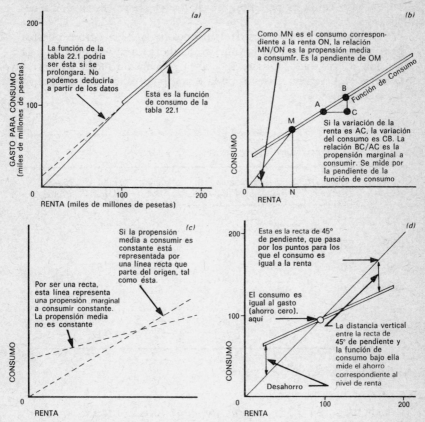

FIG. 22.1.—*Funciones de consumo en forma gráfica.*

Como la función de consumo muestra el nivel de consumo planeado para cada posible nivel de renta, también muestra el nivel de ahorro (renta menos consumo) planeado para cada nivel de renta. En lugar de formar una tabla de la función de consumo, que muestra el consumo correspondiente a cada renta, podríamos formarla de modo que mostrara el ahorro para cada renta. Por esta razón, la relación puede denominarse igualmente *función de ahorro.*

El cociente de dividir el ahorro total por la renta total, para un nivel de renta cualquiera, es la *propensión media a ahorrar* (PMeA). Si la renta varía en una pequeña cantidad, el cociente entre la variación correspondiente del ahorro y la variación de la renta es la *propensión marginal a ahorrar* (PMaA). Como la renta se consume o se ahorra, la suma de las propensiones medias a consumir y a ahorrar tiene que ser igual a la unidad, como tiene que serlo la suma de las dos propensiones marginales. No obstante, esto sólo es cierto en un caso como el presente, en el que el ahorro es la única detracción.

La tabla 22.3 recoge los datos básicos de la 22.2, pero expuestos para mostrar la forma de la función de ahorro a la vez que la de la función de consumo. Obsérvese que la propensión media a ahorrar es *negativa* para niveles bajos de la renta, pues el ahorro es negativo para esos niveles.

TABLA 22.3

La función de consumo como función de ahorro

Renta	Como función de consumo			Como función de ahorro		
	Consumo	PMeC	PMaC	Ahorro	PMeA	PMaA
200	205	1,03		−5	−0,03	
			0,90			0,10
250	250	1,00		0	0	
			0,80			0,20
300	290	0,97		10	0,03	
			0,80			0,20
350	330	0,94		20	0,06	
			0,70			0,30
400	365	0,91		35	0,09	
			0,60			0,40
450	395	0,88		55	0,12	

Datos idénticos a los de la tabla 22.2.

RECAPITULACIÓN 22.2. *La función de consumo es la relación entre renta y gasto para consumo correspondiente a esta renta. Puede representarse en forma de tabla, con las rentas en una columna y los correspondientes gastos para consumo en otra, o en forma gráfica. Con fines descriptivos, introducimos la expresión «propensión a consumir». La propensión marginal a consumir es el aumento del gasto para consumo por cada peseta de aumento de la renta, mientras que la propensión media a consumir es el cociente de dividir el consumo total por la renta total. La propensión marginal a consumir es menor que la unidad. Puesto que lo que no se consume se ahorra, la función de consumo da el ahorro correspondiente a cada nivel de renta, y por ello podría denominarse igualmente función de ahorro.*

22.3. Cómo predecir el nivel de producción

Cómo se determina el nivel de producción a partir
de la función de consumo y el nivel de inyecciones

Dada la función de consumo, podemos *predecir* cuál será el nivel de producción al cual ésta podrá sostenerse, partiendo del nivel de inversión (o de las inyecciones totales, si existen otras inyecciones además de la inversión).

Esto lo podemos hacer sencillamente a partir de la función de consumo, trazada para este fin de manera que muestre el *ahorro* correspondiente a cada nivel de renta. Una vez que localicemos el nivel de ahorro que es igual al nivel de inversión ya determinado, no tenemos más que leer el nivel de renta al que corresponde. En este sencillo modelo, la renta personal disponible (o sea, la renta de las economías domésticas) y la renta total o nacional son iguales y a su vez son iguales al valor de la producción total. Nos referiremos a este total simplemente como la «renta».

Un ejemplo práctico

Sigamos con esa economía que presenta la función de consumo dada por las tablas 22.2 y 22.3. La tabla 22.4 recoge los datos que nos interesan de la tabla 22.3. Supongamos que la inversión planeada fue, por ejemplo, de 20.000 millones de pesetas. Buscamos la columna del ahorro y localizamos la cifra de 20.000 millones. Esta corresponde a una renta (y, por tanto, a una producción) de 350.000 millones de pesetas, que, en consecuencia, será nuestro nivel de producción previsto para una inversión de 20.000 millones.

Para verificarlo, advertimos que la producción de 350.000 millones de pesetas dará una renta de 350.000 millones. De este total, las economías domésticas detraerán 20.000 millones para ahorro, «pasando» 330.000 millones al gasto para consumo. La inversión de 20.000 millones será inyectada en éste, elevando el gasto total a la suma de 350.000 millones, exactamente igual a la producción total.

TABLA 22.4

Datos sobre renta y consumo

(Cifras en miles de millones de pesetas por año)		
Renta	Consumo	Ahorro
200	205	−5
250	250	0
300	290	10
350	330	20
400	365	35
450	395	55

Podríamos desarrollar el mismo proceso para cualquier otro nivel de inversión dentro de los límites de la tabla. Obsérvese que si la capacidad de producción de esta economía fuese 400.000 millones de pesetas, no podríamos encontrar una cantidad de ahorro que se igualase con una inversión superior a 35.000 millones de pesetas: por encima de ese nivel, el análisis no puede aplicarse de esta simple forma, porque la producción real no podrá aumentar más para equilibrar el ahorro con la inversión. Cualquier intento de hacer que el gasto para inversión supere los 35.000 millones, sin ningún otro cambio en el sistema, conducirá, de hecho, a la *inflación* y a un análisis diferente.

La tabla 22.5 señala los distintos niveles de renta (producción) que se podrían prever para los distintos niveles de inversión, suponiendo que la economía tuviese la misma función de consumo que en las tres tablas precedentes y que la capacidad de producción fuese de 450.000 millones de pesetas o superior.

Esta tabla se deduce directamente de los datos de la función de consumo, llevando las cifras del ahorro de la tabla 22.4 a la columna de la inversión de la tabla 22.5, y trasladando después las correspondientes cifras de la renta de la tabla 22.4 a la columna «renta» de la tabla 22.5.

TABLA 22.5

Producción prevista

(Capacidad de producción igual o mayor que 450.000 millones de pesetas)

(Miles de millones de pesetas por año)	
Inversión planeada	Producción=Renta
0	250
10	300
20	350
35	400
55	450

Diagramas

El análisis precedente puede mostrarse en forma gráfica, para quienes prefieran este enfoque. Como es usual, se mide la renta a lo largo del eje horizontal, y el consumo y los demás gastos, a lo largo del vertical. Trazamos en primer lugar la función de consumo, tal como se ve en la figura 22.2, y después añadimos la «recta de 45°», que une los puntos que representan cantidades iguales sobre los ejes vertical y horizontal. (Solamente sobre esta recta de 45° son iguales las coordenadas de un punto.)

La distancia vertical, para cualquier valor de la renta, entre la curva renta-consumo y la recta de 45° es la diferencia entre el consumo planeado efectivo para dicha renta (sobre la curva renta-consumo) y el consumo planeado que resultaría si toda la renta se consumiera (sobre la recta de 45°). La brecha muestra las detracciones del anillo renta-consumo planeadas para dicha renta, que en el actual supuesto consisten únicamente en ahorro.

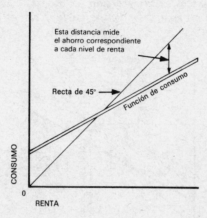

Fig. 22.2.—*Función de consumo y nivel de ahorro.*

Si se nos da un valor de la inversión planeada (la única inyección), por ejemplo, de 20.000 millones de pesetas, el gasto total planeado es igual al consumo planeado más la inversión planeada. La curva renta-consumo muestra ya el consumo planeado para cada nivel de renta. Para representar el gasto total planeado, añadimos 20.000 millones en vertical sobre esta curva para cada nivel de renta, lo que equivale a desplazar verticalmente la curva renta-consumo en una cantidad igual a 20.000 millones medidos sobre el eje vertical. Los puntos de la nueva curva (véase la figura 22.3) muestran el gasto total planeado para cada nivel de la renta.

La renta de equilibrio viene dada por la intersección de esta curva del gasto total con la recta de 45°, porque en ese punto el gasto planeado y la renta prevista serán iguales. La renta prevista (la renta se representa siempre por la letra Y) es entonces igual al gasto planeado, $C+I$ (donde C representa el consumo e I la inversión). Como la distancia vertical desde la curva renta-consumo hasta la recta de 45° es igual a A (el ahorro, que es la única forma de detracción en este ejemplo) y la distancia vertical desde la curva del gasto total hasta la curva renta-consumo es igual a I (la única inyección en este ejemplo), cuando la curva del gasto total corta a la recta de 45° tenemos que las inyecciones (en este caso solamente la inversión *I*) igualan a las detracciones (en este caso solamente el ahorro *A*).

Resumen

Hemos visto que el nivel de la producción real estará determinado, en el modelo keynesiano elemental, a partir de 1) la *función de consumo* y 2) el *nivel de la inversión,* si no existe sector público ni sector exterior, o a partir del *nivel de las inyecciones totales,* si éstos existen.

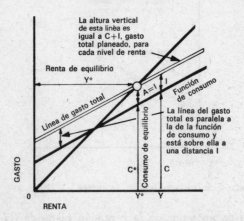

Fig. 22.3.—*Determinación gráfica del nivel de equilibrio de la renta.*

Como podemos aceptar que se conoce la función de consumo para una economía concreta en un momento determinado, podemos expresar la relación de modo algo distinto:

En una economía concreta, el nivel de producción estará determinado por el nivel de inversión. Como puede esperarse que la función de consumo muestre un ahorro creciente conforme aumente la renta, el nivel de producción ascenderá o descenderá con el nivel de la inversión. Esto solamente es válido, incluso en el modelo elemental, cuando la inversión no sobrepase el límite marcado por el nivel de ahorro correspondiente a la capacidad de producción.

Aunque aceptamos que este tipo de relación es válido para modelos complejos, como los que se proyectan para simular la economía real con cierta precisión, no cabe suponer que en ellos fuese posible prever la producción a partir *solamente* del conocimiento del nivel de la inversión. Lo que hemos establecido aquí es la versión más simplificada posible de un modelo keynesiano.

RECAPITULACIÓN 22.3. *La función de consumo da el nivel de ahorro que corresponde a cada nivel de renta. Como se supone que el ahorro es la única detracción, la economía sólo puede estar en equilibrio cuando las inyecciones (la inversión en los modelos sencillos) son iguales al ahorro planeado. Dado un nivel cualquiera de inyecciones, hallamos en la tabla de la función de consumo el nivel de ahorro que lo iguala. La renta (producción) a la que corresponde este nivel de ahorro es la renta prevista para aquel nivel de inyecciones. El análisis es válido solamente si la renta prevista no sobrepasa la capacidad de la economía.*

22.4. El desempleo en el modelo keynesiano

Cómo un nivel de inyecciones demasiado bajo da origen al desempleo

El guión keynesiano parte de suponer que el ajuste de la economía tiene lugar principalmente por medio de variaciones de la producción real. Por tanto, las previsiones que obtengamos a partir de la función de consumo y el nivel de las inyecciones son previsiones del nivel de la *producción real*.

No hay ninguna referencia directa en el modelo keynesiano a un nivel máximo de producción real, de entera *capacidad* o *pleno empleo*. Este se toma como un dato de la economía, determinado con independencia de la función de consumo y de los niveles de las inyecciones y las detracciones.

El límite superior de la capacidad productiva de la economía está determinado por su tecnología y sus recursos. Aunque en un análisis elemental podemos contemplar la capacidad de producción como un concepto bien definido, en la práctica no es tan fácil caracterizarlo. Las máquinas pueden funcionar un poco más rápida o un poco más lentamente que lo normal, y la fuerza laboral puede igualmente trabajar más rápida o más lentamente; puede hacer horas extraordinarias si es necesario, o puede estar ligeramente subempleada sin llegar al punto en que empiece un despido de trabajadores. Por tanto, la *capacidad* es una zona, más que una línea, en la que la economía puede expandirse un poco más allá o contraerse un poco más acá de la línea central de la zona.

A largo plazo, con suficiente tiempo para escoger los procesos apropiados, en condiciones de una disponibilidad de recursos relativamente invariable, la economía empleará plenamente todos sus recursos escasos si en verdad opera a su capacidad. Cuando los recursos están cambiando constantemente —como ocurre en la mayor parte de las economías— la adaptación a los procesos apropiados puede ser incompleta. Un recurso, por ejemplo, el trabajo, puede ser plenamente utilizado cuando todavía hay alguna capacidad ociosa de la maquinaria.

El supuesto de la existencia de suficiente capital

Aceptamos como hipótesis de trabajo que las economías industriales avanzadas tendrán normalmente un capital suficiente para asegurar que, con los procesos de producción habituales en la práctica, la fuerza laboral disponible pueda estar plenamente empleada. Es importante tener claro que es una *cuestión de hecho* el que esta hipótesis se cumpla o no en un caso particular. Existen ejemplos claros de regiones (como la parte meridional de Italia) en las que la capacidad se alcanza con todo el capital plenamente empleado, pero con un excedente considerable de trabajo. Por el contrario, en los Estados Unidos y Gran Bretaña (en los tiempos postindustriales) ha tenido existencia un desempleo importante de trabajo solamente cuando también ha existido un desempleo importante de capital en el conjunto del país.

Por consiguiente, al analizar los niveles de renta en los Estados Unidos y en la mayor parte de las economías industriales avanzadas, es usual referirse al nivel de capacidad productiva como equivalente al *nivel de pleno empleo,* y considerar que el nivel de desempleo (del trabajo) es el mejor índice de la subutilización de los recursos económicos.

La expresión «pleno empleo», como la de «capacidad», están sujetas a un cierto grado de imprecisión: en una economía en la que, por ejemplo, hay siempre algunas personas cambiando de empleo, el desempleo no es nunca cero, incluso en el caso de que todos los patronos puedan estar deseando dar empleo a un mayor número de trabajadores. El porcentaje efectivo de desempleo que se considera realmente representativo del pleno empleo varía de una economía a otra, puesto que depende de un conjunto de factores, tales como el método de recogida de las estadísticas laborales y el nivel general de movilidad del trabajo en la sociedad. En años recientes, las fuentes estadísticas oficiales de los Estados Unidos han considerado que un desempleo del 4 por 100 (cifra que puede tomarse como el límite superior) representa el «pleno empleo».

Una economía concreta dispone en un momento determinado de un nivel de producción real potencial, que se denomina normalmente *PNB potencial, PNB de capacidad,* o *PNB de pleno empleo.* Se expresa en alguna unidad real de producción, como «pesetas de 1958» u otra unidad monetaria de valor constante.

Capacidad y predicción

Partiendo de la función de consumo y del nivel de las inyecciones (todo medido en las mismas pesetas constantes que la capacidad de producción), podemos predecir que la economía alcanzará un cierto nivel de producción real. Si este nivel es *superior* a la capacidad, tenemos que desechar la predicción, pues el supuesto fundamental del análisis keynesiano —que el ajuste pueda hacerse por medio de la variación de la producción real— no es válido. El análisis keynesiano, a menos que se modifique específicamente al efecto, se aplica *solamente* a una producción real igual o inferior a la capacidad. El análisis de una economía en los casos en que la producción prevista es superior a la capacidad se ofrece en el capítulo 25, en el que se analiza la inflación.

Si el nivel previsto es menor que el de capacidad, la economía estará destinada a operar por debajo del pleno empleo. Existirá una *brecha* entre el PNB efectivo y el potencial, que representará el potencial de la economía no utilizado.

Consideremos, por ejemplo, la economía imaginaria que venimos observando. Supongamos que el PNB de capacidad, medido en las mismas pesetas constantes que hemos utilizado antes, es de 400.000 millones de pesetas. Podemos entonces utilizar las cifras de la tabla 22.5 para mostrar la brecha entre el PNB efectivo y el potencial a distintos niveles de inversión. Esto se lleva a cabo en la tabla 22.6.

Tabla 22.6

PNB efectivo y potencial

(Capacidad de producción: 400.000 millones de pesetas. Todas las cifras vienen en miles de millones de pesetas a un nivel de precios constante)

Inversión	Producción	Brecha entre producción efectiva y potencial	Porcentaje por debajo de la capacidad
0	250	150	37,5 %
10	300	100	25,0 %
20	350	50	12,5 %
35	400	0	Pleno empleo
55	(450)	Análisis inaplicable, pues daría una producción superior a la capacidad de la economía	

Basado en los datos de la tabla 22.5.

Trabajo no utilizado

La brecha entre el PNB efectivo y el potencial representa unos recursos de muchas clases no utilizados, lo mismo máquinas que hombres, pero lo más importante de todo es el trabajo no utilizado.

El trabajo no utilizado se hace visible en el desempleo. Cuanto mayor sea la brecha entre el PNB de equilibrio (o efectivo) y el PNB potencial, mayor será el grado de desempleo, a igualdad de las demás cosas. Podríamos esperar que el porcentaje de desempleo

y la brecha hasta llegar al PNB potencial, expresada como porcentaje
del potencial, se desplazasen juntos hacia arriba o hacia abajo, y así
sucede efectivamente. Pero como la producción al 80 por 100 de la
potencial no significa necesariamente un empleo al 80 por 100 del
máximo, el porcentaje de la brecha del PNB y el porcentaje de desempleo no son necesariamente iguales: simplemente, se mueven en
la misma dirección.

En los Estados Unidos, durante el período de 1955 hasta la
fecha, el desempleo varió en porcentaje casi exactamente un punto
por cada tres puntos de variación del porcentaje de la brecha del PNB,
con un porcentaje de desempleo del 4 por 100 para una brecha
nula. Por tanto, una brecha del PNB del 9 por 100 correspondió
a un 7 por 100 de desempleo $(1/3 \times 9 + 4)$, mientras que una brecha
del PNB del 3 por 100 correspondió a un 5 por 100 de desempleo
$(1/3 \times 3 + 4)$. A lo largo de este período de veinticinco años, la
brecha del PNB varió entre cero (o un ligero porcentaje negativo)
a casi el 9 por 100, mientras que el desempleo varió entre un· poco
menos del 4 por 100 y un poco menos del 7 por 100.

Esta relación, en la que la reducción del empleo es solamente un
tercio de la proporción en que la producción efectiva queda por debajo de la potencial, no tiene necesariamente validez en el caso de
brechas importantes del PNB que persistan mucho tiempo. Entre 1929
y 1933 —la Gran Depresión de la década de 1930— la producción
descendió un 29 por 100 a la vez que el desempleo subió del 3,2 por
100 al 24,9 por 100: más del doble del aumento de desempleo
que se hubiera deducido de la relación anterior.

RECAPITULACIÓN 22.4. *Una economía concreta, en un momento
determinado, tiene un nivel de capacidad de producción o de pleno
empleo que es la producción máxima que la economía puede llevar a cabo con su fuerza de trabajo, maquinaria y conocimientos
tecnológicos existentes. Cualquiera que sea el nivel de producción
previsto por el análisis keynesiano, este nivel no podrá alcanzarse
efectivamente si no es igual o inferior al nivel de pleno empleo.
Por otra parte, si el nivel de producción determinado por el modelo
keynesiano es menor que el nivel de pleno empleo, quedarán recursos sin utilizar y, en particular, existirá desempleo de trabajo.*

22.5. La persistencia del desempleo

*Notas sobre la posibilidad de un alto
desempleo durante un largo período*

En el guión keynesiano, los precios y los salarios son relativamente inflexibles, de manera que si el nivel de las inyecciones da

una producción real inferior al nivel de pleno empleo, este nivel de producción real persistirá en tanto que no cambien el nivel de inyección ni la función de consumo. Es decir, el nivel de producción real previsto por el modelo keynesiano puede considerarse como un nivel de *equilibrio* que se mantendrá hasta que tenga lugar algún cambio motivado por fuerzas externas.

Flexibilidad de los precios

Por su parte, los monetaristas tienden en general a considerar que la predicción keynesiana de la producción real muestra solamente el nivel que se alcanzaría a corto plazo. A largo plazo, se pondrían en marcha las fuerzas del mercado, provocando unas variaciones de los precios y un ajuste final que haría volver a la producción real a su nivel de capacidad, pero con un nivel de precios distinto.

La clave de la flexibilidad de los precios es la flexibilidad de los salarios. Si los salarios no varían, los costes de producción (y, por tanto, los precios) no pueden variar mucho, pues considerada la economía en su conjunto, los salarios son el componente dominante de los·costes de producción. Si los costes de producción no varían, habrá pequeños cambios de los precios como consecuencia de las variaciones de los márgenes de beneficio, pero no una verdadera flexibilidad de los precios.

Por flexibilidad de los salarios entendemos las variaciones del salario monetario o nominal por unidad de tiempo, no del salario real. El análisis monetarista extremo contemplaría una situación en la que, por ejemplo, los salarios monetarios y el nivel de los precios descendiesen ambos un 5 por 100. Por tanto, aunque el salario en pesetas desciende un 5 por 100, el nivel de precios (y el coste de vida) también desciende un 5 por 100, con lo que el asalariado puede comprar los mismos bienes y servicios reales que antes: el *salario real* no ha cambiado.

Por su parte, Keynes consideró que la inflexibilidad de los precios *a la baja* (pero no al alza) sería una característica de la economía real. La razón era que tanto los asalariados individuales como los sindicatos de trabajadores se opondrían con fuerza a los intentos de reducir los salarios monetarios, aun en los casos de un desempleo considerable e incluso si estuvieran convencidos de que el coste de vida seguiría los mismos pasos. La negativa a aceptar una reducción del salario monetario, aun cuando los precios siguiesen la misma marcha y se mantuviese constante el salario real, se denomina a veces «ilusión monetaria». Es una ilusión solamente en sentido abstracto y agregado. Para el asalariado individual, una rebaja de su salario es un acontecimiento inmediato y definido, mientras que una variación del coste de vida es una posibilidad incierta que depende de la economía en su conjunto y está completamente fuera de su control.

La argumentación monetarista es que el desempleo, como cualquier excedente de la oferta sobre la demanda en cualquier mercado, tiene que ejercer una presión descendente sobre los precios: en el caso del mercado del trabajo, los salarios monetarios acabarían por descender, aun a pesar de las resistencias individuales y de la resistencia de los sindicatos de trabajadores.

La curva de Phillips

Que los salarios sean flexibles o no a la baja es una cuestión de *hecho,* no de teoría. Pero la determinación de los hechos, como ocurre siempre en el contexto de una economía en la que entran en juego simultáneamente un número tan grande de influencias diferentes y a menudo de sentidos opuestos, no es fácil. El principal intento de establecer los hechos en cuestión fue el de A. W. Phillips, economista británico. Phillips examinó la relación histórica entre la tasa de variación de los salarios y el nivel de desempleo a lo largo de un período de casi un siglo en Gran Bretaña. Los resultados de su estudio tomaron cuerpo en *la curva de Phillips,* que tiene la forma general que muestra la figura 22.4.

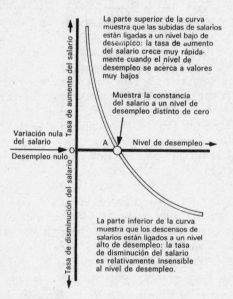

La parte superior de la curva muestra que las subidas de salarios están ligadas a un nivel bajo de desempleo: la tasa de aumento del salario crece muy rápidamente cuando el nivel de desempleo se acerca a valores muy bajos

Muestra la constancia del salario a un nivel de desempleo distinto de cero

Tasa de aumento del salario

Variación nula del salario

Desempleo nulo

A   Nivel de desempleo →

Tasa de disminución del salario

La parte inferior de la curva muestra que los descensos de salarios están ligados a un nivel alto de desempleo: la tasa de disminución del salario es relativamente insensible al nivel de desempleo.

FIG. 22.4.—*La curva de Phillips.*

Adviértase que la curva indica que la relación entre la variación de los salarios y el nivel de desempleo cambia con dicho nivel de desempleo y su pendiente es mucho más pronunciada por *encima*

de la línea de variación nula del salario que por debajo de ella.
La curva corta a esta línea en el punto A: este punto da el nivel
de desempleo al cual los salarios no suben ni bajan. Este nivel no
es cero, sino algo superior.

El extremo inferior de la curva (por debajo de A) es relativamente horizontal, y muestra que la tasa (descendente) de variación
de los salarios varía muy poco conforme el desempleo crece más
y más. Esto parece ser lo más próximo a una respuesta que podemos obtener a nuestra pregunta sobre la flexibilidad de los salarios
a la baja: los salarios bajan, ciertamente, cuando el desempleo es
suficientemente alto, pero con relativa lentitud, a una tasa que se
acelera muy poco conforme aumenta el desempleo. Esto indica con
bastante claridad que, para un fuerte desempleo, el ajuste por medio
de las variaciones de los salarios y los precios será muy lento y no
tendrá lugar con una tasa significativa hasta que el desempleo no
sea alto (8 por 100 es una cifra típica).

La mitad superior de la curva de Phillips muestra, por su parte,
que los salarios *aumentarán* muy rápidamente a niveles bajos de desempleo. Este hecho tiene importantes implicaciones para una política
económica proyectada con el objeto de mantener el pleno empleo sin
inflación, y nos volveremos a ocupar de él más adelante.

Por tanto, este testimonio parece mostrar, si no una verdadera rigidez de los salarios a niveles altos de desempleo, la lentitud del movimiento descendente. Una situación de depresión, en el modelo
keynesiano, no puede ser verdaderamente un estado de equilibrio,
pero cualquier ajuste automático puede requerir años, así que, desde
el punto de vista de la política, necesitamos actuar y no esperar al
ajuste. Quizá la curva de Phillips no representa una ley económica
inmutable, pero es algo que hemos de tener en cuenta siempre.

RECAPITULACIÓN 22.5. *Una diferencia importante entre los guiones keynesiano y monetarista se refiere a la probable persistencia
del desempleo. Los monetaristas insisten en que, si bien una insuficiencia de inyecciones puede traducirse inicialmente en un alto desempleo, esto llevará a unas presiones a la baja sobre los salarios y
los precios, que conducirán, por último, a una expansión del gasto.
El principal testimonio empírico sobre la relación entre el desempleo
y las variaciones en los salarios se expresa en las curvas de Phillips.
Este testimonio indica que hay un escaso movimiento a la baja de
los salarios cuando el desempleo es elevado, pero sí un considerable
movimiento al alza cuando el desempleo es bajo. El testimonio indica
asimismo que el desempleo podría ciertamente persistir de hecho durante largos períodos, y que es ilusoria una recuperación rápida a
través de las variaciones de los salarios.*

22.6. El efecto multiplicador

*Cómo un aumento de un millón de pesetas
en las inyecciones hará subir la producción
y la renta en más de un millón de pesetas*

Hasta aquí hemos venido considerando el nivel de renta y de producción que aparecerá asociado a un nivel determinado de inversión o de inyecciones totales, dada una función de consumo. Pasamos ahora a examinar la relación entre una *variación* del nivel de inyección y el cambio correspondiente del nivel de producción.

Un ejemplo

Empecemos con el examen de la relación entre un cambio en la inversión y un cambio en la producción, en el ejemplo numérico que ya hemos empleado varias veces. La tabla 22.7 reúne datos de la misma economía que las tablas 22.4 y 22.5, pero añadiendo otras columnas que muestran los cambios de la inversión y de la renta (o producción), y la relación entre estos cambios. Suponemos que la producción correspondiente a la capacidad es aquí de 450.000 millones de pesetas como mínimo, con lo que la producción real es susceptible de alcanzar todos los valores representados.

Observemos que, en cada escalón, el aumento de la producción es mayor que el aumento de la inversión que lo originó. Si la inversión es 10.000 millones de pesetas, la producción es 300.000 millones. Al pasar la inversión de 10.000 a 20.000 millones de pesetas, la producción aumenta en 50.000 millones, pasando a ser 350.000 millones. Es decir, que a un nivel de producción de 300.000 millones de pesetas, un aumento de sólo 10.000 millones en la inversión se traducirá en un aumento de 50.000 millones en la producción: *cinco veces* mayor que la cantidad en que aumentó la inversión.

Por tanto, un aumento de la inversión tiene un efecto que se *multiplica* sobre el nivel de la producción. El cociente de dividir el aumento de la producción por el aumento de la inversión necesaria para originar aquél, se conoce como *el multiplicador*. Con los datos de la tabla 22.7, el multiplicador no es constante: desciende desde un valor de cinco para una producción de 250.000 millones de pesetas, hasta un valor de 2,5 para una producción de 450.000 millones. Este descenso conforme aumenta el nivel de producción es representativo de las situaciones reales, aunque en los modelos sencillos empleamos con frecuencia unos multiplicadores constantes.

El proceso multiplicador

¿Cuál es la causa de este efecto multiplicador? ¿Qué es lo que determina el valor del multiplicador? Evidentemente, debe estar rela-

TABLA 22.7

El efecto multiplicador

(Miles de millones de pesetas por año)				Cociente entre el aumento de la tasa de inversión y el aumento de la producción
Tasa planeada de inversión	*Producción y renta*	*Aumento de la tasa de inversión*	*Aumento de la producción y de la renta*	
0	250			
		10	50	5
10	300			
		10	50	5
20	350			
		15	50	3,3
35	400			
		20	50	2,5
55	450			

cionado con la *función de consumo,* pues es ésta la que determina el nivel de producción que irá asociado a cada nivel de inversión.

Para entender el efecto multiplicador, lo más sencillo es partir de la consideración de un proceso típico keynesiano en el que la economía puede moverse desde la producción adecuada a un nivel de inversión a la producción adecuada a otro. Como el guión es el keynesiano, procedemos por medio del análisis renta-gasto y suponemos que todos los ajustes tienen lugar por medio de los niveles de producción real.

Consideremos la economía representada en la tabla 22.7, y supongamos que inicialmente está en equilibrio, con una inversión de 10.000 millones de pesetas y un nivel de producción de 300.000 millones. Supongamos ahora que los empresarios, por una u otra razón, deciden aumentar la inversión en 10.000 millones de pesetas.

La economía estaba inicialmente en equilibrio con unas detracciones (ahorro) de 10.000 millones de pesetas y unas inyecciones (inversión) también de 10.000 millones. Las inyecciones han aumentado en 10.000 millones sin que, hasta ahora, haya tenido lugar ningún cambio en las detracciones. El gasto planeado es de 310.000 millones de pesetas (290.000 millones en consumo más 20.000 millones en inversión), mientras que la producción es de 300.000 millones de pesetas. Habrá una presión ascendente en la economía, que se traducirá, en este caso keynesiano, en un aumento de 10.000 millones de pesetas de la producción para atender al aumento de la demanda.

Proceso de creación del nuevo gasto

Pero un aumento de 10.000 millones de pesetas en la producción no bastará para devolver el equilibrio a la economía. Esto es

──── **Cápsula suplementaria 22.2** ─────────────────────────

EL AHORRO NO ES SIEMPRE UN LUJO

El modelo keynesiano simplificado se basa en la función de consumo, y la función de consumo más sencilla parte del supuesto de que el ahorro crece en proporción directa con la renta (PMaA constante), o en una proporción creciente (PMaA creciente). En otras palabras, el ahorro aparece en el sistema keynesiano como un «lujo», como algo en lo que las gentes tienden a emplear una proporción mayor de su renta conforme se van enriqueciendo, más que una «necesidad», algo en lo que las gentes tienden a emplear una proporción menor de su renta conforme se van haciendo más ricas.

En términos generales, el ahorro puede ser considerado un lujo. Sin embargo, puede haber excepciones a corto plazo, al menos en lo que se refiere a ciertos tipos de ahorro; por ejemplo, 1971 fue en los Estados Unidos un año de gran expansión de los depósitos de ahorro, a pesar de que la economía atravesaba una depresión moderada. La expansión del ahorro, que en cierto modo no se esperaba, fue debida, según los comentaristas oficiales, a la «incertidumbre».

Existen buenas razones para que el ahorro pueda *aumentar* a corto plazo cuando la renta desciende, o se espera que descienda, en lugar de *disminuir*, como lo predice la función de consumo. Estas razones pueden resumirse diciendo que es el resultado de las medidas de precaución ante la incertidumbre. Si la economía está deprimida, los trabajadores se dan cuenta de que están aumentando sus probabilidades de quedar sin empleo, mientras que los pequeños empresarios también advierten que están aumentando las probabilidades de que sus beneficios disminuyan o desaparezcan. Como medida de precaución para mantenerse durante una mala época que se presume temporal, o para financiar sus gastos mientras buscan un nuevo empleo, muchos decidirán incrementar los saldos de sus cuentas de ahorro por encima del nivel que mantendrían normalmente si estuvieran seguros de continuar percibiendo sus ingresos presentes.

Tales medidas precautorias ayudan a los individuos, pero no a la economía, porque cuando la economía está deprimida, el aumento del ahorro se añade a las demás presiones descendentes y, por lo tanto, tiende a empeorar la situación. Este es uno de los muchos ejemplos de la acción de la *falacia de composición* sobre la economía (y sobre el sistema social en general), pues lo que es bueno para cada individuo por separado no siempre es bueno para los individuos como grupo.

Obsérvese que si llegara lo peor que temen aquellas personas que adoptan las medidas precautorias, sus ahorros disminuirían conforme disminuyeran sus ingresos —como lo predice la función de consumo— porque el objetivo del ahorro es hacer frente a un período en el que el consumo excederá a la renta (ahorro negativo) si la renta descendiera lo bastante.

───

así porque el aumento de la producción, que origina un aumento del empleo, generará un aumento de la misma magnitud en la renta. Las economías domésticas percibirán 10.000 millones de pesetas más de renta, lo que les hará planear un aumento del gasto. ¿Cuánto mayor? La respuesta viene dada por la *propensión marginal a con-*

sumir, que es 0,8 para la función de consumo de esta economía y a un nivel de renta de 300.000 millones de pesetas (véase la tabla 22.3). Es decir, que las economías domésticas de esta economía concreta aumentarán el consumo en una cantidad igual al 80 por 100 del aumento de su renta.

Por tanto, el aumento de la renta en 10.000 millones de pesetas generará un nuevo gasto para consumo de 8.000 millones, que se añadirá al gasto para consumo antes existente y al gasto total para inversión. El gasto total planeado será ahora de 318.000 millones de pesetas: 300.000 millones iniciales más el aumento de la inversión en 10.000 millones, más 8.000 millones del consumo adicional resultante del primer aumento de la producción. Aunque la producción ha aumentado y ahora es de 310.000 millones de pesetas, es insuficiente para hacer frente al gasto planeado. La presión ascendente sobre la economía continúa, aunque amortiguándose, pues el gasto planeado excede ahora a la producción solamente en 8.000 millones, y no en 10.000 millones como antes.

Si la producción se ajusta para satisfacer el nuevo gasto planeado, aumentando en 8.000 millones de pesetas, esto generará un nuevo aumento de la renta, esta vez de 8.000 millones. Los consumidores aumentarán el consumo planeado en el 80 por 100 de esta última cifra, es decir, 6.400 millones. El gasto planeado sigue por delante de la producción, pero la brecha ha bajado a 6.400 millones. Si la producción aumenta de nuevo en un esfuerzo por cerrar esta brecha, la renta subirá otra vez, en 6.400 millones, lo que generará un gasto adicional para consumo de 5.120 millones (80 por 100 de 6.400 millones). Obsérvese que, a cada sucesiva «ronda» de aumento de la producción, disminuye el gasto adicional generado. Al principio fue de 10.000 millones de pesetas (el aumento básico de la inversión); después, 8.000 millones (la primera inserción adicional de consumo inducido); después, 6.400 millones, y después, 5.120 millones. Descenderá un 20 por 100 en cada «ronda» adicional (pues sólo el 80 por 100 del aumento de la renta se convierte en aumento del consumo) hasta que llegue a hacerse tan pequeño que pueda despreciarse.

Resultado final

Sabemos cuál tendrá que ser el nivel *final* de la producción, porque sabemos que la economía está en equilibrio con una producción de 350.000 millones de pesetas cuando la inversión totaliza 20.000 millones (los 10.000 millones iniciales más los 10.000 millones de aumento), según vimos antes (página 621). Si anotamos los niveles sucesivos de producción después de cada ronda de ajuste, éstos son (en millones de pesetas):

300.000 (inicial)
310.000
318.000
324.400 (=318.000+6.400)
329.520 (=324.400+5.120)
333.616·(=329.520+80 por 100 de 5.120).

Estas cifras tienden hacia el valor final de 350.000 millones de pesetas, pero lentamente. Si el proceso de ajuste fuese como el descrito, serían necesarias muchas rondas para acercarse a los 350.000 millones; pero si una ronda dura solamente un día, el *tiempo* necesario será muy corto.

Aunque el efecto multiplicador puede requerir algún tiempo para completarse, lo importante es que, con sólo una ronda, el aumento de la producción es mayor que el aumento de la inversión que le dio origen. La razón de que sea mayor es que el aumento de la inversión origina un aumento de la renta que, a su vez, origina un aumento del consumo. El aumento final de la producción es debido, no solamente al aumento original de la inversión, sino también al aumento del consumo *inducido* por el consiguiente aumento de la renta.

Cuando la inversión aumenta, pasando de 10.000 millones de pesetas a 20.000 millones, la producción aumenta en 50.000 millones, de los que 10.000 millones se deben al aumento *directo* del gasto para inversión y 40.000 millones son el aumento *inducido* del gasto para consumo.

RECAPITULACIÓN 22.6. *Si aumentan las inyecciones, también aumentará el nivel de producción, siempre que la economía no esté produciendo ya al nivel de su capacidad. La producción aumentará más que las inyecciones iniciales. Esto es así porque esas inyecciones aumentaron inicialmente la renta en una cantidad equivalente, y este aumento de la renta origina un gasto inducido adicional para consumo que se añade al gasto directo. Este efecto se conoce como efecto multiplicador, y el multiplicador es el cociente de dividir el aumento de la producción por el aumento de la inyección que le dio origen.*

22.7. Valor del multiplicador

*Cómo puede determinarse el valor del multiplicador
a partir de la función de consumo*

Vimos en la sección anterior que un aumento de la inversión (o de cualquier inyección) daría origen a un aumento final de la producción que sería un múltiplo del aumento de la inversión.

Al analizar el proceso multiplicador, vimos el papel crucial de la propensión marginal a consumir en este proceso, y sabemos, naturalmente, que el efecto total de cualquier variación de la inversión está determinado por la función de consumo.

Análisis formal

Analizaremos ahora formalmente el efecto multiplicador, y mostraremos cómo el valor del multiplicador es determinado por el valor de la propensión marginal a consumir.

Representamos el nivel inicial de la producción (=renta) en la economía por Y (su símbolo estándar en teoría económica) y el nivel de la inversión que la sostiene, por I. Si el nivel inicial del consumo es C, el gasto total $(C+I)$ tiene que ser igual a la producción (Y). Consideremos ahora la economía en un nuevo estado de equilibrio, después de un aumento de la inversión. Los aumentos se representarán por ΔI, ΔY e ΔC.

Si la economía estaba inicialmente en equilibrio, con un gasto igual a la producción, y se mueve hacia una nueva posición de equilibrio, donde también serán iguales el gasto y la producción, el *aumento* del gasto tiene que ser igual al *aumento* de la producción.

El aumento del gasto es la suma del aumento del gasto para inversión y el aumento del gasto para consumo, y es igual a:

$$\Delta I + \Delta C.$$

El aumento de la producción es ΔY, con lo que tendremos:

$$\Delta Y = \Delta I + \Delta C.$$

Ahora bien, el aumento del consumo, ΔC, no es arbitrario, sino determinado por la función de consumo. Por definición, el cociente entre un aumento del consumo y el aumento de la renta que le dio origen es la propensión marginal a consumir, $PMaC$. O sea,

$$PMaC = \frac{\Delta C}{\Delta Y}$$

De aquí obtenemos $\Delta C = PMaC \times \Delta Y$. Si sustituimos este valor en la relación anterior entre ΔY, ΔI e ΔC, obtenemos:

$$\Delta Y = \Delta I + (PMaC \times \Delta Y).$$

Pasando al primer miembro todos los términos que contienen ΔY, obtenemos

$$\Delta Y - (PMaC \times \Delta Y) = \Delta I,$$

o sea, $$(1 - PMaC) \times \Delta Y = \Delta I.$$

Dividiendo los dos miembros de la igualdad por ΔI, y después por $(1-PMaC)$, tenemos por fin que:

$$\frac{\Delta Y}{\Delta I} = \frac{1}{1-PMaC}$$

Ahora el primer miembro es el cociente entre el aumento de la renta y el aumento de la inversión que le dio origen, es decir, el multiplicador. El segundo miembro es, por tanto, una expresión del valor del multiplicador en función de la propensión marginal a consumir.

El valor del multiplicador en el modelo básico keynesiano es igual a uno partido por uno menos la propensión marginal a consumir.

Si el ahorro es la única forma de detracción, el aumento de ahorro originado por una peseta de aumento de la renta es igual a una peseta menos el aumento del consumo. Por tanto, la propensión marginal a ahorrar es igual a uno menos la propensión marginal a consumir, y podemos expresar el valor del multiplicador del siguiente modo alternativo:

El valor del multiplicador en el modelo básico keynesiano es igual a la inversa de la propensión marginal a ahorrar.

Algunas relaciones numéricas

Señalemos que si la propensión marginal a consumir es cero (los consumidores ahorran todo el aumento de sus rentas), el multiplicador es $1/(1-0)=1$. Por tanto, el multiplicador será mayor que la unidad (lo que se traducirá en un verdadero efecto multiplicador, por el que la producción aumenta más que la inversión) si la propensión marginal a consumir es mayor que cero, es decir, si de un aumento de la renta resulta algún aumento del consumo, por pequeño que sea éste.

El valor del multiplicador aumenta conforme aumenta la propensión marginal a consumir. Para una $PMaC$ de 0,5, el multiplicador es 2; para una $PMaC$ de 0,8, el multiplicador es 5, como se vio en nuestro ejemplo numérico de la sección anterior. Con una $PMaC$ igual a la unidad, la economía no puede lograr el equilibrio hasta que no alcance un nivel de producción con una $PMaC$ menor, ya que una $PMaC$ igual a la unidad significa que no se genera ahorro para neutralizar el aumento de las inyecciones que inició el proceso.

Los multiplicadores en los modelos complejos

En macromodelos más complejos, como los que se utilizan en la realidad para la previsión y la política económica, la determinación del multiplicador es más complicada. Los valores de los multi-

plicadores determinados en dichos modelos son típicamente *menores*
que los que obtendríamos de la fórmula simple. En un modelo muy
conocido (el modelo Wharton, publicado periódicamente por la
Wharton Economic Forecasting Unit de la Universidad de Pennsylvania), la propensión marginal a consumir es superior a 0,9. Esto
daría un multiplicador simple de 10 o mayor, pero si preguntamos
al ordenador el efecto en este modelo de un aumento de un millón
de dólares en el gasto público, la respuesta es un aumento aproximado de dos millones en el PNB: un multiplicador igual 2.

Las razones de que el verdadero multiplicador sea menor que
el deducido de la propensión marginal a consumir son muchas y
complejas, pero algunos de los factores son bastante sencillos de
entender. Uno de ellos es que, como los impuestos sobre la renta
aumentan con la renta, existen detracciones adicionales en forma
de impuestos, que reducen el volumen del gasto inducido conforme
aumenta la renta. Las importaciones, otra forma de detracción, tienden también a aumentar con la renta, disminuyendo aún más los
efectos inducidos sobre el gasto.

RECAPITULACIÓN 22.7. *En el modelo keynesiano básico, en el que
la única detracción es el ahorro, y éste está completamente determinado por la función de consumo, puede demostrarse que el valor del
multiplicador es igual a $1/(1-PMaC)$, donde PMaC es la propensión marginal a consumir.*

22.8. Significación del modelo keynesiano para la política económica

*El modelo keynesiano tiene una clara significación
para la política macroeconómica*

Aunque más adelante trataremos con detalle los problemas de la
política macroeconómica, éste es un buen momento para una breve
revista de la significación general del modelo keynesiano simplificado, en cuanto a la política económica. El principio básico se ilustra
en la figura 22.5.

Dada la función de consumo y sin otra detracción que el ahorro, el nivel de la producción real (dentro de los límites de la capacidad) está determinado en este modelo por el nivel de las inyecciones. Al construir el modelo, hemos supuesto que la inyección
primaria era la inversión, pero el nivel de la producción real depende solamente del *nivel* de las inyecciones, no del tipo ni del
origen de éstas.

Política fiscal

Por tanto, la significación general en materia de política económica es muy simple. Si el nivel planeado de inversión llevara a un nivel de producción real inferior al nivel de capacidad, la producción podría aumentarse hasta la capacidad practicando una inyección *adicional* igual a la diferencia entre la inversión necesaria para alcanzar el pleno empleo y el nivel planeado de inversión efectiva. Supóngase que la producción de pleno empleo de la economía representada por nuestro ejemplo numérico es de 450.000 millones de pesetas, y la inversión planeada es de 35.000 millones. Este nivel de inversión dará una producción de 400.000 millones solamente (véase la tabla 22.7). El pleno empleo requiere una inversión de 55.000 millones, en ausencia de otras inyecciones, por lo que se necesitará una inyección política (por ejemplo, de gasto público adicional) de 20.000 millones para compensar la diferencia. Si se lleva a cabo esta inyección, se alcanzará el nivel de pleno empleo. Esta manipulación del gasto público (o de los impuestos) se denomina *política fiscal*.

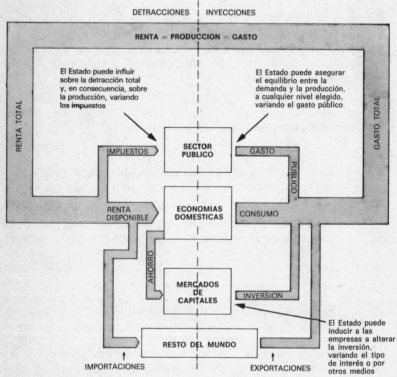

FIG. 22.5.—*Política económica en el modelo keynesiano.*

Podemos examinarlo desde un punto de vista ligeramente distinto, utilizando el multiplicador. En ausencia de medidas económicas específicas, la producción real de la economía será de 400.000 millones de pesetas: 50.000 millones por debajo del pleno empleo. En este escalón de la producción, el multiplicador es 2,5 (según la tabla 22.7). Cada peseta adicional en inyecciones elevará la producción en 2,50 pesetas; así pues, necesitamos 20.000 millones en inyecciones adicionales para elevarla en los 50.000 millones necesarios para llegar al pleno empleo.

Medidas indirectas

Una alternativa a la introducción de inyecciones adicionales procedentes de una nueva fuente, tal como el gasto público, es aumentar la propia inversión planeada. Hemos supuesto en este capítulo que el nivel de la inversión es dado, pero esto no significa que hayamos supuesto que la inversión sea insensible a toda influencia económica. Dentro de ciertos límites, podemos esperar que la inversión sea sensible a factores tales como el tipo de interés, el tratamiento fiscal del gasto para inversión, etc. Con la manipulación de estos factores, quizá podremos inducir a los empresarios a que aumenten la inversión en el volumen necesario para asegurar el pleno empleo. En este caso indirecto, predecir el cambio de política que se necesita es más difícil que cuando se trata de una inyección directa por el sector público, pues necesitamos saber, por ejemplo, cuánto debe variarse el tipo de interés para conseguir el aumento deseado de la inversión.

Si el problema económico consiste en una excesiva presión ascendente, y no en el desempleo, pueden utilizarse las mismas medidas económicas, pero en sentido inverso. El Estado puede reducir las inyecciones totales, si éstas tienden a superar a las detracciones, reduciendo su propio gasto o induciendo a las empresas a que reduzcan el nivel de sus inversiones.

En un modelo sencillo, el ahorro es la única forma de detracción. En la economía real, los impuestos representan una partida importante de las detracciones, que está bajo el control del Estado. Se puede adoptar la política de variar las detracciones (impuestos) en lugar de variar las inyecciones o se puede modificarlas conjuntamente. Como la mayoría de los impuestos se refieren a la renta o al gasto, las medidas relativas a la variación de los impuestos requieren un análisis especial, que aplazamos hasta el capítulo 30.

RECAPITULACIÓN 22.8. *Dada la función de consumo, el nivel al que opera la economía (dentro de los límites de su capacidad) está determinado por el nivel de las inyecciones. Como no importa el origen de la inyección, cualquier tendencia de la economía a operar por debajo de su capacidad, debido a ser demasiado bajo el nivel de*

*la inversión, puede ser compensada por una inyección del Estado
(gasto público). Esta debe ser igual a la diferencia entre la inversión
planeada y el nivel total de las inyecciones necesario para alcanzar
el nivel de producción deseado. Como alternativa a la variación del
gasto público, el Estado puede emplear medidas económicas (tipos
de interés, por ejemplo) dirigidas a inducir un aumento de la inversión privada en el volumen necesario.*

22.9. Macromodelos de uso práctico

*A efectos prácticos de política económica,
nuestros modelos tienen que ser más
complejos que el sencillo modelo básico*

El modelo básico que hemos venido analizando está, con mucho,
demasiado simplificado para poder utilizarlo en aplicaciones prácticas tales como las previsiones con fines de política económica o la
formulación detallada de las medidas económicas oficiales. Sólo ilustra sobre el funcionamiento general de la economía en condiciones
en las que los rasgos esenciales del modelo keynesiano —una función
de consumo estable y ajustes mediante la variación de la producción
real— son una aproximación razonable a la realidad.

Para desarrollar una versión más realista, hay que modificarlo
de varios modos. Entre éstos están la definición de una función de
consumo que encierre otras variables además de la renta de un solo
período, la inclusión de otras variables económicas excluidas del
modelo simplificado (dinero, tipo de interés, política fiscal) —pu-
diéndose así determinar la inversión dentro del propio modelo, en
lugar de darla por conocida—, una definición más explícita de las
relaciones entre producción y empleo, y otros muchos aspectos.

La función de consumo

Para obtener una función de consumo realista, tenemos que
hacer que el consumo dependa del consumo pasado lo mismo que
de la renta corriente, ya que los niveles de consumo están influidos
por la experiencia previa de las economías domésticas. Son también
importantes otras influencias, como la renta media esperada para
un período largo: una economía doméstica que pierda renta temporalmente a causa de una enfermedad breve no se comportará igual
que otra cuya renta haya descendido al mismo nivel con carácter
permanente. Una economía doméstica con un considerable saldo en
la cuenta bancaria y una buena cartera de valores reaccionará menos ante las variaciones a corto plazo de su renta que otra que
cuente con pocos activos. Por tanto, debemos incluir en la función
de consumo variables como la renta media a largo plazo («renta

permanente»), la riqueza (incluyendo los saldos en dinero) y los cambios a corto plazo en la renta («renta transitoria»). Una vez que la riqueza aparece en la función de consumo, se hace evidente la posibilidad de que varíe el gasto para consumo a causa de un cambio en las existencias de dinero mantenidas, lo que nos permite reconciliar el enfoque keynesiano con el monetarista.

Es también útil partir la función de consumo en varias funciones diferentes. La relación entre el gasto de las economías domésticas en automóviles y la renta, por ejemplo, no tiene por qué ser la misma que la existente entre el gasto en bienes de consumo inmediato (alimentación, vestido) y la renta. Este es un ejemplo del tipo de *desagregación* que caracteriza a los modelos más complejos. Aunque continúan siendo macroeconómicos, en el sentido de que se refieren a magnitudes agregadas, éstas son ahora el gasto agregado en bienes de consumo duradero o en bienes de consumo inmediato, y no el gasto agregado en todos los bienes de consumo.

Modelos de grandes dimensiones

Los métodos empíricos modernos y las técnicas de la informática permiten el desarrollo de modelos muy grandes y complejos, cuyas propiedades no pueden describirse en simples diagramas o ejemplos. Sin embargo, estos modelos se han desarrollado a partir del modelo keynesiano básico, subdividiendo los agregados y añadiendo otras variables determinantes.

Por medio del empleo de las técnicas econométricas, pueden estimarse unas relaciones numéricas exactas entre las variables del modelo, empleando datos históricos de la economía en cuestión; por tanto, estos modelos ofrecen predicciones cuantitativas sobre lo que sucedería si se pusieran en práctica determinadas medidas económicas o tuviera lugar otro cambio cualquiera. Estas predicciones no son de naturaleza sencilla, anunciando, por ejemplo, cuánto variará el PNB real si se modifican los impuestos en una determinada cantidad, sino que consistirán, típicamente, en una serie de largo plazo indicando los efectos de la variación de los impuestos para cada uno de los múltiples períodos en que se ha dividido un largo lapso de tiempo.

Algunos modelos importantes en los Estados Unidos

Como no existe todavía *el* macromodelo de los Estados Unidos, hay varios modelos distintos, conocido cada uno de ellos por los nombres de los responsables principales de su creación (como el modelo *Klein-Goldberger)* o de las instituciones que patrocinan el trabajo (el modelo *Brookings-SSRC,* el modelo *Wharton,* el modelo *Reserva Federal-M.I.T.).*

En esencia, todos estos modelos se han construido del mismo modo. Se escogen los subsectores que en su conjunto determinan la demanda agregada, que serán diversas subdivisiones de los sectores básicos: consumo, inversión, Estado y sector exterior. La forma de la función de consumo o de la de inversión para cada subsector se elige por medio de consideraciones teóricas o ensayando muchas formas distintas y escogiendo la que parezca acoplarse mejor a los datos del pasado. Se incluyen otros aspectos de un macromodelo completo que no hemos analizado todavía, como son la determinación del salario, el empleo y el nivel de precios. Los valores numéricos de los parámetros que entran en las relaciones se estiman a partir de los datos de períodos anteriores utilizando métodos econométricos. Así se llega a un modelo completamente cuantificado.

Los modelos difieren en complejidad, en su período básico de tiempo (anual o trimestral) y en rasgos especiales que se incorporan a ellos por razones particulares.

El más sencillo de los macromodelos modernos es el modelo Klein-Goldberger. Es el resultado de un macromodelo cuantitativo que abrió camino en estas investigaciones, construido primeramente por Laurence Klein en 1946 y modificado sucesivamente hasta 1953, con algunas ampliaciones posteriores. De los modelos grandes, es el más cercano al esquema keynesiano básico. Contiene dieciséis *ecuaciones estructurales* (la función de consumo es la única ecuación estructural del modelo keynesiano sencillo), número nada grande en comparación con otros modelos posteriores. El período básico de tiempo es el año, no el trimestre, por lo que este modelo es demasiado «tosco» para la mayoría de las aplicaciones a la política económica.

El más complejo y el elaborado con más minuciosidad es el modelo *Brookings-SSRC*. En su composición intervino un gran número de personas, divididas en equipos que trabajaron sobre distintos sectores, con un equipo para la redacción final. Este modelo contiene no menos de 150 relaciones estructurales, lo que representa una complejidad casi cien veces mayor que la del modelo Klein-Goldberger (pues la complejidad aumenta en proporción al cuadrado del número de relaciones estructurales). Es un modelo trimestral.

Los economistas especialmente interesados en la política monetaria consideraban que, a pesar de su gran complejidad, el modelo de Brookings trataba inadecuadamente los aspectos monetarios. Por esta razón se creó el modelo *Federal Reserve Board-M.I.T.* Este es más detallado que el modelo Brookings en lo que se refiere al dinero, pero menos en los demás aspectos, por lo que sólo contiene setenta relaciones estructurales.

El modelo *Wharton* de predicción económica se proyectó con fines de predicción general y de estudio de la política económica. Es trimestral, con cuarenta y siete relaciones estructurales.

En comparación con éstos, el modelo keynesiano básico contiene solamente *una* ecuación estructural: la relación entre el consumo y la renta.

RECAPITULACIÓN 22.9. *Para su aplicación práctica a la predicción y la política macroeconómica, los modelos tienen necesariamente que ser más complejos que los analizados primeramente. Se basan en el modelo keynesiano simple, pero contienen funciones de consumo más complicadas, más tipos de detracciones y de inyecciones, y dividen la economía en un número mayor de sectores. Los grandes modelos pueden «ajustarse» a los datos del pasado, y se pueden estimar los valores numéricos de sus numerosos coeficientes. No ha aparecido todavía un modelo que sea el más apropiado para todos los fines a la vez, y solamente existen cuatro grandes modelos en Estados Unidos.*

RESUMEN DE LAS SECCIONES. *Para repasar el contenido de este capítulo, hojéese el texto y vuélvanse a leer los trozos titulados «Recapitulación» que ponen fin a todas las secciones.*

TÉRMINOS Y CONCEPTOS DEL CAPÍTULO 22

Función de consumo
Propensión marginal a consumir
Propensión media a consumir
Multiplicador
Curva de Phillips
Curva renta-consumo
Macromodelos.

EJERCICIOS

La función de consumo de una economía presenta las siguientes propiedades:

1) Propensión marginal a consumir = 0,80 a todos los niveles de renta.

2) Para una renta de 1.000 millones de pesetas, el ahorro es de 100 millones.

1. Fórmese una tabla con el consumo y el ahorro correspondientes a los niveles de renta 500, 600, 700, 800, 900, 1.000, 1.100 y 1.200 (en millones de pesetas).

2. ¿Cuál será el nivel de equilibrio de la renta de esta economía cuando las inyecciones totalizan 80 millones de pesetas y el ahorro es la única detracción?

3. Supóngase que la capacidad máxima de producción de la economía es de 1.100 millones de pesetas y que la inversión totaliza 110 millones. ¿Estaría funcionando la economía a su nivel de capacidad, suponiéndose que la inversión es la única inyección y el ahorro la única detracción?

4. Si la economía estaba produciendo por debajo de su nivel de capacidad en las circunstancias del ejercicio 3 anterior, ¿qué inyección adicional necesitaría hacer o inducir el Estado para llevar la economía a su nivel de capacidad?

5. ¿Cuál es el valor del multiplicador simple en esta economía?

PARA REFLEXIÓN Y DISCUSIÓN

1. ¿Habrá un efecto multiplicador si el Estado se limita a pagar un salario a los trabajadores en situación de desempleo, sin obligarles a realizar ningún trabajo?

2. ¿Habrá un efecto multiplicador del gasto público en una economía socialista?

3. En Estados Unidos, los conservadores han afirmado con frecuencia que la teoría económica keynesiana introduce el «socialismo». ¿Está usted de acuerdo?

4. Una alternativa al aumento del gasto público o a un impulso de aumento de la inversión, cuando el ahorro planeado parece ser superior a las inyecciones planeadas, sería el intento de reducir el ahorro planeado. ¿Cómo intentaría usted lograrlo?

LECTURAS RECOMENDADAS *para los capítulos 19-22 (parte V)*

Schultze, Charles L., *National Income Analysis,* 3.ª edición. Prentice-Hall, 1972.

Schultze ofrece un tratamiento alternativo de las materias de esta parte del texto, a un nivel sensiblemente igual al que aquí reciben.

Keynes, John Maynard, *The General Theory of Employement, Interest and Money.* Macmillan, 1936.

Hansen, Alvin, *A Guide to Keynes,* McGraw-Hill, 1953.

Si encuentra difícil la *Teoría General,* no se avergüence de leer la exposición redactada por Hansen, de lectura mucho más fácil y que sigue de cerca al original.

Harris, Seymour (ed.), *The New Economics*. Alfred A. Knopf, 1947*.
Lekachman, Robert, *The Age of Keynes*. Random House, 1966**.
Estos dos libros ofrecen en cierta medida el contexto de la revolución keynesiana. Los textos incluidos en el volumen de Harris dan la esencia de la teoría económica keynesiana en su impacto inicial sobre la escena de los Estados Unidos, mientras que el de Lekachman vuelve la mirada hacia una época posterior, en la que Keynes era ya teoría aceptada.

Economic Reports of the President. (Informes económicos del Presidente de los Estados Unidos.)
Reports of the Council of Economic Advisors. (Informes del Consejo de Asesores Económicos del Presidente de los Estados Unidos.)
Estos dos informes los publica anualmente, reunidos en un solo volumen en rústica, la Imprenta del Estado (Government Printing Office). Contienen un análisis de los problemas económicos más importantes de cada momento, según los ve el Gobierno, junto con un voluminoso apéndice de series estadísticas que abarcan las principales variables macroeconómicas.

Office of Business Economics, Department of Commerce. *Survey of Current Business*.
Esta publicación mensual contiene las estadísticas oficiales sobre la renta nacional de los Estados Unidos. Una vez al año, como mínimo, publica un número (la National Income Issue) con un detallado análisis por renglones de las cuentas.

---

* Traducción española: *La Nueva Economía*, Madrid, Revista de Occidente, 1955.
** Traducción española: *La era de Keynes*. Madrid, Alianza Editorial, 1970.

Parte VI

APLICACIONES DEL ANALISIS MACROECONOMICO

Esta parte, que comprende los capítulos 23, 24 y 25, aplica el análisis macroeconómico desarrollado en la parte V precedente a tres importantes campos de la economía moderna: las fluctuaciones económicas (capítulo 23), el crecimiento económico (capítulo 24) y la inflación (capítulo 25).

Capítulo 23

LA ECONOMIA FLUCTUANTE

23.1. La causa de las fluctuaciones económicas

Se trata de aislar sus más importantes factores

Vimos en el capítulo 22 que, si la función de consumo es estable, el nivel de renta existente se mantendrá mientras las detracciones y las inyecciones se equilibren entre sí, y que ese nivel no tiene que ser necesariamente el de pleno empleo. Pero lo que nos interesa en este capítulo es ver por qué fluctúa el nivel de actividad de la economía. Si la economía se mantuviera firme como una roca, pero con un 12 por 100 de desempleo, estaríamos ante un importante problema, pero no es éste el problema al que vamos a dedicar ahora nuestra atención.

Que la economía presenta de hecho fluctuaciones es algo que se ve claramente en la tabla 23.1, en la que se recogen las variaciones porcentuales anuales del PNB real de los Estados Unidos durante el período de 1930 a 1971. Como la economía crecía, la mayoría de las variaciones son positivas, excepto en el período de la depresión de los años 30 y ciertos puntos de recesión o depresión. Pero la magnitud de las variaciones cambia mucho a lo largo del período.

Podemos aceptar que la función de consumo es relativamente estable, así que el ahorro sería también relativamente estable si la economía no fluctuara. Las principales detracciones son el ahorro y los impuestos, de manera que las variaciones en el lado de las detracciones que *originarán* fluctuaciones de la renta son principalmente las ocasionadas por la política del Estado a través de los

639

────── **Cápsula suplementaria 23.1** ──────────────────────

EL «CRASH» DE LA BOLSA Y LA GRAN DEPRESION

El 24 de octubre de 1929 («jueves negro») la Bolsa de valores, que ya había mostrado la víspera signos de debilidad, inició su caída en vertical. Hubo pánico, la venta de acciones alcanzó volúmenes inauditos, y comenzó el hundimiento, el «crash». Los inversores y los agentes de bolsa saltaron por las ventanas —al menos algunos de ellos— pero el «crash», a pesar de su espectacularidad, fue realmente un suceso sin gran importancia en comparación con los tristes años de la Gran Depresión que siguieron. Incluso los suicidios lo reflejan: la tasa de suicidios en Estados Unidos fue en 1929 el 13,9 por cada 100.000 habitantes, sólo ligeramente superior a la de 1928 o 1927, pero en 1932 subió a su cota más elevada de todos los tiempos, el 17,4. Estos suicidios de 1932 no fueron el espectacular salto al vacío de quienes perdían todo en la Bolsa de la noche a la mañana, sino la decisión final desesperada de quienes habían estado mucho tiempo sin ingresos, sin trabajo y sin esperanza de obtenerlos. Vale la pena señalar que, a pesar de todo, la mayoría de la población salió adelante frente a increíbles penalidades.

Con la ventaja de poder volver la vista atrás, es imposible simpatizar con los que perdieron en el «crash» de la Bolsa, pues evidentemente las cotizaciones habían alcanzado un nivel injustificado por los resultados económicos efectivos, habiendo subido un 500 por 100 desde 1921, aunque los precios de las mercancías habían disminuido ligeramente durante el mismo período y el PNB había aumentado solamente un 40 por 100. Sin embargo, las cotizaciones de las acciones habían subido con tanta firmeza durante tanto tiempo, que pocos pronosticaron lo inevitable. Irving Fisher, de la Universidad de Yale, que era quizás el mejor economista de aquella época, mostró la capacidad de error de la profesión al asegurar a Estados Unidos que las cotizaciones de las acciones se estabilizarían en su nivel de entonces ...una semana antes del hundimiento.

Si el hundimiento de la Bolsa era inevitable, la Depresión no era su inevitable secuela. Fue el resultado de la negativa del gobierno de Hoover a considerar que el nivel de actividad de la economía era una cuestión de la competencia del Estado. Y las escasas medidas oficiales que se adoptaron sirvieron, en su conjunto, para empeorar las cosas. La administración se limitó principalmente a recomendar «coraje» y a afirmar que la prosperidad estaba «a la vuelta de la esquina». Los Estados Unidos no tenían entonces un sistema de seguridad social a escala nacional ni un seguro de desempleo, y la administración de Hoover se negó a introducirlos. En su lugar, Hoover intentó organizar una cuestación de caridad para ayudar a los desafortunados, pero no había suficiente gente que no se considerase *a sí misma* desafortunada, por lo que la cuestación fracasó por completo.

La espiral descendente de la economía, a diferencia del descenso de las infladas cotizaciones de la Bolsa, se debió a una caída masiva de las inversiones (que, evidentemente, fueron afectadas por el «crash») y de las exportaciones, señalando la necesidad de un aumento sustancial del

──

impuestos. Las principales *inyecciones* son la inversión y el gasto público.

Por tanto, los lugares apropiados para investigar las causas de las fluctuaciones en la economía son la política del Estado, que

gasto público para mantener el volumen total de las inyecciones. Sin embargo, los gastos del gobierno federal se mantuvieron en 1930 y 1931 casi al mismo nivel de 1929. Hubo incluso un sustancial *superavit* (excedente de los impuestos sobre los gastos) federal en 1930, así que el efecto neto de la política oficial fue empujar aún más hacia abajo a la economía.

El PNB de los Estados Unidos había alcanzado en 1929 los 204.000 millones de dólares (medido en dólares de 1958). En 1930 descendió a 183.000 millones; en 1932 a 169.000 millones, y en 1933 llegó al fondo, con 141.000 millones: la disminución total fue del 31 por 100 en cuatro años. El desempleo alcanzó un 25 por 100 en 1933, con casi 13 millones de trabajadores en paro errando por los Estados Unidos en busca, preferentemente, de un empleo y, en ausencia de trabajo, en solicitud de cualquier otra forma de ayuda. La administración de Hoover estaba completamente desacreditada al término de su mandato, y la semilla de un cataclismo político se había sembrado. Alemania, la única nación industrial importante con una tasa de desempleo cercana a la de Estados Unidos, recurrió a Hitler en 1933. Por fortuna para los Estados Unidos, 1932 era año de elección presidencial.

La primera administración de Roosevelt recibió en 1932 un mandato arrollador: así empezó el período del «New Deal». En comparación con los criterios de la política macroeconómica moderna, el New Deal fue relativamente modesto en sus operaciones; su impacto mayor se sintió en la distribución y en la política agrícola, más que en la macropolítica propiamente dicha, pero al menos se orientó en la dirección correcta. El gasto público federal aumentó en un tercio de 1931 a 1932; esto ocurrió antes de que tomara posesión la administración de Roosevelt, pero se debió a la acción de los demócratas, que ya ese año habían obtenido el control de la Cámara de representantes. Los gastos aumentaron en otro 45 por 100 hasta 1934, ya como resultado del New Deal, de manera que en este año se habían duplicado respecto a 1929.

El New Deal no consiguió restablecer el pleno empleo (aunque en 1933 terminó lo peor de la Depresión), y el desempleo era todavía del 14,3 por 100 en 1937, cuando tuvo lugar otra caída de la economía. La segunda administración de Roosevelt fracasó esta vez en su actuación: el gasto público disminuyó en 1937 y 1938 en lugar de aumentar, como lo hubiera requerido la situación. El desempleo llegó a un 19 por 100 en 1938, pero América se salvó de un desastre posterior gracias a las inyecciones originadas en Europa, cuando este continente incrementó sus gastos de armamento preparatorios de la guerra. Hasta 1939 no volvió el PNB a alcanzar su nivel de 1929. La entrada de los Estados Unidos en la segunda guerra mundial (en 1941) proporcionó por fin el gasto público suficiente para llevar la economía al nivel de su capacidad. El desempleo nunca retrocedió a su nivel de 1930, y menos aún al de 1929. La guerra puso así término al período de depresión económica más sostenido y más grave de toda la historia de los Estados Unidos.

puede influir tanto sobre las detracciones como sobre las inyecciones, y la inversión privada, que influye sobre las inyecciones. En la década de los 30, las detracciones e inyecciones provocadas por el sector público eran relativamente pequeñas en comparación con el

TABLA 23.1

Variaciones porcentuales anuales del PNB real (en dólares de 1958), Estados Unidos, 1930-1971

Año	Variación porcentual respecto al año anterior	Año	Variación porcentual respecto al año anterior
1930	−10	1951	+ 7
1931	− 8	1952	+ 3
1932	−15	1953	+ 4
1933	− 2	1954	− 1
1934	+ 9	1955	+ 8
1935	+10	1956	+ 1
1936	+14	1957	+ 1
1937	+ 5	1958	− 1
1938	− 5	1959	+ 7
1939	+ 8	1960	+ 2
1940	+ 8	1961	+ 2
1941	+16	1962	+ 6
1942	+13	1963	+ 4
1943	+13	1964	+ 5
1944	+ 7	1965	+ 6
1945	− 2	1966	+ 6
1946	−12	1967	+ 3
1947	− 1	1968	+ 5
1948	+ 4	1969	+ 2
1949	—	1970	—
1950	+ 9	1971	+ 3

ahorro y la inversión, así que para buscar las causas de la Gran Depresión tendríamos que acudir a la inversión privada. Aunque las detracciones y las inyecciones del sector público son altas a partir de la segunda guerra mundial, continuaremos buscando los factores que influyen en el nivel de la actividad económica *a pesar* de la acción del Estado.

Nos centramos inevitablemente en la inversión privada como causa fundamental de los cambios potenciales en la actividad económica, cuyos efectos pueden ser compensados o no por una acción pública adecuada. Al principio de los años 30, la política oficial *no* se utilizó de modo adecuado para compensar las fluctuaciones de la inversión privada. Desde la segunda guerra mundial, la política oficial se ha utilizado con mucho mayor acierto, por lo que las fluctuaciones han sido menores en los últimos años.

Por consiguiente, podemos admitir que la inversión privada es la principal causa (o la causa potencial, si es que ha sido neutralizada) de las fluctuaciones de la actividad económica. Como mostramos en el capítulo 22, las variaciones de la inversión darán origen a variaciones del nivel del PNB con un efecto multiplicador, de ma-

nera que un descenso de mil millones de pesetas en la inversión
hará descender el PNB en más de mil millones.

¿Por qué tiene que fluctuar la inversión? Esta es la pregunta
a la que pasamos ahora.

RECAPITULACIÓN 23.1. *Como podría esperarse que la economía
permanecería estable si las detracciones y las inyecciones se compen-
saran mutuamente, buscamos la causa de las fluctuaciones de la economía investigando qué detracciones e inyecciones tienden a variar.
Las detracciones fundamentales —el ahorro y los impuestos— tienden a ser estables si la economía permanece estable y no se verifican
cambios en los impuestos por razones de política. Por tanto, la
causa de las fluctuaciones está principalmente en las inyecciones. De
las inyecciones fundamentales, el gasto público es una cuestión política, así que son las variaciones de la inversión privada las que
proporcionan la razón básica de las fluctuaciones no provocadas por
la política.*

23.2. La naturaleza de la inversión

Los dos aspectos de la inversión

El significado fundamental de la inversión es la creación o adquisición de cosas que originarán ventajas durante un período de
tiempo relativamente largo. A este respecto, la inversión no es como
el consumo, cuyas ventajas directas aparecerán en el momento mismo del consumo y cesarán poco después, y tampoco es como las
compras de materiales por los productores, cuyas ventajas directas cesan en cuanto los materiales se incorporan a un producto
acabado. La inversión no se refiere solamente al «capital físico» (bienes de capital en el sentido más usual, como edificios, bienes de
equipo y maquinaria), sino que también puede realizarse en cosas
como la educación o «capital humano».

Desde el punto de vista de la macroeconomía, nos interesa principalmente el capital físico y la inversión agregada dentro de la economía en su conjunto.

Cuando agregamos, solamente cuenta el gasto en bienes de capital *recién producidos.* Una empresa individual puede invertir en la
compra de un camión usado a otra empresa. Pero, desde el punto
de vista del conjunto de la economía, ese camión era ya parte del
stock de capital: su venta de una empresa a otra transfiere simplemente la propiedad dentro de la economía, sin añadir nada nuevo
a la economía. Por la misma razón, no contabilizamos como inver-

sión las transacciones de activos financieros. Una persona puede
«invertir» en acciones, pero, desde el punto de vista de la economía
en su conjunto, la compra y venta de acciones no es más que la
transferencia de un derecho sobre unos activos reales concretos
dentro de la economía. Si una sociedad construye una nueva fábrica
con fondos obtenidos mediante la venta de acciones, la inversión,
en el sentido del economista, es la creación de esta fábrica y no las
transferencias de propiedad representadas por las transacciones en
acciones.

Las dos vertientes de la inversión

La inversión tiene dos vertientes. Por una parte es un gasto
en *nuevos bienes,* por otra es una adición al *stock de capital* y el origen de unas ventajas potenciales futuras. Los dos aspectos están
ligados en el tiempo, y las decisiones sobre inversión son decisiones
intertemporales por las que el gasto realizado durante el período
inicial se equilibra con las ventajas que sólo más tarde aparecerán.

Con frecuencia concentramos nuestra atención solamente en una
de las vertientes. Por ejemplo, en el análisis renta-gasto la única
propiedad de la inversión corriente que nos interesa es la de consistir en un gasto corriente y aumentar, por tanto, la *demanda* de la
producción corriente de la economía. Sus posteriores efectos sobre la
oferta del producto de la economía se ignoran, pues tomamos como
un dato el producto disponible en cada período que analizamos.
Sin embargo, cuando estudiamos el crecimiento económico, nos interesa la inversión tanto en su aspecto de gasto inmediato como en el
de aumento del potencial de producción de la economía en períodos
posteriores.

No todo el gasto para inversión que contribuye a la demanda
agregada se traducirá en una expansión de la producción futura.
El capital acaba por desgastarse y ha de ser reemplazado; parte del
gasto para inversión se dirige a reemplazar el equipo desgastado.
Esta parte de la inversión no crea capacidad nueva, sino que mantiene simplemente la capacidad a su nivel original.

Inversión bruta e inversión neta

La economía de un país puede poseer una flota aérea compuesta
de 1.000 aeroplanos, de los que 100 pasan cada año a ser inservibles. Para mantener la flota a un nivel constante, habrán de producirse cada año 100 aviones a fin de *reemplazar* a los que se des-
echan. Para *aumentar* la flota en 100 unidades será necesario producir un total de 200 aeroplanos: 100 para reemplazo y 100 para
el aumento propiamente dicho.

Desde el punto de vista del análisis renta-gasto, la demanda de
aeroplanos nuevos es la demanda *total* de 200, pues una inyección
es una inyección con independencia de su fuente o de la razón que

la motivó. Definimos como *inversión bruta* el gasto total en bienes de capital nuevos, sin importar si éstos son para reemplazo o para aumento real. Pero desde el punto de vista del crecimiento de la producción potencial de servicios de transporte aéreo dentro de la economía cuenta sólo el *aumento* del número de aeroplanos: el número total de aeroplanos nuevos menos los destinados a reemplazar a los envejecidos. Definimos como *inversión neta* el gasto para aumentar el stock de capital.

Según nuestro análisis, tenemos que:

Inversión bruta = inversión neta + reemplazamiento.

A veces es preferible utilizar la disminución del valor del stock de capital (desgaste del capital o depreciación) en lugar del reemplazamiento efectivo, con lo que se obtiene la relación:

Inversión bruta = inversión neta + depreciación

La inversión bruta es la misma en ambas formulaciones. La depreciación y el reemplazamiento deberían ser prácticamente iguales si se abarca un período de varios años, pero pueden ser distintos en un período corto. Por tanto, las dos definiciones de la inversión neta pueden dar cifras distintas, especialmente para períodos de un año o menores.

La inversión puede materializarse en una amplia gama de bienes de capital, y puede ser realizada por el sector público o por el privado. Las carreteras, los puentes y los edificios escolares son claramente bienes de capital, pero son ejemplos típicos de financiación pública: el gasto en estos bienes es inversión *pública* o *estatal*. La maquinaria industrial, las construcciones fabriles y la mayor parte de las viviendas son financiadas normalmente por empresas y son formas típicas de la inversión *privada*.

Normalmente (al menos en los modelos económicos sencillos), no distinguimos el gasto público en bienes de capital, como los edificios para escuelas, del gasto público para usos corrientes, como los sueldos de los maestros, y los tratamos todos ellos como *gasto público,* con lo que no damos a la inversión pública una categoría especial.

Por tanto, nos referimos normalmente a la *inversión privada* cuando empleamos el término «inversión» sin un adjetivo calificativo específico, especialmente en el análisis renta-gasto y en la macroteoría general. Seguiremos aquí esta tradición.

RECAPITULACIÓN 23.2. *En macroeconomía nos interesamos fundamentalmente por la inversión en plantas industriales y bienes de equipo —capital físico— y por la inversión agregada del conjunto*

*de las empresas. Sólo las compras de bienes de capital de nueva
producción cuentan para el agregado. La inversión tiene dos aspectos: representa un gasto que genera renta, y aumenta la capacidad
futura de la economía para producir. Todas las compras de nuevo
capital (inversión bruta) representan un gasto, pero solamente el
excedente del capital nuevo sobre el equipo envejecido y que requiere
un reemplazamiento inmediato (inversión neta) es lo que aumenta la
capacidad productiva de la economía.*

23.3. Financiación de la inversión privada

La canalización de fondos con fines de inversión

La construcción y las instalaciones de una fábrica nueva representan un fuerte gasto inicial de recursos *corrientes,* que se han empleado en la operación —trabajo, materiales de construcción, maquinaria nueva— pero las ventajas o *rendimientos* de este gasto aparecerán sólo lentamente, a lo largo de muchos años en el futuro.
Por esta razón, es típico que la inversión privada se financie con
alguna forma de *préstamo* o crédito gracias al cual la empresa inversora recibe inicialmente grandes sumas con las que paga el gasto
de inversión a cambio del compromiso de realizar una serie de pagos
al prestamista en el curso de los años futuros, a medida que se
recogen los rendimientos de la inversión.

Prestar
Como casi todo el mundo preferirá tener 1.000 pesetas *ahora*
que recibir la misma suma en diez pagos futuros de 100 pesetas
cada uno, no será posible tomar prestadas 1.000 pesetas a cambio
de diez reembolsos futuros de solamente 100 pesetas. Para inducir
al prestamista a desprenderse ahora de 1.000 pesetas, tendrá que
prometérsele algo que sume *más* de 1.000 pesetas a lo largo de los
futuros períodos. El excedente de los reembolsos necesario para inducir al prestamista a prestar es, naturalmente, el *interés.* El *tipo de interés* es el excedente de los reembolsos, expresado en forma de una
cantidad de pesetas por cada 100 pesetas prestadas durante un
año: es decir, como un porcentaje anual.

Tomar a préstamo
Existen muchos modos de tomar a préstamo para financiar la
inversión privada. Una empresa puede recibir un préstamo de un
banco o˙ de otra institución de crédito en forma muy parecida a la
que presentamos en los modelos económicos sencillos: se recibe del
prestamista un cheque por una suma importante y se firma un contrato en el que se establece el reintegro de ciertas cantidades en
determinadas fechas futuras. Una empresa puede también vender

bonos al público, y cada bono es un contrato de la empresa por el
que ésta se compromete a reintegrar en una forma determinada los
ingresos procedentes de la venta de los bonos, con los cuales realiza
sus inversiones. Es más corriente el empleo de los bonos por parte
de los organismos estatales y paraestatales que por las empresas
privadas.

Las empresas privadas también pueden obtener préstamos vendiendo al público nuevas acciones. Una acción da el derecho a una
participación en los beneficios futuros (que se supone serán más altos
a consecuencia de la inversión) en lugar de ser el compromiso de la
empresa a pagar un interés, pero puede considerarse como un tipo
implícito de préstamo formal en el que los dividendos esperados
son equivalentes a un interés.

Canalización de fondos

¿De dónde vienen los fondos? Si consideramos un prestamista
potencial cualquiera, está bastante claro que puede emplear todos
los fondos que posea en 1) comprar bienes de consumo; 2) mantener o aumentar sus saldos en dinero, y 3) prestar con objeto de obtener rendimientos en forma de intereses o dividendos. Por esta
razón, el préstamo compite tanto con el consumo como con el mantenimiento de saldos en dinero.

Desde el punto de vista del análisis renta-gasto, prestar una
parte de la renta es una *detracción,* pues los fondos que se prestan
podrán emplearse en gastos para inversión, pero la decisión sobre
cómo gastarlos escapa al prestamista. Desde este punto de vista, la
fuente de la mayoría de los fondos para financiar la inversión privada es aquella parte de la renta que no se consume, o sea, el *ahorro.*
Esto no quiere decir que el consumidor individual preste sus fondos
directamente para inversión. Aunque éste puede comprar acciones
nuevas, también puede hacerse un seguro de vida o pagar una cuota
a una mutualidad para constituirse una pensión de jubilación (en
cuyo caso la compañía de seguros o la mutualidad será la que preste
los fondos en lugar de hacerlo él directamente) o abrirá una cuenta
de ahorro (en cuyo caso el banco prestará los fondos en su lugar).

La canalización de fondos desde la corriente de rentas que pasa
por los consumidores hasta la financiación de la inversión encierra,
como ya señalamos, una decisión entre tres opciones: consumo, saldos en dinero y préstamos. Quizá sea mejor considerarla como una
decisión en dos fases:

1) una decisión entre consumir o incrementar los activos (ahorrar, en sentido amplio);

2) una decisión, establecido el nivel planeado de los activos
resultante de la decisión 1, entre mantener estos activos en dinero
o en otras formas que proporcionan intereses o dividendos.

Efecto de los tipos de interés

Es muy importante, al decidir sobre la utilidad de diferentes modelos económicos alternativos, ver cómo afecta el tipo de interés a estas dos decisiones.

Un tipo de interés alto significa que el rendimiento *futuro* del préstamo será alto. Este hecho podría inducir a los consumidores a aplazar algún consumo presente, a fin de aumentar sus préstamos y elevar así su consumo potencial futuro más de lo que se ha reducido su consumo presente. Podría también inducir a los consumidores a reducir los saldos en dinero para hacer más préstamos, aumentando el riesgo de encontrarse sin liquidez (o sea, de encontrarse en la necesidad de eventuales pagos sin disponer de suficiente dinero para hacerles frente, y corriendo así el riesgo de tener que vender otros activos cuando el mercado esté bajo), pero aumentando el rendimiento futuro de sus activos que producen intereses.

Por tanto, es aceptable la hipótesis de que el tipo de interés afecta tanto a la decisión entre consumo o ahorro como a la decisión entre dinero y préstamos. Que una de estas decisiones, o las dos, sean realmente sensibles a los tipos de interés con una suficiente amplitud es una cuestión *de hecho*.

Los economistas prekeynesianos consideraron que la decisión entre consumir o ahorrar es muy sensible al tipo de interés. Por otro lado, la función keynesiana del consumo parte de suponer que el nivel del ahorro depende del nivel de la renta y de ninguna manera del tipo de interés.

Aunque la función de consumo keynesiana ha sido sometida a muchas investigaciones a lo largo del tiempo, no se ha encontrado que el tipo de interés tenga importante influencia. Los economistas están bastante de acuerdo en que el tipo de interés tiene importancia en las decisiones relativas a la distribución de los activos entre dinero y préstamos, pero no en la decisión entre consumir y ahorrar.

RECAPITULACIÓN 23.3. *La inversión requiere el empleo de recursos corrientes, pero las ventajas resultantes de estos recursos solamente aparecerán a lo largo de varios años futuros. Por esta razón, la inversión privada se financia normalmente por medio de préstamos, de manera que la empresa recibe ahora fondos para crear su equipo, pero los devuelve más tarde, cuando pueda disponer de las ventajas. Los prestamistas no permitirán normalmente que sus fondos queden inmovilizados de esta forma a menos que reciban algún pago en concepto de intereses; el tipo de interés tendrá influencia para determinar la forma en que dividirán los consumidores su renta entre préstamos, aumento de los saldos en dinero y consumo.*

23.4. El nivel de la inversión

Dos enfoques básicos para determinar los factores
que establecen el volumen de la inversión

En los capítulos anteriores aceptamos simplemente como un dato
el nivel de la inversión (que se refiere a la inversión privada) y nos
concentramos en las consecuencias, para la economía, de este nivel
dado de la inversión. Hemos llegado ahora al punto de examinar los
factores que influyen sobre el nivel de la inversión privada.

El coste de los fondos para préstamos

Los empresarios invierten para obtener un rendimiento ventajoso de su capital. Los beneficios totales que esperan obtener por
cada millón de pesetas invertidas en un proyecto concreto están
determinados por factores tales como la tecnología, el stock de capital preexistente y las expectativas acerca del futuro de la economía: factores todos que deben tomarse como datos de la situación.
Existen muchos proyectos que proporcionarán unas ganancias relativamente pequeñas por cada millón de pesetas, y muchos menos
que proporcionarán ganancias elevadas. Los empresarios financian
su inversión por medio del crédito, y tienen que pagar intereses que
reducen sus ganancias. El rendimiento de su capital depende del
excedente de sus ganancias sobre los intereses, de manera que, cuanto más elevado sea el tipo de interés, menor será el número de proyectos rentables. Por tanto, el nivel de la inversión, a igualdad de
las demás cosas, dependerá del *tipo de interés*. Esta relación mostrará que a tipos de interés bajos corresponden niveles de inversión
altos, y viceversa. La curva de inversión correspondiente al modelo
keynesiano sencillo presenta la forma indicada en la figura 23.1.

Este enfoque representa una teoría del *coste de los fondos para*
préstamos, es decir, se considera que el nivel de la inversión depen-

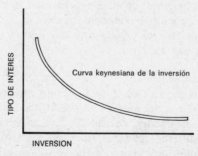

TIPO DE INTERES

Curva keynesiana de la inversión

INVERSION

Fig. 23.1.—*La idea de Keynes acerca de la dependencia del nivel de inversión*
respecto del tipo de interés.

de del coste de financiarla. Hay versiones más complejas que tienen en cuenta otros factores además del simple tipo de interés: métodos alternativos de financiación y otros factores distintos.

Las necesidades de capital

Un enfoque completamente distinto es el de las *necesidades de capital.* En lugar de suponer la existencia de un cierto volumen relativamente estacionario de oportunidades de inversión, entre las que se elige un número mayor o menor según varíe el coste del crédito, este enfoque se concentra en las causas por las cuales cambia aquel *volumen* de oportunidades.

La versión más simple del enfoque basado en las necesidades de capital parte de suponer una relación fija entre el nivel de producción en un período dado de tiempo y el volumen de equipo de capital necesario para producirlo. Esta relación se suele denominar *relación capital/producto,* y representa el capital necesario para obtener una unidad de producto en un período de tiempo. Esta relación se supone fija a corto plazo.

El valor numérico de la relación depende de la *unidad de tiempo* empleada para medir la producción. Si se requiere un capital de tres millones de pesetas para obtener un producto de un millón *por año,* la relación capital/producto es 3. ¿Cuánto capital será necesario para obtener una producción de 250.000 pesetas por trimestre? Seguirá siendo de tres millones, pues producir al ritmo de 250.000 pesetas por trimestre requerirá el mismo equipo y la misma organización que para producir al ritmo de un millón en un año completo. Por tanto, si expresáramos la relación capital/producto en producción por *trimestre,* su valor sería 12.

La relación capital/producto se mide casi siempre con respecto a la produción anual, de manera que una relación capital/producto de 2,5 significará normalmente que son necesarios 2,5 millones de pesetas de equipo de capital para mantener una producción de un millón por año, a menos que se diga expresamente otra cosa.

De este tipo sencillo de modelo basado en las necesidades de capital podemos deducir el *principio de aceleración,* que se analizará a continuación en este capítulo.

Teorías modernas

Las teorías modernas sobre la inversión son normalmente una mezcla que contiene elementos de la teoría del coste de los fondos y de la de las necesidades de capital. La importancia relativa de estos elementos difiere según los tipos de inversión, y por eso en los grandes modelos de predicción el sector inversión se presenta normalmente desagregado en sectores más pequeños (construcción de viviendas, planta y equipo industrial, y existencias en almacén es la división mínima) y el comportamiento de cada sector se explica separadamente.

Los economistas están mucho menos seguros de las causas determinantes de la inversión que de las del consumo. No están todos de acuerdo sobre cuál sea el factor más importante, aunque la opinión mayoritaria parece ser que, puestos a emplear solamente uno de los dos enfoques mencionados, debería elegirse el basado en las necesidades de capital.

RECAPITULACIÓN 23.4. *El nivel de la inversión privada está determinado por la necesidad de capital para mantener un cierto nivel de producción y por la rentabilidad de cada tipo concreto de inversión: rentabilidad que depende del específico tipo de interés que debe pagarse por los fondos tomados a préstamo. Esto determinará si pueden o no llevarse a cabo ciertas inversiones a unos tipos concretos de interés, y los resultados pueden expresarse gráficamente por medio de una curva de la inversión. El nivel de la inversión a un determinado tipo de interés está también influido por las necesidades totales de capital. Si la producción crece, se necesitará más capacidad y, por tanto, más capital, con lo que aumentará el gasto en inversión. Si la producción disminuye, se necesitará menos capital y la inversión descenderá.*

23.5. El principio de aceleración

*Cómo influye sobre la inversión la tasa
de variación del producto*

Un hecho bien observado desde los finales del siglo XIX fue que la inversión a cargo de los empresarios fluctuaba más que la actividad económica. En esta observación se basó el principio de aceleración. La idea ya había sido adelantada por varios autores, pero se puede decir que entró en el cuerpo principal de la teoría económica con la obra de J. M. Clark en 1917.

Clark estudió las fluctuaciones del tráfico ferroviario y de los pedidos de vagones nuevos. Observó que el nivel de los pedidos de vagones estaba relacionado con las *variaciones del nivel* del tráfico más que con el propio *nivel absoluto*. Como los pedidos de nuevos vagones representan una inversión planeada por las compañías ferroviarias, el estudio empírico de Clark ofreció un testimonio en favor del *principio de aceleración,* o *acelerador,* que puede expresarse del modo siguiente:

*El nivel de la inversión variará con los cambios del nivel de la
producción, más que con el nivel absoluto de la producción misma.*

Un ejemplo

El acelerador simple puede deducirse a partir del supuesto de una relación capital/producto fija. La tabla 23.2 desarrolla un ejemplo numérico que lo ilustra. En este simple ejemplo, partimos de suponer que la relación capital/producto es 3, es decir, que un millón de pesetas de producción requiere para su obtención tres millones de pesetas de equipo de capital. Suponemos también que siempre se cuenta con el capital requerido en cualquier período de tiempo (mediante una nueva inversión si es necesario) y que éste será el capital disponible para el período siguiente.

La propiedad fundamental que muestra la tabla es que, *aunque la producción no disminuya nunca, la inversión presenta fluctuaciones ascendentes y descendentes.* Si la inversión dependiera solamente del *nivel* de la producción, no habría disminuido nunca durante los seis períodos que recoge la tabla.

Una segunda propiedad es que la relación inversión a variación del producto es 3, igual que la relación capital/producto. Esta afinidad está sujeta a algunos condicionantes.

TABLA 23.2

El acelerador simple; un ejemplo hipotético

(*Relación capital/producto=3. Capital, en millones de pesetas; producción, en millones de pesetas anuales*)

Período	Producción	Capital necesario	Capital disponible	Inversión necesaria	Variación de la producción
1	100	300	300	0	
					4
2	104	312	300	12	
					6
3	110	330	312	18	
					0
4	110	330	330	0	
					10
5	120	360	330	30	
					5
6	125	375	360	15	

Análisis algebraico

Las propiedades ilustradas en la tabla pueden ser probadas con facilidad algebraicamente. Sea X la producción. Representamos el capital por K (no empleamos C para no confundir capital y consumo) y la relación capital/producto por a. El capital necesario para obtener la producción X tiene que ser el determinado por la relación capital/producto. Tenemos que

$$a = \frac{K}{X}$$

o bien,

$$K = aX$$

Como necesitamos comparar valores en períodos sucesivos de tiempo (t), *temporalizamos* las variables, utilizando X_t para la producción en el período t y X_{t-1} para la producción en el período precedente, con significados equivalentes para K_t y K_{t-1}.

Así pues, si el capital es exactamente el adecuado para el período ($t-1$), tenemos que

$$K_{t-1} = aX_{t-1}.$$

Si la producción aumenta en el período siguiente, pasando a ser X_t, el capital necesario será

$$K_t = aX_t.$$

Restando de esta relación la anterior, obtenemos:

$$K_t - K_{t-1} = aX_t - aX_{t-1}$$
$$= a(X_t - X_{t-1})$$

Ahora bien, $X_t - X_{t-1}$ es la *variación* de la producción entre los dos períodos. Como es usual, empleamos para las variaciones el símbolo *delta* escribiendo ΔX en vez de ($X_t - X_{t-1}$). Como $K_t - K_{t-1}$ es la variación del capital entre los dos períodos, podríamos representar también este cambio por ΔK. Pero el aumento del capital sólo puede deberse a la compra de *nuevo* equipo y, por tanto, a la *inversión,* de manera que tenemos

$$I = K_t - K_{t-1} \ (= \Delta K)$$

Introduciendo I y ΔX en lugar de $K_t - K_{t-1}$ y $X_t - X_{t-1}$ en la relación, tenemos

$$I = a \Delta X.$$

Esta es la definición formal del acelerador simple:
La inversión en un período es proporcional a la variación de la producción en un período.

La constante de proporcionalidad (el cociente entre la inversión y el cambio de la producción) es igual aquí a la relación capital/producto. En general, esto sólo es cierto si la duración del período que se utilizó para medir la producción al definir la relación capital/producto es igual a la duración del período al que se refiere el acelerador.

En el ejemplo propuesto en la tabla 23.2, la producción no disminuyó nunca. Pero, de hecho, la producción disminuye algunas veces. ¿Qué sucederá en ese caso al acelerador?

Asimetría del acelerador

Si la producción disminuye, el capital necesario será menor que el capital disponible. Cuando el capital necesario es mayor que el capital disponible, el capital adicional es proporcionado por la inversión, es decir, por la utilización de recursos para obtener nuevo capital. Sin embargo, cuando hay un excedente potencial de capital, no hay un proceso a la inversa por el que el excedente de capital pueda reconvertirse en recursos, salvo en el caso de tratarse de stocks de bienes de consumo, que pueden ser saldados.

El acelerador es asimétrico. Cuando la producción disminuye, no puede actuar de la misma forma que cuando la producción aumenta.

En la realidad económica, el stock de capital puede descender, al menos dentro de ciertos límites. La razón es que los bienes de capital se desgastan y al final tienen que ser reemplazados. Si el capital *no* se reemplaza cuando ya existe un stock de capital demasiado elevado, este stock de capital disminuye, pero solamente hasta el límite del reemplazamiento que correspondiese efectuar durante el período en cuestión.

La inclusión del reemplazamiento en el modelo, en lugar del capital externo supuesto en nuestro sencillo ejemplo, modifica algo el funcionamiento del acelerador, pero no cambia el principio subyacente, según el cual la inversión depende del *cambio* en la producción.

RECAPITULACIÓN 23.5. *Como las necesidades de capital variarán con el nivel de producción, cualquier aumento de la producción exigirá más capital, que tendrá que ser proporcionado por la inversión. Una disminución de la producción exigirá menos capacidad y, por tanto, una reducción del stock de capital: una inversión neta negativa. El nivel de la inversión está determinado por las variaciones del stock de capital necesario y, por tanto, por las variaciones de la renta. Si el nivel de la inversión es directamente proporcional a la variación de la producción, decimos que la inversión sigue la relación simple del acelerador. Se emplea el término «acelerador» porque un cambio del porcentaje de crecimiento de la producción de un 2,5 por 100 a un 5 por 100, podrá duplicar el nivel de la inversión, aunque la propia producción haya cambiado solamente en un 5 por 100.*

23.6. Condicionantes del acelerador

Por qué hay que modificar el acelerador simple

En la sección anterior quedó implícito el supuesto de que, por ejemplo, la inversión en 1964 estaría determinada por la variación de la producción entre 1963 y 1964. Pero los planes de inversión no pueden llevarse inmediatamente a término, así que la inversión en 1964 sólo podría estar determinada por la variación de la producción en ese mismo año si los empresarios pudieran *prever* la producción con algún adelanto. Esto no significa que la previsión para el conjunto de 1964 tendría que haber sido hecha antes del final de 1963. El tiempo real no está dividido en años separados, y los planes y las predicciones pueden hacerse y revisarse continuamente. Los macromodelos operativos toman normalmente el *trimestre,* más que el *año,* como período básico de tiempo, de manera que los planes para el tercer trimestre de un año determinado podrán ser objeto de una última revisión en el segundo trimestre, lo que limita la predicción a tres meses de antelación solamente.

Las predicciones, incluso para el próximo trimestre, siempre pueden estar equivocadas, así que, si la inversión planeada se basara en una predicción, deberíamos esperar alguna variación en la relación entre inversión efectiva y variación efectiva de la renta.

Retardos

En lugar de partir de una teoría de la predicción, se supone a veces, por el contrario, que la inversión sigue con un *retardo* a la variación de la renta. Es decir, que la inversión planeada para el tercer trimestre (decidida en el segundo trimestre) está basada en la variación efectivamente *acaecida* entre el primero y el segundo trimestres, más que en la variación *prevista* entre el segundo y el tercero. A veces esta idea puede expresarse de otro modo, pero con el mismo resultado, diciendo que la inversión se basa en una predicción, pero que esta predicción está a su vez basada en la experiencia de la última variación *efectivamente* registrada. Un modelo simple de acelerador que utilice la variación efectiva entre los dos últimos períodos como base para la inversión, en lugar de una predicción, es un *acelerador de retardo único.*

Como vimos al analizar el reemplazamiento, quizá sea posible aumentar el stock de capital con bastante rapidez, pero puede hacer falta mucho más tiempo para desembarazarse del capital en exceso. Por esta razón, parece lógico suponer que los empresarios tomarán algunas precauciones al aumentar su stock de capital.

Si la producción aumenta de modo considerable durante un trimestre, *pero se espera que en el trimestre siguiente vuelva a su antiguo nivel,* la mayoría de las empresas decidirán probablemente mantener el stock de capital en su nivel inicial y no efectuar ninguna inversión neta. En la práctica, la producción puede normalmente aumentarse de forma temporal sin aumentar el capital, aunque con un coste adicional, haciendo horas extraordinarias, sosteniendo las instalaciones en marcha sin dar paradas para las operaciones corrientes de mantenimiento, o por otros métodos.

Si la producción aumenta, y *se cree que se sostendrá en el nuevo nivel o que aumentará más,* podemos esperar que se realicen nuevas inversiones.

Ahora bien, las expectativas sobre el futuro pueden depender de muchas cosas, y la experiencia pasada es una de ellas. Por tanto, parece razonable admitir que las expectativas que supongan la persistencia de un nuevo nivel de producción dependan, al menos en parte, de la experiencia de pasados cambios. Si la producción creció en este trimestre, y también lo hizo en el trimestre precedente y en el anterior a éste, la expectativa de una variación permanente de la producción será más firme que si la producción tuviera un historial reciente de alzas y bajas.

Por esta razón, en los modelos modernos del acelerador se suelen incluir las variaciones a lo largo de muchos períodos pasados, y no sólo los cambios más inmediatos, como determinantes de la inversión corriente. Normalmente, el *peso* dado en el efecto total a la variación durante un período concreto disminuirá tanto más cuanto más alejado en el pasado esté dicho período. Obtenemos así un acelerador que depende de las variaciones de la producción durante muchos períodos pasados, pero en el que el mayor efecto procede de las variaciones inmediatas. Un modelo así formulado se denomina *acelerador de retardos distribuidos.* Casi todas las formulaciones prácticas son de este tipo.

Perspectivas empresariales

El pasado no es la única información sobre la que se basan las expectativas. Hay una atmósfera general de «perspectivas empresariales», difícil de medir y, por tanto, impopular entre los economistas orientados hacia los métodos cuantitativos, pero que tiene una clara importancia. Si las *perspectivas empresariales* generales son optimistas, los empresarios se inclinarán a pensar que el aumento de la producción será permanente y, ante la misma variación de la producción, se sentirán más inclinados a invertir que si las perspectivas empresariales son *pesimistas.*

Los límites de la capacidad

Cuando un aumento rápido en la producción conduce a una inversión planeada considerable, existen a menudo obstáculos físicos que limitan el ritmo al que puede realizarse la inversión efectiva. También las industrias productoras de bienes de inversión (construcción y bienes de equipo) tienen limitaciones de capacidad. Pueden simplemente no estar en condiciones de producir en un trimestre todo el nuevo capital que se requeriría para hacer frente al tirón de la producción. Las empresas pueden necesitar varios trimestres (o incluso varios años) para la instalación de la capacidad adicional que pretenden.

Esto significa que, por ejemplo, en el primer trimestre de 1968, las empresas pueden estar desarrollando todavía los planes de expansión del capital que decidieron en el primer trimestre de 1967. Además, pueden estar desarrollando otros planes que trazaron durante el segundo, el tercero y el cuarto trimestres de 1967. Denominamos a estos planes aún no completados una *acumulación* de proyectos de inversión.

En consecuencia, la inversión efectiva en un trimestre cualquiera puede no depender simplemente de los planes del trimestre inmediatamente anterior, sino de los planes trazados a lo largo de varios trimestes anteriores. Así pues, la inversión corriente puede depender de la inversión *planeada* durante varios períodos previos. Este hecho concede un peso adicional al empleo del acelerador de *retardos distribuidos.*

También puede haber límites para el ritmo al que puede realizarse la inversión, que radican en el *interior de la empresa inversora.* En la práctica, la empresa quizá pueda encontrar dentro de su organización general un límite superior en cuanto al ritmo de absorción de nueva capacidad productiva.

Los límites en la tasa de inversión causarán, pues, con frecuencia, *derrames* de la inversión de un período a períodos posteriores. La producción puede aumentar durante un año y permanecer después más o menos estacionaria. En lugar de ser alta la inversión neta durante un año y después descender hasta anularse, quizá aumentará con menos rapidez que la producción (pues se necesita tiempo para poner las cosas en marcha) pero continuará durante uno o más años después que la producción haya cesado de aumentar.

Fondos para préstamos y financiación

Aunque hemos iniciado nuestro análisis de la inversión comparando las teorías que únicamente consideran el *coste de los fondos para préstamos* con las teorías simples de las *necesidades de capital,* ambos tipos no se excluyen mutuamente. Los modelos de inversión complejos pueden tomar en consideración las dos influencias.

Las empresas financian sus planes de inversión haciendo uso de una de las dos (o de las dos) fuentes principales de nuevos fondos.

1) Sus fondos propios, que son los beneficios no distribuidos entre los accionistas (ganancias retenidas) o sus equivalentes. Estos

aparecen como *ahorro de las empresas* en el esquema de las cuentas generales de la renta.

2) Los fondos en manos del público. Pueden obtener préstamos emitiendo bonos, conseguir créditos de un banco o una institución financiera, o vender acciones nuevas al público.

Está bastante comprobado que, a igualdad de las demás circunstancias, los empresarios prefieren la expansión *interna* mediante la utilización de sus fondos propios. Estos fondos se derivan de los beneficios que quedan después de pagar los dividendos a los accionistas, o después que los propietarios o los socios han retirado las cantidades que precisan para satisfacer sus necesidades personales. Hablando en términos generales, las detracciones en forma de dividendos y de rentas personales se mantienen a un nivel relativamente estable, pero los beneficios presentan una gran variación de un año a otro. Por tanto, cuando los beneficios aumentan, las ganancias retenidas aumentarán fuertemente y, por el contrario, disminuirán fuertemente cuando los beneficios se reduzcan.

Por consiguiente, podemos esperar que los *beneficios* sean un factor importante en la determinación de la inversión. Con beneficios altos, y dada la preferencia de la empresa por emplear en su propio negocio sus ganancias retenidas, podemos esperar que se emprenda alguna inversión que se aplazó cuando los beneficios eran bajos. Podemos, pues, esperar que la inversión varíe en razón directa con los beneficios.

Cuando los fondos internos de la empresa no son suficientes para financiar su inversión deseada, tomará fondos del público. Estos fondos crearán posteriormente un *coste* directo a la empresa, en forma de pagos por intereses o dividendos. Por tanto, podemos esperar que los *tipos de interés* ejerzan algún efecto sobre la inversión. Cuanto más alto sea el tipo de interés, menos atractiva será la inversión.

Tipos de inversión

Tres cuartas partes aproximadamente de la inversión bruta en los Estados Unidos se compone de *plantas y equipos industriales,* por lo que parece natural concentrarse en este tipo de inversión al discutir las bases de la teoría.

Pero hay otros dos tipos de inversión que son importantes y que se comportan de manera algo diferente que la inversión en plantas y equipos industriales. Son la inversión en *construcción de viviendas* y la inversión en *existencias en almacén.* Esta última comprende los stocks de bienes en manos de los empresarios para regularizar sus entregas y sus ventas; la inversión tiene lugar solamente cuando el volumen de existencias *aumenta* o *disminuye* (inversión negativa, en este último caso).

La inversión en construcción de viviendas es un componente más importante de la inversión total que la variación de las existencias, pero ésta tiene un interés considerable porque *fluctúa* más que los demás tipos de inversión. La demanda de viviendas depende de algunos factores a largo plazo, como la variación de la población, las tasas de nupcialidad y otros de índole similar, que no reciben una influencia inmediata de la producción o de los cambios de la producción. Es, sin embargo, influida también por los niveles de la renta media. El interés hipotecario es una parte importante del coste tanto para quienes ocupan viviendas de su propiedad como para los caseros, así que se puede esperar que los tipos de interés desempeñen un papel importante en las decisiones sobre inversión en viviendas. Como las construcciones requieren un tiempo relativamente largo antes de producir (en comparación, por ejemplo, con una máquina) y son el más duradero de todos los bienes de capital, podemos suponer que la inversión en viviendas encerrará muchas relaciones retardadas.

La inversión en existencias ocupa el extremo de la escala temporal opuesto al de la inversión en construcción de viviendas. Como las existencias se componen de bienes ordinarios, pueden incrementarse de manera casi instantánea (inversión positiva en existencias) y disminuir sencillamente vendiéndolas (inversión negativa en existencias). Mientras que la inversión neta en equipo sólo puede ser negativa en la medida en que no se efectúe el reemplazamiento, la inversión bruta en existencias puede ser fácilmente negativa. Como la inversión en existencias puede ser positiva o negativa, y además parece razonable suponer que los industriales y los comerciantes mantendrán un volumen de existencias en almacén más o menos proporcional al de sus ventas, la inversión en existencias es probablemente la forma de inversión que más se ajusta al modelo más sencillo del acelerador.

RECAPITULACIÓN 23.6. *Aunque el acelerador parece influir en la inversión, el acelerador simple es demasiado elemental para ajustarse a las situaciones económicas reales. La inversión será una respuesta a las necesidades previstas de capital, que a su vez dependerán de las circunstancias económicas y del historial reciente de la inversión, así como de la variación que esté registrando la producción. En algunos casos, los planes de inversión tendrán que ser estirados para que abarquen un período de tiempo más largo porque las empresas productoras de equipo de capital están operando a toda su capacidad: esto dará origen a que la inversión efectiva se derrame de un período a otros períodos futuros. Habrá también influencias financieras, entre ellas el coste de los fondos para préstamos. Probablemente los benefi-*

cios son también un factor influyente, pues a menudo los empresarios prefieren invertir con sus ahorros propios, que varían con el nivel de los beneficios.

23.7. Anatomía de las fluctuaciones

Qué ocurre al fluctuar la economía

Hemos señalado que la iniciación de las fluctuaciones económicas, si no es el efecto de una política oficial deliberada o accidental, se debe principalmente a cambios en la inversión privada. Un cambio de este tipo da origen a una serie de consecuencias, a un *proceso,* que se analiza mejor relacionándolo con lo que ocurre a las distintas detracciones e inyecciones en la economía.

Supóngase que el stock de capital de la economía ha venido creciendo continuamente desde hace algún tiempo, pero que en este momento el crecimiento disminuye o cesa. Un stock creciente de capital representa un volumen elevado de inversión neta. A través del multiplicador, un volumen elevado de inversión neta genera un alto nivel de renta. Un descenso en la tasa de crecimiento del stock de capital representa una *disminución* efectiva en la inversión bruta. La contracción del nivel de inversión reducirá el nivel de renta, en ausencia de una política compensadora tal como un aumento del gasto público; es decir, originará una disminución efectiva del nivel de renta.

La onda descendente

Se ha iniciado, pues, una *onda descendente* en la economía a causa del descenso de la renta originado por una caída de la inversión. Veamos lo que ocurre ahora a las distintas detracciones e inyecciones.

1) Desde luego, el *ahorro* descenderá al disminuir la renta, de acuerdo con la función de consumo. Dada una propensión marginal a consumir (*PMaC*), el ahorro descenderá en (1-*PMaC*) millones de pesetas por cada millón de pesetas que disminuya la renta. Si el descenso inicial de la inversión fuese el único cambio de la economía, las rentas disminuirían justamente lo necesario para reducir el ahorro en un volumen igual a la disminución de la inversión.

2) Lo que suceda a los *impuestos* dependerá de la forma en que se recauden. La mayoría de los impuestos tienen como objeto la renta (impuestos sobre la renta) o el consumo (impuestos sobre las ventas), y, por tanto, normalmente los impuestos disminuirán al disminuir las rentas. No obstante, como los impuestos no absorben toda la renta ni anulan todo el consumo, la disminución de los impuestos será menor que la disminución de las rentas.

3) ¿Será afectada la *inversión?* Esto depende en gran medida
de cuáles sean las variables económicas a las que reaccionan los empresarios al tomar sus decisiones de inversión. Se supuso que la
onda descendente fue iniciada por un descenso de la inversión, y que
este descenso tuvo lugar porque los empresarios habían alcanzado
sus niveles deseados de stock de capital. Pero estos niveles se basa-
ban en un elevado nivel de gasto y de actividad. Como las rentas
han disminuido, el stock de capital antes deseado resulta ahora *demasiado alto.* Los empresarios pueden decidir una reducción del
stock de capital y realizarla no reemplazando las máquinas envejeci-
das. Esto dará origen a un *nuevo* descenso de la inversión, a menos
que los empresarios crean que la onda descendente es una cosa ligera
y temporal y decidan ignorarla en sus planes de inversión. En todo
caso, si ocurre algo a la inversión, podemos esperar que sea un
descenso y no un alza.

4) Lo que ocurra al *gasto público* depende de la política económica. El Estado puede decidirse por el mantenimiento de sus gastos
al nivel existente, o puede estar obligado institucionalmente a hacerlo
por compromisos contraídos con anterioridad. Sin embargo, como
los ingresos por impuestos están disminuyendo, el Estado contraerá
un *déficit* si anteriormente sus ingresos se equilibraban con sus
gastos. Si el Estado mantiene el principio del *presupuesto equilibrado* (como sucedía en distintos países en la época de la Gran Depresión), tendrá que *reducir* el gasto conforme desciendan sus ingresos
por impuestos. Pero si el Estado persigue con firmeza el objetivo
del pleno empleo, podrá decidir un *aumento* del gasto para compensar el descenso de la inversión. Ciertos tipos de gasto público, como,
por ejemplo, los pagos del seguro de desempleo, tenderán automáticamente a crecer, pero también habrá muchas presiones políticas
para reducir el gasto.

Durante la onda descendente, tanto las detracciones como las
inyecciones disminuyen. En ausencia de una política del Estado
orientada específicamente a la consecución del pleno empleo, las
inyecciones se verán probablemente reducidas a medida que los
empresarios reaccionen ante el descenso de la demanda y el Estado
tome precauciones para evitar que sus déficits crezcan demasiado.
De esta forma, un descenso inicial de la inversión, que por sí solo
no habría provocado más que una ligera contracción de la economía,
puede desencadenar un proceso de caída de considerables dimensiones si no se adopta una acción política apropiada.

La figura 23.2 ilustra el proceso descrito.

El fondo

¿Continuará hundiéndose sin más la economía hasta que sus
instituciones se desplomen? No, porque acabarán por aparecer influencias que frenarán el ritmo de descenso. Incluso bajo el principio

——— **Cápsula suplementaria 23.2** ———————————————————

LOS CICLOS ECONOMICOS EN ESTADOS UNIDOS

Desde 1860 (cuando comienzan las estadísticas razonablemente seguras) hasta 1970 ha habido catorce ocasiones distintas en las que el índice global de la actividad económica cayó un 10 por 100 o más por debajo de su tendencia a largo plazo. Esto da un promedio de ocho años entre cada dos crisis económicas importantes. Pero doce de estas ocasiones tuvieron lugar entre 1860 y 1940 (lo que supone como promedio una distancia de seis años y medio), y en las dos restantes (1946 y 1949) el descenso del 10 por 100 no duró más de un mes en cada una. Aquel hecho no ha vuelto a darse durante los veinte últimos años.

Si tomamos los movimientos, desde un techo de la actividad económica hasta el siguiente fondo, que superaron el 20 por 100 de la tendencia —o sea, aquellos en los que, sumados el porcentaje en que el techo rebasa a la tendencia y el porcentaje en que el fondo queda por debajo de la tendencia, la suma pasa del 20 por 100— hubo fluctuaciones de esta magnitud en 1864-65, 1873-75, 1882-84, 1892-93, 1906-7, 1913-14, 1920-21, 1929-32, 1937-38 y 1945-46. Es decir, que de las diez veces en que éstas ocurrieron a lo largo de los últimos ciento diez años, nueve sucedieron en los ochenta primeros años y solamente una en los treinta últimos.

¿Indican una tendencia estas estadísticas? Si estuviéramos escribiendo en 1933, habríamos visto una tendencia, y una tendencia fatal: que las fluctuaciones económicas tendían a ser cada vez mayores, y que la próxima crisis podría ser en realidad la que mataría al capitalismo americano. Incluso en 1938, cuando después de una lenta e incompleta recuperación del desastre de 1932-33 la economía se precipitó de nuevo en caída, podíamos haber aceptado otra vez la misma perspectiva siniestra. Apareció entonces la segunda guerra mundial. Después de la guerra, la economía ha seguido fluctuando, pero con una gravedad notablemente menor y bajando a fondos a la vez más cortos y menos profundos que en períodos anteriores. Más aún, las fluctuaciones de la posguerra se parecen mucho más a los movimientos aleatorios y menos a los ciclos económicos regulares que las fluctuaciones de la anteguerra.

Se suele conceder a las prescripciones de los economistas profesionales gran parte del mérito de la desaparición del ciclo económico en su forma tradicional, y ello es justo. Pero un factor importante de esa desaparición ha sido el cambio estructural de la economía durante la segunda guerra mundial y con posterioridad a ella, que ha hecho del gasto público una inyección fundamental para la corriente de la renta. Aunque la inversión privada siga siendo tan volátil como siempre, ahora representa una proporción de las inyecciones totales menor que en el pasado.

———————————————————————————————————

del presupuesto equilibrado, el gasto público no puede disminuir de modo indefinido —sencillamente porque hay muchos gastos que el Estado tiene obligación de atender— y, por tanto, tiene que llegar a su límite inferior. La misma inversión acabará recobrándose cuando el desgaste del equipo haya acomodado el stock remanente de capital al bajo nivel de actividad. Empezará de nuevo el reemplazamiento de máquinas, lo que representará un *aumento* de la inversión con respecto a su nivel más bajo. En ausencia de una política apropiada (o en presencia de una política inapropiada) el descenso puede llegar tan lejos, o durar tanto tiempo, que acabe por provocar cambios políticos.

Los factores monetarios tenderán también a frenar el proceso. Puede esperarse que los precios bajen si el descenso de la actividad económica se prolonga. Si la cantidad de dinero no se ha reducido, el público advertirá que sus saldos reales han aumentado, lo que dará origen a un desplazamiento de la función de consumo y a influencias que contrarrestarán el descenso de la actividad. Sin embargo, estas influencias pueden actuar con mucha lentitud.

La onda ascendente

Una vez que la inversión empieza a crecer al reanudarse el gasto para reemplazamiento del equipo de capital, aparece el efecto multiplicador sobre la renta. La renta empezará a aumentar, y la economía se encontrará en una *onda ascendente*. Esta onda será similar a la descendente, pero a la inversa. No obstante, existirán algunas sutiles diferencias.

1) El *ahorro* aumentará al crecer las rentas, de acuerdo con la función de consumo. Sin embargo, después de una recesión prolongada quizá habrá un desplazamiento temporal de la función de consumo, pues los consumidores gastarán una proporción mayor de sus rentas que la que planearon a largo plazo, debido al período relativamente largo de bajo consumo.

2) Los *impuestos* aumentarán con las rentas de un modo bastante directo.

3) La *inversión* aumentará algo, de acuerdo con lo predicho por el acelerador, al descubrir las empresas que su capacidad se queda corta a medida que aumenta la demanda. Si las empresas creen que el futuro se presenta favorable, podrán intentar el aumento de su capacidad por encima de lo que requiere la demanda corriente, con lo que aumentará más la inversión.

4) El *gasto público* sigue dependiendo de la política. Como los ingresos públicos por impuestos están aumentando, habrá fuertes presiones políticas para que el gasto público aumente por lo menos paralelamente. Esto sucederá especialmente si la economía ha estado en una recesión, con un gasto público reducido, durante algún tiempo. Gran parte del capital social —por ejemplo, escuelas y carreteras— puede haberse depreciado durante ese período y tendrá que ser reemplazado.

Estos procesos se ilustran en la figura 23.3.

En la onda ascendente, es probable que el crecimiento de las inyecciones sea más rápido que su caída durante una onda descendente de dimensiones equivalentes, lo que lleva a esperar que la onda ascendente recuperará el terreno perdido en menos tiempo que el que necesitó la onda descendente para llevar a la economía a su nivel más bajo.

El techo

¿Qué es lo que detendrá a la onda ascendente? Puede agotarse antes de alcanzar el pleno empleo si los empresarios invierten sólo

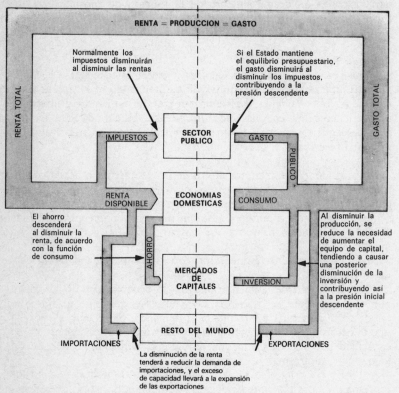

FIG. 23.2.—*Anatomía de las fluctuaciones económicas: fases de la onda descendente.*

el mínimo necesario para conservar su capacidad. Pero con el alto nivel de gasto público que encierra actualmente cualquier economía nacional, y con unas perspectivas empresariales optimistas a largo plazo, consecuencia del compromiso de los Estados modernos de mantener la economía en el nivel del pleno empleo o cerca de él, la mayoría de las ondas ascendentes alcanzarán la producción correspondiente a la capacidad.

Sin embargo, el mecanismo de la onda ascendente no se detendrá necesariamente cuando se alcance el nivel de la capacidad de producción. Aunque el nivel máximo de inversión que la economía puede sostener viene dado por el nivel de ahorro correspondiente a la renta de pleno empleo —suponiendo que no hay superávit presupuestario—, las empresas todavía pueden intentar el aumento de la inversión. En estas circunstancias, el proceso de la onda ascendente se convertirá en un proceso *inflacionista,* que se analiza en el capítulo 25.

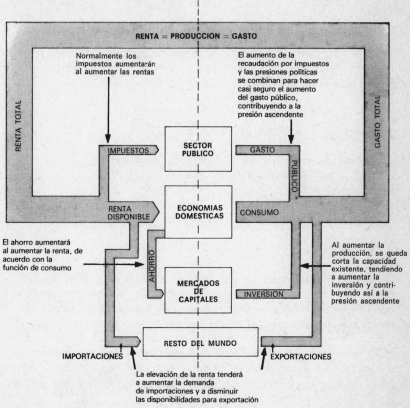

Fig. 23.3.—*Anatomía de las fluctuaciones económicas: fases de la onda ascendente.*

Recapitulación 23.7. *Un descenso inicial de la inversión dará origen a una disminución de la renta. La disminución de la renta afectará a las principales detracciones e inyecciones de la economía. Y lo que es más importante, reducirá las necesidades de capital de la economía, tendiendo a provocar un descenso posterior de la inversión que aumentará la presión descendente. Con la disminución de los impuestos aparecerá probablemente una acción reductora del gasto público que tenderá a disminuir todavía más el valor total de las inyecciones. La economía tenderá a seguir la onda descendente hasta que se adopte una política compensadora o hasta que las fuerzas autorreguladoras detengan la caída de la inversión y del gasto público. De un modo bastante similar, un aumento de la inversión que eleve las rentas tenderá a establecer un proceso por el que las rentas aumentarán posteriormente, dando origen a una onda ascendente.*

Resumen de las secciones. *Para repasar el contenido de este capítulo, hojéese el texto y vuélvanse a leer los trozos titulados «Recapitulación» que ponen fin a todas las secciones.*

Términos y conceptos del capítulo 23

    Teoría del coste de los fondos para préstamo
    Teoría de las necesidades de capital
    Acelerador
    Retardo distribuido.

Ejercicios

    1. Supóngase que, en una economía imaginaria, el multiplicador es 4 y que el Estado proyecta mejorar los transportes urbanos con un coste total de 10.000 millones de pesetas. Suponiendo que las demás inyecciones planeadas permanecen constantes y que el ahorro representa la única detracción, ¿cuál será el aumento del PNB para cada uno de los próximos cinco años que resultará de la realización del proyecto si: 1) todo el gasto del proyecto se desembolsa durante el primer año, o 2) el gasto se distribuye por partes iguales entre los cinco años?

    2. Si un incremento de capital de 12.000 pesetas permite un aumento de la producción de 500 pesetas mensuales, ¿cuál es el valor de la relación capital/producto, medida en la forma tradicional?

    3. Si la relación capital/producto es 3 y el PNB pasa de 200.000 a 212.000 millones de pesetas, ¿cuánto puede esperarse que aumente la inversión, en el supuesto de no tener en cuenta la depreciación? Si el multiplicador es 2, ¿cuál será el aumento adicional del PNB inducido por el aumento inicial de 12.000 millones de pesetas?

PARA REFLEXIÓN Y DISCUSIÓN

1. Supóngase que la función de consumo no es estable, sino
que se desplaza de tal modo que indica que los consumidores son
más precavidos y ahorran más cuando la economía sigue la onda descendente, y se abandonan y gastan más cuando la economía sigue la
onda ascendente. ¿Tendería por este hecho a aumentar o tendería
a disminuir el carácter fluctuante de la economía?

2. ¿Cree usted que una economía completamente planificada
estaría exenta de fluctuaciones económicas?

3. En la mayoría de los países occidentales, la importancia de
las sociedades anónimas muy grandes y diversificadas ha venido creciendo. Esta tendencia, a juicio de usted, ¿aumentará o disminuirá
la volatilidad de la inversión privada?

4. Una parte importante del gasto total de la economía es el
gasto de las corporaciones locales. Partiendo de su conocimiento
de la realidad, ¿cree usted que este tipo de gasto tiende a moderar
o a reforzar la tendencia fluctuante de la economía?

5. Se ha afirmado que sin la teoría economía keynesiana se
habría cumplido la profecía marxista según la cual el capitalismo
se derrumbaría a consecuencia de sus propios altibajos. ¿Qué piensa
usted de esta afirmación?

Capítulo 24

CRECIMIENTO ECONOMICO

24.1. Crecimiento y desarrollo

Algunos comentarios introductorios

Crecimiento económico significa simplemente un aumento general de los bienes y servicios disponibles para la sociedad. Por ejemplo, en el curso del siglo que va de 1871 a 1970, el PNB de los Estados Unidos, medido en dólares constantes (como éstos se definen en el capítulo 19, páginas 523 a 546) se multiplicó por más de veinte: la economía de los Estados Unidos creció, pues, durante esos cien años. Esto no significa que la producción de todos los bienes y servicios creciera en la misma proporción, pues la producción de algunos (por ejemplo, los carros y los coches de caballos) descendió de hecho, pero tratamos el crecimiento como un fenómeno macroeconómico y lo observamos mediante medidas agregadas, como el PNB.

Los términos «crecimiento» y «desarrollo» están muy estrechamente relacionados, pero se emplean generalmente en contextos algo diferentes. Cuando consideramos el problema de cómo aumentar el PNB de una economía muy pobre y que se basa casi por entero en la agricultura campesina, nos ocupamos de grandes cambios estructurales que incluyen la industrialización, una emigración considerable de la población agraria y la creación de muchas instituciones económicas nuevas: estos cambios, si se pusieran en práctica, constituirían «desarrollo». El aumento del PNB en un país industrializado moderno, o incluso en un país agrícola, por medio de la expansión de la producción y sin cambios fundamentales de estructura económica se denominaría simplemente «crecimiento». Es probable que en cualquier período largo todas las economías experimenten cambios estructurales, y así, los cambios en la economía de los Estados Unidos entre 1871 y 1970 representan un desarrollo tanto como un simple crecimiento. En el capítulo 36 consideramos algunos problemas del desarrollo en el sentido indicado; en el capítulo presente nos ocupamos del simple crecimiento y no de los grandes cambios estructurales.

Crecimiento y fluctuaciones

Tenemos que distinguir entre crecimiento propiamente dicho y movimientos cíclicos. Supongamos una economía con una producción de 500.000 millones (en pesetas constantes) que en ese momento cae en una recesión y la producción desciende a un nivel de 400.000 millones, siguiendo una recuperación al nivel de los 500.000 millones, para estabilizarse a continuación en ese último nivel. ¿Consideraremos que la economía ha «crecido» desde el fondo de la recesión hasta el nivel de los 500.000 millones? Generalmente, no, porque la producción *potencial* de la economía continuó siendo siempre de 500.000 millones de pesetas: el período de recesión fue simplemente el fracaso de no saber mantenerse al nivel potencial, y el movimiento de vuelta a dicho nivel potencial fue una recuperación, no un crecimiento. En otras palabras, el crecimiento se refiere a los cambios de la economía una vez eliminados los movimientos cíclicos a corto plazo, bien considerando la producción potencial, o bien tomando los promedios de las producciones durante períodos suficientemente largos para poder eliminar las fluctuaciones a corto plazo.

PNB per cápita

Si la producción de la economía está creciendo, por ejemplo, a una tasa anual del 5 por 100 y la población está creciendo a la misma tasa, la cantidad de bienes disponibles para cada miembro de la sociedad permanece constante. En otras palabras, podemos tener un crecimiento del PNB total sin que crezca el PNB per cápita. De hecho, si en esta economía la población hubiera crecido al 6 por 100 anual, se habría registrado un *descenso* del PNB per cápita unido a un crecimiento del PNB total. Si no crece el PNB per cápita, un país puede estar haciéndose más «rico», en el sentido del crecimiento de la producción total, sin que en el país *la gente* se esté haciendo más rica en términos individuales.

Al examinar el crecimiento, tenemos que considerar los cambios tanto del PNB total como del PNB per cápita.

RECAPITULACIÓN 24.1. *Crecimiento y desarrollo difieren principalmente en que el último de estos términos se emplea cuando el proceso encierra un cambio estructural fundamental, y el primero, cuando el cambio en la estructura no es importante. Para observar el crecimiento logrado por la economía, debemos hacer abstracción de las fluctuaciones a corto plazo, y debemos asimismo examinar el crecimiento del PNB per cápita tanto como el del PNB total, ya que es el PNB per cápita el que determina lo que está ocurriendo a los individuos que componen esa sociedad.*

24.2. Las fuentes del crecimiento

Los principales factores determinantes del crecimiento

Para obtener una producción («output»), se requiere el empleo de recursos («inputs»). La sociedad tiene que aumentar su producción para que exista un crecimiento del PNB total, y esto sólo se puede conseguir o aumentando los recursos disponibles para su utilización productiva o extrayendo más producción por cada unidad de recursos utilizados. En los Estados Unidos, el aumento del producto por unidad del conjunto de factores (productividad) ha sido, durante los últimos cien años, un determinante más importante del crecimiento que el aumento total del conjunto de factores, pero ambos han tenido importancia.

Los recursos físicos disponibles en la economía se dividen, de forma útil y tradicional, en tres amplias categorías: *tierra* (que incluye los minerales, el agua, el clima y los demás recursos contenidos en el medio ambiente natural); *trabajo* y *capital* (en el sentido físico de máquinas y estructuras). En general, los recursos clasificados como tierra no pueden ser aumentados, pero pueden disminuir con su utilización, y algunos de ellos, como los depósitos minerales, disminuyen necesariamente con su uso. Naturalmente, hay excepciones: Holanda ha incrementado la superficie de sus tierras por medio de la aplicación de trabajo y capital. Por otra parte, pueden existir recursos naturales que permanecen sin descubrir largo tiempo: el minúsculo país de Kuwait no poseía casi ningún recurso natural, según se creía hasta hace unos cincuenta años, pero el descubrimiento posterior de petróleo lo convirtió en uno de los países del mundo con mayor PNB per cápita.

Aumento de los recursos

En general, aumentar los recursos físicos de un país equivale a aumentar su trabajo y/o su capital, pues éstos son los recursos bajo control humano. Un aumento de la población aumentará la fuerza potencial de trabajo, pero también aumentará el número de personas que deben repartirse el producto total. Por su parte, un aumento del capital puede hacer que aumente la producción total sin que aumente la población, lo que asegurará ciertamente el crecimiento del PNB per cápita a la vez que el del PNB total. Por tanto, es probable que el crecimiento del PNB per cápita vaya asociado a un incremento del capital físico, aunque también es posible aumentar el PNB per cápita aumentando la cantidad de trabajo, *si* esto puede llevarse a cabo sin que la población aumente en la misma proporción. Es posible aumentar los recursos totales de trabajo a una tasa mayor que la población total, si puede aumentarse la proporción de población activa. Entre los medios para conseguir esto último están los cambios sociales que permiten que trabajen más mujeres, las mejoras de la sanidad pública, que reducen la incidencia de las enfermedades debilitadoras sin ser fatales (como la malaria) y los cambios estructurales que permiten a los miembros innecesarios de las economías domésticas campesinas (lo que se llama a menudo «paro encubierto») pasar a otras ocupaciones.

Aumento de la productividad

El crecimiento de la productividad —o aumento del producto obtenido por unidad del conjunto de factores— ha sido históricamente una de las fuentes más importantes del crecimiento del PNB per cápita. Aunque, en todas las economías en crecimiento, el incremento de la productividad se ha asociado de hecho a los aumentos del trabajo y del capital, el crecimiento de la productividad presenta la posibilidad de aumentar la producción con unos recursos constantes. El crecimiento de la productividad puede proceder de varias causas distintas, de las cuales las más importantes son:

1) El aumento de la eficiencia en la organización de la economía, que conduce a una asignación más eficiente de los recursos entre los diversos usos y a un menor despilfarro de recursos. Gran parte del crecimiento de la productividad en Europa desde la Edad Media hasta la Revolución Industrial a finales del siglo XVIII se debió al desarrollo del sistema económico moderno y a la creciente eficiencia en el empleo de los recursos y la tecnología existentes. En tiempos más cercanos, parte del crecimiento de la productividad en los Estados Unidos se ha debido a una eficiencia creciente de esta naturaleza.

2) Las economías de escala derivadas de la habilidad para utilizar procesos de producción que emplean menos cantidades de factores por unidad de producto, procesos que no pueden utilizarse para bajos niveles de producción y que por tanto sólo operan cuando crece la economía. Gran parte de la industria manufacturera moderna posee economías de escala: una producción pequeña puede obtenerse con métodos de escala reducida, pero las grandes produc-

—————— **Cápsula suplementaria 24.1** ————————————————————

EL MALTHUSIANISMO

Por llamársele generalmente «Reverendo», y por su reputación de profeta de la catástrofe, se cree con demasiada frecuencia que Thomas Malthus (1766-1834) fue un clérigo puritano que jugó a la economía como aficionado. Por el contrario, aunque ciertamente se ordenó como sacerdote de la iglesia anglicana, Malthus fue el primer economista profesional, y como tal fue contratado por un colegio universitario donde enseñó a los funcionarios de la Compañía de las Indias Orientales. Aunque escribió uno de los primeros textos de economía publicados (*Principios de Economía Política*, 1820), su fama descansa sobre su *Ensayo sobre el Principio de Población*, 1798.

Malthus realizó algunos cálculos sobre el crecimiento acumulativo y mostró que, si la población se duplicaba cada veinticinco años —hecho muy posible si el número de hijos por familia fuese entre tres y cuatro, si nacieran antes de que los padres cumpliesen los veinticinco años, y si todos vivieran por lo menos cincuenta años—, una sola pareja en el año 0 de nuestra Era habría producido hacia 1790 un número suficiente de descendientes para poblar el mundo con una densidad de cuatro habitantes por yarda cuadrada * y todavía quedarían bastantes para poblar el resto del sistema solar. (La población habría, efectivamente, sobrepasado los mil millones de billones de habitantes, mientras que de hecho no ha llegado hasta ahora a los cuatro mil millones, aproximadamente.) ¿Por qué no llegó a ocurrir esto?, se preguntó Malthus. Porque, según su respuesta, los medios de subsistencia habían crecido, en el mejor de los casos, lentamente, y los períodos de hambre y de epidemias habían contenido los aumentos de población, por lo que la población se equilibró con la producción disponible de alimentos. Consecuente con su análisis, Malthus fue el primero en proponer una política de población, en propugnar que se evitase que otra vez la población alcanzara uno de sus niveles de crisis en los que el hambre constituía el freno definitivo. Estaba dispuesto a que su generación sufriera la abstinencia sexual, el aborto, e incluso cierta miseria para evitar mayores desastres a las generaciones futuras. No obstante, su *Ensayo* (que primero se publicó en forma anónima) se destinaba a ser leído por su propia generación, a la que no gustó lo que Malthus proponía.

—————————

* Algo menos de cinco por m². (N. del T.)

——

ciones sólo pueden conseguirse por medio de los métodos de producción en masa, cuyos menores costes unitarios son el reflejo del empleo de una menor cantidad del conjunto de factores por unidad de producto. La habilidad para aprovechar las economías de escala ha sido un factor importante en el crecimiento de la productividad norteamericana.

3) El aumento de la eficacia de los recursos humanos a través de la difusión de la educación y del desarrollo de la destreza de las personas. Aunque la fuerza de trabajo de una economía permanezca constante en cuanto al número de personas que la componen, su

El modelo de Malthus no contó con el crecimiento de la producción por medio de la acumulación de capital o por el cambio tecnológico, y precisamente son estos factores los que dejaron sin efecto sus terribles predicciones. El moderno renacimiento del malthusianismo se basa en el reconocimiento de dos cosas: una es que la acumulación de capital y el progreso tecnológico no pueden aumentar la disponibilidad de simple espacio o de recursos naturales agotables; la otra es que, por mucho que podamos incrementar el producto total, podremos aumentar más el producto por habitante si la población crece menos. A estos factores se ha añadido el problema, surgido en años recientes, de tener que guardar los crecientes residuos de la actividad económica en una capacidad ambiental relativamente fija.

Muchos de los países más pobres del mundo continúan cerca de las limitaciones malthusianas, y una tasa más baja de crecimiento de la población supondría una gran diferencia, dada su reducida tasa actual de crecimiento de la producción por habitante. En el curso de los cien años anteriores a 1950, la tasa de crecimiento del PNB *total* fue prácticamente la misma en los países menos desarrollados y en los más avanzados, pero la tasa de *crecimiento de la población* fue casi el doble en los países menos desarrollados, con lo cual la tasa de crecimiento de la *producción por habitante* fue menor en los países menos desarrollados, ampliándose la brecha existente entre los países ricos y los pobres.

Las medidas oficiales para moderar el crecimiento de la población pueden afectar a algunos nervios muy sensibles. Cualquier grupo étnico o religioso cuya población esté creciendo a una tasa superior a la media de la población total puede llegar a sentir (a veces, sin duda, justificadamente) que el objetivo de la política de población es conseguir que dicho grupo continúe siendo minoritario dentro del total. El exagerado interés de los países ricos por subvencionar el control de la población en los países pobres puede llevar fácilmente a la idea de que dicha política no es sino una delicada forma de genocidio. Todo esto trae el recuerdo de Malthus, que puso mucho interés en sugerir que eran los pobres quienes debían reducir su número, no los ricos. Sin embargo, las suspicacias entre países o entre grupos nacionales no deben llegar a esconder el posible problema existente.

El mayor cambio desde los tiempos de Malthus ha sido el desarrollo de las técnicas de control de la población (por ejemplo, la píldora) que no requieren los sacrificios que Malthus hubiera exigido a su generación.

---

eficacia puede aumentarse por medio de la enseñanza elemental (que permite que las instrucciones de trabajo tomen cuerpo en avisos y manuales escritos) y de una educación más avanzada y la capacitación, que permiten el empleo de procesos complejos de producción en los que ingenieros y operarios tienen que entender la tecnología del proceso empleado. El proceso de capacitación y educación requiere el empleo, como factores productivos, de educadores y estudiantes y tiene cierta analogía con la acumulación del capital físico: el aumento de educadores y estudiantes puede ser considerado como un aumento del «capital humano» de la sociedad, que así aumenta sus recursos, y no como un aumento de la productividad. En el capítulo 16 (páginas 436 a 465) se ofrece un análisis del capital humano, en el contexto de la distribución de la renta.

4) Por último, tenemos un aumento residual de la productividad, que se ha registrado en todos los países avanzados y que se superpone al aumento de la productividad que pueda explicarse por otras causas. Concluimos que se debe al descubrimiento de nuevos procesos productivos, de nuevos tipos de equipo de capital e incluso de nuevas cualificaciones humanas y de nuevas técnicas de administración, y nos referimos a todo ello denominándolo simplemente *progreso tecnológico*. Probablemente ésta ha sido la principal causa individual del aumento de productividad en los Estados Unidos (donde se dispone de datos para separar las diversas causas) y los testimonios sugieren que también ha sido una causa predominante en otros países industrializados. Pero a pesar de su importancia, conocemos comparativamente poco sobre los factores que influyen en la tasa de crecimiento del progreso tecnológico: lo poco que sabemos será analizado más adelante en este mismo capítulo.

Consideraciones internacionales

Aunque en lo que resta de capítulo seguiremos analizando el crecimiento principalmente en el contexto de una economía aislada o de una economía en la que las repercusiones de los acontecimientos internacionales son pequeñas en comparación con las repercusiones de los internos, debemos señalar que todos los factores del crecimiento pueden en principio proceder del exterior de la economía. La fuerza de trabajo puede aumentar por la inmigración, el capital puede obtenerse del extranjero, se pueden comprar recursos naturales de otros países u obtener el acceso a ellos por medio de la dominación política. Incluso sin aumentar los recursos, los factores que contribuyen al crecimiento de la productividad pueden también obtenerse fuera: el capital humano, por medio de la «atracción de cerebros», y el progreso tecnológico, utilizando tecnologías desarrolladas fuera del país. Estas posibilidades pueden ser cruciales para iniciar el proceso de crecimiento en una economía pobre y estancada hasta el momento. Estados Unidos ha empleado todas ellas en algún momento de su historia.

RECAPITULACIÓN 24.2.   *Una economía solamente puede crecer aumentando sus recursos o aumentando su productividad, es decir, obteniendo una producción mayor por unidad de factor. El crecimiento de los recursos se limita generalmente al aumento del trabajo y/o del capital, pues los recursos naturales son relativamente fijos. El crecimiento de la productividad puede proceder del aumento de la eficacia económica en la asignación de los recursos, de economías de escala, de un aumento de la eficiencia del trabajo gracias a la educación y la capacitación, y del progreso tecnológico que se manifiesta en nuevos descubrimientos. Un país determinado puede estar en condiciones de obtener un aumento de sus recursos y el «know-how» para su progreso tecnológico en algún lugar del mundo fuera del propio país.*

24.3. Acumulación de capital y ahorro

Cómo la acumulación de capital encierra una elección intertemporal

A menos que la población se mantenga estacionaria o descienda, el PNB per cápita de un país no puede aumentar sin la acumulación de capital o el progreso tecnológico y, como señalaremos en una sección posterior, el progreso tecnológico sin acumulación de capital puede ser muy lento o faltar totalmente, de manera que el crecimiento del capital desempeña un papel muy central y esencial en el crecimiento económico.

En primer lugar, vamos a considerar brevemente lo que ocurre a la producción del país cuando hay un aumento de un recurso productivo (que puede ser el trabajo o el capital) mientras que los demás permanecen invariables. Supongamos que se registra un aumento del 5 por 100 en la fuerza de trabajo, sin que aumente el capital: el trabajo adicional podrá utilizarse en la producción de algo, así que el PNB total aumentará. Pero el trabajo adicional requerirá casi con certeza algún capital con el que trabajar, y como el capital total no ha variado, aquél deberá obtenerse reduciendo la cantidad de capital empleado en la producción corriente. En ausencia de efectos de escala y de progreso tecnológico, el 5 por 100 de trabajo adicional haría aumentar la producción total en un 5 por 100 si para trabajar contase con la misma cantidad de capital por hombre que el resto de la economía. Pero como el capital se ha detraído del resto de la economía, la producción descenderá algo. Por tanto, las nuevas adiciones a la fuerza de trabajo no añadirán a la producción total más que un 5 por 100 de la producción inicial, mientras que la producción de la fuerza de trabajo que ya existía descenderá, así que el resultado *neto* del aumento de un 5 por 100 en la fuerza de trabajo será un aumento *menor* del 5 por 100 en la producción total. Podríamos argumentar análogamente que el aumento de un 5 por 100 en el capital, sin ningún aumento en la fuerza de trabajo, haría aumentar algo la producción, pero menos que el 5 por 100. Para aumentar la producción en un 5 por 100 sería necesario que *tanto* el capital *como* el trabajo (si éstos son los dos únicos recursos utilizados) aumentasen un 5 por 100.

Un aumento del 5 por 100 en la fuerza de trabajo, resultante de un aumento de un 5 por 100 en la población, sin ningún aumento del capital (o con un aumento del capital menor del 5 por 100) hará aumentar el PNB total en menos del 5 por 100, y, por tanto, el PNB per cápita *disminuirá*. Por su parte, un aumento de un 5 por 100 en el capital sin ningún aumento de la población (o con un aumento de la población inferior al 5 por 100), hará aumentar el PNB total en menos del 5 por 100, pero en más que el aumento de la población, con lo que el PNB per cápita *aumentará*.

Debemos deducir con seguridad del análisis anterior que la acumulación de capital tiene que ser deseable ¡y cuanto más, mejor! Pero todavía no hemos hablado del *coste para la sociedad* que resulta de aumentar su stock de capital.

El coste de la acumulación de capital

El capital se compone de máquinas, estructuras y otros bienes similares, todos los cuales tienen que ser producidos por la economía. Los recursos necesarios para producir nuevos bienes de capital no pueden ser utilizados simultáneamente para producir otras cosas; por esta razón, debe reducirse la producción de bienes para su uso inmediato (bienes de *consumo*) si deseamos aumentar la producción de nuevos bienes de capital (*inversión*). Por haber aumentado el capital, se elevará el nivel de la producción por habitante *en el futuro*, lo que permitirá entonces un nivel de consumo más elevado que el posible ahora, pero la inversión necesaria para crear este aumento futuro reduce *ahora* el consumo.

La acumulación de capital representa una redistribución del bienestar económico a costa de la generación presente, cuyo consumo tiene que reducirse para proporcionar el capital para la acumulación, y en beneficio de las generaciones futuras, que contarán con niveles potenciales de consumo más altos a consecuencia del aumento de la producción futura de la economía.

Un ejemplo

Podemos ilustrarlo con un ejemplo numérico. Tenemos una economía muy simple, con una población estacionaria y una producción total, con su presente stock de capital, de 80.000 millones de pesetas. Se pretende elevar el PNB a 100.000 millones, y el incremento del PNB total resultante de aumentar el stock de capital a partir de su nivel presente se supone igual a una peseta más de PNB por cada cinco pesetas de capital adicional: el aumento de capital en un 5 por 100, partiendo de su nivel presente, origina un aumento del PNB total del 1 por 100 (y lo mismo para el PNB per cápita, puesto que la población es constante).

Suponiendo, para mayor sencillez, que no se necesita reemplazar el equipo de capital, una inversión de 20.000 millones de pesetas en capital nuevo significa que cada año el consumo será inferior al PNB en 20.000 millones de pesetas. Por otra parte, si no se acumulara ningún capital, la economía podría consumir toda su producción una vez restado lo necesario para mantener el stock de capital a su nivel existente. Es decir, que el consumo podría ser igual al PNB.

Veamos la tabla 24.1. Los dos primeros pares de columnas indican el PNB y el consumo total de cada año bajo dos conjuntos de condiciones:

(1) La economía no acumula capital.
(2) La economía acumula 20.000 millones de pesetas de capital anualmente durante cinco años, y después se mantiene con un capital total de 200.000 millones. Cada incremento de capital de 20.000 millones hace posible que el PNB aumente en 4.000 millones anuales.

TABLA 24.1

Consumo y acumulación de capital

(Todas las cifras en miles de millones de pesetas)

Año	(1) Sin acumulación de capital		(2) Acumulación hasta 200 al cabo de 5 años		(3) Acumulación hasta 200 al cabo de 10 años	
	PNB	C	PNB	C	PNB	C
1	80	80	80	60	80	70
2	80	80	84	64	82	72
3	80	80	88	68	84	74
4	80	80	92	72	86	76
5	80	80	96	76	88	78
6	80	80	100	100	90	80
7	80	80	100	100	92	82
8	80	80	100	100	94	84
9	80	80	100	100	96	86
10	80	80	100	100	98	88
11	80	80	100	100	100	100

La economía en proceso de acumulación solamente tiene 60.000 millones de pesetas disponibles para el consumo en el primer año, que aumentan cada año en 4.000 millones como consecuencia del aumento del PNB. La economía sin acumulación tiene 80.000 millones de pesetas anuales. Durante los años 1 a 5, la economía en acumulación habrá empeorado, en el sentido de que la población dispondrá de una cantidad para el consumo inmediato menor que en la economía sin acumulación. Sin embargo, a partir del año 6, el consumo será mayor en la economía que ha aumentado su capital.

Las columnas bajo (3) en la tabla recogen el efecto del crecimiento a una tasa menor que en el caso (2), necesitándose diez años en vez de cinco para que la acumulación de capital de la economía haga subir el capital a los 200.000 millones de pesetas. En comparación con el caso (2), el consumo es mayor aquí durante los primeros cinco años, por ser menor la tasa de inversión anual, pero después se reduce durante los restantes años del decenio, porque la economía sigue acumulando capital. Al final de los diez años, la economía se halla en el mismo estado en los casos (2) y (3). Por tanto, la distribución del consumo entre las generaciones depende de la tasa de crecimiento tanto como de la existencia de crecimiento.

Cuanto más rápida sea la tasa de acumulación de capital (y por tanto más alto sea el nivel de inversión necesario), mayor será el consumo perdido por las generaciones presentes y mayor el consumo ganado por las generaciones futuras.

Si consideramos el proceso de crecimiento desde el punto de vista de los consumidores, el consumo al que tienen que renunciar en cualquier período para que los recursos de la sociedad puedan producir bienes de capital, representa una renta no consumida, o *ahorro*, pues la producción de bienes de capital genera renta exactamente igual que lo hace la producción de bienes de consumo. Una tasa de crecimiento más rápida del stock de capital requiere, pues, una tasa de ahorro más alta que la necesaria para una tasa de crecimiento más lenta del stock de capital.

RECAPITULACIÓN 24.3. *La acumulación de capital desempeña un papel clave en el crecimiento económico y, junto con el aumento de la productividad, ofrece el camino más importante para aumentar el PNB per cápita. En ausencia del progreso tecnológico, un aumento aislado de la fuerza de trabajo hará aumentar el PNB total, pero reducirá el PNB per cápita, mientras que un aumento aislado del capital hará aumentar tanto el PNB total como el PNB per cápita. Sin embargo, aumentar el capital de la sociedad tiene sus costes, pues los recursos utilizados para producir nuevos bienes de capital no pueden ser destinados al consumo corriente. Por tanto, el crecimiento por medio de la acumulación de capital encierra una decisión intertemporal, ya que los niveles de consumo de la generación presente tienen que ser reducidos para que las generaciones futuras puedan tener un consumo más alto. Cuanto más rápida sea la tasa de crecimiento, mayor será el consumo perdido por las generaciones presentes y mayor el consumo ganado por las futuras.*

24.4. La tasa de crecimiento

> *Qué determina la tasa de crecimiento y cómo puede*
> *ésta ser influida por la política económica*

La tasa de acumulación de capital (y por consiguiente la tasa
de crecimiento tanto del PNB total como del PNB per cápita, si se
supone exógeno el crecimiento de la población) depende del nivel
de la inversión. Este último, en una economía con pleno empleo,
depende a su vez de la cantidad de PNB que es desviada del consumo
corriente, es decir, depende del *ahorro* en todas sus fuentes. Por
tanto, en ausencia de progreso tecnológico, la tasa de crecimiento
depende del nivel del ahorro: mientras más alta sea la proporción ahorrada de la renta, mayor será la tasa de crecimiento.

Teoría clásica del crecimiento

Los primeros guiones descriptivos del crecimiento fueron algo así
como este: el ahorro se lleva a cabo por los consumidores, que son
inducidos a aplazar el consumo presente hasta una fecha posterior si
se les ofrece para el futuro más que aquello a lo que renuncian en el
presente. Ese «más» significa un interés. Unos tipos de interés altos
inducirán a un ahorro elevado. El interés es el rendimiento del capital y está determinado por el producto marginal del capital. Será alto
cuando la relación de capital a trabajo sea alta, descendiendo (debido
a la disminución de la productividad marginal) conforme el capital se
acumule. Por esta razón, un país pobre, con escaso capital, tendrá
tipos de interés altos, generará un ahorro elevado y acumulará capital con rapidez. Conforme el país se va enriqueciendo, el tipo de
interés y la tasa de acumulación descenderán.

Aunque algunos países ricos (como Gran Bretaña) crecieron más
rápidamente y tuvieron tipos de interés más altos en la fase inicial
de su industrialización que después, no existen muchos testimonios
indicativos de que ésta haya sido la secuencia general. El principal fallo del modelo es que, como lo comprendemos ahora, el factor
de más importancia en la determinación del ahorro no es el *tipo
de interés,* sino el *nivel de la renta.*

Teoría moderna del crecimiento

Cuando el ahorro está determinado por la renta, la predicción
es completamente distinta. Los países pobres tienen rentas bajas y,
por tanto, ahorran poco, si es que ahorran algo, presentando el *ciclo
de la pobreza,* pues un ahorro bajo significa un crecimiento bajo,
con lo que siguen siendo pobres, mientras que los países ricos (con
más capital por habitante) ahorran más y crecen más rápidamente.

Dada la relación entre la renta y el ahorro y la que existe entre
el aumento de la renta y el aumento de la producción, es fácil cons-

─────── **Cápsula suplementaria 24.2** ───────

CARLOS MARX, 1818-1883

Para Marx, el capitalismo era un sistema de contradicciones internas, y el propio Marx era un hombre contradictorio. Durante dieciocho años pasó los días, desde las diez de la mañana hasta las siete de la tarde, en la biblioteca del Museo Británico, escribiendo su libro sobre el juicio final del sistema capitalista, asistido económicamente todo ese tiempo por su amigo y camarada revolucionario, Federico Engels, cuya renta procedía por completo de los beneficios de unas fábricas textiles en Inglaterra y Alemania. Marx vivió en Londres durante treinta y cuatro años —bastante más de lo que vivió en Alemania— y murió y está enterrado allí, pero nadie le ha considerado nunca un economista británico, porque en Inglaterra siempre fue un exiliado y porque mantuvo un estilo y pensamiento totalmente germánicos, sin incorporarse nunca a la escena intelectual inglesa.

Marx nació en Treveris, Alemania, en 1818. Su familia pertenecía a la clase media acomodada y su padre fue un abogado con éxito, judío que se hizo cristiano cuando empezó a ejercer su profesión. El joven Marx estudió filosofía en la universidad y al terminar los estudios su propósito era seguir una carrera académica. En filosofía fue hegeliano, y los hegelianos estaban considerados por el Estado, que regía las universidades, como ateos radicales. Su propio maestro fue separado de su cátedra, y Marx tuvo que abandonar la idea de hacer una carrera universitaria. Se casó con una muchacha de su vecindad, que era además muy bella y aristócrata; dirigió un periódico liberal durante una temporada (pero él era demasiado liberal), y en 1844 se trasladó a París. Allí estaba ya Federico Engels; Marx le había encontrado antes una vez en Berlín, en una reunión de los Jóvenes Hegelianos, pero a partir de 1844 los dos se hicieron amigos y colaboradores intelectuales, relación que mantuvieron toda su vida. La revolución flotaba en el aire de la Europa de aquellos días, y los jóvenes revolucionarios no eran bien recibidos. Marx fue expulsado de París en 1845 y se fue a Bruselas, pero también se vio obligado a abandonar esta ciudad cuando estalló la revolución de 1848. Después de un breve regreso a Alemania, que fue su última visita a su tierra natal, marchó a Londres en 1849 y allí se quedó. Con todo, el fruto de la colaboración entre Marx y Engels en París y Bruselas fue un breve folleto que bastaría para poner sus nombres para siempre entre los libros históricos: *El Manifiesto Comunista.* El tema del *Manifiesto,* escrito cuando se habían desvanecido los intentos revolucionarios de 1848, fue la *inevitabilidad histórica* de la ruina final del sistema existente.

En Londres, Marx se dedicó a investigar con detalle la forma en que el sistema capitalista se derrumbaría finalmente como resultado de su propio funcionamiento interno, para probar la tesis de la inevitabilidad histórica. Inició su proyecto en 1851, esperando terminarlo en menos de dos meses, pero le exigió dieciocho años de largas jornadas de tra-

───

truir modelos sencillos que muestren la tasa de crecimiento que se conseguirá.

Supóngase que la propensión media a consumir es igual a la propensión marginal a consumir (y, por tanto, es constante), con un valor 0,90, de manera que se ahorran 10 pesetas por cada 100 pesetas de PNB. (Estamos suponiendo una economía muy simple,

bajo en el Museo. Solamente el primero de los cuatro volúmenes de *Das Kapital* se publicó en vida de Marx: en 1867. El confuso manuscrito requirió un tremendo esfuerzo de redacción (que llevó a cabo Engels), por lo que el segundo volumen no apareció hasta 1885 (dos años después de la muerte de Marx), el tercero hasta 1893 y el volumen final se hizo esperar hasta 1910. El enorme desarrollo de la obra desde su concepción inicial hasta su versión completa fue un resultado de la educación germánica de Marx, que le llevó a leer todos los libros de economía disponibles entonces y a refutar, en largas notas a pie de página o en el texto, a autores que no valían la pena. El admirable estilo directo y la sencillez del *Manifiesto* se pierden completamente en *El Capital* (versión usual y breve en español del título de su obra principal).

La línea argumental de lo que podríamos considerar la sección macroeconómica de *El Capital* es la siguiente: Los capitalistas tratan de acrecer sus beneficios aumentando la producción por medio del crecimiento. Al actuar de este modo, aumentan su demanda de trabajo, y tienden a subir los salarios por encima del nivel mínimo de subsistencia. Como sus beneficios se derivan de la «plusvalía» creada por el trabajo (diferencia entre el tiempo de trabajo proporcionado al empresario y la cantidad de trabajo necesaria para producir bienes al nivel de subsistencia), la tasa de beneficio descenderá conforme los salarios suben. Para evitarlo, los capitalistas acudirán a procesos ahorradores de trabajo, que requieren más maquinaria, lo que da origen a un desempleo y al descenso de los salarios. Sin embargo, la tasa de beneficios desciende por emplearse más capital, y el sistema acaba por caer en una «crisis» con abundantes bancarrotas y extenso desempleo. A consecuencia de la crisis, tanto los salarios como los precios de la maquinaria descenderán por debajo de su «valor» (que, para Marx, es el trabajo necesario para reproducirlos), la producción volverá a dar beneficios y el sistema iniciará otro ciclo. Marx vaticinó que, a largo plazo, las crisis irían agravándose cada vez más, el desempleo alcanzaría finalmente tal nivel que ya no desaparecería ni siquiera durante los períodos de prosperidad, estallaría una revolución y con ella llegaría la disolución final del sistema capitalista.

Marx fue el primero en ofrecer un análisis del ciclo económico basado en el funcionamiento interno del sistema. Sus predicciones a largo plazo no se han confirmado, en especial la de la creciente miseria de los trabajadores bajo el capitalismo. El verdadero impacto de la obra de Marx está en su idea central de la inevitabilidad del derrumbamiento del capitalismo: ésta ofrece a sus seguidores la maravillosa sensación de marchar, cualesquiera que sean sus vicisitudes en cualquier momento, sobre la ola del futuro. La contradicción final de la propia obra de Marx está, acaso, en que habiendo dedicado dieciocho años al análisis de lo que creía inevitable, no proporcionó guía alguna acerca del modo de funcionar el sistema sucesor del capitalismo.

sin sector público y sin depreciación del capital, así que la renta disponible es igual al PNB total.) Supóngase que con la tecnología existente se requieren cuatro pesetas de capital adicional para lograr un aumento de una peseta anual en la producción total. Partiendo de esta información, podemos calcular muy fácilmente del siguiente modo la tasa de crecimiento de la economía: de cada 100 pesetas

de PNB se habrán ahorrado este año 10, y, por tanto, se podrá
construir equipo de capital por valor de 10 pesetas, que se añadirá
al stock de capital existente. Dentro de un año, la economía contará
con un capital adicional de 10 pesetas por cada 100 pesetas del PNB
del presente año, con lo que podrá producir 2,5 pesetas más (10/4)
por cada 100 pesetas producidas en el año actual, es decir, obteniéndose un aumento del 2,5 por 100 en la producción con respecto
al año actual. Cada 100 pesetas del PNB producidas el año siguiente
llevarán a su vez a un aumento de 2,50 pesetas en la producción de
un año después, y así sucesivamente. La tasa de crecimiento del PNB
será, por tanto, de un 2,5 por 100 anual sostenido.

Con propensiones a ahorrar diferentes y/o relaciones técnicas
diferentes entre la producción y las necesidades de capital se tendrán
tasas de crecimiento distintas, desarrollándose el cálculo correspondiente igual que el anterior. La fórmula general indica que la tasa
de crecimiento es igual a la propensión a ahorrar dividida por el
incremento de capital necesario para generar un aumento de una
peseta en el PNB, expresada esta relación en tanto por ciento. En
el ejemplo dado, la propensión a ahorrar es 0,10, y el incremento
de capital necesario es 4, de donde se deduce una tasa de crecimiento
de $\dfrac{0,10}{4} = 0,025$, o sea, el 2,5 por 100.

El anterior modelo simple de crecimiento se denomina corrientemente modelo Harrod-Domar, por los dos economistas (Sir Roy Ha-
rrod y Evsey Domar) que escribieron estudios, separados e independientes, en los que presentaron los rasgos generales del modelo que
acaba de describirse. Obsérvese que en este modelo el crecimiento
sostenido requiere que los empresarios y el Estado se dispongan a
invertir en conjunto exactamente lo que los consumidores están dispuestos a ahorrar. Si la inversión planeada es menor que el ahorro
generado por el nivel del PNB correspondiente al pleno empleo,
habrá una presión descendente en la economía que la hará deslizarse
hacia la recesión. Un nivel demasiado alto de inversión planeada
conducirá a una presión ascendente y a la inflación.

Política de crecimiento

Si tomamos el modelo Harrod-Domar al pie de la letra, puede
parecer que el capitalismo tiene que crecer o morir, pues si el ahorro
planeado no es absorbido por la inversión planeada (provocando
el crecimiento) el exceso de las detracciones sobre las inyecciones
dará origen a la depresión y al derrumbamiento. Marx había llegado
mucho antes a una conclusión similar, pero por un camino diferente:
creyó que el crecimiento no podría hacer más que aplazar el derrumbamiento final y predestinado. En el análisis marxista, la presión
para evitar la subida de los salarios es lo que obliga a los capitalistas
a cambiar sus métodos de producción por otros que ahorren trabajo,

manteniendo la inversión para que la economía continúe creciendo.
Ambos análisis ignoran la posibilidad de que el Estado pueda entrar
en juego y absorber los ahorros, utilizando recursos equivalentes
para la producción de bienes públicos que no se traducen necesariamente en crecimiento. Sólo cuando el peso del sector público es
despreciable en relación con el del sector privado, la inversión generadora de crecimiento tiene que ser igual al ahorro.

La política del Estado puede aumentar o, en su caso, reducir
la tasa de crecimiento en comparación con la calculada en el modelo
simple. Puede emprender una inversión generadora de crecimiento
y obligar a una reducción equivalente del consumo por medio del
aumento de los impuestos. Todo el crecimiento de las economías
de tipo soviético se lleva a cabo de esta forma, y una política análoga
se sigue en muchos países de economía mixta, en los que la producción se lleva a cabo por empresas tanto públicas como privadas. Incluso en los Estados Unidos, el sector público produce ciertos
tipos de bienes de capital, como autopistas y viviendas protegidas,
aunque no directamente por administración, sino pagando a contra-
tistas privados para que actúen en nombre del Estado.

Puede influirse de un modo más indirecto sobre la tasa de crecimiento, provocando cambios en la propensión a ahorrar. Normalmente el rico ahorra una proporción más elevada de su renta que
el pobre, por lo que una redistribución de las rentas a favor de los
pobres tenderá a hacer que descienda la propensión a ahorrar del
conjunto, y una redistribución a favor de los ricos tenderá a hacer
que la propensión se eleve. Los efectos de la redistribución plantean
un dilema especial a los países más pobres: para crecer más rápidamente necesitan una propensión a ahorrar más alta, y ésta sería
favorecida (en general, pero no de manera invariable) por una redistribución a favor de los ricos, pero la justicia social aconseja una
redistribución a favor de los pobres, especialmente porque éstos son
en realidad muy pobres. Para un país rico, en el que la necesidad
de crecer rápidamente es menos perentoria, el dilema se mantiene,
pero con mucha menos agudeza.

RECAPITULACIÓN 24.4. *Las teorías clásicas del crecimiento predicen que la tasa de ahorro, y por tanto la tasa de crecimiento, serán
altas cuando el tipo de interés sea alto, y que el tipo de interés disminuirá a medida que aumenta el capital, lo que conducirá a una
disminución de la tasa de crecimiento. Las teorías modernas del
ahorro ponen de relieve la renta, en lugar del tipo de interés, como
el principal determinante del ahorro, y predicen una baja tasa de
crecimiento para niveles bajos de renta, y una tasa más elevada para
los países más ricos. Dada la función de consumo y la relación capi-
tal/producto, podemos construir modelos simples de crecimiento,
como el modelo Harrod-Domar, en el que la tasa de equilibrio de la*

*acumulación de capital sólo podrá variar si cambia la propensión a
consumir o la tecnología que relaciona el capital con la producción.
Esto plantea un dilema a la política de distribución en un país pobre,
cuya tasa de crecimiento puede descender si la renta se distribuye
con mayor equidad. Las teorías simples del crecimiento ignoran la
capacidad del sector público para actuar sobre los niveles de ahorro
e inversión, y, por tanto, sobre la tasa de crecimiento, a través de la
política económica.*

24.5. Progreso tecnológico

> *Lo poco que se sabe sobre la política relativa
> a uno de los factores fundamentales del crecimiento*

El progreso tecnológico significa la aplicación de procesos de producción nuevos que emplean menor cantidad de uno o varios factores, y una cantidad no mayor de los demás, que los procesos existentes, para obtener la misma producción. Como el progreso tecnológico
permite obtener una mayor producción a partir de unos recursos
dados, implica en apariencia la posibilidad de crecimiento, tanto del
PNB total como del PNB per cápita, sin nueva acumulación de capital ni aumento de otros recursos.

Invención e innovación

Los nuevos procesos no surgen de la nada, sino que tienen que
ser inventados y desarrollados. La tasa de *innovación* requiere una
cierta consideración, pues ha sido casi nula en ciertos períodos de la
historia, y muy rápida en otros tiempos. Como el crecimiento de la
población, la innovación es una de las cosas evidentemente influidas
por la variables económicas pero acerca de las cuales los economistas no cuentan aún con una teoría sencilla y precisa.

Como es lógico, el inventor de un nuevo proceso o de cualquier
avance tecnológico tiene que haberle dedicado algunos recursos (al
menos, su propio tiempo). Como la innovación encierra algún elemento aleatorio, tendríamos que imputar a los aciertos finales el
tiempo empleado en las investigaciones fracasadas a la vez que el
dedicado a desarrollar las investigaciones que tuvieron buen éxito.
Pero incluso si operamos de este modo, es evidente que el rendimiento para la sociedad de, por ejemplo, la invención de la máquina
de vapor es un múltiplo astronómico de los recursos dedicados a la
invención original y a su posterior desarrollo. De hecho, si a los
recursos dedicados a la investigación y a su desarrollo se les pudiera
garantizar el rendimiento medio que indica la experiencia pasada,
una economía debería dedicar a este fin una proporción muy elevada
de sus disponibilidades de recursos. Pero sucede, al parecer, que

una innovación implica una secuencia de hechos y que el forzar esta secuencia obliga a un fuerte aumento de los costes de investigación en relación con los resultados.

Progreso tecnológico incorporado

La razón fundamental por la que el crecimiento a partir del progreso tecnológico no es tan sencillo como parece si se le contempla superficialmente, es que la mayor parte del progreso tecnológico está *incorporado,* más que «desincorporado». Con esto queremos decir que para llevar la tecnología a la práctica se requiere o *nuevo* capital físico o *nuevo* capital humano. Es decir, que la tecnología está, en cierto sentido, «dentro» de la nueva máquina, o «dentro» de la nueva especialización humana: de ahí el término «incorporado».

Por tanto, es posible conocer la existencia de técnicas incorporadas más eficientes, pero que no pueden ser utilizadas mientras no se disponga de la nueva maquinaria o de los trabajadores especialmente preparados (a menudo, de las dos cosas). La rapidez con la que puede ser empleada la nueva tecnología, y por tanto la tasa de crecimiento a partir del progreso tecnológico, depende de la tasa de instalación del nuevo equipo. En otras palabras, la tasa de crecimiento a través del progreso tecnológico incorporado depende del nivel de la inversión *bruta,* y no del de la inversión *neta,* a diferencia del caso del crecimiento a través de la acumulación de capital, en el que lo que cuenta es solamente el aumento del stock de capital *después* de reemplazar el equipo envejecido.

El progreso tecnológico incorporado puede tener lugar incluso si no existe acumulación neta de capital, siempre que el equipo envejecido se reemplace por otro que incorpore la nueva técnica. Sin embargo, la tasa de progreso será claramente tanto más rápida cuanto más alta sea la tasa de acumulación de capital, pues la nueva técnica entrará incorporada en el capital adicional lo mismo que en el capital de reemplazamiento. Con progreso tecnológico incorporado, el PNB per cápita aumentará más rápidamente con una acumulación de capital del 5 por 100 anual y un crecimiento de la población del 2 por 100 anual, que con un stock de capital estacionario y un 3 por 100 de descenso anual de la población.

Puede afirmarse también que un nivel general de educación más elevado proporciona una fuerza de trabajo que se adapta con mayor rapidez a las nuevas tareas, lo que favorece una tasa más rápida de progreso tecnológico incorporado.

Consecuencias posteriores de la incorporación del progreso tecnológico

La incorporación de nuevas tecnologías ha sido históricamente uno de los factores más potentes de crecimiento económico, de desarrollo y de cambio estructural. El descubrimiento en el siglo XVIII de nuevas tecnologías para la producción textil condujo a su incorporación a las fábricas y a las máquinas que fueron la base de la Revolución Industrial, y esta incorporación originó profundos cambios sociales y económicos que se difundieron por todo el mundo. La incorporación de la tecnología del ferrocarril dominó el desarrollo económico de los Estados Unidos durante la segunda mitad del siglo XIX, mientras que la del automóvil dominó la primera mitad del siglo XX. La incorporación de la tecnología electrónica moderna, que incluye el ordenador, quizá sea contemplada por los historiadores futuros como la que dominó el desarrollo económico de los Estados Unidos y de otros países durante la segunda mitad del siglo XX.

En una economía capitalista, en la que la inversión depende de las decisiones de los empresarios privados, y a éstos se les agotan periódicamente sus ideas para proseguir la expansión, el cambio tecnológico puede ofrecer un incentivo para nuevas inversiones, por necesitarse nuevo capital para incorporar el avance tecnológico. Joseph Schumpeter (1883-1950), economista austríaco, que pasó después a Harvard, consideró que toda la dinámica del sistema capitalista se derivaba de la actividad de quienes incorporaban nuevas tecnologías conforme éstas surgían, estancándose el sistema cada vez que se completaba un ciclo de innovación sin que se hubiera iniciado el siguiente.

En la visión schumpeteriana, cada empuje ascendente de la economía se atribuye a las actividades de unos cuantos grandes innovadores. Estos no son necesariamente los verdaderos inventores de los nuevos desarrollos tecnológicos, sino los que perciben correctamente el papel y la importancia de un nuevo descubrimiento, así como la forma de utilizarlo y llevarlo al mercado. Henry Ford sería un ejemplo de innovador de este tipo durante la etapa de prosperidad de los años 20, y los magnates del ferrocarril, a finales del siglo XIX, serían los innovadores de aquel período. Después del empuje innovador central, hay oportunidades que son evidentes para empresarios menos imaginativos, los cuales siguen a los innovadores e invierten en actividades subsidiarias. El ciclo termina cuando la innovación básica ha quedado perfectamente establecida y aprovechadas las oportunidades evidentes.

A pesar de la importancia de la incorporación tecnológica, sabemos poquísimo acerca de los determinantes del cambio tecnológico. Las grandes empresas gastan enormes sumas en investigación y desarrollo, y obtienen la mayor parte de sus ganancias de un gran número de pequeñas innovaciones más que de los descubrimientos espectaculares. Las grandes brechas tecnológicas pueden tener cualquier origen; gran parte del trabajo inicial sobre los transistores vino de los laboratorios de las empresas gigantes (Bell, en particular), pero el ordenador fue desarrollado por empresas pequeñas. En el caso del

ordenador, IBM desempeñó en cierto modo el papel del innovador
schumpeteriano, tomando algo que no había inventado, pero que IBM
estaba en condiciones especialmente buenas para apreciar en toda su
importancia.

RECAPITULACIÓN 24.5. *Los estudios empíricos muestran que el
progreso tecnológico es uno de los más importantes determinantes
de la tasa de crecimiento. Los economistas no tienen ninguna idea
clara acerca del modo de aumentar la tasa de progreso tecnológico.
Sin embargo, como la mayor parte de la tecnología se incorpora al
nuevo equipo de capital, contribuirá al progreso tecnológico la existencia de una alta tasa de acumulación de capital. Una tasa elevada
de inversión en educación ayudará también al progreso tecnológico
por permitir una adaptación rápida del trabajo. El proceso de incorporación de una nueva tecnología a las nuevas máquinas e instalaciones ha sido un elemento dinámico importante en el crecimiento
de las economías capitalistas.*

24.6. ¿Puede ser malo el crecimiento?

*Cómo una economía puede estar creciendo,
pero en la dirección equivocada*

En años recientes se ha puesto en duda la conveniencia de con-
centrar en el crecimiento rápido (en producción por habitante) la
política económica, e incluso la conveniencia del crecimiento en sí
(al menos en las economías ricas). Entre las principales objeciones,
planteadas por los que desconfían del crecimiento están las siguientes:

1) que el limitado stock de algunos recursos naturales, como
el petróleo y los minerales, se está consumiendo a una tasa creciente,
con el peligro de un agotamiento total dentro de un horizonte temporal lo bastante cercano a nosotros como para que deba ya pre-
ocuparnos;
2) que las tecnologías avanzadas están cada vez más ligadas a
la producción de males públicos, como la contaminación, y que la
clara escalada del uso de estas tecnologías se traducirá inevitablemente en numerosas crisis ecológicas;
3) que los bienes cuya producción está especialmente ligada
al crecimiento rápido en los países ricos (por ejemplo, el automóvil)
se emplean principalmente para vencer otros inconvenientes del tipo
de vida obligado en tales sociedades, originan por sí mismos otros
graves perjuicios y contribuyen poco al aumento neto real del bienestar social;

4) que la profusión de bienes producidos en las economías ricas complica la vida al consumidor e introduce grandes costes sociales y privados ligados a la incertidumbre y a la toma de decisiones, por lo que su contribución neta al bienestar social es menor que lo que se suele admitir.

Se pueden dar más argumentos en la misma línea, todos de algún valor. No obstante, si analizamos con cuidado estos argumentos, vemos que su verdadero significado no es que sea en sí indeseable el crecimiento del PNB per cápita, sino que es *indeseable una forma equivocada de crecimiento.*

Apuntan también estos argumentos a algo más importante y sutil: que el aumento del «crecimiento» de la economía, *tal como lo miden los indicadores usuales,* puede representar un escaso crecimiento del bienestar social, e incluso podría estar ligado a un decrecimiento de éste.

Consideremos primero la forma o dirección del crecimiento. Se refiere ésta en realidad a la *composición* de la producción, la cual queda oculta en un enfoque estrictamente macroeconómico, pues en éste se opera como si el PNB fuese un «bien» único cuya composición no nos interesa. La mayoría de los descontentos con el crecimiento lo están porque ven en él una producción creciente de automóviles, con su contaminación correspondiente, y de aviones ruidosos, un desarrollo urbano infestado de semáforos que sustituyen a los árboles, y tantas otras cosas sabidas. La mayoría de estos descontentos se sentirían felices si viesen aumentar los automóviles eléctricos sin ruido y sin contaminación, así como las escuelas, las zonas deportivas y los parques públicos, en barrios a escala humana, bien proyectados e integrados desde el punto de vista racial y social. El desarrollo de cosas como éstas también sería crecimiento, pero sería un crecimiento en proporciones distintas a las actuales de los diversos productos que obtiene la sociedad.

El crecimiento, en el sentido de una mayor producción por habitante de ciertas cosas, es indudablemente deseable. Puede ser menos deseable (o ser incluso indeseable) para las economías ricas continuar creciendo sin algún cambio fundamental en la composición de su paquete de productos: con más bienes públicos y menos males públicos que en la composición presente.

Esto plantea el problema de los indicadores del crecimiento y de la medición de la tasa de crecimiento. Para la economía de los Estados Unidos puede ser más fácil (y probablemente lo es) una expansión de mil millones de dólares anuales en los servicios de transporte en automóvil que una expansión de la misma cifra en los servicios públicos de transporte. La preocupación por obtener la máxima tasa de crecimiento del PNB real puede llevar a una expansión de aquellos sectores en los que el crecimiento es más fácil de lograr, en lugar de aquellos en los que el crecimiento tiene el valor social máximo. Esto se agrava aún más por valorarse menos en el PNB los bienes públicos que los de producción privada, pues los primeros se valoran básicamente al coste de los recursos, y los últimos al coste de los recursos más el beneficio residual.

Tenemos, por último, el problema de la valoración incompleta de los verdaderos costes sociales. Puede ser mucho más fácil aumentar la producción por medio de una tecnología que emplea recursos que se están agotando y vinculada a males públicos como la contaminación, que con otra tecnología que no incurra en estos costes sociales. Como éstos no aparecen en los indicadores usuales, una tasa más rápida de crecimiento del bienestar social puede aparecer como una tasa más lenta de crecimiento del PNB real, y un crecimiento más lento (o incluso un descenso) del bienestar social, como un crecimiento más rápido del PNB real.

Una alta tasa de crecimiento del PNB real per cápita, medido éste de la manera convencional, puede no representar una alta tasa de crecimiento del bienestar social, e incluso podría estar ligada con un descenso de este último.

Llegamos, pues, a la conclusión de que el crecimiento puede, de hecho, ser malo o ser menos «bueno» de lo que ingenuamente se podría suponer. Sin embargo, esto no es así porque el crecimiento sea malo en sí mismo, sino porque el crecimiento en una dirección errónea puede ser malo, o porque nuestros métodos convencionales de medición del crecimiento pueden registrar unas cifras de crecimiento más altas en la dirección errónea que en la dirección acertada.

El análisis anterior se refiere esencialmente al crecimiento de la producción per cápita, tomándose como un dato el crecimiento de la población. Si consideramos el propio crecimiento de la población como una variable de la política económica, el análisis tiene que ampliarse en una gran medida. Dadas las limitaciones de los recursos naturales y las externalidades nocivas (como la contaminación) que dependen del tamaño mismo de la población, los argumentos contra un crecimiento que *sólo* sirve para que pueda vivir una población mayor se hacen irrebatibles, a menos que nuestro juicio sobre el bienestar del mundo se base en la filosofía de que el mundo está mejor si existen 101 personas con un cierto nivel de vida que si sólo existen 100 con el mismo nivel. La argumentación nos lleva rápidamente de aquí a la metafísica, por lo que los economistas suelen asumir como objetivo práctico la maximización del bienestar per cápita de las personas existentes en la actualidad, y si para conseguirlo es necesario que la población crezca con menor rapidez, entonces esto es lo deseable.

RECAPITULACIÓN 24.6. *La preocupación por el crecimiento rápido de la producción por habitante como objetivo de la política económica se ha puesto muy en duda recientemente. El punto crucial de la argumentación contra el crecimiento es que la producción puede crecer en proporciones erróneas, y no el carácter indeseable del crecimiento en sí mismo. Dadas las divergencias entre las ventajas sociales y los valores utilizados en las cuentas nacionales y la distinta capacidad de los diferentes sectores de la economía para crecer con rapidez, el crecimiento más deseable no tiene que corresponderse necesariamente con la tasa más alta de crecimiento medida según las normas usuales de medición del PNB.*

RESÚMENES DE LAS SECCIONES. *Para repasar el contenido de este capítulo, hojéese el texto y vuélvanse a leer los trozos titulados «Recapitulación» que ponen fin a todas las secciones.*

TÉRMINOS Y CONCEPTOS DEL CAPÍTULO 24

Acumulación de capital
Modelo de crecimiento Harrod-Domar
Progreso tecnológico
Progreso tecnológico incorporado.

EJERCICIOS

1. Calcúlese la tasa de crecimiento de una economía con una propensión a ahorrar constante de 0,20 y una tecnología que da un aumento anual de una peseta de producto por cada dos pesetas de aumento del stock de capital.

2. ¿Cuál será la tasa de crecimiento de la economía anterior si la propensión a ahorrar desciende a 0,10 con la misma tecnología?

3. Calcúlese la tasa de crecimiento con una propensión a ahorrar de 0,10 y una tecnología que da un aumento de una peseta de producto por cada tres pesetas de aumento del capital.

4. Utilizando los datos de la tabla 24.1 (página 677), considérense las personas que consumen durante los años uno a cinco como la «generación presente», y las que consumen en los años seis a diez como la «generación futura». Comparando los datos de las columnas (1) con los de las columnas (2), calcúlese el consumo total de cada una de las dos generaciones (sumando el consumo de todos los años correspondientes) en cada uno de los dos casos. En el caso de la acumulación, de las columnas (2), ¿gana en consumo la generación futura más que lo que pierde la generación presente, en comparación con el caso en que no hay acumulación?

PARA REFLEXIÓN Y DISCUSIÓN

1. ¿Cree usted que los Estados Unidos deberían dejar de crecer, o frenar su tasa de crecimiento? Considere con cuidado su respuesta, y razónela. ¿Qué opina usted de esta cuestión respecto a la economía de *su* país?

2. ¿Qué cree usted que podría dar un aumento mayor del PNB, tal como usualmente se le mide, durante los próximos cinco años: un gasto de mil millones de pesetas en maquinaria para la industria de producción de cosméticos o un gasto equivalente en nuevas construcciones escolares? Justifique su respuesta.

3. Si el PNB crece un 5 por 100 y la población también crece un 5 por 100, el PNB per cápita no variará, por lo que los individuos no mejorarán ni empeorarán, pero habrá más personas. ¿Debemos considerar este hecho como un aumento del bienestar material social a causa del aumento del número de personas, o debemos considerar que no ha habido cambio, pues ningún individuo ha mejorado?

4. ¿Deberá un país pobre hacer que sus habitantes empeoren (en lo que se refiere a su consumo presente) para que las generaciones futuras puedan mejorar?

5. (Este punto requiere conocimientos de microeconomía.) Si se supiera de modo evidente y claro, que un recurso natural del mundo —el petróleo, por ejemplo— se iba a agotar completamente en cincuenta años si se mantuviese la tasa actual de utilización, ¿esperaría usted que el sistema de precios motivase un descenso de esta tasa de utilización?

Capítulo 25

INFLACION

25.1. Planificando lo imposible

Cómo se desarrolla una situación inflacionista

Hasta ahora, en la mayor parte de nuestro análisis de la actividad macroeconómica hemos supuesto que los planes de gasto no estaban limitados por la capacidad física de producción de la economía. El desequilibrio, cuando tenía lugar, era debido a un desajuste entre la renta total anticipada y el gasto total planeado en función de aquella renta. Dimos por supuesto que había una capacidad ociosa suficiente para poder aumentar la producción con el fin de hacer frente a los cambios de la renta de equilibrio y de su correspondiente gasto planeado. Excepto en el análisis del crecimiento, nos limitamos implícitamente al estudio de una economía con *desempleo*.

Este capítulo se ocupa de un problema completamente distinto, que surge cuando el gasto total planeado *a los precios corrientes* excede de la capacidad total de producción (producción de pleno empleo) de la economía, también a precios corrientes. En otras palabras, si lo único que produce la economía son transistores y su precio corriente es de 1.000 pesetas cada uno, los distintos sectores de la economía podrían planear un gasto total en compras y ventas de transistores de 11.000 millones de pesetas (= 11 millones de transistores), con una capacidad de producción de la economía de solamente diez millones de transistores (= 10.000 millones de pesetas, a precios corrientes).

Veamos un ejemplo sencillo. Tenemos una economía que sólo contiene un sector de consumo y un sector de inversión, careciendo de sector público y de sector internacional. Toda la renta es pagada a las economías domésticas, que tienen una propensión media a consumir constante e igual a 0,8, lo que da un multiplicador constante de 5 (=1/0,2), como se vio en el capítulo 22 (páginas 624 a 627). Supóngase que la inversión planeada inicial es de 2.000 millones de pesetas, lo que da un nivel de equilibrio para la renta de 10.000 millones de pesetas, igual al gasto total de 2.000 millones para inversión más 8.000 millones (=0,8×10.000 millones) para consumo. Supondremos que la producción de 10.000 millones de pesetas a precios corrientes representa la capacidad de producción actual de esta economía, y que nos encontramos inicialmente en equilibrio a este nivel, con precios estables.

Planes inalcanzables

Supongamos ahora que el sector de los empresarios, quizá por hacerse más optimistas sus perspectivas para el futuro, se propone aumentar la inversión en un 10 por 100, llegando así a 2.200 millones de pesetas. Estos planes representan un aumento de la inversión en *términos reales;* es decir, los empresarios se proponen comprar un 10 por 100 *más de nuevas máquinas.* Como los precios eran estables al hacerse estos planes, el aumento planeado del 10 por 100 en términos reales se traduce simplemente en un aumento planeado del 10 por 100 en su valor en pesetas. Por supuesto, el nuevo nivel de inversión planeada no es compatible con una renta total de 10.000 millones de pesetas, pues si la inversión fuera de 2.200 millones, el consumo no podría pasar de 7.800 millones: esto es, sería inferior al consumo planeado para una renta de 10.000 millones. La nueva renta de equilibrio, en ausencia de restricciones físicas a la producción, sería de 11.000 millones, igual a la inversión de 2.200 millones más el consumo de 8.800 millones (=0,8×11.000 millones).

Como la capacidad de producción, a precios corrientes, es solamente de 10.000 millones, estamos ante una *combinación de planes inalcanzable.* Algo tiene que ceder: los planes de al menos uno de los sectores tienen que quedar incumplidos.

Procesos de ajuste

Para ver lo que puede ocurrir, tenemos que fijarnos en el *proceso* por el que la economía podría ajustarse a los nuevos planes de inversión, y no simplemente en las situaciones de equilibrio que se han hecho inalcanzables.

Si el sector de la inversión, después de haber decidido aumentar la inversión elevándola de 2.000 a 2.200 millones de pesetas, sigue adelante con sus planes, el resultado inmediato será un aumento de los pedidos a los fabricantes de *nuevas plantas y equipos industriales.* Como la industria en su conjunto está operando a su capacidad, el incremento de los pedidos no podrá atenderse sin algún reajuste. Una posibilidad consiste sencillamente en que los fabricantes anoten los pedidos en sus libros para atenderlos más adelante: en otras palabras, los planes de inversión son *registrados, pero no realizados,* y será el sector de la inversión el que no alcance sus planes. La renta efectiva sigue siendo de 10.000 millones de pesetas, con 200 millones de demanda de bienes de inversión insatisfecha.

Otra posibilidad es que los fabricantes encuentren más rentable la producción de máquinas que la de bienes de consumo, o prefieran servir los pedidos de los empresarios antes que los de los consumidores, de manera que se limitan a cambiar de producción para atender los pedidos con fines de inversión, reduciendo su producción de bienes de consumo. En este caso, la producción de bienes de inversión pasa a ser de 2.200 millones de pesetas y se cumplen los planes de inversión, pero la producción de bienes de consumo desciende, reduciéndose a 7.800 millones. Se acusan *escaseces* de bienes de consumo y los consumidores se encuentran con que sólo pueden gastar 7.800 en lugar de los 8.000 millones que planearon.

Hay que señalar que, aunque en ninguno de estos dos casos se alcanza el *equilibrio* —pues los planes no se cumplen —se llega en ellos a una igualdad contable entre detracciones efectivas e inyecciones efectivas. En el primer caso, el ahorro continúa a su nivel inicial (2.000 millones de pesetas), y la inversión se iguala a él porque el aumento planeado de 200 millones en la inversión no llega a tener lugar efectivamente. En el segundo caso, la inversión se eleva a 2.200 millones, y el ahorro aumenta hasta igualarse con ella, pues los consumidores no pueden realizar sus planes completos de consumo: los consumidores se ven *forzados* a ahorrar 200 millones más de los que proyectaron, simplemente porque no queda nada en lo que puedan gastarse esa diferencia. La igualdad entre la inversión efectiva y el ahorro efectivo se consigue, en el primer caso, con una inversión efectiva menor que la que se planeó, y en el segundo, con un ahorro efectivo mayor que el planeado.

Aumento de los precios

Todavía tenemos que considerar otro tipo diferente de ajuste que puede tener lugar. El aumento inicial de la inversión planeada representa un incremento de 200 millones de pesetas en el gasto planeado total. El gasto planeado pasa del nivel inicial de 10.000 millones al de 10.200 millones: un aumento del 2 por 100. Como la producción de bienes reales está limitada a 10.000 millones a precios corrientes, los productores pueden reaccionar a la demanda creciente *aumentando los precios.* Si aumentan todos los precios en un 2 por 100, la producción que antes se valoraba en 10.000 millones valdrá ahora 10.200 millones, y su *valor en pesetas* se igualará al gasto planeado inicial.

Sin embargo, esto no nos llevará a un equilibrio. Incluso suponiendo que el sector de inversión acepte que sus planes se realicen en *términos monetarios,* y no los aumente para compensar el aumento de los precios, las *rentas monetarias* de los consumidores habrán aumentado en un 2 por 100, pasando a 10.200 millones de pesetas. Como los consumidores proyectan gastar un 80 por 100 de sus rentas, el valor en pesetas del consumo planeado aumentará en 160 millones de pesetas (80 por 100 de 200 millones) por encima del aumento de la inversión planeada. Para equilibrar este hecho, los precios aumentarán más, el consumo planeado aumentará de nuevo, y así sucesivamente, de acuerdo con el multiplicador.

Ilusión monetaria

Si los empresarios planean su inversión en *términos monetarios* y no la reajustan con los cambios de los precios, podemos alcanzar un «equilibrio» con una producción en pesetas de 11.000 millones (2.200 millones de inversión más 8.800 millones de consumo), con la misma capacidad de producción que antes en términos reales, pero con *un aumento del 10 por 100 en los precios.* A este nivel de renta, los *consumidores* están realizando sus planes (están gastando el 80 por 100 de sus 11.000 millones de renta). Los empresarios, si consideran que han realizado sus planes de inversión, están sujetos a una *ilusión:* proyectaron inicialmente aumentar la inversión en un 10 por 100, para disponer de un 10 por 100 más de máquinas, y han terminado gastando un 10 por 100 más para obtener simplemente el mismo número de máquinas que antes.

Cuando una persona que tiene que adoptar decisiones formulando planes en términos monetarios se conforma con que los planes se cumplan también en términos monetarios, incluso si los precios han subido y por ello los planes no se han cumplido en términos reales, se dice de ella que muestra *ilusión monetaria.*

Si los empresarios *no* muestran ilusión monetaria, la presión ascendente sobre los precios no se detendrá. Supongamos que la economía ha alcanzado el «equilibrio ilusorio» para una renta de 11.000 millones de pesetas, con una inversión de 2.200 millones y unos precios superiores en un 10 por 100. El sector de inversión advierte que, aunque todos los valores en pesetas han aumentado un 10 por 100, en realidad está comprando el mismo número de máquinas que antes. Para aumentar la inversión real, aumenta su inversión en pesetas un 10 por 100 más, a fin de compensar la subida de precios. La inversión planeada en pesetas subirá a 2.420 millones de pesetas (2.200 millones más el 10 por 100 de 2.200 millones), pero con esto únicamente se conseguirá aumentar de nuevo los precios otro 10 por 100 sin que resulte de ello aumento alguno en la inversión real. Este proceso continuará así mientras no tenga lugar algún hecho nuevo, tal como una redistribución de la renta que modifique la propensión a consumir, o una variación de la tasa de aumento de los precios de los bienes de inversión en comparación con la de los de consumo, que aumente la inversión real.

Inflación abierta e inflación reprimida

Es un hecho que los gastos planeados no pueden exceder de la capacidad de producción. Algo tiene que ceder. En términos generales, lo más probable es que se rompa la estabilidad de los precios, y éstos empiecen a subir, dándose la situación conocida como *inflación abierta*. No obstante, incluso si los precios no cambian (como cuando el Estado establece unos controles de precios eficaces), los gastos planeados no podrán alcanzarse y tendremos una *inflación reprimida*.

Con el empleo de la teoría usual de la determinación de la renta podemos estimar siempre cuál sería el nivel de equilibrio de la renta (a precios constantes) para un gasto planeado específico del sector público y de la inversión, dados los impuestos y los demás determinantes estructurales de la economía. Si esta renta de equilibrio es superior a la capacidad de producción, tenemos una *brecha inflacionista,* y el equilibrio no podrá ser alcanzado. Los hechos consiguientes no pueden analizarse a la luz del modelo usual de la renta, pues ese modelo se basa en el supuesto de una capacidad de producción suficiente para atender las demandas de gasto en la situación de equilibrio.

La inflación (abierta o reprimida) *se inicia* con un exceso de demanda, en el sentido de que el gasto total de equilibrio supera a la capacidad de producción. Sin embargo, una vez que comienza, la inflación tiene un mecanismo dinámico propio, que tiene que ser analizado considerando sus rasgos especiales.

Para mayor sencillez, suponemos una capacidad de producción bien definida, a la cual se inicia la inflación. De hecho, como algunas industrias pueden alcanzar su capacidad límite cuando el conjunto de la economía tiene todavía recursos ociosos, el proceso puede comenzar cuando todavía hay desempleo. Hemos visto ya, por la curva de Phillips, en el capítulo 22, que la mayoría de las economías parecen mostrar que la inflación se inicia con tasas de desempleo claramente mayores que cero. Con todo, cuanto más cerca de cero esté el desempleo, más marcada será la presión ascendente sobre los precios.

RECAPITULACIÓN 25.1. *Siempre que la economía pueda obtener la producción requerida, ésta será igual a la demanda planeada. Si los distintos sectores de la economía planean, en su conjunto, unos gastos que superan la capacidad de producción de la economía, esos planes no podrán cumplirse tal como fueron proyectados. Tendrá que haber un ajuste. Una posibilidad es que, como no hay bienes disponibles en cantidad suficiente para atender la demanda, algunos recibirán los bienes que planearon, pero otros se quedarán sin ellos.*

En una economía de mercado puede esperarse que la demanda que de esta forma ha quedado insatisfecha cause una presión ascendente sobre los precios. Si los planes iniciales suponían la compra de unas cantidades específicas de bienes reales, el aumento de los precios no equilibrará la economía, pues los gastos planeados en pesetas continuarán subiendo conforme suban los precios. Mientras los planes de compra de bienes reales superen a la producción de éstos que la economía es capaz de obtener, existirá una brecha inflacionista. Tenemos una inflación abierta si los precios comienzan a subir. Bajo un régimen de control de precios, éstos pueden no cambiar pero permanece la brecha, con lo que tenemos una inflación reprimida.

25.2. La espiral inflacionista

La inflación es un proceso que puede continuar después de haber desaparecido su causa inicial

Una vez que una situación inflacionista ha conducido a la inflación abierta, con precios en aumento, entra en escena toda una variedad de efectos que tienden a mantener e incluso a aumentar la dirección ascendente de los precios.

Vimos ya en la sección anterior que para que los precios sigan subiendo será suficiente que quienes toman decisiones intenten alcanzar unos gastos planeados imposibles *en términos reales.* Conforme aumentan los precios, los valores en pesetas de estos gastos planeados se incrementan para ajustarse a la subida de los precios, creando un nuevo exceso de demanda y dando origen a otro aumento de los precios. Como no puede conseguirse lo que es imposible, el proceso ascendente puede continuar indefinidamente, a menos que las gentes se engañen creyendo que han cumplido sus proyectos (a través de la ilusión monetaria), o lleguen a convencerse de que no hay nada que ganar con un nuevo intento.

Así pues, el exceso de demanda que pone en marcha un proceso inflacionista no es eliminado por un único aumento de los precios. *Mientras el exceso de demanda busque bienes reales, y estos bienes reales no puedan ser producidos, el exceso de demanda persistirá y también la presión ascendente sobre los precios.*

Peor todavía, el proceso inflacionista puede llegar a autogenerarse, con lo que continuará *aunque se elimine el exceso de demanda inicial.*

Supongamos que la inflación empezó porque los empresarios aumentaron la inversión planeada en respuesta a la creencia de que se había descubierto oro en la Luna, y que los precios han venido su-

─────── **Cápsula suplementaria 25.1** ───────────────────

EL CONCEPTO MONETARISTA DE LA INFLACION

Los monetaristas ponen de relieve los efectos de la cantidad de dinero sobre la inflación sin restar importancia al exceso de demanda. Desde su punto de vista, la cantidad de dinero —y especialmente su tasa de variación— es un factor crucial. Un aumento de la cantidad de dinero a una tasa más rápida de la justificada por el crecimiento de la economía conducirá a unos saldos en dinero superiores a los deseados. Para disminuir estos saldos, los individuos y las empresas se propondrán aumentar su volumen de gasto, al menos durante algún tiempo. Si la economía estaba funcionando inicialmente al nivel de su capacidad, este aumento del gasto planeado representará un exceso de demanda, con lo que empezarán las presiones inflacionistas. Los precios aumentarán y —en ausencia de otros cambios— se reducirá el valor *real* de los saldos monetarios al descender el poder adquisitivo de la peseta. Cuando el valor real de los saldos haya descendido hasta el nivel apropiado a la renta real correspondiente a la capacidad de producción, cesarán las presiones inflacionistas. Los precios podrán estabilizarse en el nuevo y más alto nivel a condición de que no aumente más la cantidad de dinero.

El guión monetarista no exige, pues, una *espiral* inflacionista continua, a menos que la cantidad de dinero aumente de manera continua al aumentar los precios. En esencia, el remedio monetarista contra la inflación consiste en contener el aumento de la oferta monetaria al aumentar los precios, manteniéndolo sólo al ritmo adecuado a la tasa real de crecimiento de la economía.

Incluso aunque la inflación no se iniciara por un aumento de la cantidad de dinero, sino que se debiera a un aumento de la inversión planeada surgido de las expectativas empresariales, los monetaristas aducirían que la inflación no puede seguir adelante si no se aumenta la cantidad de dinero. Por ejemplo, los planes de inversión no pasarán de ser sueños sin efecto si no existen fondos disponibles. Con los fondos procedentes del ahorro cuando la economía opera al nivel de capacidad y con unos saldos iniciales en dinero al nivel deseado, sólo un aumento de la cantidad de dinero puede hacer efectivos los planes de inversión.

Estos procesos, tal como se han descrito, sólo operarán si la velocidad de circulación del dinero no cambia esencialmente. Un aumento de la velocidad del dinero, aunque sea temporal, supone un deseo de mantener más bajos, en relación con la renta, los saldos monetarios. Puede crearse entonces un exceso de demanda y una inflación, incluso si se mantiene invariable la cantidad de dinero.

───

biendo continuamente durante algún tiempo. Se averigua después con certeza que no existe oro en la Luna en cantidades comerciales, y desaparece la inversión planeada en respuesta al «boom» áureolunar. ¿Qué ocurrirá ahora?

Expectativas inflacionistas

La inversión planeada puede no volver a descender a su nivel anterior a la inflación (ni siquiera en términos reales), porque la inflación misma ha supuesto un nuevo incentivo para la inversión. Mientras los precios estén subiendo y se *espere* que continúen haciéndolo, habrá un beneficio a lograr en el más simple de los negocios: comprar *cualquier cosa* a los precios de hoy, guardarla, y venderla después a los precios de mañana. Más aún, todo lo que tiene que ser comprado inevitablemente en un futuro próximo, costará menos hoy que si la compra se aplaza hasta mañana. Las empresas tenderán por eso a aumentar sus *existencias* de los materiales que puedan necesitar en un futuro, y a acelerar sus planes de *inversión fija,* con objeto de comprar o de construir al precio de hoy, y ello hasta el límite de los fondos de que dispongan.

Por supuesto, el valor real de tales beneficios se reducirá a causa de la inflación, y los beneficios pueden ser pequeños o no existentes si las compras tienen que hacerse con fondos tomados a préstamo a un tipo de interés demasiado alto. Pero todo el que tenga *dinero en efectivo* disponible puede esperar un beneficio de estas transacciones, a condición de que el margen entre el precio pagado por un comprador y el percibido por un vendedor (coste de transacción) sea menor que el aumento esperado en el precio.

El efecto sobre los vendedores será el opuesto. Aquellos que tengan algo que vender esperarán un precio más elevado mañana y renunciarán a vender hoy.

Así, las *expectativas inflacionistas* —la creencia de que los precios continuarán aumentando en el futuro— tenderán a reflejarse en que los compradores adelanten sus planes de compra y los vendedores, quizá, renuncien a la venta inmediata. El resultado es que la presión ascendente sobre los precios de hoy aumenta por las expectativas inflacionistas, haciendo que estas expectativas se autorrealicen en parte.

Las presiones sobre los precios ejercidas por estas dos fuerzas —los intentos permanentemente infructuosos de llevar a término planes de gasto real imposibles y el efecto de las expectativas inflacionistas— mantienen, por su naturaleza, el exceso de demanda a los precios existentes. Por esta razón, se denominan con frecuencia influencias que *tiran de la demanda.* En determinadas circunstancias podemos tener presiones sobre los precios a partir de la otra dirección, en forma, por decirlo así, de influencias que *empujan a los costes.*

El empujón de los costes

Hemos analizado unos modelos sencillos en los que se considera que el exceso de demanda se traduce en un aumento uniforme de *todos* los precios (incluyendo los precios de los factores, con los salarios como caso especial), pero en una economía real el proceso es más complejo. Si la inflación se ha iniciado por un aumento del gasto planeado, el impacto inicial afecta a los precios de los bienes finales. En primera instancia aumentarán los precios de los bienes sin que los salarios en particular se vean aún afectados. Los beneficios de los empresarios aumentarán y la competencia entre las empresas para conseguir más trabajadores, o la negociación de nuevos convenios colectivos en un clima de altos beneficios y precios en alza, ejercerá una presión ascendente sobre los salarios. Estos también acabarán por subir, pero con algún retraso.

Cuando los salarios hayan aumentado, los empresarios (que probablemente habían llegado a encontrar «natural» un beneficio más alto por cada peseta de ventas) considerarán que estos márgenes de beneficio se han comprimido por causa de los nuevos salarios, y desearán volver a aumentar los precios. Si pueden, lo harán.

Por tanto, el aumento inicial del precio en, por ejemplo, el primer trimestre del año lleva a que los salarios y los demás costes aumenten en el segundo trimestre, y de ahí a nuevos aumentos de los precios en el segundo trimestre, iniciándose con ello un nuevo ciclo de aumento de precios-costes-precios.

Largas batallas verbales han combatido los que destacan el «tirón de la demanda» como la causa primaria del proceso inflacionista, y quienes ponen de relieve el «empujón de los costes». Como la inflación se considera dañina y, por tanto, el aumento de los precios en una situación inflacionista es en cierto modo «antisocial», los empresarios tienden a hacer hincapié en el aspecto del empujón de los costes, porque parece que así son otros los culpables de los aumentos de los precios.

Es cierto que el empujón de los costes puede ayudar a *transmitir* los aumentos de los precios de un sector a otro, especialmente a los sectores bajo control. El exceso de demanda puede iniciarse, por ejemplo, en la industria de la construcción, y el efecto inicial es empujar hacia arriba los precios y los salarios en esa industria. Otros salarios aumentarán, elevando los costes en otras ocupaciones. Por ejemplo, en los servicios públicos, en los que están regulados los precios de acuerdo con los costes, un aumento de los costes conducirá directamente a una elevación de los precios.

Importancia de la estructura industrial

El empujón de los costes tendrá claramente su mayor efecto sobre las industrias de precios regulados, o *fijados* por los productores, en lugar de determinarse en mercados competitivos. Por tanto, afectará a las industrias reguladas, monopolios y oligopolios. En las industrias que se aproximan a la competencia perfecta, el aumento de los costes afectará a la oferta y, en último término, al precio, pero no habrá tirón de los costes en un sentido directo. Un aumento de los salarios del campo puede traducirse en un desplazamiento de las curvas de oferta de los productos agrarios, pero los agricultores no estarán en condiciones de aumentar sin más los precios un 10 por 100 porque los salarios hayan aumentado un 10 por 100.

En el caso de una industria monopolista no regulada, el monopolio puede *siempre* aumentar los precios todo lo que crea conveniente. Si sus costes han aumentado un 10 por 100, puede aumentar sus precios en un 10 por 100. El problema real está en si *conviene* al monopolista trasladar automáticamente el aumento del coste. Si las condiciones de la demanda no varían en nada, perderá ventas al aumentar los precios. En general, las únicas circunstancias bajo las cuales un monopolista que trate de obtener el máximo beneficio continuará maximizando éste al aumentar sus precios un 10 por 100 cuando sus costes hayan subido (para cualquier nivel de producción) un 10 por 100, serán aquéllas en que las condiciones de la *demanda* hayan cambiado de tal manera que los clientes deseen adquirir la misma cantidad que antes a un precio superior en un 10 por 100.

En otras palabras, el empujón de los costes operará con más suavidad cuando venga asociado con el tirón de la demanda.

El problema de la identificación de las causas

De hecho, en un modelo simplificado de la economía no podemos distinguir realmente entre el empujón de los costes y el tirón de la demanda. No es fácil aislar los dos efectos en los estudios empíricos sobre una economía real. Por ejemplo, observamos unos aumentos del 5 por 100 en los precios y en los salarios. ¿«Empuja» el aumento de los salarios a los costes y a los precios, o «tira» de los precios y los salarios la continua expansión de un 5 por 100 en las rentas monetarias?

En general, los economistas están bastante de acuerdo en que:

1) las fuerzas que empujan a los costes operan en alguna medida y provocan aumentos retardados de los precios;

2) las fuerzas que empujan a los costes no pueden traducirse en alzas *continuas* de los precios sin la ayuda de un aumento continuo del gasto monetario planeado.

Por tanto, puede esperarse siempre que una reducción suficiente de la demanda se traducirá en el cese *final* de los aumentos de precios procedentes de fuerzas que empujan a los costes. Sin embargo, en razón a la dinámica interna del proceso inflacionista, no puede esperarse que los precios dejen de subir *inmediatamente* después de desaparecer el exceso de demanda. Por ejemplo, durante la recesión, relativamente corta pero bien definida, en los Estados Unidos en 1958, los precios continuaron aumentando por causa de un proceso que se había iniciado algún tiempo antes. En la inflación del final de la década de 1960, los aumentos rápidos de los precios tuvieron lugar a lo largo de 1969 y 1970, aunque la política fiscal y la política monetaria fueron antiinflacionistas hasta el punto de aparecer un desempleo muy preocupante. Un caso como éste, en el que la inflación continúa a pesar del elevado nivel de desempleo (y la combinación inflación-desempleo es todavía peor de lo que podría predecirse de la curva de Phillips), ofrece la confirmación clara de que el proceso inflacionista puede continuar por sí mismo incluso después de desaparecer el exceso de demanda planeada por encima de la capacidad de producción.

RECAPITULACIÓN 25.2.   *Un exceso de la demanda de bienes reales sobre la capacidad real de producción inicia una presión ascendente sobre los precios. Puede ésta dar origen a un proceso autosostenido que continúa incluso después de haberse eliminado el exceso inicial de la demanda. Por un lado, el del tirón de la demanda, el proceso es apoyado por los factores que tienden a aumentar la demanda planeada como resultado de la propia inflación. Por el otro lado, el del empujón de los costes, la elevación de los costes tiende a empujar hacia arriba los precios durante el período siguiente, incluso si para entonces ya ha disminuido el exceso de demanda, llevando a otro ciclo ascendente de los precios. Como resultado de la espiral inflacionista, los precios pueden continuar subiendo durante algún tiempo, incluso aunque la demanda descienda por debajo de la capacidad de producción.*

25.3. Efectos monetarios y del tipo de interés

La inflación provoca importantes efectos sobre la demanda de dinero y el tipo de interés

La inflación se define algunas veces como «demasiado dinero a la caza de demasiados pocos bienes». Pero como el dinero es un stock y no un flujo, a diferencia de la corriente de bienes, se trata de una definición incorrecta, que debería cambiarse por «demasiado gasto planeado a la caza de demasiados pocos bienes». Sin embargo, el stock de dinero puede desempeñar un importante papel en la inflación, y no podemos ignorar los efectos monetarios.

En el capítulo siguiente se ofrece un análisis completo del papel del dinero en la economía. Pero de momento necesitamos señalar que el público retiene dinero en su poder a fin de hacer frente al gasto en las compras de bienes que pueda necesitar en el futuro, pero cuya naturaleza y calendario permanecen inciertos. A este fin, prefiere retener dinero en lugar de otros activos tales como acciones de sociedades, porque el dinero es *líquido* y puede cambiarse inmediatamente por los bienes cuando éstos se necesiten, sin tener que esperar a la venta de los activos, y porque los precios de estos otros activos pueden ser muy bajos en el momento en que tengan que venderse.

La cantidad de dinero que el público desea retener dependerá de la cantidad de bienes y servicios que puedan comprarse con una cantidad determinada de dinero, pues el control final sobre bienes y servicios reales es la razón principal para conservar dinero. Utilizamos la expresión *saldos reales* para significar las existencias de dinero medidas por los bienes y servicios que pueden comprarse con ellas, y suponemos que el público trata de retener saldos reales en una cuantía relacionada con el nivel habitual de sus gastos en bienes y servicios.

Uno de los efectos más evidentes de la inflación abierta, con precios continuamente en alza, es que el *poder adquisitivo de la unidad monetaria* desciende de modo continuo conforme los precios suben. Cuando los precios están subiendo, por ejemplo, el 5 por 100 anual y se espera que continúen aumentando a esa tasa, un saldo en efectivo de 100 pesetas permitirá adquirir el próximo año solamente la misma cantidad de bienes y servicios que se podrían haber comprado este año por 95 pesetas. El valor real del saldo en efectivo será, en el tercer año, sólo un poco mayor de 90 pesetas expresado en precios actuales, y así sucesivamente.

Del dinero a los bienes

Consideremos ahora la alternativa que se presenta a la elección de una persona que está manteniendo una reserva para las compras de bienes y servicios del próximo año que valen 100 pesetas a los precios corrientes, pero cuyos precios están subiendo a una tasa del 5 por 100 anual. Para conservar esta reserva en efectivo, necesitará 105 pesetas, a fin de compensar la subida de los precios. Por otra parte, si esta persona compra ahora bienes por valor de 100 pesetas, podrá venderlos el próximo año por 105 pesetas. Por tanto, estará en mejor posición si se abstiene de mantener reservas en pesetas y las conserva bajo alguna otra forma (acciones de sociedades, o bienes) cuyos precios suban a la vez que el nivel general de precios.

De este modo, la inflación que se espera que persista (expectativas inflacionistas) hará que el público tenga menos afán de conservar dinero en su poder y más de tener bienes. Habrá cierta tendencia entre quienes tengan reservas en efectivo a tratar de cambiarlas por bienes, aumentando así el gasto planeado y las presiones inflacionistas.

En condiciones de inflación moderada, el dinero conserva aún muchas de sus ventajas (especialmente su liquidez, o facultad de cambiarse *inmediatamente* por cualquier otra cosa), pero la disminución de su valor con el tiempo hace a otros activos relativamente más atrayentes: solamente en el caso raro y espectacular de la *hiperinflación,* cuando los precios pueden llegar a aumentar en millones por ciento al año, dejará de tener importancia la ventaja de la liquidez del dinero. En casos de esta índole (de los que existen varios ejemplos, siendo el más conocido el de Alemania en 1923), el público

────── **Cápsula suplementaria 25.2** ──────────────────────

INFLACIONES ESPECTACULARES

En el otoño de 1923, los trabajadores alemanes iban con maletas a recoger la paga, y en cuanto la recibían *corrían* a la tienda para comprar todo lo que pudieran, pues los precios aumentaban de hora en hora, duplicándose cada dos días. En noviembre de 1923 se necesitaban diez mil millones de marcos para adquirir lo que dieciséis meses antes hubiera costado un solo marco, y las prensas de imprimir no podían producir billetes de decenas o centenas de miles de millones cada uno con la rapidez necesaria para evitar la necesidad de llevar grandes bolsas llenas de billetes casi sin valor, pues no representaban más que millones de marcos cada uno. La hiperinflación alemana es el más conocido entre los varios episodios espectaculares de la historia de los precios. La economía soviética, entonces relativamente nueva, tuvo un período de hiperinflación entre 1921 y 1924, en el que los precios se multiplicaron por cien mil, pero la más espectacular de las hiperinflaciones europeas fue la de Hungría, inmediatamente después de la segunda guerra mundial, durante la cual los precios se multiplicaron por más de 10^{27} en solamente doce meses, y los precios se duplicaron *dos veces* por día.

Todo el que haya coleccionado sellos alguna vez, tiene conocimiento del caso alemán por los increíbles valores faciales de los sellos de la época. Pero la hiperinflación en Alemania causó un impacto mucho mayor entre los economistas que entre los filatélicos. En primer lugar, porque aconteció en uno de los grandes países industriales, pero lo que quizás tuvo más importancia es que fue *experimentado personalmente* por destacados miembros de la profesión de economista, muchos de los cuales eran alemanes o, muchos más aún, tenían colegas alemanes. El impacto directo de la hiperinflación entre el personal docente alemán fue desastroso, pues sus salarios no se ajustaban, como los de los trabajadores manuales, cada semana o incluso día a día. El sueldo mensual total de un catedrático no daba para comprar ni siquiera una barra de pan cuando la inflación llegó a su máximo, y muchos tuvieron que buscar comida en los bosques, o vivir de la caridad de amigos o estudiantes con empleos cuya retribución se ajustaba a las variaciones de los precios. No pocos economistas que se vieron en esta situación o cerca de ella emigraron después a Gran Bretaña y a los Estados Unidos. Y nada de extraño tiene que sus ideas en política económica estuviesen dominadas por el horror a la inflación.

───

evitará en lo posible que se le pague en dinero, prefiriendo el pago en cualquier bien, y si se le paga en dinero, se precipitará a cambiarlo por bienes.

En una inflación moderada, el atractivo de los activos que no son dinero tendrá que equilibrarse con el de la liquidez del dinero. En el equilibrio, habrá cierta tendencia a reducir los saldos en dinero en proporción a la renta. Por otra parte, como el público suele desear mantener unos saldos reales (en caja y en el Banco) en relación con el valor previsto de sus transacciones, y como están subiendo las rentas en dinero y el valor monetario de las transacciones —incluso para el mismo flujo real de bienes—, existen factores que llevan a un aumento de la demanda de dinero durante una inflación

Es importante señalar que estas hiperinflaciones, aunque espectaculares, fueron el resultado de circunstancias muy especiales. La causa
inmediata de la hiperinflación alemana fue el intento de los aliados de
obtener de Alemania, después de la primera guerra mundial, unas reparaciones imposibles. La hiperinflación rusa surgió de la desastrosa situación de la economía después de la guerra civil de 1918-20, tras la
Revolución, y del impacto de la «Nueva Política Económica» de libertad
que siguió al fracaso del período de «Comunismo de Guerra». Las hiperinflaciones que siguieron a la segunda guerra mundial, en Grecia, Hungría
y China fueron todas la consecuencia directa de las conmociones económicas debidas a la guerra.

Las hiperinflaciones han tenido una vida relativamente corta —solamente la rusa llegó a durar dos años— y han demostrado ser de solución final
más sencilla que la mayoría de las inflaciones regulares. El hecho de que
la hiperinflación destruya en gran parte la estructura preexistente de
propiedad de la riqueza pone al país en disposición de aceptar medidas
políticas que originan cambios fundamentales en la distribución de la
riqueza, medidas que encontrarían una resistencia enorme si se intenta-
se utilizarlas para amortiguar una inflación de tipo más moderado. En
Alemania, la antigua unidad monetaria fue sencillamente anulada y sustituida por un marco nuevo. Se pusieron límites a la cifra de marcos
antiguos (o de miles de millones de marcos antiguos) que podían ser
cambiados por nuevos, reduciéndose así la riqueza de los que la mantuvieron en forma de dinero frente a quienes poseían activos físicos.
Después de la segunda guerra mundial, en muchos países se impusieron
análogas restricciones al cambio de moneda. La nueva unidad monetaria
puede empezar a funcionar como el dinero en tiempos normales, si la
población cree que el cambio de moneda representa también el compromiso de llevar a cabo una nueva política económica.

Una inflación continua no es una hiperinflación, ni hay ninguna razón
para que llegue a serlo si no se produce un grave colapso de la economía. Varios países latinoamericanos y algunos otros, como Israel, han
vivido con tasas de inflación bastante superiores al 10 por 100 anual
(porcentaje considerado como crítico en Estados Unidos) durante veinte
o más años, sin que se acelerasen hasta llegar a la hiperinflación.

---

moderada. Si los precios se duplicaran, podríamos prever que los bi-
lleteros de la mayoría de las personas contendrían más o menos el
doble de pesetas que antes.

Por tanto, la inflación afecta de dos maneras opuestas a la demanda de dinero. El aumento de los precios, al reducir el valor real
de las existencias de pesetas, eleva la demanda de pesetas corrientes (saldos nominales) a fin de mantener el nivel deseado de saldos
reales. Por otra parte, la menor deseabilidad del dinero como activo
(debido a los esperados aumentos futuros de los precios) tiende a reducir la demanda de dinero en proporción a la renta. Podemos esperar que este último efecto (aumento de la velocidad de circulación),
no domine sobre el primero, por lo que el efecto neto de la inflación

será el aumento de la demanda de saldos nominales: la cantidad de pesetas corrientes retenida en forma de saldos.

Cantidad de dinero

El proceso inflacionista no puede continuar indefinidamente a menos que se le alimente con aumentos de la cantidad de dinero. Si la cantidad de dinero no aumenta, las subidas de los precios reducirán continuamente el valor *real* de estos saldos, hasta el momento en que los individuos (y las empresas) decidan que tienen que tratar de aumentar la cantidad de pesetas en su poder. Solamente podrán intentarlo reduciendo el gasto, y la reducción del gasto planeado acabará por eliminar la presión inflacionista.

Los economistas discrepan en cuanto a la *velocidad* de este proceso para poner fin a la inflación. En primer lugar, el descenso de los saldos reales tiene que ser suficiente para originar una reducción del gasto, la reducción del gasto tiene que amortiguar la presión inflacionista, y entonces los residuos del empujón de los costes en la espiral tendrán que extinguirse. Los monetaristas confían más que otros economistas en que el proceso será lo bastante rápido para dar frutos.

Tipos de interés

Con la inflación, el coste real del crédito se reduce exactamente en la misma proporción en que se deprecia el valor del dinero. Consideremos el coste real para el prestatario de un préstamo de 100 pesetas por un año al 5 por 100 anual, en dos situaciones distintas: la primera, con precios estables; la otra, con precios (y rentas) que aumentan un 10 por 100 anual. En ambos casos, el prestatario recibe 100 pesetas ahora y tiene que devolver 105 el año próximo. Cuando los precios son estables, las 105 pesetas del año próximo representan la misma cantidad real de bienes y servicios que 105 pesetas este año, con lo que el prestatario renuncia claramente a algo al aceptar el préstamo. Por el contrario, cuando los precios aumentan un 10 por 100, los 105 pesetas devueltas por el prestatario equivaldrán sólo a 95,54 pesetas expresadas en precios corrientes: en otras palabras, el prestatario obtiene el préstamo ahora, y lo reembolsa con *menos* bienes y servicios que los que recibió en un principio. El *tipo real de interés* (diferencia entre la suma devuelta y el préstamo original, expresada en bienes reales dados y recibidos) es en realidad *negativo* en este caso: lo que es completamente posible en algunas circunstancias reales.

Cuanto más deprisa suban los precios, menor será para el prestatario el coste real de un préstamo a un determinado interés nominal, o tipo de interés monetario. Si los tipos nominales no aumentan, tendrá un atractivo creciente la operación de tomar a préstamo, comprar bienes, venderlos el próximo año a precios más altos y devolver

el préstamo con pesetas de menor valor que las originales. Esto se
añade al gasto planeado en bienes y aumenta las presiones inflacionistas.

Como es natural, los prestamistas serán cada vez más reacios a
prestar, precisamente por las mismas razones que mueven a los prestatarios a desear endeudarse. En las economías que han llegado a
ajustarse a una inflación sostenida, muchos préstamos se hacen en
términos reales: el prestatario tiene que devolver la cantidad de
pesetas corrientes que sean necesarias para alcanzar el poder adquisitivo del importe original del préstamo.

El efecto de la inflación será ciertamente empujar hacia arriba
el *tipo de interés monetario*. Todo actúa en esa dirección, con unos
prestatarios más ávidos de tomar a préstamo y unos prestamistas más
reacios a prestar al antiguo tipo de interés. Lo que suceda al tipo
real (tipo monetario menos tasa de inflación) es menos seguro. Históricamente, lo normal ha sido su descenso (con frecuencia hasta
valores negativos) en condiciones inflacionistas. En parte, este hecho
puede ser atribuido a una forma de «ilusión monetaria»: un tipo de
interés del 8 por 100 con una inflación del 3 por 100 parece más
alto que un tipo de interés del 5 por 100 y precios sostenidos,
a pesar de que el tipo real es el 5 por 100 en ambos casos. Para
préstamos a largo plazo, la tasa de inflación puede ser un factor
desdeñable si se espera que la inflación termine mucho antes de
vencer el préstamo.

RECAPITULACIÓN 25.3.   *Se poseen saldos en dinero para su posible
cambio futuro por bienes y servicios reales. Si se espera que los precios continúen subiendo, disminuirá la capacidad de un determinado
saldo en pesetas para adquirir con él bienes reales futuros. La inflación hace más atractiva la posesión de activos que no sean dinero,
cuyos precios pueda esperarse que sigan el paso de la inflación. La
velocidad de circulación tenderá a aumentar. Aun así, como el valor
monetario de las transacciones está creciendo, probablemente aumentará la demanda de dinero, pero menos que proporcionalmente al
aumento de los precios. El proceso inflacionista llegará a su término
si deja de aumentar la cantidad de dinero, pero esto podrá requerir
un tiempo considerable. Otro efecto de la inflación es hacer atractivo
el endeudarse, pues el reembolso se hará en pesetas de menor poder
adquisitivo, lo que se traducirá en una elevación del tipo de interés.*

25.4. Efectos distributivos

Cómo afecta la inflación a la distribución de la renta

En una economía real, las presiones inflacionistas tienden a afectar a los mercados de algunos bienes más directamente que a los

de otros. Existen en la economía muchos retardos y muchos factores institucionales que hacen que algunos precios (y salarios) sean más flexibles o más rápidos de ajuste que otros. Hay también muchos contratos establecidos, algunos de ellos bastantes años antes, que exigen la liquidación en unidades monetarias corrientes.

Por tanto, una inflación —en especial en la fase de tránsito de un largo período de precios sostenidos a otro de precios crecientes— tiende a cambiar la distribución entre los sectores y especialmente entre los distintos grupos socioeconómicos.

Rentas fijas

La inflación afecta de forma más evidente, directa y adversa a las *personas cuyas rentas son absolutamente fijas en términos monetarios*. Estas personas son casi todos los jubilados o viudas (sin servicios que vender a precios corrientes) que viven de anualidades procedentes de seguros de vida o de pensiones que no proveen para revisiones en alza. En los Estados Unidos, un hombre de ochenta años que se hubiera retirado en 1955, a la edad de sesenta y cinco, con una pensión de 45 dólares semanales (dos tercios de los ingresos semanales medios de entonces), percibiría en 1970 el equivalente a sólo 30 dólares semanales a los precios de 1955.

No todos los ingresos por jubilación son afectados de esta manera. Algunas personas pueden haberse creado recursos para la jubilación comprando acciones en Bolsa, cuyo valor, así como el de sus dividendos, crece a la par (o más rápidamente) que las subidas generales de los precios. Las personas que perciben del Estado rentas de transferencia (por ejemplo, seguridad social), pueden esperar que sus ingresos aumenten más o menos al mismo ritmo que los precios: aunque con algún retardo.

Salarios y beneficios

Los salarios y sueldos que se establecen o se revisan a intervalos poco frecuentes tenderán también a rezagarse de las subidas de los precios, especialmente en las primeras fases de la inflación. Si se espera que la inflación continúe, los contratos salariales (incluso los que se negocian solamente cada dos o tres años) pueden incluir elevaciones en previsión de las alzas de precios. Los contratos pueden incluso contener provisiones (*«cláusulas de escalación»* *) por las que los salarios se ajustarán automáticamente a las variaciones del índice de precios al consumo. Podemos admitir que los oficios con convenios de salarios flexibles saldrán ganando en comparación con los que tienen convenios menos flexibles.

El efecto sobre las empresas también es variable. Las industrias reguladas, como las de servicios públicos, tendrán que razonar normalmente sus peticiones de aumento de precios en función de los

---

* O de «indexación».—(N. del T.)

aumentos de los costes, lo que hará que sus precios se queden atrás
en cierta medida. Podemos esperar que las industrias más competi-
tivas, con escasa o ninguna intervención oficial en sus precios, muestren las alzas de precios más acusadas.

En términos generales, sin embargo, los beneficios aumentan en
las primeras fases de inflación más que las demás rentas, pues el
impacto inicial del exceso de demanda recae sobre los precios de los
bienes, y las subidas de éstos llevan al aumento de los salarios y
otros costes. Si la inflación se detiene o se hace más lenta, los beneficios tenderán a disminuir en comparación con las demás rentas,
especialmente si todavía quedan aumentos aplazados de los salarios.

Efectos marginales

Hay otro efecto sobre la distribución que procede de la existencia de un cierto grado de flexibilidad en el nivel de pleno empleo
de la economía. La capacidad de producción puede estirarse algo, y
la inflación ofrece un estímulo para ello. Las empresas marginales,
y los trabajadores que en circunstancias normales tienen dificultades
para encontrar empleo, tenderán a salir ganando con la inflación.

Por último, la inflación también redistribuye entre las diferentes
ramas de las administraciones públicas, planteando problemas políticos importantes. La recaudación por algunos impuestos, como los
impuestos progresivos sobre la renta, aumenta a consecuencia de la
inflación más rápidamente que otras formas de ingresos, mientras
que los costes de personal del sector público aumentarán, aunque
quizá con retraso, al aumentar los precios. El equilibrio entre la
Administración central y las corporaciones locales, que generalmente
dependen de fuentes distintas de ingresos, resultará modificado.

RECAPITULACIÓN 25.4. *Los efectos de la inflación no son uniformes para toda la economía. Las personas con rentas fijadas contrac-
tualmente en términos monetarios (muchas pensiones, por ejemplo),
verán reducirse sus rentas reales a consecuencia de la inflación. Quienes puedan ajustar sus ingresos rápidamente, podrán ver aumentar
sus rentas reales. Generalmente, aumentarán los beneficios en términos reales, mientras que los salarios reales se mantendrán bastante
constantes en su promedio, aumentando los de algunos grupos y
disminuyendo los de otros.*

25.5. ¿Es mala la inflación?

*Intentamos formular un juicio sobre
las posibles desventajas de la inflación*

Una recesión, con desempleo y producción por debajo del nivel
de capacidad, puede considerarse un estado indeseable de la econo-

mía, según el criterio de bienestar más simple y comúnmente aceptado: pasar al pleno empleo supondría una producción mayor de *todos*
los bienes, y rentas mayores para *todos*. Aunque puede ser cierto,
en una determinada economía, que una recesión tenga efectos distributivos y algunas personas puedan salir incluso ganando con ella,
también lo es que, pasando al pleno empleo y redistribuyendo podríamos conseguir que todos mejoraran. Quienes consideran deseable
una recesión *temporal* para obtener algún objetivo económico a largo
plazo, sólo pueden esgrimir como argumento a su favor que se trata
de un «mal necesario», pero de cualquier modo es un mal.

Ventajas de la inflación

La inflación ofrece un marco totalmente distinto. Durante una
inflación moderada, tendremos normalmente pleno empleo y una economía próspera, aunque puede existir ineficiencia económica. Más
aún, pueden ajustarse los precios relativos haciendo que un precio
aumente con mayor lentitud que otro, en lugar de hacer descender
aquel precio; y se considera generalmente que el primer caso plantea
menos problemas institucionales que el segundo.

No se puede decir que la inflación sea mala porque todos podrían estar mejor sin ella, pues eso, sencillamente, no es cierto. Habrá efectos redistributivos, pero la redistribución no es mala en sí
misma: todo depende de si la nueva distribución es considerada mejor o peor que la antigua.

Tampoco puede afirmarse que la gente no puede vivir con los
precios constantemente crecientes, porque esto es lo que ha venido
haciendo desde hace muchísimo tiempo. Durante los ochenta años
transcurridos de 1890 a 1970, los precios al consumo en los Estados
Unidos fueron más altos que los del año anterior en sesenta y uno
de dichos años, y las únicas ocasiones en que los precios descendieron
en proporción apreciable en un solo año se dieron durante las grandes depresiones de las décadas de 1890 y 1930. La tasa media anual
compuesta, para todo el período, de aumento de los precios fue del
2,2 por 100. Un resumen de la historia de los precios se ofrece en la
tabla 25.1.

Peligros de la inflación

Si la inflación moderada es mala, lo es, más que por sí misma,
por lo que puede venir después. Hemos visto ya que los procesos
inflacionistas son de tipo autosostenido, en el sentido de que, con
una inflación en marcha, la creencia en que los precios seguirán subiendo generará influencias que tenderán a empujarlos hacia arriba,
quizá con mayor rapidez. Por tanto, una inflación a una tasa, diga-
mos del 5 por 100 anual, no tenderá simplemente a perpetuarse en
dicha tasa, pues contiene muchos elementos que tienden a *acelerar*
la tasa de variación.

Tabla 25.1

Precios en los Estados Unidos, 1850-1970

[INDICE DE PRECIOS AL CONSUMO]	
Década que termina en	*Tasa media anual de variación de los precios durante la década (%)*
1860	1,1
1870	4,9
1880	−1,2
1890	−0,2
1900	0,2
1910	2,0
1920	11,1
1930	−1,7
1940	−1,6
1950	7,2
1960	2,3
1970	3,1

Una tasa sostenida de aumento de los precios de un 5 por 100 es una cosa, pero que los precios aumenten un 5 por 100 este año, un 8 por 100 el próximo, un 12 por 100 el siguiente, y así sucesivamente, es otra distinta. Si se espera que los precios se aceleren, habrá un incentivo todavía mayor para gastar ahora, lo que contribuirá a la aceleración. En principio, unas expectativas inflacionistas suficientemente intensas pueden hacer que el aumento de los precios estalle en una hiperinflación, en la que la tasa de variación de los precios llega a ser tan rápida que nadie se puede ajustar a ella. En estas circunstancias, deja de funcionar la economía de mercado: los precios relativos no tienen sentido si los precios se duplican en cuestión de días (o incluso de horas) de manera que un frigorífico costaba ayer menos que una camisa hoy.

Los efectos redistributivos de la inflación tienen lugar porque *se ha modificado la tasa de variación* de los precios, más que porque los precios estén cambiando. Si los precios aumentaran al 2,5 por 100 anual y se esperase que continuarían haciéndolo eternamente, pero que no se acelerarían, se podría efectuar un ajuste completo. Los contratos se redactarían pensando en las futuras (y ciertas) variaciones de los precios, y el tipo de interés se ajustaría para descontarlas. Las pensiones privadas también podrían aumentar a una tasa del 2,5 por 100 anual, pues los activos que producen las rentas para dotar esas pensiones aumentarían a la misma tasa. Tanto el paso de una situación de precios sostenidos a una de inflación, como el de una subida de precios de un 5 por 100 a una subida del 10 por 100, dan lugar a una redistribución hasta que se lleven a cabo nuevos ajustes.

───── **Cápsula suplementaria 25.3** ─────────────────────────

CONTROL, DIRECTRICES Y PERSUASION

En principio, si el Estado es capaz de hacer que se obedezcan los controles de precios y salarios, los precios dejarán de subir. Pero en tanto siga existiendo un exceso de demanda, la inflación estará simplemente *reprimida* mediante esas medidas. Ahora bien, si por otros medios se elimina el exceso de demanda, aquellos controles pueden evitar que una espiral inflacionista continúe a impulsos de su propia dinámica.

Durante la segunda guerra mundial, la mayoría de los países (incluyendo los Estados Unidos) estuvieron sometidos a extensos controles de esta naturaleza. Existieron al lado de grandes excedentes de demanda, y sólo parcialmente pudieron reducir la inflación abierta. El control total de precios y salarios plantea un gran problema administrativo en una economía de mercado tan compleja como la de los Estados Unidos. Hay cientos de miles (quizás millones) de precios individuales, y no es posible vigilarlos todos, por lo que los controles recaen principalmente sobre las cosas más fáciles de controlar: alquileres, productos tipificados que se venden a escala nacional y productos básicos. Existen, pues, fuertes incentivos para desviar recursos hacia la producción de bienes que no están bajo control, así como para desviar bienes hacia el mercado negro y otras salidas ilegales.

Pocos son los que recomiendan un control *completo,* salvo en condiciones de gran emergencia (como durante la segunda guerra mundial), simplemente a causa de los problemas administrativos. Quienes propugnan algún tipo de control cuando existen condiciones inflacionistas, principalmente para anular las expectativas inflacionistas y amortiguar la espiral, recomiendan por lo general controles *selectivos* sobre los bienes y sevicios de mayor trascendencia para el coste de vida, como los alquileres, los servicios públicos y los alimentos, sobre algunos materiales

───

El peligro real de la inflación está en que el proceso inflacionista es inestable en potencia, y puede acelerarse hacia la hiperinflación y el derrumbamiento de la economía de mercado.

La economía abierta

Todo nuestro análisis anterior se ha desarrollado en el contexto de una economía cerrada, sin sector de comercio exterior. El análisis general de la inflación que hemos ofrecido *sólo sirve para las economías comunicadas por el comercio exterior si la tasa de variación de los precios es uniforme en todo el mundo.*

La inflación da lugar a grandes problemas en una economía abierta cuando la tasa de aumento de los precios es mayor en el país en cuestión que en el resto del mundo. Esta situación llevará a aquel país, sea a crisis persistentes de la balanza de pagos, sea a un descenso sostenido del tipo de cambio de la moneda nacional, según que, respectivamente, el tipo de cambio exterior sea fijo o flexible. Para los países que, como Gran Bretaña, tienen un nivel elevado de comercio exterior en relación con su PNB, la inflación es principal-

importantes, como el acero, y sobre los salarios. Se presupone que impidiendo que suban los precios clave se suprimiría la espiral. Pero, si no se suprime el exceso de demanda, el resultado puede ser una desviación hacia otras producciones de los recursos empleados en la producción de artículos importantes.

Los llamados controles de la «Fase II» introducidos en 1971 por la administración Nixon intentaban un tipo algo diferente de control selectivo. Bajo este sistema, las empresas que sobrepasaban un cierto volumen de ventas —el suficiente para ser consideradas como abastecedores nacionales importantes— quedaban bajo un verdadero control de precios, mientras que las empresas muy pequeñas quedaban prácticamente sin control alguno. La selección se hacía en este caso teniendo en cuenta la dimensión de la empresa más que el producto, y el sistema se basaba en la suposición realista de que los precios fijados por las sociedades gigantes establecerían el nivel general del precio para cada producto. Aunque se apretase algo a las empresas gigantes, y en cambio las empresas pequeñas pudiesen obtener mayores precios y beneficios, esto iría en la dirección socialmente deseable de reducir la participación de los gigantes en el mercado. Sin embargo, que el éxito de estos controles fuera tan modesto hay que atribuirlo al intento de hacerlos lo más suaves posible.

Se suele considerar que en toda política de control de precios es esencial un cierto control sobre los salarios. Como la productividad crece, no es necesario congelar los salarios, sino que pueden aumentar algo; pero ¿cuánto? Consideremos una economía de dos sectores, en la cual la producción por hora-hombre aumenta en un sector a la tasa del 6 por 100, y en el otro al 2 por 100. Los salarios podrían incrementarse en los dos

(Continúa en la pág. sig.)

mente un problema de relaciones económicas *exteriores*. Los países como los Estados Unidos, en los que el comercio exterior tiene menos importancia en relación con la economía interna, la considerarán principalmente un problema *interno*. Los problemas exteriores se analizan en el capítulo 35.

RECAPITULACIÓN 25.5. *Al contrario que la recesión, la inflación no es una situación que al desaparecer beneficia a todo el mundo. Durante la inflación, la economía trabaja a toda su capacidad (o cerca de ella) y los efectos son principalmente distributivos. Que la inflación modifique la distribución no es una razón contra ella, a menos que pueda decirse que la modifica en una dirección errónea. El argumento principal contra la inflación moderada consiste en que es un proceso con peligro de acelerar, y que una inflación muy rápida puede causar el derrumbamiento del sistema de mercado. Hay pocos argumentos (o ninguno) contra una inflación moderada y sostenida, pues la economía puede ajustarse a ella. A las economías con un comercio exterior importante se les presentan algunos problemas particulares.*

sectores, a unas tasas del 6 y del 2 por 100, respectivamente, pero entonces habría una gran presión por parte de los sindicatos del sector de baja productividad, dirigida a conseguir el mismo aumento salarial que en el otro sector. Pero si los salarios aumentan en los sectores en la misma proporción —una cantidad entre el 2 y el 6 por 100— los sindicatos del sector más productivo advertirán que sus salarios van quedándose detrás de sus aumentos de productividad. No hay una solución sencilla para estos problemas.

Los administradores de los controles de salarios y precios tienen que recibir pautas o *directrices* sobre la tasa media máxima de *variación de los precios* que se puede aceptar, sobre la tasa media esperada de *variación de la productividad* y sobre otros puntos análogos; estas pautas son decisiones políticas importantes y no son de la competencia de quienes tienen a su cargo el control de las alteraciones de los precios y salarios individuales. Aun sin ningún sistema formal de control, el Estado puede anunciar las directrices de este tipo con la esperanza de que las empresas y los sindicatos las acepten, aunque no sea más que para evitar futuros controles efectivos. A mediados de la década de 1960 se establecieron en los Estados Unidos directrices sin controles, probablemente con algún resultado, pero en cualquier caso insuficientes para detener la creciente inflación.

Los dirigentes sindicales no se muestran siempre opuestos a estas directrices, o al menos no lo son en privado. En una inflación, se ven sujetos a una fuerte presión por parte de los trabajadores sindicados, que reclaman aumentos de salarios para adelantarse a los posibles aumentos futuros de los precios y para compensarse de los aumentos producidos desde que se firmó el convenio vigente. Hay mucha competencia entre los

25.6. Política sobre inflación

Análisis de los remedios para cortar la inflación:
su efectividad y sus costes

Cualquier economista preferiría ser llamado para poner remedio a una recesión que para cortar una inflación. Reanimar una economía para sacarla de la recesión puede hacer que todos mejoren, mientras que amortiguar una inflación hará que algunos empeoren, e incluso puede hacer que todos empeoren, al menos temporalmente. Más aún, los economistas están más seguros de saber cómo levantar de modo *sostenido* una economía para llevarla de la recesión a la proximidad del pleno empleo, que de saber cómo sacarla firmemente de una situación de precios ascendentes y pasarla a otra de precios constantes (o que suban lentamente).

El problema básico

Siempre es posible aplicar remedios drásticos contra la inflación. Puede garantizarse que toda política que reduzca la renta real pre-

distintos sindicatos para ver cuál puede entregar a sus asociados el mejor
paquete de aumentos salariales. Las directrices fijan una cifra universal
y visible y eliminan parte de la presión sobre los dirigentes sindicales.
Por razones hasta cierto punto similares, las empresas de las industrias
en condiciones de competencia imperfecta también encuentran de utilidad unas directrices bien trazadas, tanto para su negociación de salarios
como para su política de precios.

El término «persuasión moral» significa aquí la intimidación verbal
y política del Estado a las empresas que elevan los precios por encima
de las directrices explícitas o las ideas implícitas sobre lo que debe ser
la subida, o a las dos partes que intervienen en una negociación laboral
cuando ésta desemboca en una fuerte subida salarial. El caso clásico es
la dura amonestación de Kennedy en 1963 a la United States Steel, tras
la cual la empresa anuló su anunciado aumento de precios. En 1970, cuando la Bethlehem Steel (segundo productor de acero en los Estados Unidos) tomó la iniciativa de aumentar los precios, fue amonestada a su vez
por Nixon y de nuevo se anuló la subida de precios proyectada.

En 1971 era ya evidente que no bastaba la «persuasión moral» para
cortar la continua espiral inflacionista debida a la guerra del Vietnam y a
la política de expansión monetaria que ni siquiera era capaz de detener
el persistente desempleo. La administración Nixon impuso una completa
congelación de precios y salarios durante noventa días a partir de agosto. La congelación fue una medida transitoria para preparar el camino
al control de precios y salarios que entró en vigor en Noviembre. Es de
señalar que tanto la congelación como los controles iniciales se introdujeron en virtud de los poderes discrecionales que el Congreso había concedido mucho antes al Presidente; poderes que el Presidente había re-
chazado y afirmado que no utilizaría.

---

vista de la economía a un nivel claramente inferior al de pleno empleo durante un tiempo suficiente, detendrá en una economía cerrada
el proceso inflacionista. En otras palabras, podemos remediar siempre
una inflación poniendo en marcha una recesión suficientemente grande. Estados Unidos entró en una recesión en 1957-58 (no a causa de
una medida específica de política económica) que redujo la tasa de
aumento de los precios (pero con un retardo, pues los precios no
redujeron realmente mucho hasta 1959 su subida), los cuales subie-
ron después muy poco durante algunos años, pero con un elevado
nivel de desempleo hasta 1964. Los remedios suaves son mucho
más difíciles de idear. Una recesión es una *situación estática,* así que
la recesión se elimina cuando eliminamos su causa originaria: un
gasto planeado insuficiente.

Una inflación abierta es un *proceso* que contiene una dinámica
autónoma. Podemos eliminar la causa original de la inflación (demasiado gasto planeado) y no detener la espiral ascendente de los precios.
Por tanto, mientras que podemos eliminar una recesión aumentando
suavemente el nivel de equilibrio de la renta hacia el de capacidad,

en una inflación podemos hacer *descender* poco a poco el nivel de equilibrio de la renta (a precios corrientes) hacia el de capacidad sin detener necesariamente con ello un proceso inflacionista en marcha.

Para cortar una recesión no es necesario sobrepasar el nivel de pleno empleo. Sin embargo, se ha visto que, para remediar una inflación, *puede* ser necesario pasarse en la otra dirección, hacia la recesión, aunque quizá sólo ligeramente. Es del todo evidente que, si intentar *mantener* la economía en el pleno empleo lleva consigo una elevada probabilidad de inflación, como se deduce de la curva de Phillips descrita en el capítulo 22, limitarse a hacer descender el punto de equilibrio al nivel del pleno empleo no es suficiente para eliminar la inflación.

Debe insistirse en que la existencia de una inflación no obliga a remediarla a toda costa. Si aceptamos lo que en general nos dice la curva de Phillips, bajo las estructuras institucionales de la mayoría de las economías occidentales que se han estudiado, cualquier situación cercana a un desempleo nulo irá asociada a un cierto grado de inflación, situación que puede tener que enfrentarse, como alternativa, con un desempleo relativamente elevado. Ya hemos visto que una inflación moderada no es necesariamente mala si puede evitarse su aceleración, mientras que sabemos que un desempleo elevado representa una pérdida efectiva de producción potencial. Por tanto, analizamos el problema de la cura de la inflación con la intención de encontrar un remedio, pero sin comprometernos a seguir esa política si consideramos que sus costes son demasiado elevados.

Un posible enfoque de la política económica consiste en considerar la *brecha inflacionista* (exceso de la demanda sobre la capacidad de producción) y el *proceso inflacionista* (la espiral autoalimentada de los precios) como problemas distintos a los que se deben aplicar medidas separadas. La brecha inflacionista puede anularse con medidas dirigidas a disminuir el gasto planeado, tales como la reducción del gasto público, el aumento de los impuestos o las medidas monetarias o fiscales para desalentar la inversión. El proceso inflacionista es más difícil de dominar, pero la clave está en la eliminación de las expectativas inflacionistas.

Control del proceso

Las medidas más ampliamente defendidas entre las dirigidas a atacar directamente el proceso inflacionista son los *controles de salarios y precios* o las —más suaves— *directrices sobre salarios y precios* (acompañadas de la amenaza del control). Tales controles o directrices permitirán que los salarios aumenten sólo en línea con los aumentos de productividad, y no permitirán en absoluto que aumenten los precios, salvo para completar los ajustes retardados debidos a aumentos previos de los costes. Hay versiones modificadas que pueden permitir un alza moderada de los precios, a la tasa «normal» del 2 por 100 u otra parecida.

Los controles o directrices funcionarán al principio simplemente como restricciones en el mercado, pero si se cree que van a ser eficaces, se debilitarán las expectativas inflacionistas y el proceso inflacionista acabará. Si al mismo tiempo se ha eliminado la brecha inflacionista, no habrá nueva presión inflacionista y podrán levantarse los controles.

Los problemas inherentes al control de precios y salarios son de índole microeconómica, más que macroeconómica. Si la economía produjera en la realidad un solo bien, como en los macromodelos simples, y el nivel general de precios fuese sencillamente el precio de dicho bien, no habría ningún problema de importancia para controlar este precio. Ni existirían tampoco problemas para controlar los salarios si hubiese un único salario uniforme y una sola clase de trabajo. Pero el nivel general de precios es una abstracción, un número índice, como lo es igualmente el nivel medio de los salarios. Controlar los precios significa controlar cientos de miles de precios de cosas diferentes, e incluso el intento de un control selectivo de precios significa controlar miles de precios. Aunque durante períodos relativamente cortos pueden emplearse reglas empíricas sencillas tales como autorizar el aumento de todos los salarios en un porcentaje fijo, o congelar todos los precios, al cabo de algún tiempo se hace evidente que existen razones especiales (por ejemplo, un aumento del precio de los materiales procedentes del exterior) para permitir que algunos precios aumenten más que otros, y se observa igualmente la falta de equidad al impedir la subida de los salarios que se quedaron atrás durante la espiral inflacionista precedente. Una vez que estas reglas empíricas se hacen inaplicables, hay que desarrollar un mecanismo de control con una organización burocrática que maneje un número enorme de solicitudes individuales de aumentos de precios y salarios.

El enorme tamaño y la diversidad de la economía de los Estados Unidos hace mucho más difícil el funcionamiento de un sistema completo de control de los precios y salarios en aquel país que en otros como Finlandia y Suecia, donde se practica con relativo éxito.

Para que tengan éxito las medidas *cuantitativas* de política económica, es necesario que puedan ajustarse casi de modo continuo en respuesta a las informaciones más recientes sobre las desviaciones de la economía respecto a los objetivos que se trazaron. Las medidas normales de política fiscal y monetaria para mantener el pleno empleo satisfacen este criterio, pero los controles y directrices sobre salarios y precios no lo hacen. Este último tipo de medidas tienen que prepararse con mucha antelación y hay que mantenerse firme en ellas, pues de lo contrario perderán su credibilidad. Para esto se necesita un grado de precisión en la previsión económica que no poseemos todavía. Tenemos que enfrentarnos ahora con nuestro momento de la verdad:

Los economistas saben cómo detener la inflación, pero no cómo hacerlo suavemente y sin riesgo de empujar la economía a una recesión.

RECAPITULACIÓN 25.6. *La inflación puede remediarse siempre con una reducción suficiente de la demanda, en relación con la capacidad de producción durante un tiempo suficientemente largo. La experiencia histórica enseña que la eliminación total de la tendencia al alza de los precios puede costar una recesión larga y profunda a consecuencia de la dinámica autónoma del proceso inflacionista. Es necesario, pero no suficiente, anular el exceso de demanda: esto elimina la causa inicial, pero pueden ser necesarias otras medidas para amortiguar la espiral inflacionista una vez que ésta se ha iniciado. Los economistas no conocen con seguridad un modo de poner remedio a la inflación sin llevar la economía a la recesión. Puede ser preferible vivir con una inflación moderada que pagar los costes de remediarla.*

RESÚMENES DE LAS SECCIONES. *Para repasar el contenido de este capítulo, hojéese el texto y vuélvanse a leer los trozos titulados «Recapitulación» que ponen fin a todas las secciones.*

TÉRMINOS Y CONCEPTOS DEL CAPÍTULO 25

Ilusión monetaria
Brecha inflacionista
Espiral inflacionista
Empujón de los costes
Tirón de la demanda
Hiperinflación
Controles de precios y salarios.

EJERCICIOS

1. ¿Cuál debería ser el tipo de interés monetario, dada una tasa de inflación del 4 por 100, para inducir al público a mantener en forma de dinero la misma proporción de sus activos que si los precios fuesen estables, si el tipo de interés real es el 4 por 100 y éste no es afectado por la inflación?

2. En una economía con un multiplicador de 2,5 y un PNB, al nivel de su plena capacidad, de 500.000 millones de pesetas, ¿cuánto

tendría que aumentarse el gasto público sin provocar inflación si la producción inicial de la economía era de 450.000 millones?

3. Si la productividad está aumentando a una tasa del 2,5 por 100 uniformemente en todas las industrias, ¿qué tasa media de aumento de los salarios deberá mantenerse si se admite una inflación sostenida del 2 por 100?

PARA REFLEXIÓN Y DISCUSIÓN

1. La economía está en pleno empleo a precios estables con una producción por habitante que crece a razón de un 2 por 100 anual. Todos los participantes de la economía obtienen, o se conceden a sí mismos, un 10 por 100 de aumento en sus sueldos o salarios. Doce meses después, todos se quejan de que las subidas de precios les han «robado» la mayor parte del aumento de sus ingresos. ¿Podría culparse de ello al Estado? En caso afirmativo, ¿por qué?

2. Si usted fuera un político y tuviese que elegir entre el pleno empleo con una elevación de precios anual del 5 por 100, o la estabilidad de precios con algún desempleo, ¿qué haría?

3. ¿Cuál es la tasa máxima de inflación que usted considera tolerable?

4. ¿En qué porcentaje (y en qué dirección) cree usted que habrán cambiado los precios al consumo dentro de cincuenta años? Indique usted lo que le parece más probable.

5. Compare sus respuestas con lo que ha sucedido en los Estados Unidos durante los últimos veinticinco y los últimos cincuenta años. (La tabla 25.1 le dará una información suficiente para una comparación general.)

LECTURAS RECOMENDADAS. *Para los capítulos 23-25 (Parte VI)*
Las lecturas recomendadas para la parte V contienen análisis relativos a las materias de esta parte VI, así que las referencias que se ofrecen a continuación no provienen de la literatura macroeconómica general.

Schumpeter, Joseph, *Business Cycles*. McGraw, 1939; *Capitalism, Socialism and Democracy,* 3.ª edición. Harper and Row, 1950.
Ambos libros, ninguno de lectura fácil, desarrollan la visión arquitectónica de Schumpeter sobre el papel de las innovaciones y el empresario en el desarrollo del capitalismo y las fluctuaciones de su producción.

Kuznets, Simon, *Six Lectures on Economic Growth*. Free Press, 1959.

Rostow, W. W., *The Stages of Economic Growth*, 2.ª edición. Cambridge University Press, 1971.

Baran, Paul A., *The Political Economy of Growth*, Modern Reader Paperbacks, 1957.

En este grupo incluimos obras de Kuznets, analista de datos; Baran, marxista americano, y Rostow, que intentó edificar una gran teoría del crecimiento basada en los principios keynesianos.

Mishan, Ezra J., *Technology and Growth*, Praeger, 1971.

Mishan es el principal representante de la escuela del «anticrecimiento», con especial obsesión por los efectos perjudiciales del automóvil.

Parte VII

DINERO Y BANCOS

Esta parte, que comprende los capítulos 26 a 28, se ocupa del lugar del dinero en la economía (capítulo 26), el papel de los bancos en la determinación de la oferta de dinero (capítulo 27) y el control final sobre la oferta de dinero que actualmente se ejerce a través del banco central (capítulo 28). El análisis de la naturaleza y la función propia de la política monetaria se lleva a cabo más adelante, en el capítulo 31, en la parte VIII, con otros aspectos de la política macroeconómica.

Capítulo 26
EL DINERO

26.1. Dinero y macroeconomía

Por qué el dinero aparece en macroeconomía, más que en microeconomía, y por qué no es exactamente otro bien

Puede parecer extraño que en macroeconomía, donde agregamos decenas de miles de bienes y servicios diferentes y los tratamos como si fueran un único bien, tengamos que destacar una cierta cosa, el dinero, y concederle un tratamiento especial e individual. A los lectores que hayan estudiado primero los capítulos sobre microeconomía puede parecerles también extraño que el dinero no recibiera en ellos más que una atención pasajera.

Ubicuidad del dinero

Existe una buena razón para estudiar el dinero en un contexto macroeconómico, más que en el microeconómico: el papel del dinero en la economía, más que específico, es ubicuo. Por ejemplo, una variación de la cantidad de dinero tenderá a afectar a la producción en general, y a los precios en general, y no a un mercado con exclusión de los demás. Por tanto, podemos considerar que el dinero influye sobre la cantidad y el precio de nuestro bien único agregado, más que sobre las cantidades y precios relativos de los componentes individuales del agregado.

No incluimos el dinero dentro de nuestro bien agregado porque el papel del dinero en la economía es completamente distinto que el de, por ejemplo, el vestido o los servicios médicos. En primer lugar, el dinero no es consumido o usado *directamente* para procurar la

───────── **Cápsula suplementaria 26.1** ─────────────────────

LAS COSAS UTILIZADAS COMO DINERO

Mucha gente ha oído hablar de los grandes discos de piedra de la isla de Yap, en el océano Pacífico. Estos discos son demasiado grandes para ser movidos, pero su propiedad pasa de unas manos a otras a cambio de bienes. De hecho, el sistema subsiste, y los habitantes de la isla dan incluso como existentes algunos discos que cayeron al mar y en su fondo yacen enterrados. También es probable que haya oído que los miembros de algunas sociedades tribales de Africa Oriental tienen que «comprar» con ganado sus futuras esposas, o sepa que los cauríes son conchas que se utilizan para comprar bienes en Africa Occidental. Las tres cosas, las piedras de Yap, el ganado de Africa Oriental y los cauríes de Africa Occidental, se han utilizado como ejemplos de dinero «primitivo».

Sin embargo, solamente el caurí de concha del Africa Occidental podría considerarse verdaderamente dinero. Las otras dos cosas son *activos*, o *riqueza*, pero no dinero. En Africa Oriental, la cultura indígena funcionó de hecho sin dinero, y el ganado representaba solamente riqueza y status: el ganado no podía ser cambiado por productos agrícolas, los únicos bienes de consumo existentes, sino solamente por esposas, que no eran «compradas» con dinero, sino que entraban en un intercambio de bienes de status. En Yap había dinero, pero no eran los discos de piedra, que cautivaron la imaginación de tantos escritores, sino la madreperla y la concha de Tridacna. La función de las piedras de Yap parece que debe considerarse mejor como análoga a las joyas de los antepasados u objetos valiosos de arte heredados, que son objeto de intercambio sólo en raras ocasiones y por razones muy especiales.

Las conchas cauríes de Africa Occidental fueron utilizadas como medio de cambio en transacciones tanto interiores como internacionales, y nuestro conocimiento relativamente detallado de su historia se debe a su

───

clase de ventajas obtenidas con la comida o las diversiones: procura ventajas al *intercambiarse* por bienes y servicios. No se *destruye* en el proceso, pues la persona que recibe dinero a cambio de bienes, no lo consume tampoco, sino que a su vez lo intercambia por los bienes y servicios que desea. Dinero son unas *existencias* («stock») que pasan de unas personas a otras (y de unas empresas a otras). Si congelásemos la economía en un instante determinado, todo el dinero existente aparecería *en poder* de los distintos miembros de la sociedad (en sus bolsillos o en cuentas bancarias) aun cuando muchos de ellos estuviesen pensando en ceder inmediatamente a otros una parte de su dinero a cambio de bienes y servicios.

Valor social del dinero

Que el dinero no produzca ninguna ventaja directa de naturaleza comparable a los bienes de consumo ordinario no quiere decir que no tenga ningún valor social, que sea una excrecencia superflua de la economía. Por el contrario, el dinero es *productivo* en el sentido más directo, pues sin él la economía produciría menos bienes y servicios reales.

extensa utilización en el intercambio con comerciantes europeos. Llegaron a valorarse directamente en monedas europeas utilizando un determinado tipo de cambio. Dalzel, en su *Historia de Dahomey* (1793), recoge la cotización de un tockey (sarta de 40 conchas) por cada 1 1/5 peniques ingleses. Había cauríes de distintas denominaciones (5 tockeys=1 galhina, 5 galhinas=1 ackey, etc.), cada una de las cuales equivalía a un número determinado de conchas básicas. Incluso podemos reconstruir el tipo de cambio entre los cauríes y otras monedas y ver cómo varió igual que varían los tipos de cambio entre las distintas monedas: en 1883 el tipo de cambio era de 500 cauríes por franco francés (en el área tribal Lobi), descendiendo a 800 por franco durante la primera guerra mundial; después subió hasta cotizarse a sólo 120 por franco al final de la década de los 20. Durante la crisis monetaria mundial de 1932 renació temporalmente el uso de los cauríes en el norte de Nigeria, donde estaba casi extinguido.

En las sociedades más simples, las funciones principales del dinero son las de servir de medio de cambio y de depósito de valor. En ellas, la liquidez, que tiene tanta importancia en nuestro complejo mundo, es menos importante, pues es posible el trueque, y la obligación repentina de un pago imprevisto es menos probable en una sociedad caracterizada por contactos personales más estrechos y en la que sólo una pequeña parte de los bienes y servicios de la comunidad pasan por el mercado. Sin embargo, en el ejemplo de Yap, donde hay dos formas de activos, la concha ordinaria y las grandes piedras, podríamos considerar como dinero a la concha, precisamente porque es más «líquida» que las piedras, aunque estas últimas funcionan verdaderamente como depósito de valor y, hasta cierto punto, como medio de cambio.

Consideremos, por ejemplo, su empleo más rudimentario, el de *medio de cambio*. De carecer de algo que fuese universalmente aceptable como uno de los elementos de un intercambio, tendríamos el trueque multilateral. El trabajador de una fábrica de confecciones textiles recibiría su paga, por ejemplo, en forma de una cantidad de camisas en lugar de una cantidad de pesetas. Podría necesitar algunas camisas para él, pero también necesitaría comer. Para obtener alimentos tendría que localizar a alguien que los poseyera y estuviese dispuesto a cambiarlos por camisas. Evidentemente, un sistema como éste implicaría la pérdida de una buena parte del tiempo de las gentes dando vueltas en busca de los intercambios apropiados. El ahorro del trabajo que en otro caso se habría gastado así es lo que hace productivo al dinero como medio de cambio.

Lo que es productivo en realidad es la *institución* del dinero, no la cantidad efectiva de pesetas. El aumento de la producción de bienes reales por la sociedad surge de la creación de un sistema monetario que funcione sin sobresaltos. Mientras que una hora más de trabajo aumentará las posibilidades productivas de la sociedad, una peseta más no lo hará: aunque en determinadas circunstancias el aumento del número de pesetas puede ayudar a la sociedad a *alcanzar* sus posibilidades de producción.

Ahora bien, el valor social del dinero no se limita a su uso como medio de cambio directo. Algunos de sus usos más importantes se derivan de que el dinero es un puente entre intervalos de tiempo: funciona como lo que se solía llamar *depósito de valor,* haciendo posible que las gentes realicen ventas una semana, seguidas de compras la semana siguiente con los ingresos de aquellas ventas, habiéndose almacenado en forma de dinero dichos ingresos.

RECAPITULACIÓN 26.1. *El dinero es tratado en un contexto macroeconómico, y no en el microeconómico, porque sus efectos son ubicuos e inciden sobre todos los bienes, y no sólo sobre unos cuantos. Se distingue de un bien ordinario en que su valor se halla por entero en las cosas por las que podría intercambiarse, no en sí mismo. La existencia de un sistema de dinero tiene un valor social real, que podría medirse en función del tiempo y del esfuerzo que se necesitaría para realizar transacciones en caso de no existir el dinero.*

26.2. Tiempo, incertidumbre y dinero

Cómo la utilidad del dinero se deriva de los efectos del tiempo y la incertidumbre

En un mundo que funcionara regularmente, que realizase inmediatamente los ajustes y que contase con información instantánea, en el que pudieran preverse todos los acontecimientos futuros con una probabilidad del 100 por 100, no habría ninguna necesidad de dinero, salvo para disponer de una cómoda unidad con la que medir las cosas. Del mismo modo que podemos medir ahora las cosas con unidades de referencia inexistentes (o que no existen ya), tales como las «pesetas de 1959», el dinero como patrón o *unidad de cuenta* no tiene necesariamente que ser dinero en ningún sentido real.

Para apreciar la importancia de la incertidumbre y la información, veamos *por qué* las gentes quieren dinero. Todo el mundo cree que necesita más dinero, pero en realidad se equivoca al pensar así. Lo que la mayoría de las gentes necesitan son más *cosas.* Cuando alguien dice que necesita más dinero, lo que en realidad quiere decir es que necesita más *renta* con la que comprar más cosas. Si esta persona recibiese más dinero, correría a desprenderse de él (lo gastaría), mostrando que no era el dinero lo que necesitaba.

Cuando un economista habla de la demanda de dinero, se refiere a la demanda de dinero para retenerlo en forma de dinero. Si alguien recibe 1.000 pesetas y las guarda sin gastarlas, bien debajo del col-

chón o bien en su cuenta bancaria, está demostrando que demanda más dinero. Pero si percibe 1.000 pesetas y las gasta todas, ha mostrado simplemente que el stock de dinero que mantenía antes era el suficiente para sus necesidades.

Pero, ¿por qué se elegiría el retener el dinero en lugar de gastarlo?

Efectos del calendario

Una razón es el *calendario de las transacciones.* Un consumidor puede percibir su renta a determinados intervalos, pero desea consumirla constantemente a lo largo del tiempo. Puede, por ejemplo, percibir todos los sábados un salario semanal de 7.000 pesetas, pero desea consumir regularmente todos los días de la semana. Existe la posibilidad de que convierta *inmediatamente* su salario semanal en una cantidad de bienes y consuma éstos a lo largo de la semana. Pero es probable por varias razones que al consumidor le sea más cómodo y económico retener una cantidad de dinero en vez de retener bienes, y vaya gastando aquél durante la semana. Así, el consumidor puede gastar al ritmo de 1.000 pesetas diarias, reduciendo su saldo en dinero desde 7.000 pesetas cada sábado a cero pesetas cada viernes siguiente, lo que da un *saldo medio* de 3.500 pesetas. Un saldo de esta clase se denomina *saldo para transacciones.*

Incertidumbre

No solamente puede ser irregular el calendario de las transacciones a lo largo del tiempo, sino que además puede haber alguna *incertidumbre* acerca del *nivel* de las transacciones. El consumidor puede desear estar en condiciones de pagar, por ejemplo, un tratamiento médico por si éste se hiciese necesario, y para ello mantendrá una *reserva por precaución.* Por tanto, nuestro consumidor puede desear mantener un saldo medio de 5.000 pesetas, en el que por precaución ha incluido 1.500 pesetas.

Otra razón es que el dinero es un *activo,* una forma de riqueza, porque se pasa intacto de un período a otro. Las gentes acumulan activos para aplazar el gasto desde el presente hasta el futuro. Una persona puede emplear parte de su renta durante su vida laboral en la compra de activos que le permitan seguir consumiendo después de que cese su renta de trabajo.

Pero existen muchos activos disponibles en una economía de mercado que proporcionan un *rendimiento* en forma de intereses, dividendos, alquileres o ganancias de capital. ¿Por qué mantendrá alguien su riqueza, o parte de ella, en forma de dinero —que no proporciona ningún rendimiento— en lugar de hacerlo en forma de bienes inmuebles, acciones o bonos?

Liquidez

La propiedad específica del dinero, que lo distingue de las demás formas de riqueza, es que está *inmediatamente disponible* para cambiarse por cosas. Cualquier otra forma de riqueza obliga a su propietario a esperar hasta que el préstamo venza o pueda vender el activo en el mercado, lo que requiere tiempo y molestias, y además presenta el riesgo de que cuando, por ejemplo, deba venderse en bolsa una acción, su cotización puede estar temporalmente muy baja.

Llamamos *liquidez* a este carácter de inmediatez del dinero. Un billete de cien pesetas siempre puede convertirse directa e inmediatamente en cosas que valgan cien pesetas. La liquidez es un término relativo: los diferentes activos son más o menos líquidos según la facilidad con que pueden ser cambiados por otras cosas. Las acciones, que pueden ser vendidas en escasas horas pagando una pequeña comisión, son más líquidas que los bienes inmuebles, cuya venta puede exigir una espera de semanas o meses y lleva consigo unos elevados gastos. El dinero es el *más líquido* de todos los posibles activos.

La liquidez sólo es valiosa a causa de la incertidumbre. La condición de inmediatez del dinero no tendría importancia si se supiera con suficiente antelación la medida en que la riqueza tiene que ser cambiada por otras cosas.

La liquidez es también importante en los saldos para transacciones, a causa de la incertidumbre del *calendario* de los pagos en relación con los ingresos. Una persona puede recibir su paga el primer día de cada mes, pero la gasta durante todo el mes según una pauta irregular. Si supiera *exactamente* cuándo tendría que hacer cada pago, podría prestar a interés, con un contrato de préstamo por el que el dinero le sería devuelto exactamente a medida que lo fuera necesitando. Esto puede parecer exagerado en el caso de una persona, simplemente por los problemas que presentaría la formalización de unos préstamos tan pequeños, pero las grandes empresas, que también retienen dinero en su poder, pueden hacer préstamos incluso para períodos tan cortos como uno o dos días.

El público retiene dinero en efectivo o en saldos bancarios para atender a los pagos que sabe que deberá hacer, pero no conoce exactamente cuándo. También hay cierta incertidumbre en cuanto al volumen de pagos en un día determinado cualquiera. ¿Lloverá ese día, con lo que la persona tendrá que tomar un taxi en lugar de ir andando? ¿Aparecerá de pronto la oportunidad de algún negocio que se perdería si no se pudiera hacer inmediatamente cierto pago? Estos son los tipos de incertidumbre que inducen a las personas y a las empresas a mantener parte de su riqueza en forma de dinero.

RECAPITULACIÓN 26.2. *Lo que tenemos que explicar acerca del dinero es por qué se retiene en lugar de cambiarlo inmediatamente por bienes. Una de las razones es el tiempo: el dinero se retiene para cambiarlo en un momento posterior. Otra es la incertidumbre: el dinero se retiene porque no se conocen con certeza las transacciones futuras. Aunque puedan emplearse con este fin otras cosas, dinero es el bien que puede cambiarse de modo más universal e inmediato cuando se requiere: decimos que dinero es el más líquido de los activos.*

26.3. La demanda de dinero

Qué determina el nivel de saldos en dinero que las personas decidirán mantener

Por demanda de dinero entendemos, naturalmente, la demanda de *saldos en dinero* para ser retenidos, no la demanda de renta para ser gastada. Por otra parte, el dinero se retiene solamente porque *pudiera* tener que ser gastado en bienes y servicios, así que la referencia final para el dinero es la *cantidad de bienes y servicios sobre los cuales proporciona un dominio potencial.* Expresamos normalmente esta idea diciendo que lo que interesa a quienes mantienen saldos, son los *saldos reales,* o sea, su dominio sobre bienes y servicios, y no simplemente el número de pesetas, o *saldos nominales.*

Por ejemplo, en 1935 en los Estados Unidos, con 100 dólares se podía elegir entre una variedad de conjuntos distintos de bienes y servicios. Como media, para comprar uno de estos mismos conjuntos en 1968 hubieran sido necesarios 250 dólares, y ello a consecuencia de la elevación del nivel general de precios. Por tanto, suponemos que un saldo nominal de 250 dólares en 1968 debe ser considerado equivalente a un saldo nominal de 100 dólares en 1935: representando ambos saldos nominales el mismo saldo *real,* que podría ser expresado o por 100 dólares de 1935 o por 250 dólares de 1968.

El nivel deseado de saldos en dinero representa una demanda de dominio final sobre bienes y servicios reales, por lo que debe medirse en unidades monetarias de poder adquisitivo constante.

Volveremos más adelante a este problema de los saldos reales, y al efecto de las variaciones del nivel de precios sobre la demanda de saldos nominales. De momento, supondremos que el nivel de precios no cambia, así que podemos definir simplemente los saldos en «pesetas» sin especificar *qué* pesetas.

Renta

En la sección anterior pusimos de relieve la importancia de mantener saldos en dinero a fin de realizar *transacciones* cuyo calendario, e incluso cuyo volumen, estaban sujetos a incertidumbre. Ahora bien, el nivel de las transacciones que una persona espera realizar está fuertemente relacionado con su *renta*. Como es natural, una persona con una renta alta efectuará a lo largo de un mes, o de un año, transacciones de mayor valor total que otra persona con una renta baja. Por tanto, ya tenemos el primero y más importante elemento de la demanda de dinero.

El nivel deseado de saldos para transacciones dependerá de la renta, y aumentará o disminuirá cuando la renta aumente o disminuya.

Esto no significa necesariamente que los saldos para transacciones estén en *proporción directa* con la renta, aunque éste es un supuesto razonable en un modelo simple.

Cuando el nivel deseado de los saldos es prácticamente proporcional a la renta o el gasto, es a menudo útil medir el saldo expresándolo como el *tiempo* durante el cual podría sostenerse el gasto al nivel corriente utilizando sólo los saldos, si dejara de entrar renta. Si, por ejemplo, la tasa media de gasto de una persona fuese de 2.000 pesetas semanales y su saldo monetario fuese de 10.000 pesetas, podríamos decir que su saldo equivalía a *cinco semanas de transacciones,* o simplemente a *cinco semanas*.

Es normal expresar esta medida en transacciones *reales*. Si todos los precios se duplicaran, la persona de nuestra hipótesis pasaría a gastar 4.000 pesetas semanales para obtener los mismos bienes y servicios reales que antes. Un saldo para cinco semanas en términos reales supondría ahora 20.000 pesetas, pues representaría el mismo saldo *real* que antes, una vez corregida la variación del nivel de precios. Por tanto, los saldos medidos en semanas de gasto real representan saldos reales, y serán independientes del nivel de precios.

Tipo de interés

El dinero se retiene como un activo a causa de su liquidez, aunque reteniendo otras formas de activos se podría obtener un rendimiento (interés) mayor. Cuanto más alto sea el tipo de interés, a más se renunciará por retener 1.000 pesetas en dinero en lugar de hacerlo en bonos: el interés al que se ha renunciado es el *coste de oportunidad* de retener dinero, y este coste aumenta cuando el tipo de interés aumenta. Por tanto, podemos esperar que, cuanto más alto sea el tipo de interés, más dispuesta estará una persona a aumentar sus riesgos manteniendo una parte mayor de sus activos en una forma que produzca interés y una parte menor en dinero.

El nivel de saldos monetarios deseado puede ser sensible al tipo de interés, y puede esperarse que aquél disminuya cuando sube el tipo de interés y que aumente cuando el tipo de interés baja.

Puede parecer improbable que un simple ciudadano varíe sus saldos monetarios como respuesta a variaciones relativamente pequeñas del tipo de interés, pero las empresas, como las personas, mantie-

nen también saldos; de hecho, alrededor de un tercio de los saldos
monetarios en los Estados Unidos los mantienen las empresas. Las
empresas tienen mayores saldos medios, una mayor diversidad de
activos y mejor información sobre las posibilidades financieras que
la mayoría de las personas, por lo que reaccionan más a los tipos
de interés.

Los economistas se interesan principalmente por la demanda
agregada de saldos monetarios en el conjunto de la economía, más
que por las demandas individuales. Por tanto, la mayor parte del análisis de la demanda de dinero se hace esencialmente en términos
macroeconómicos. Se supone que las influencias generales sobre la
demanda agregada de dinero son los agregados correspondientes
a las magnitudes que influyen sobre las demandas individuales, y
todos los modelos básicos de la demanda de dinero son del tipo
siguiente:

*La demanda agregada de saldos monetarios subirá y bajará con la
renta agregada, y se moverá en sentido inverso a las variaciones del
tipo de interés.*

Curvas de preferencia de liquidez

Es corriente representar la demanda agregada de dinero en forma
de curvas que reflejan, para cada nivel de renta, la variación de la
demanda al cambiar el tipo de interés. Estas curvas se denominan
curvas de preferencia de liquidez, pues la relación entre la variación
de la demanda de dinero y los cambios del tipo de interés procede
de un equilibrio entre la *preferencia de liquidez* y el rendimiento de
los activos que producen interés.

La figura 26.1 muestra el diagrama tradicional de la preferencia
de liquidez. Cada curva ($L_1L'_1$, $L_2L'_2$, etc.) refleja la relación entre
la demanda de dinero y el tipo de interés *para un determinado nivel
de renta.* Por lo general, la pendiente de todas las curvas es descendente hacia la derecha, pues el nivel de los saldos en dinero deseados descenderá cuando aumente el tipo de interés. Representamos

FIG. 26.1.—*Curvas de preferencia de liquidez.*

generalmente curvas que llegan a ser casi verticales cuando se sobrepasa un cierto tipo de interés, lo que significa que el público (y las empresas) seguirán queriendo mantener algunos activos líquidos aun cuando los tipos de interés sean muy altos.

Cuando la renta aumenta de Y_1 a Y_2, pasamos de la curva $L_1L'_1$ a la curva $L_2L'_2$. La curva correspondiente a la renta más alta indicará que, a cualquier tipo de interés, se desearán más saldos en dinero que cuando la renta es más baja y, por tanto, estará situada a la derecha de la curva correspondiente a una renta inferior.

Resultados empíricos

Las estimaciones empíricas de la demanda de dinero, aun estando sujetas a los problemas normales de esta clase de estimaciones, parecen ajustarse al análisis expuesto. Un análisis del sector monetario de la economía de los Estados Unidos (el macromodelo *Reserva Federal-MIT*), que goza de autoridad, muestra, si se le simplifica en una versión estática que permita su comparación con nuestro análisis, que:

1) la demanda de dinero en su forma más importante (los depósitos bancarios) aumenta en proporción al PNB cuando el tipo de interés es constante;

2) la demanda de dinero en esta forma disminuye cuando sube el tipo de interés: un aumento del tipo de interés en una *proporción* del 10 por 100 (el alza, por ejemplo, del 5 al 5,5 por 100; no un aumento de diez *puntos de porcentaje,* que sería una subida del 5 al 15 por 100) da origen a una disminución del 4,3 por 100 en la demanda de dinero.

RECAPITULACIÓN 26.3.   *La demanda de saldos monetarios representa una demanda de dominio final sobre bienes y servicios reales, y por tanto aumentará si se eleva el nivel de precios. Como el volumen de las transacciones guarda una relación con la renta, la demanda de dinero tenderá a aumentar con la renta. Por último, como la provisión para pagos futuros puede hacerse reteniendo activos que producen interés en lugar de guardar dinero, la demanda de dinero tenderá a disminuir si sube el tipo de interés.*

26.4. La ecuación del cambio

Breve exposición formal de la relación entre saldos monetarios, transacciones y nivel de precios

Al analizar la demanda de dinero, vimos que una persona podía cifrar la efectividad de su saldo monetario contando el número de semanas de transacciones que dicho saldo financiaría. Vimos también que, si sus transacciones *reales* no variasen, un saldo constante expresado en semanas de transacciones representaría un *saldo real* constante cuando los precios cambiaran. Vamos a emplear aquí una relación de este tipo, pero interpretándola de modo algo distinto.

Sea T el nivel de las transacciones (gastos) *reales* por período de tiempo (por ejemplo, un año) del conjunto de la economía, y M el total de los saldos monetarios *nominales* (esto es, los saldos medidos en pesetas corrientes).

Podemos suponer que T viene medido, por ejemplo, en *pesetas de 1970*. Sea P un índice del nivel general de precios, con 1970 como año base. El volumen agregado de *saldos reales* se obtiene dividiendo el de saldos nominales por el índice de precios, de la misma forma que el PNB real se obtendría dividiendo el PNB en pesetas corrientes por un índice de precios.

$$\text{Saldos monetarios reales} = \frac{M}{P}$$

(en pesetas de 1970)

Podemos expresar el saldo real por el número de años de transacciones reales que financiaría:

$$\text{Número de años} = \frac{\text{Saldos reales}}{\text{Transacciones reales}}$$

$$= \frac{M/P}{T}$$

$$= \frac{M}{PT}$$

(En una economía normal, ésta será una *fracción* propia, es decir, normalmente los saldos financiarán transacciones durante un período inferior a un año.)

Velocidad del dinero

Introducimos ahora un término tradicional, aunque por desgracia confuso. En vez de operar con el número de años de transacciones reales que podrían ser financiadas con los saldos, operamos con la *inversa* de esta cantidad, que se denomina *velocidad del dinero*, y se representa por V.

El término «velocidad del dinero» sugiere una viva imagen del dinero circulando una y otra vez en la economía con mayor o menor velocidad. Esta no es la imagen más adecuada, pues aunque *una parte* del stock de dinero puede circular de este modo, la mayor parte no lo hace así. Una persona puede percibir sus salarios y pagar sus cuentas en efectivo —este dinero evidentemente circula— y guardar 1.000 pesetas debajo del colchón, que nunca se moverán.

Parece más adecuado considerar simplemente a V como el número por el que tendríamos que multiplicar los saldos monetarios para hacer que éstos resultasen estrictamente suficientes para financiar las transacciones de un año. Si las transacciones anuales de la economía representasen 120 millones de pesetas y el total de los saldos monetarios fuese de 30 millones, tendríamos que $V = 4$.

Cualquiera que sea la forma en que consideremos esta cifra concreta, se mantiene la siguiente relación:

$$V = \text{«velocidad del dinero»} = \frac{1}{\text{Número de años de transacciones que se financiarían con los saldos}}$$

Introduciendo los símbolos M, P y T, tenemos:

$$V = \frac{PT}{M}$$

Es decir, la velocidad se define como el cociente de dividir las transacciones por los saldos, y puede ser considerada (hasta cierto punto), como el número de veces que una peseta cambia por término medio de manos.

La ecuación del cambio

Si multiplicamos por M los dos miembros de la relación anterior, obtenemos la *ecuación del cambio*:

$$MV = PT$$

o sea, el número de pesetas multiplicado por el número medio de veces que cada peseta se cambia es igual al valor en pesetas de las transacciones efectuadas.

Puesta en esta forma, la ecuación se deduce directamente de la *definición* de V, así que es necesariamente cierta para todos los valores de M, P y T en cualesquiera circunstancias. Las ecuaciones de esta clase se denominan ecuaciones *de definición* o *tautológicas*. No predicen nada, porque no existen circunstancias en las cuales puedan dejar de ser satisfechas.

Como puede aceptarse que el volumen total de transacciones de la economía es proporcional al nivel de la renta, conviene utilizar la renta (Y) en vez de las transacciones (T), pues contamos con estadísticas de la renta, pero no de las transacciones. La ecuación se convierte entonces en

$$MV = PY$$

donde V es la relación de renta a saldos (y no de transacciones a saldos).

RECAPITULACIÓN 26.4. *El stock total de dinero en cualquier momento puede expresarse por el número de años de transacciones reales corrientes que financiaría. La inversa de este número se denomina a menudo velocidad del dinero.*

26.5. La teoría cuantitativa

Una visión de la relación entre el stock de dinero y el funcionamiento de la economía

La teoría cuantitativa simple se deduce de la ecuación del cambio, si se *afirma* que el comportamiento de la economía será tal que *se mantendrá constante la velocidad del dinero,* o al menos que la velocidad volverá aproximadamente a su nivel original después de que termine el proceso de ajuste.

Realidad y teoría

Si la velocidad del dinero es o no constante (es decir, si los saldos monetarios se mantienen en una proporción constante con la renta) es una cuestión de hecho. Gran parte de la controversia entre los que consideran útil la teoría cuantitativa simple y los que no la consideran útil se centra alrededor de la existencia o inexistencia de testimonios razonables en favor de la constancia de la velocidad en las circunstancias en las que han de utilizarse las predicciones de la teoría.

Como la demanda de dinero, a un nivel determinado de renta, depende en parte del tipo de interés, la velocidad (que es la relación renta real a saldos reales) dependerá también del tipo de interés. Por tanto, tenemos que suponer que el tipo de interés es constante o que el efecto del interés sobre la velocidad es pequeño.

Aceptando, pues, el supuesto de la velocidad constante, como tenemos

$$V = \frac{PY}{M},$$

—— **Cápsula suplementaria 26.2** ————————————————

TESTIMONIOS SOBRE EL DINERO Y LOS PRECIOS

Pocos economistas discutirían la existencia de una amplia relación entre la cantidad de dinero y el nivel general de precios, y existe el testimonio histórico de un vínculo entre ambas cosas. Con anterioridad al desarrollo del papel moneda, el oro, la plata o ambos metales fueron la base de la oferta de dinero, y se registraron varios períodos, bien conocidos, de expansión de la oferta mundial de dinero a consecuencia del descubrimiento de nuevas fuentes de metales preciosos, contándose con testimonios sobre el comportamiento de los precios en esos períodos.

Por ejemplo, la oferta de plata en Europa aumentó rápidamente durante el siglo XVI a consecuencia de las conquistas de México y Perú por España. Los precios aumentaron en toda Europa durante este período, pero los aumentos fueron particularmente acusados (y empezaron antes) en Castilla, la región que primero recibió los metales preciosos procedentes del Nuevo Mundo. Por otra parte, a mediados del siglo XVIIII había descendido mucho la tasa de aumento del stock de metales preciosos, mientras que la Revolución Industrial había originado un rápido aumento del PNB de Europa. Al aumentar el PNB y mantenerse relativamente constante la oferta de dinero, los precios descendieron.

Los efectos de los metales preciosos procedentes del Nuevo Mundo, elevando la proporción entre dinero y PNB real y originando un alza del nivel de precios, y los de la Revolución Industrial, bajando la proporción de la oferta de dinero en relación al PNB y originando una reducción de los precios, están en consonancia con las predicciones de la teoría cuantitativa. Esta ha sido también, en términos generales, la relación entre las variaciones medias del PNB, la oferta monetaria y el nivel de precios en la historia más reciente. No obstante, las relaciones derivadas de la teoría cuantitativa no se confirman en detalle para períodos cortos: por ejemplo, entre 1955 y 1968 los países con mayores tasas de aumento de la oferta de dinero tendieron asimismo a registrar las mayores tasas de aumento de los precios, pero sin una correlación perfecta, y no fue tampoco constante en ningún país la velocidad del dinero.

Si la cantidad de dinero en un país con un PNB relativamente constante se hiciese, por ejemplo, diez veces mayor, podríamos esperar que el nivel de precios se multiplicase aproximadamente por el mismo factor, aunque no nos sorprendería que se multiplicase por nueve o por once. Sin embargo, cuando pasamos a movimientos menores o a períodos de tiempo más cortos, las predicciones de la teoría cuantitativa son muy pobres, porque en ese caso, sobre los precios influyen además otros factores de corto plazo, tales como la presencia de procesos inflacionistas que continúan aun después de haberse eliminado su causa inicial, o la existencia de una capacidad de producción ociosa que frena las presiones ascendentes sobre los precios. La teoría cuantitativa ofreció predicciones particularmente pobres en 1970 en los Estados Unidos, cuando la administración Nixon precisamente había empezado a actuar sobre la inflación con un enfoque monetarista, que se vio forzada a abandonar después a causa del completo fracaso de la teoría cuantitativa simple para servir a corto plazo.

Las relaciones generales simples, como las ecuaciones cuantitativas, que pueden sostenerse como promedios y a largo plazo, son poco útiles para la política económica, que tiene como principal objetivo la solución rápida de los problemas económicos y no puede esperar al efecto de la operación de las relaciones a largo plazo.

$$\frac{PY}{M}$$

se deduce que si V es constante, $\dfrac{PY}{M}$ es constante. Esto es, los saldos en dinero nominales y el valor monetario del PNB se mantendrán en la misma proporción.

La teoría predice que, si M aumenta, por ejemplo, un 10 por 100, el producto PY también aumentará un 10 por 100 cuando se haya completado el ajuste. Predice solamente lo que sucederá al *producto* de P por Y, no lo que sucederá a P o a Y por separado, a menos que tengamos alguna información adicional. Un aumento de PY del 10 por 100 puede deberse a un aumento del 10 por 100 de P con Y constante, a un aumento del 10 por 100 de Y con P constante, o a una cierta combinación de variaciones tanto de P como de Y.

Pleno empleo

La predicción más segura se podría dar cuando aumente la cantidad de dinero en una situación de *pleno empleo,* porque en esa situación es imposible que aumente Y (que representa el PNB real), pues se supone que la economía está funcionando a toda su capacidad. Por tanto, cualquier aumento de M tiene que originar un aumento proporcional de P.

Al nivel de pleno empleo, la teoría cuantitativa predice que todo aumento de la cantidad de dinero dará origen a una elevación del nivel de precios (inflación) en la misma proporción.

Esta es la predicción más ampliamente aceptada de la teoría cuantitativa. Pero en estas circunstancias es bien sabido que la velocidad de circulación puede *aumentar* cuando la inflación es muy fuerte, lo que da un aumento de precios *más* que proporcional al aumento de la cantidad de dinero.

Obsérvese que la teoría básica *no* predice que la reducción de la cantidad de dinero en situaciones de pleno empleo hará bajar los precios: puede llevar a una reducción de la producción real y no del nivel de precios.

Nivel inferior al pleno empleo

Cuando la economía se halla a un nivel inferior al de pleno empleo, existe la posibilidad de aumentar Y. El gran problema (uno de los mayores problemas de la teoría económica) es si el aumento de la cantidad de dinero en estas circunstancias dará origen a un aumento de la *producción real* o a un aumento del *nivel de precios,* o si, por el contrario, se registrará un descenso de la *velocidad del dinero* (en contra de lo que supone la teoría cuantitativa) que reducirá a prácticamente nada el efecto del aumento de la cantidad.

La pérdida de atractivo de la teoría cuantitativa (y de la política monetaria) entre los años 30 y los años 60 estuvo muy ligada a la creencia de que la teoría tenía poco que aportar al análisis o al remedio de una economía deprimida, a causa de la incertidumbre de la respuesta a la pregunta anterior.

Aunque la respuesta continúa siendo incierta, los economistas están ahora más convencidos que antes de la existencia de un posible mecanismo por el cual un aumento de la cantidad de dinero puede conducir a un aumento del gasto y de ahí (como veremos en el capítulo siguiente) a un aumento de la producción real.

RECAPITULACIÓN 26.5. *La teoría cuantitativa va más allá de la simple ecuación del cambio al afirmar o suponer que la velocidad del dinero tenderá a ser constante. Si fuera así, el valor total de las transacciones (o del PNB en pesetas corrientes), subiría o bajaría con la cantidad de dinero. En la situación de pleno empleo (en la que el PNB real no puede aumentar), se deduciría de ello que el nivel de precios aumentaría en proporción a cualquier aumento del stock de dinero. Si la economía no ha alcanzado el nivel de su capacidad total, esta deducción es menos clara.*

26.6. Las cosas que son dinero

Qué es lo que permite a algunas cosas funcionar como dinero

Habíamos aplazado todo intento de analizar *qué* es exactamente dinero, puesto que definimos el dinero por su *función,* por lo que hace. Ahora que sabemos para qué necesita la gente el dinero, podemos discutir qué cosas pueden cumplir estos requisitos.

Como el dinero se retiene para tener la posibilidad de cambiarlo por bienes y servicios reales, es esencial que sea algo que *conserve* intacta dicha posibilidad. Por ejemplo, si el dinero pudiese desaparecer poco a poco por evaporación, sería inútil, pues podría haberse desvanecido justamente en el momento de necesitarlo.

Para la utilidad del dinero es también fundamental que pueda ser cambiado libremente por cualesquiera bienes y servicios en cualquier momento: tiene que ser *universalmente* aceptable (al menos dentro de la economía nacional que estamos analizando) en pago de bienes y servicios. Como los saldos en dinero de un período se conservan para otros posteriores, esta universalidad tiene que ser *perdurable;* algo que cualquiera aceptaría en cambio por unos días, pero que posteriormente no tendría valor de cambio general (las entradas para el partido de fútbol, por ejemplo), no puede funcionar como dinero.

Importancia de la escasez

Es evidente que el dinero sólo puede desempeñar el papel de medio de cambio perdurable y universalmente aceptable si:

1) es *escaso;*
2) *continuará* siendo escaso durante todo el tiempo futuro previsible.

El dinero tiene que ser escaso porque nadie va a cambiar bienes y servicios escasos por algo que no sea escaso: si las calles de Madrid estuviesen pavimentadas con oro, ¿por qué un comerciante de la capital iba a aceptar un adoquín de oro arrancado frente a su puerta como pago de sus artículos, producidos con recursos escasos? El dinero tiene que suponerse permanentemente escaso, porque de otro modo nadie lo conservaría, pues de nada serviría para intercambios futuros.

El dinero, y algunas cosas análogas al dinero, son lo único en la economía cuya utilidad está solamente en que son escasos.

El oro y la plata llegaron a utilizarse como dinero en el pasado porque eran escasos y se esperaba que continuarían siéndolo, y también porque poseían otras cualidades, útiles aunque accesorias, tales como su resistencia y su maleabilidad.

Formas modernas del dinero

En las economías modernas, las dos principales formas de dinero son el *efectivo* (o dinero *legal*) y los *depósitos bancarios* (los depósitos en cuentas corrientes a la vista).

El efectivo lo componen principalmente los *billetes de banco,* que son simples trozos de papel. Sin embargo, estos trozos de papel se mantienen escasos porque el Estado (de manera directa o indirecta) limita el número de billetes que se emiten. Estos billetes se aceptan como medio de cambio simplemente porque quienes los reciben saben que cualquier otra persona los aceptará a su vez en intercambio: esta confianza en el dinero en efectivo se ve reforzada por la existencia de leyes que exigen que el dinero legal sea aceptado en pago de cualquier deuda; pero estas disposiciones legislativas no son de ninguna manera esenciales, y sólo son útiles durante el período de iniciación del uso del papel moneda en un país.

El respaldo del dinero

Cuando se introdujeron por primera vez los billetes de banco, el dinero, por circunstancias históricas, se fundamentaba en cosas *materialmente escasas,* como el oro y la plata. Dado que el papel moneda no presenta restricciones *materiales* para su emisión (puede ser impreso a voluntad), hubo un largo período de aclimatación del público al papel moneda, durante el cual los billetes eran *libremente intercambiables* con el oro (o plata). El número de billetes emitidos estaba así limitado por el stock de oro que tenía que mantenerse a disposición de los tenedores suspicaces de billetes que quisieran cambiarlos.

──── **Cápsula suplementaria 26.3** ────────────────────

EL PROGRESO TECNOLOGICO EN EL DINERO

El dinero fue una gran invención social y, como muchas cosas, ha sido objeto de innovaciones casi desde el momento mismo en que comenzó a usarse. Las dos mayores innovaciones tecnológicas fueron sin duda la invención del papel moneda y la del sistema de la banca comercial. Las dos permiten que la cantidad nominal de dinero varíe con independencia de la oferta física de oro o de otras cosas utilizadas como dinero. Si el oro fuese el único dinero, no podría haber una verdadera *política monetaria*, porque la autoridad monetaria no tendría ningún instrumento real para una política. La utilidad del dinero depende de que sea escaso *para la sociedad en su conjunto*, pero cada *persona* en particular saldrá ganando si tiene más dinero; por lo tanto, no es de extrañar que toda innovación en el dinero haya tenido la misma dirección: la de hacer el dinero menos escaso o estirar la aplicación del dinero escaso.

Se ha señalado recientemente que la combinación de la tarjeta universal de crédito y el ordenador podría reemplazar por completo al dinero en su forma actual. Si las operaciones financieras de todas las personas *fueran almacenadas* en un sistema de ordenadores de libre acceso a todo el mundo, podría desaparecer gran parte de la demanda de *saldos monetarios para transacciones*. Todo ingreso entraría al instante en el ordenador: por ejemplo, los patronos entrarían la información de sus nóminas, en vez de extender cheques a los trabajadores. Todos los pagos se cargarían inmediatamente: las tiendas darían simplemente al ordenador el importe de las compras. El ordenador podría programarse con la información relativa a las fechas de los futuros ingresos, y compensaría todos los pagos que pudieran cubrirse; por ejemplo, los salarios de la semana siguiente.

Las tarjetas de crédito pueden ya sustituir al dinero en *efectivo* para muchos usos. El viajero no necesita retirar mucho dinero para salir de

──

En los Estados Unidos, después de suprimirse este sistema de libre intercambio —ciertos billetes (certificados de plata) podían cambiarse por plata hasta hace muy pocos años, pero el verdadero cambio de billetes por metales había cesado mucho antes— se requería que el efectivo estuviese parcialmente *respaldado* por oro o plata. *Respaldar una moneda* quiere decir simplemente que el Tesoro público, el banco central o la autoridad que tenga la responsabilidad de emitir papel moneda deberá conservar, por ejemplo, una cantidad de oro igual en valor a una proporción determinada del efectivo total emitido. La moneda estará «respaldada por oro en un 50 por 100» si la autoridad emisora tiene que conservar en su poder oro por un valor igual al 50 por 100 del efectivo emitido, *aunque nadie tenga derecho a cambiar sus billetes por algo de este oro.*

Desde cierto punto de vista, el respaldo de la moneda es absurdo en sí mismo, y se basa en la falta de comprensión del público sobre la naturaleza del dinero, pero tiene un aspecto que fue de gran im-

viaje, sino que lleva la tarjeta de crédito en su lugar. Al final tendrá de todas maneras que pagar sus facturas, así que deberá tener un *saldo bancario* suficiente para pagar la cuenta de la tarjeta de crédito cuando ésta llegue. Pero las tarjetas de crédito permiten la sustitución de dinero en efectivo por dinero en forma de saldos bancarios y economizan efectivo.

Un problema distinto es el del *crédito automático* en el banco. Desde hace pocos años en los Estados Unidos y desde hace mucho tiempo en el Reino Unido, muchos bancos * permiten al depositante girar en *descubierto* contra su cuenta bancaria hasta un límite *predeterminado*. Si el límite es 100 dólares, y éste es el saldo para transacciones que una persona mantendría normalmente, ésta podrá decidir mantener su saldo a cero y quedar en descubierto cuando sus pagos excedan temporalmente de sus ingresos. Si esto reduce o no la cantidad de dinero, depende sólo de cómo se defina ésta. En realidad, el saldo bancario de la persona en cuestión debería calcularse partiendo de −100 dólares en vez de partir de cero dólares, porque aquélla es, de hecho, la verdadera base de su nivel de efectivo.

El desarrollo tecnológico típico en materia de dinero no reduce ni la demanda de dinero ni la cantidad real de dinero, sino que supone la posibilidad de utilizar *nuevas cosas* como dinero. Como estas nuevas cosas quizá no se incluyen todavía dentro de la oferta monetaria, su empleo en lugar de las antiguas formas de dinero puede llevar a una reducción de la cantidad de dinero, *medida ésta del modo convencional*. Ello puede dar origen a importantes problemas de política monetaria, porque el control de estas nuevas cosas no es aún competencia de las autoridades monetarias.

---

* En España existe también esta práctica bancaria. *(N. del T.)*

---

portancia histórica. *Si la moneda tiene que ser respaldada, total o parcialmente, por algo que es inherentemente escaso, existe una garantía interna de que la propia moneda continuará siendo escasa.*

El mantenimiento de la escasez

En un sistema económico moderno, este tipo de respaldo no solamente no es ya necesario, sino que además puede llevar a que la moneda se haga *demasiado* escasa. Por razones históricas, pueden estar vigentes las leyes que establecen el respaldo o cobertura de la moneda y éstas pueden imponer restricciones a la gestión monetaria del gobierno, pero la situación moderna puede describirse mejor de la forma siguiente.

En una economía moderna, el «respaldo» real de la moneda está simplemente en que se confía en que las autoridades monetarias comprendan cuál es la verdadera función del dinero y mantengan su escasez de un modo adecuado.

Por esta razón, a este tipo de dinero se le llama a menudo *fiduciario*.

Saldos bancarios

En muchos países, los depósitos en cuentas corrientes pueden cumplir en la mayoría de los casos todas las funciones importantes del dinero. Pueden convertirse en efectivo en cualquier momento (dentro de las horas en que están abiertos los bancos), pero, lo que es más importante, generalmente la conversión no es necesaria. Los talones o cheques * se aceptan ampliamente como pago de facturas, por lo que una cuenta bancaria y un talonario serán suficientes para la mayoría de las transacciones, especialmente las de gran cuantía. Por supuesto, los cheques no son un sustitutivo *perfecto* del efectivo, pues no pueden ser empleados en muchas transacciones muy pequeñas (por esto se utiliza aún tanto el efectivo), e incluso las diferentes formas de efectivo no son sustitutivos perfectos entre sí. No se puede comprar una caja de cerillas en una máquina automática pagando con una moneda de cincuenta pesetas ni siempre se puede pagar un taxi con un billete de mil. Con todo, los individuos (y las empresas) encontrarán útil mantener en efectivo una parte de sus saldos monetarios, pero la mayor parte de dichos saldos se tendrá en cuentas corrientes bancarias a la vista.

Si los depósitos en cuentas corrientes a la vista son dinero, tendrán que ser también ellos, como el efectivo, escasos. El modo exacto de mantener escasos los depósitos bancarios es el tema de los dos capítulos siguientes, pero podemos asegurar al lector desde ahora mismo que, si bien las autoridades monetarias pueden controlar el nivel de los depósitos bancarios, esto es algo más difícil que controlar el dinero en efectivo.

Existen otros muchos activos que pueden cumplir muchas de las funciones del dinero, y los denominamos en conjunto *cuasi-dinero*. Los economistas suelen discutir con algún acaloramiento el grado de «cercanía» al dinero que un cuasi-dinero tiene que ofrecer para que pueda considerarse dinero. No es una discusión bizantina, porque si el control de la *cantidad de dinero* va a ser un instrumento importante de la política económica, tenemos que estar antes de acuerdo sobre qué cosas concretas han de ser controladas.

Diversas formas de cuasi-dinero

Consideremos el caso de los *depósitos a plazo*. Son depósitos bancarios que no pueden ser transferidos directamente por medio de cheques, y solamente pueden ser retirados del banco al cabo de un plazo acordado previamente, pero producen un interés. Con todo,

---

* Según el Código de Comercio español, *cheque* es un mandato de pago que permite al librador retirar fondos que tiene disponibles en poder del librado; *talón* es una orden de pago con cargo a una cuenta corriente en un banco o sociedad mercantil. Fuera del contexto jurídico, es corriente emplear la palabra cheque en un sentido amplio que engloba también al talón.—(*Nota del traductor.*)

mantienen una relación con los depósitos a la vista que no es muy
distinta de la relación entre depósitos a la vista y efectivo. Los
depósitos a plazo han crecido de modo extraordinario en los Estados
Unidos * en comparación con los depósitos a la vista, a causa del
aumento de los tipos de interés durante la última década, y también
por una norma meramente *institucional* que prohíbe en aquel país
el pago de intereses a los depósitos a la vista. En 1950, por ejemplo, el valor total de los depósitos a plazo era poco más de un tercio
del de los depósitos a la vista. Al final de 1969, los depósitos a
plazo *superaban* a los depósitos a la vista en casi un tercio.

   ¿Consideraremos los depósitos a plazo como parte integrante
de la cantidad de dinero? Si lo hacemos así, ¿por qué no considerar
también dinero a los préstamos a corto plazo al sector público, que
son casi tan dinero como los depósitos a plazo?

   Un enfoque posible es considerar como dinero a varias formas
de cuasi-dinero, pero asignándoles un *peso* menor que al dinero en
efectivo o a los depósitos a la vista. Como una peseta en un depósito a plazo es «cuasi» dinero, pero no lo es del todo, podríamos
considerar que su función como dinero la cumplirían igualmente,
por ejemplo, 0,95 pesetas en un depósito a la vista. Esto se expresa
a veces diciendo que 1 peseta en un depósito a plazo equivale en
«liquidez» a 0,95 pesetas, mientras que 1 peseta en un depósito a
la vista equivale en liquidez a 1 peseta. Según este enfoque, podría
concederse a *todos* los activos un contenido de «liquidez», y calcularse la liquidez total de la economía por suma de los contenidos de
todos los activos. Por desgracia, es mucho más fácil enunciar este
principio que determinar los valores numéricos apropiados para llevarlo a la práctica.

Cantidad de dinero

   Para nuestros modelos simplificados, consideraremos que la cantidad de dinero se compone de:

   1) *el efectivo o dinero legal en manos del público, más*
   2) *el importe total de los depósitos en cuentas corrientes a la
vista en los bancos.*

   Obsérvese que el efectivo encerrado en las cajas fuertes de los
bancos o en la tesorería del Estado no es parte del efectivo en manos
del público y debe, pues, ser excluido.

   La *cantidad* de dinero, u *oferta* monetaria de la economía, se
regula mediante el control de las cosas que se emplean como di-

   * El mismo fenómeno ha sucedido en España, donde al aumento del tipo
de interés se han unido también razones institucionales (aunque distintas de la
norma de los Estados Unidos a que se refiere el texto). En 1975, el valor total
de los depósitos de ahorro y a plazo en el sistema crediticio de España era más
del doble del total de los depósitos a la vista.—*(N. del T.)*

nero. La oferta de efectivo es controlada directamente: el Estado
(o el agente en el que haya delegado) imprime nuevos billetes de
banco, y retira y quema parte de los viejos cuando los recibe del
público. La oferta total de depósitos bancarios es controlada de forma más indirecta, a través de las interconexiones existentes dentro
del sistema bancario. Este último aspecto del control monetario
es el objeto de los dos capítulos siguientes.

RECAPITULACIÓN 26.6. *Cualquier cosa es dinero si funciona como
dinero. La propiedad más importante que ha de poseer es la aceptabilidad universal en los intercambios, tanto ahora como en el futuro.
Como nadie cambiará bienes escasos por algo que no es escaso, el
dinero tiene que ser escaso y esperarse que continúe siéndolo. Los
billetes de banco no son más que trozos de papel, pero los mantiene
escasos una autoridad monetaria que limita el número de los que se
imprimen. Los depósitos en cuentas corrientes a la vista pueden también funcionar como dinero porque los cheques se usan como medios
de pago. Estos depósitos son mantenidos asimismo escasos por medio
de la estructura del sistema bancario. En la teoría económica moderna consideramos dinero la moneda metálica, el papel moneda y los
saldos de las cuentas corrientes a la vista.*

RESÚMENES DE LAS SECCIONES. *Para repasar el contenido de este capítulo, hojéese el texto y vuélvanse a leer los trozos titulados «Recapitulación» que ponen fin a todas las secciones.*

TÉRMINOS Y CONCEPTOS DEL CAPÍTULO 26

   Saldos para transacciones
   Liquidez
   Saldos reales
   Ecuación del cambio
   Velocidad del dinero
   Teoría cuantitativa
   Cuasi-dinero.

EJERCICIOS

1. Si los miembros de una economía desean mantener, por término medio, unos saldos monetarios iguales al gasto de dos semanas,
y toda la renta se gasta, ¿cuál será el nivel deseado de los saldos
monetarios cuando la renta agregada sea de 390 millones de pesetas
anuales?

2. ¿Cuál será el nivel deseado de los saldos monetarios en la economía anterior si no cambia nada en ella excepto el nivel de precios, que sube un 10 por 100?

3. Si el aumento del nivel de precios anterior va acompañado de una subida del tipo de interés (sin ninguna otra variación en la economía), ¿cree usted que el nivel deseado de saldos monetarios será más alto o que será más bajo que el de su respuesta al ejercicio 2? ¿Será más alto o será más bajo que el de su respuesta al ejercicio 1?

4. ¿Qué variación del nivel de precios prediciría la teoría cuantitativa, si la renta real se eleva un 2 por 100 y la cantidad de dinero aumenta un 4 por 100?

PARA REFLEXIÓN Y DISCUSIÓN

1. «El dinero es la raíz de todos los males.» ¿Qué sentido cree usted que tiene la palabra «dinero» en esta famosa cita bíblica?

2. En tiempos anteriores al papel moneda, los reyes acostumbraban a «rebajar» de cuando en cuando la moneda del país reduciendo en la acuñación la proporción del metal de mayor valor. ¿Perjudicaría al sistema monetario una acción de este tipo?

3. Inmediatamente después de la segunda guerra mundial, en algunos países de Europa los cigarrillos desempeñaron el papel del dinero durante un breve período. Considérense las ventajas e inconvenientes de los cigarrillos para esta finalidad.

4. Supóngase que nadie quisiera en modo alguno mantener saldos monetarios, y que todos trataran de gastar inmediatamente sus ingresos en efectivo íntegros. ¿Podría haber entonces un stock de dinero? ¿En qué forma sería mantenido?

5. Supóngase que de la noche a la mañana desaparecen todas las comunicaciones instantáneas (teléfono, telégrafo, radio), quedando sólo para comunicarse el servicio postal. Permaneciendo constantes la renta y los tipos de interés, ¿cree usted que cambiaría la demanda de saldos monetarios? En caso afirmativo, ¿en qué dirección?

Capítulo 27

BANCOS COMERCIALES

27.1. La función económica de los bancos

*Cómo aumentan los bancos la eficacia del stock de dinero
en efectivo y del flujo de fondos para inversión*

Los bancos son *intermediarios financieros,* es decir, son canales
por los cuales fluyen los fondos desde los consumidores, que no
quieren gastarlos por el momento, hasta las empresas (y el sector
público), que pueden hacer uso de ellos. Su papel como canalizado-
res de fondos les lleva, como una especie de consecuencia, a su
papel en la «creación» total de dinero. Existen otras instituciones
que funcionan como intermediarios financieros, pero concentraremos
nuestra atención en los bancos, porque nuestro principal interés está
en su papel monetario.

Supongamos que una persona desea (por las razones analizadas
en el capítulo anterior) mantener un saldo en dinero de 1.000 pesetas. Por supuesto, el saldo puede mantenerlo en efectivo, pero esto
tiene ciertos inconvenientes, como la posibilidad de pérdida o de
robo. Si esta persona, que consideramos típica, no *prevé* ningún motivo para hacer uso de este dinero en un futuro inmediato, buscará
algún lugar conveniente para guardarlo.

Uno de estos lugares es un banco comercial, que aceptará en
depósito el saldo en dinero con la promesa, que merece suficiente
confianza, de que aquella persona podrá retirar a su voluntad todo
o cualquier parte de su saldo. Es de suponer que si este servicio de
custodia le es útil a dicha persona, aceptará pagar algo —aunque
sea poco— a cambio.

Si terminara aquí esta historia, podríamos decir en conclusión que los bancos desempeñan una función útil, función que sería précisamente la que cumple el departamento de cajas fuertes en los bancos comerciales, pero nada más.

El efecto de las probabilidades conjuntas

Ahora bien, supongamos que se trata de 100 personas como esa, cada una de las cuales deposita sus 1.000 pesetas en el mismo banco. Este banco tiene, pues, unos depósitos que totalizan 100.000 pesetas, todas ellas recibidas en dinero efectivo. Si el banco opera como una simple caja fuerte, encerrará bajo llave ese dinero, quedando éste dispuesto para poder devolver a cualquiera de los depositantes que lo solicite una parte cualquiera de su depósito original. Pero el verdadero papel de los bancos, el que los diferencia de la mera actividad de mantener unas cajas fuertes para el público, se deriva de la siguiente consideración.

En circunstancias normales, la probabilidad de que todos los depositantes decidan retirar todos sus saldos al mismo tiempo es extremadamente pequeña.

Supóngase que estas personas mantienen principalmente sus saldos a fin de atender a diversas transacciones. Es improbable que todos perciban sus ingresos y realicen sus pagos al mismo tiempo. Si las 1.000 pesetas representan el nivel deseado del saldo en efectivo de cada individuo, este saldo podrá reducirse temporalmente por razón de sus pagos, pero lo repondrá cuando obtenga un ingreso.

Por tanto, cada saldo individual fluctuará a lo largo del tiempo por encima y por debajo de la cantidad media de 1.000 pesetas, conforme se depositen o se retiren fondos. En cualquier momento el banco estará recibiendo depósitos de quienes están aumentando sus saldos y pagando a quienes los están rebajando. En las circunstancias normales que estamos suponiendo, las retiradas de fondos dentro de un período de tiempo suficientemente largo serán prácticamente iguales a los depósitos recibidos por el banco en el mismo período. Sin embargo, en un determinado día las retiradas podrán ser mayores o menores que los depósitos.

Necesidades de caja

Si los hábitos en cuanto a fechas de depósitos y retiradas de efectivo difieren ampliamente de unos depositantes a otros, la probabilidad de que éstos retiren todos sus saldos a la vez es pequeña. Por supuesto, es *posible* que todos deseen retirar su saldo completo el mismo día y que nadie haga depósitos ese día, en cuyo caso, el dinero efectivo que el banco habría de tener en caja sería igual al importe total de los depósitos. El funcionamiento de los bancos depende de las *probabilidades,* y podemos definir las necesidades de caja del siguiente modo.

————— Cápsula suplementaria 27.1 ————————————————

LA SEGURIDAD DE LOS GRANDES NUMEROS

Supongamos que las personas mantienen saldos en dinero a causa de la existencia de cierto riesgo de que un calendario posible pero incierto de transacciones, o una posible pero incierta necesidad de algún bien, obligue a disponer de ese dinero. Supongamos, para simplificar las operaciones, que cada persona mantiene un saldo en dinero de 1.000 pesetas y considera que la probabilidad de necesitarlo un día cualquiera es una entre diez: supongamos que en cualquier momento necesitará la totalidad del saldo o no necesitará nada. Así, la probabilidad individual de retirar el saldo, si está guardado en el banco, es 1/10.

Supongamos ahora que el banco tiene en total 100 depositantes con el comportamiento anterior. Si aceptamos que la probabilidad de que cualquier depositante desee retirar sus 1.000 pesetas es independiente de la conducta de los demás, ¿cuál es la probabilidad de que todos los depositantes quieran retirar todos sus fondos el mismo día? La respuesta (como la del problema de hallar la probabilidad de que salgan 100 caras tirando una moneda 100 veces) se obtiene multiplicando las probabilidades individuales: en este caso las probabilidades individuales son todas 1/10, así que la solución es $(1/10)^{100}$, o una en más de cien millones de billones. Por lo tanto, la probabilidad de que el banco necesite efectivo para cubrir el valor total de los depósitos es completamente despreciable.

Tomemos ahora un ejemplo todavía más simple, un banco con sólo diez depositantes, iguales a los anteriores. La probabilidad de que todos efectúen una retirada simultánea es $(1/10)^{10}$, o una entre diez mil millones: que sigue siendo despreciable a pesar del pequeño número de depositantes. Podemos calcular la probabilidad de que un determinado número cualquiera de depositantes quiera retirar sus fondos el mismo día, y si lo hacemos, veremos que existe una probabilidad de casi el 99 por 100 de que su número sea 3 o menor de tres. En otras palabras, con suficiente efectivo en caja para hacer frente a la retirada de tres depositantes (el 30 por 100 de todos los depositantes), el banco tiene una probabilidad de 1 entre 70 de quedarse sin dinero en caja. Si mantiene como reserva un efectivo igual al 50 por 100 de sus depósitos, la probabilidad de encontrarse falto de caja es menor de 1 entre 300.

Cuanto mayor sea el número de depositantes, menor será la probabilidad de que el banco se encuentre falto de efectivo, dada una determinada proporción entre reservas en efectivo y depósitos. Por supuesto, algunas veces las probabilidades de los depositantes no son independientes. Si se ha perdido la confianza en la capacidad del banco para hacer frente a sus obligaciones finales, el mismo impulso que lleva a un depositante a retirar sus fondos moverá a los demás, y el banco tendrá que cerrar sus puertas.

——

El banco necesita tener disponible en caja el efectivo suficiente para hacer frente al mayor exceso de retiradas sobre depósitos que tiene alguna probabilidad razonable de suceder.

Evidentemente, un efectivo en caja igual al volumen total de los saldos de los depositantes es suficiente para cubrir todos los riesgos. No obstante, excepto en circunstancias especiales que eliminan la aleatoriedad y hacen que todos los depositantes actúen al unísono (el temor a la quiebra de un banco, por ejemplo), un banco podrá hacer frente a sus necesidades de caja en todos los casos normalmente probables con mucho menos efectivo que el valor total de los saldos de las cuentas de sus depositantes: necesitará no más de una quinta parte de dichos saldos, o menos.

Supongamos que nuestro banco, con las 100.000 pesetas recibidas de sus depositantes, sabe por experiencia o por cualquier otra razón que podrá hacer frente a cualquier exceso previsto de las retiradas sobre los depósitos con un cuarto de aquella suma. Por tanto, necesita mantener en caja 25.000 pesetas del efectivo recibido en depósitos, pero no necesita mantener en efectivo las restantes 75.000 pesetas.

Préstamos bancarios

El banquero no puede apropiarse las 75.000 pesetas: éstas continúan siendo propiedad de los depositantes. Un banco puede no tener suficiente caja disponible para hacer frente a la demanda de retirada *inmediata* por parte de todos los depositantes, pero continúa siendo deudor de ellos en la cuantía de sus saldos totales. Ahora bien, el banquero puede *prestar* a otras personas las 75.000 pesetas, compensando su deuda o pasivo frente a los depositantes con una deuda a favor de él (un activo). Al prestar, puede percibir un interés, lo que proporciona un beneficio potencial en sus operaciones bancarias. El interés percibido por el banquero procede en última instancia (aunque puede haber varias fases intermedias) del rendimiento del capital (comprado con el préstamo) en un empleo productivo.

Utilidad social de los bancos

De esta forma, las reservas en efectivo de los 100 depositantes han sido canalizadas en parte hacia empleos productivos, aumentando el capital disponible de la economía. El banco ha actuado como intermediario, pero como intermediario *creador,* por cuanto ha aportado algo que no podrían haberlo conseguido los depositantes individualmente prestando a una empresa.

Supongamos que el banco no existiera, y que cada depositante mantuviese 250 pesetas en efectivo debajo del colchón y prestara 750 pesetas a una empresa para la compra de maquinaria. Sumando las cifras de los 100 depositantes se llegaría al mismo total que con el banco, pero ningún depositante individual podría recuperar inmediatamente sus 1.000 pesetas en efectivo: antes tendría que cancelar su préstamo a la empresa.

La existencia de los bancos faculta a las personas para mantener saldos en efectivo, disponibles a su voluntad (con plena liquidez), permitiendo a la vez que una parte del total de los saldos en efectivo quede sujeta a empleos de capital productivos.

Este resultado del funcionamiento de los bancos puede, pues, contemplarse desde dos puntos de vista: por una parte, los bancos permiten a las personas una mayor «liquidez», a partir de un determinado volumen de saldos en efectivo, que la que podrían conseguir sin aquéllos; por otra parte, se obtiene un mayor empleo «productivo» de los fondos. a partir de un cierto volumen de «liquidez», *conjuntando las probabilidades*. Cada *persona* puede disponer a voluntad del saldo de su depósito, aunque el efectivo total en caja sea menor que el valor total de los depósitos, pues la probabilidad de una retirada *simultánea* de fondos por todas las personas es baja. En este sentido, los bancos se asemejan a las compañías de seguros.

Cheques

No obstante, aunque toda persona pueda retirar a su demanda una parte cualquiera de su saldo, el depósito bancario presenta algunos inconvenientes en comparación con el efectivo disponible en caja. Suponiendo despreciable el riesgo de que el banco *no* pueda satisfacer la demanda de retirada de fondos de una persona en particular, la mayoría de los inconvenientes son institucionales. El banco no está abierto las veinticuatro horas del día. ni los siete días de la semana, así que no podrá ser siempre retirado dinero de los depósitos en el momento exacto en que se necesite. Un banco está localizado físicamente en un lugar concreto, que puede no ser donde el individuo se halla en el momento en que necesite dinero en efectivo.

Muchos de estos inconvenientes puramente institucionales se salvan mediante el uso de *cheques*. En lugar de ir al banco, retirar el efectivo y utilizarlo para pagar una factura, el depositante escribe una nota al banco dándole instrucciones para pagar a la persona en cuestión una suma que el banco deducirá del depósito. Esta nota es el cheque. Su aceptación será algo menor que la del dinero en efectivo, pues el aceptante del cheque corre cierto riesgo de que el pagador no tenga suficiente saldo en el banco y, por tanto, que el banco no lleve a término la instrucción contenida en el cheque. Sin embargo, el cheque tiene algunas ventajas propias, como la de permitir a quien lo recibe el cobro de grandes sumas en un trozo pequeño de papel en vez de verse obligado a cargar con una maleta llena de dinero.

Dadas las ventajas e inconvenientes de mantener depósitos bancarios en comparación con el dinero en efectivo, la mayoría de los individuos decidirán retener algún dinero en efectivo (principalmente para pequeñas transacciones), y colocar el resto de sus saldos monetarios en forma de depósitos bancarios. En Estados Unidos, muy poco más del 10 por 100 de los saldos monetarios se mantiene en efectivo (esto es, en dinero legal), hallándose el resto en depósitos bancarios *. La relación entre caja en manos de particulares y depósitos es mayor en los países con sistemas bancarios menos desarrollados.

RECAPITULACIÓN 27.1. *Si muchos individuos depositan sus saldos en efectivo en un banco, la probabilidad de que todos los depositantes quieran retirar sus saldos íntegros el mismo día es extremadamente pequeña. El banco puede estar preparado para satisfacer todas las demandas de retiradas de fondos normalmente esperadas manteniendo saldos en efectivo mucho menores que el valor total de sus depósitos. La diferencia entre los depósitos totales y las reservas en efectivo que los bancos necesitan mantener en caja puede ser prestada al sector público, a las empresas o a las personas, dando un interés al banco y proporcionando fondos para la inversión productiva.*

27.2. Balances bancarios

El activo y el pasivo de un banco

Un *balance* es un cuadro trazado para describir lo que una institución posee o a ella se le adeuda (su *activo*) y lo que ella adeuda a otros (su *pasivo*).

Para un banco, la principal partida de su pasivo son los depósitos, pues el banco adeuda a cada depositante el saldo total de su cuenta. El banco puede haber tomado dinero a préstamo o emitido acciones a fin de tener algún capital inicial con el que empezar sus operaciones, y éstas también serán partidas del pasivo.

En nuestro análisis anterior, partimos de la existencia de una sola clase de depósitos. Esta corresponde a los *depósitos a la vista,* que pueden ser retirados instantáneamente a demanda del depositante. Existen también *depósitos a plazo,* de los que el depositante puede retirar fondos solamente después de un plazo determinado o previa notificación. Evidentemente, el banco no tiene que mantener la misma proporción de reservas de caja con los depósitos a plazo que con los depósitos a la vista; y como aquéllos son también menos cómodos para los depositantes, el banco pagará normalmente un interés mayor en los depósitos a plazo.

Activo

Si el banco mantiene reservas en caja iguales al total de sus depósitos, el activo principal será la caja o efectivo. Sin embargo, y como hemos visto, la aportación del sistema bancario consiste en

---

* En España, el efectivo en manos del público representó en 1975 el 26,8 por 100 de la oferta monetaria (efectivo en manos del público más depósitos a la vista). *(N. del T.)*

economizar efectivo, así que el banco concederá *préstamos* en una proporción considerable de sus depósitos. Normalmente, un préstamo hecho directamente por el banco a una persona o a una empresa se denomina simplemente «préstamo», pero un préstamo al Estado se hace comprando un *bono* o título de la *Deuda Pública*. Un banco hará normalmente parte de sus préstamos al sector público, aun cuando el tipo de interés sea menor que el de los préstamos a empresas o a personas, porque no hay riesgo de fallo: los préstamos al sector público aparecen en el balance bajo la denominación «*papel del Estado*». La distribución de los préstamos entre el sector público y el sector privado es, como toda la práctica bancaria, un problema de equilibrio entre mayores rendimientos (interés) y mayor riesgo de fallo.

La tabla 27.1 refleja el balance de un banco comercial «medio» en los Estados Unidos; es decir, el balance que tendríamos ante nosotros si hubiera en ese país exactamente 10.000 bancos idénticos entre sí, y se basa en las cifras de 1970. El banco comercial medio en los Estados Unidos es, en realidad, algo más pequeño, pues el número de bancos está más cerca de 14.000 que de 10.000.

Tabla 27.1

*Balance de un banco comercial medio
en los Estados Unidos en 1970*

Categoría	Millones de dólares	Comentario
Pasivo total	58,2	
Depósitos	48,6	24,9 en depósitos a la vista y 23,7 en depósitos a plazo
Capital de los accionistas y otros	9,6	
Activo total	58,2	Tiene que ser igual al Pasivo total
«Caja» [a]	9,4	El dinero en efectivo de que dispone el banco asciende solamente a 0,7 millones de dólares [a]
Papel del Estado	12,7	
Préstamos	30,0	Préstamos comerciales e industriales, 11,3 millones de dólares
Activos físicos y otros	6,1	

[a] Incluye los depósitos de reserva en el Sistema de la Reserva Federal, cuya naturaleza y función se analiza en el capítulo siguiente. A los efectos de nuestro análisis básico presente, tales depósitos pueden considerarse equivalentes al efectivo en caja.

──────── **Cápsula suplementaria 27.2** ────────────────

EL DESARROLLO DE LOS BANCOS COMERCIALES EN LOS ESTADOS UNIDOS

Existen pocos aspectos de la economía en los que la evolución histórica como determinante de la estructura presente tenga más importancia que en el caso de la banca. El sistema de los bancos comerciales en los Estados Unidos, único en muchos aspectos, es el resultado de su contexto histórico. Aunque la banca comercial estaba bien establecida en Europa en el siglo XVII (si bien no en su moderna forma, todavía) no se desarrolló realmente en Estados Unidos hasta después de la guerra de la Independencia; por cierto, George Washington mantuvo su cuenta corriente en el Banco de Inglaterra durante todo el transcurso de aquella guerra. Antes de 1838, se exigía a todo nuevo banco que el Congreso o la Legislatura del Estado aprobase su escritura de constitución, por lo que el número de bancos se mantuvo relativamente bajo, aunque a los bancos de plena titulación había que agregar los bancos privados registrados como sociedades en comandita.

Sin embargo, en 1838 el Estado de Nueva York aprobó una disposición por la que se autorizaba la «banca libre». En virtud de esta ley, cualquier persona o grupo de personas podía abrir un banco, a condición de sastisfacer ciertos requisitos, principalmente el de suscribir garantías (bonos del Estado) por el valor de todos los billetes de banco emitidos. La legislación de Nueva York fue pronto copiada por la mayoría de los estados, con lo que el número de bancos aumentó rápidamente durante el medio siglo siguiente: de escasamente 500 en 1834 a casi 10.000 en 1895. Los bancos variaban enormemente en cuanto a su dimensión, estructura del activo y calidad de sus directores, y la mayoría fueron bancos estrictamente locales. La combinación de una mala administración con una tradición bancaria incauta y una localización desacertada produjo una larga historia de quiebras de bancos durante los períodos de crisis económica en los Estados Unidos: 140 bancos quebraron en 1878 y casi 500 en 1893.

La desconfianza hacia los banqueros se tradujo en la virtual prohibición de establecer sucursales bancarias en Estados Unidos, y tampoco existió una estructura bancaria central a lo largo de la mayor parte del siglo XIX. La banca local es por su propia naturaleza más inestable que la banca con sucursales; por ejemplo, el banco local en una comarca maicera acaba concediendo la mayor parte de sus préstamos a los cultivadores de maíz, con lo que, si falla la cosecha, quiebra el banco: en el momento justo en que menos pueden permitirse los ciudadanos de la localidad la pérdida de sus depósitos bancarios. Por el contrario, un banco con muchas sucursales tendrá algunas de éstas en zonas donde haya habido una buena cosecha, o donde los prestatarios trabajan en otros sectores sin relación con el cultivo del maíz.

Por razón de esta tradición de banca libre y oposición al sistema de sucursales, el sistema de bancos comerciales en Estados Unidos se compone de un número muy grande de bancos de muy distinto tamaño. No obstante, el Sistema de la Reserva Federal y diversas leyes bancarias del siglo XX han impuesto unas pautas más rigurosas de conducta bancaria que las que existían en el siglo XIX.

Estructura del activo

Si prescindimos de la distinción, del lado del pasivo, entre depósitos a la vista y depósitos a plazo y, también, del pequeño capital de los accionistas, lo más importante en el balance de un banco es la *estructura del activo:* la división del activo total en caja, papel del Estado y préstamos bancarios ordinarios.

La actividad bancaria, como actividad empresarial, consiste principalmente en organizar y manejar la estructura de su activo. El efectivo en caja permite al banco atender las demandas inmediatas de retirada de fondos, pero no proporciona ningún rendimiento. Tanto el papel del Estado como los préstamos bancarios producen un interés, pero no se pueden convertir inmediatamente para hacer frente a las demandas de retirada de fondos. El papel del Estado da menos interés que los préstamos bancarios, pero no supone peligro alguno de incumplimiento por parte del prestatario. Por tanto, el banco persigue una estructura de su activo que contenga suficiente efectivo en caja para atender a todas las demandas de retirada de fondos con probabilidades de ocurrir, pero en la que los activos restantes estén en forma tal que produzcan intereses. Buscará también el equilibrio adecuado entre el papel del Estado, activo seguro pero que produce un interés bajo, y los préstamos comerciales, con mayor riesgo pero también de mayor rentabilidad.

Para un análisis sencillo, supondremos que sólo existen dos clases de activos, caja y préstamos, ignorando la distinción entre los diferentes tipos de préstamos.

Una división adecuada de los activos entre caja y préstamos puede estar determinada por entero por los bancos (como sucedía antes en la práctica) o puede estar sujeta a restricciones por el Estado (o por organismos paraestatales), como sucede hoy en la mayoría de los países. Para simplificar los ejemplos numéricos, supondremos en general que los bancos desean mantener un *coeficiente de caja* del 20 por 100: es decir, que organizarán la estructura de su activo de tal modo que el 20 por 100 del total esté en forma de efectivo en caja. Una ojeada a la tabla 27.1 mostrará que el coeficiente en Estados Unidos es, de hecho, algo menor (alrededor del 17 por 100), pero tomaremos el 20 por 100 para redondear.

Si permanecieran invariables tanto el pasivo total como el activo total del banco, poco podría éste hacer. Pero en la práctica hay cambios continuos —los depósitos suben y bajan, la caja aumenta y disminuye— y es la reorganización de la estructura del activo en respuesta a tales cambios lo que determina el comportamiento bancario y el papel de los bancos en la economía.

RECAPITULACIÓN 27.2. *Un balance es una descripción de lo que una institución posee y lo que a ella se le adeuda (activo), así como*

de lo que ella adeuda a otros (pasivo). Por definición contable, el acti-
vo total tiene que ser igual al pasivo total. Las principales partidas
del pasivo de un banco son los depósitos, esto es, lo que el banco
adeuda a sus depositantes. Hay dos activos principales: las reservas
de caja del banco y los préstamos hechos por el banco. Estos últi-
mos son activos porque representan lo que otros deben al banco.
La actividad bancaria, como actividad empresarial, consiste principal-
mente en reajustar la estructura del activo: la proporción entre re-
servas de caja y préstamos.

27.3. Cobro y compensación de cheques

Cómo se mueven los cheques y se realizan
los pagos dentro de un banco y entre bancos

Los bancos comerciales modernos aceptan depósitos, normalmente en forma de cheques contra ellos mismos o contra otros bancos,
pagan cheques extendidos contra cuentas mantenidas dentro del banco en cuestión, conceden préstamos y reciben reembolsos sobre
préstamos, y compran y venden papel del Estado y otros valores
mobiliarios. Cada una de. estas transacciones ha de ser entendida
en su relación con el banco comercial en cuestión y con el sistema
bancario en su conjunto.

En primer lugar, consideremos las transacciones a que da lugar
un cheque extendido por un depositante industrial. Supongamos que
tanto Sánchez como Jiménez tienen cuenta en el Banco Primero, y
que Sánchez paga a Jiménez 1.000 pesetas extendiendo un cheque
contra su cuenta. Jiménez tiene dos opciones: puede *hacer efectivo*
el cheque yendo al banco y recibiendo 1.000 pesetas en dinero efectivo, o puede *depositar* el cheque en su propia cuenta. Si Jiménez
hace efectivo el cheque, el banco pierde 1.000 pesetas en efectivo,
y desde el punto de vista del banco el resultado es exactamente el
mismo que si Sánchez hubiera retirado de su cuenta 1.000 pesetas
en efectivo y hubiera pagado a Jiménez con ellas.

Consecuencias sobre el balance

Tanto si es Sánchez como si es Jiménez quien hace efectivo el
cheque, el resultado sobre el balance del banco es el mismo. Reduce
simultáneamente su pasivo (el saldo bancario de Sánchez) y su activo
(pérdida de efectivo en caja) en 1.000 pesetas, como se refleja en
el siguiente balance:

BALANCE DEL BANCO PRIMERO

(Pesetas)

PASIVO   ACTIVO

1. Antes de hacerse efectivo el cheque

Depósitos	10.000	Caja	2.000
		Préstamos	8.000
	10.000		10.000

2. Después de hacerse efectivo el cheque

Depósitos	9.000	Caja	1.000
		Préstamos	8.000
	9.000		9.000

Aunque activo y pasivo siguen siendo iguales, la *estructura del activo* del banco ha cambiado. Inicialmente había en caja un 20 por 100 del activo total, mientras que ahora la proporción ha descendido a un 11,1 por 100 (1/9) solamente como resultado de hacerse efectivo el cheque. Este hecho puede obligar al banco a realizar otros movimientos —exigiendo, por ejemplo, el reembolso de algunos préstamos— a fin de recuperar la estructura deseada de su activo.

Por el contrario, si Jiménez deposita el cheque, el banco no hace sino modificaciones contables: reduce el saldo de la cuenta de Sánchez en 1.000 pesetas, aumenta el de Jiménez en 1.000 pesetas, sella el cheque para indicar que se ha completado la transacción y devuelve el cheque cancelado a Sánchez para su archivo *, con lo que no hay ningún cambio en la posición total del banco. La suma total adeudada a los depositantes no ha cambiado; debe 1.000 pesetas menos a Sánchez, pero 1.000 pesetas más a Jiménez. El balance del banco no ha sido afectado en absoluto.

Transacciones interbancarias

Consideremos ahora el problema de los cheques interbancarios. Si Sánchez, que tiene una cuenta en el Banco Primero, paga con un cheque a Jiménez, que tiene una cuenta en el Banco Segundo, de nuevo Jiménez tiene dos opciones. Puede ir al Banco Primero y re-

---

* En algunos países, los talones bancarios pagados son devueltos por el banco a fin de mes al titular de la cuenta corriente, quien los puede conservar como recibos de sus pagos.—*(N. del T.)*

cibir dinero en efectivo retirado directamente de la cuenta de Sánchez o, lo que es más usual, puede entregar este cheque a su *propio* banco (el Banco Segundo) dándole instrucciones escritas para que recaude ese dinero y lo deposite en su cuenta.

El Banco Segundo esperará hasta el final de la jornada, reunirá todos los cheques depositados en las cuentas de sus propios clientes que se han extendido contra cuentas del Banco Primero, y después los mandará con un empleado al Banco Primero. Este banco, tras asegurarse de que los cheques son válidos, pagará al Banco Segundo la suma requerida.

Pero generalmente se habrán depositado en las cuentas del Banco Primero muchos cheques extendidos contra cuentas en el Banco Segundo. Por tanto, se pedirá su pago al Banco Segundo. En lugar de hacer que el empleado de este banco reciba el dinero en efectivo correspondiente a los cheques extendidos contra el Banco Primero y lo transporte al otro lado de la ciudad, mientras que el empleado del Banco Primero también está trasladando una cantidad grande de dinero en la dirección opuesta, los bancos pueden ponerse de acuerdo para trasladar solamente la *diferencia* entre las dos cantidades.

Supongamos que los cheques ingresados en el Banco Segundo y extendidos contra cuentas del Banco Primero suman durante un día determinado 9.830 pesetas, mientras que los cheques ingresados en el Banco Primero pero extendidos contra cuentas del Banco Segundo suman 10.120 pesetas: las transacciones entre los dos bancos pueden compensarse en este caso por medio de una *sola* transferencia de 290 pesetas del Banco Segundo al Banco Primero, en lugar de transferir 9.830 pesetas en una dirección y 10.120 pesetas en la dirección opuesta. Si los cheques extendidos contra las cuentas del Banco Primero hubieran sido superiores en valor, la transferencia habría tenido lugar en la otra dirección.

Compensación bancaria

El proceso por el que los bancos comparan las cantidades que se adeudan recíprocamente y transfieren solamente la diferencia, se conoce por *compensación* o *liquidación*.

Con un número muy grande de bancos, esta compensación no se hace entre cada dos bancos, como en el ejemplo anterior, sino *multilateralmente,* con lo que hay un ahorro incluso mayor en el volumen de dinero en efectivo que realmente se traslada de unos bancos a otros. Con la compensación multilateral, un banco individual paga a una cámara central, o percibe de ella, la diferencia entre el valor total de sus cheques depositados en todos los demás bancos y el total de los cheques depositados en sus propias cuentas extendidos contra cualesquiera otros bancos.

Un sistema de compensación de cheques implica que un banco individual pierde o recibe efectivo sólo en la medida en que los cheques extendidos contra él difieran en su total de los depósitos hechos en él, o en la medida en que los cheques extendidos contra sus cuentas sean hechos efectivos. Su balance sólo es afectado en la ganancia o pérdida neta de caja que se produzca, y el efecto es el mismo que si un depositante en el banco hiciera una retirada (o un depósito) de fondos igual a aquella suma.

RECAPITULACIÓN 27.3. *La gran masa de las transacciones de los bancos comerciales se lleva a cabo mediante cheques, que son cartas con instrucciones a un banco para que proceda a hacer ciertos pagos con cargo a determinadas cuentas. Normalmente, la persona que recibe un cheque lo deposita, esto es, da instrucciones a su banco para que lo cobre y lo abone en su cuenta aumentando su saldo en la correspondiente cantidad. Si un cheque se extiende contra una cuenta en un banco y se deposita en otro, se origina una transacción interbancaria. Estas transacciones se efectúan por «compensación», por la que los bancos compensan los cheques extendidos contra sus cuentas con los cheques de otros bancos depositados en ellas, y solamente la diferencia da lugar a un movimiento interbancario de dinero en efectivo.*

27.4. Operaciones de préstamo

Cómo hacen préstamos los bancos,
y cuáles son las consecuencias

Consideremos ahora lo que ocurre cuando el banco hace un préstamo. Operaremos con un ejemplo simple del Banco Primero, cuyo pasivo (compuesto sólo de depósitos) es de un millón de pesetas, y cuyos activos iniciales son 220.000 pesetas en caja y 780.000 en préstamos.

Supongamos que el Banco Primero acuerda prestar 20.000 pesetas a Rodríguez, que es uno de sus depositantes. Tras el acuerdo y la firma de los documentos, el banco no necesita hacer más que un asiento contable que refleje el aumento del saldo de Rodríguez en 20.000 pesetas, aunque también puede darle un cheque para que lo deposite, lo que produce el mismo resultado. En su balance, su pasivo aumenta en 20.000 pesetas (incremento de depósitos), mientras que su activo también aumenta en 20.000 (el préstamo). El efecto inicial sobre el balance será el siguiente:

BALANCE DEL BANCO PRIMERO

(Miles de pesetas)

PASIVO ACTIVO

1. Antes del préstamo a Rodríguez

Depósitos	1.000	Caja	220
		Préstamos	780
	1.000		1.000

2. Inmediatamente después del préstamo

Depósitos	1.020	Caja	220
		Préstamos	800
	1.020		1.020

Efectos inmediatos

Obsérvese que de la concesión del préstamo se han derivado inmediatamente dos hechos:

1) Tanto el pasivo del banco como su activo han aumentado en la cantidad del préstamo. En particular, el banco ha aumentado el valor total de los depósitos que mantiene: un banco puede aumentar a voluntad los depósitos creando una suma igual de activos en forma de préstamos.

2) La *estructura* del activo del banco se ha modificado. El coeficiente de caja (relación entre reservas de caja y activos totales) ha disminuido, pasando del 22 por 100 al 21,5 por 100.

Por tanto, si bien el banco puede aumentar a voluntad sus depósitos haciendo más préstamos, cada nuevo préstamo reduce el coeficiente de caja (que en este caso es igual al cociente entre caja y depósitos), y el banco aumenta su riesgo de encontrarse con una caja insuficiente para atender a la demanda potencial de retirada de fondos.

Efectos subsiguientes

La reducción del cociente entre caja y depósitos del banco (que en este caso es igual al coeficiente de caja) tenderá en realidad a ser mayor que la aparente después del efecto inmediato. Normalmente, habrá alguna pérdida de efectivo en caja a consecuencia de las actividades de Rodríguez una vez que se le ha concedido el préstamo. Probablemente ha obtenido el préstamo para algún fin como, quizá, la compra de equipo de capital para su empresa. Obtenido el préstamo, procederá a extender cheques por el valor de las cosas que compra.

Probablemente, algunos de estos cheques acabarán depositándose en otras cuentas del Banco Primero, otros serán convertidos en efectivo y otros serán depositados en otros bancos. El Banco Primero perderá algo de caja (en ningún caso perderá más de 20.000 pesetas), a causa de los cheques no depositados en ese banco. Si se pagan cheques por valor de 5.000 pesetas a otros depositantes del Banco Primero que no los hacen efectivos, el banco habrá:

1) perdido 15.000 pesetas de caja;
2) reducido su pasivo en 15.000 pesetas, pues el saldo de Rodríguez ha disminuido en 20.000, mientras que otros depósitos han aumentado en 5.000.

La situación final será entonces:

BALANCE DEL BANCO PRIMERO

(Miles de pesetas)

PASIVO   ACTIVO

3. Situación final

Depósitos	1.005	Caja	205
		Préstamos	800
	1.005		1.005

La relación de caja a depósitos (=activos totales) en el Banco Primero ha disminuido ahora al 20,4 por 100, cuando antes del préstamo era del 22 por 100.

Préstamos y coeficiente de caja

Podemos suponer que un coeficiente de caja del 20 por 100 o superior es considerado de suficiente seguridad por la comunidad bancaria, por lo que el Banco Primero no se preocupa de las consecuencias de haber hecho el préstamo.

De hecho, tenemos que suponer que el préstamo se concedió principalmente porque el coeficiente de caja original (22 por 100) era más alto que lo necesario, y el Banco Primero procedió a ajustar la estructura de su activo de modo que aumentara la relación de préstamos a caja (los primeros producen un interés, mientras que la caja no rinde nada). Es decir, el Banco Primero tenía inicialmente un exceso de caja.

Concediendo préstamos, un banco puede siempre reducir el coeficiente de caja a la vez que aumenta el rendimiento que obtiene de los activos que producen un interés.

El proceso también funciona a la inversa. Si un banco encuentra que su coeficiente de caja es demasiado bajo, puede siempre elevarlo cancelando algunos préstamos. Precisamente por esta razón, una parte de los préstamos de los bancos se hacen normalmente «a término abierto», en los cuales el prestatario tiene que devolver el préstamo a la demanda o tras un aviso con poca antelación. Si el préstamo de Rodríguez se cancela posteriormente, el saldo de su cuenta (y por tanto, los depósitos totales) disminuirá en 20.000 pesetas, y el activo total disminuirá en la misma cantidad. Esto eleva de por sí el coeficiente de caja (puesto que disminuyen los depósitos), pero puede haber también alguna entrada de caja porque Rodríguez deposite cheques o ingrese efectivo en el banco para elevar de nuevo el saldo de su cuenta.

Cuando el Banco Primero hace su préstamo y Rodríguez lo emplea en la compra de bienes de equipo, los resultados finales no se limitan únicamente al Banco Primero. Suponíamos que 15.000 de las 20.000 pesetas del préstamo se cobraron en efectivo o se depositaron en otros bancos. Supóngase, por ejemplo, que en realidad se retiraron 4.000 pesetas de caja por medio de cheques, mientras que 11.000 se depositaron en el otro banco existente: el Banco Segundo. Este pasa por los siguientes cambios:

1) El valor total de sus depósitos aumenta en 11.000 pesetas.
2) Efectivo por valor de 11.000 pesetas fluye a este banco desde el Banco Primero para saldar estos cheques, lo que aumenta la caja y el activo total en 11.000 pesetas.

Si el Banco Segundo tenía ya una caja equivalente al 20 por 100 de los depósitos, estos cambios *aumentarán* su coeficiente de caja, porque éste sólo se mantendría invariable si sus entradas de caja representasen el 20 por 100 de sus nuevos depósitos: en realidad, las entradas equivalen al 100 por 100 de los nuevos depósitos.

Por tanto, el Banco Segundo tendrá ahora un coeficiente de caja más alto, y puede ajustar la estructura de su propio activo haciendo más préstamos a sus depositantes.

En resumen, un cambio en los préstamos de un banco tendrá consecuencias para los demás bancos del sistema. Necesitamos, pues, investigar la relación entre los movimientos de caja y las operaciones de préstamo dentro de un *sistema* constituido por más de un banco.

RECAPITULACIÓN 27.4. *Cuando un banco hace un préstamo a uno de sus depositantes, aumenta el saldo de este depositante en la cuantía del préstamo. Esto hace aumentar el pasivo (depósitos) y el acti-*

*vo (préstamos) del banco en la misma cuantía. Se modifica asimismo
la estructura del activo, descendiendo su coeficiente de caja (cociente
entre sus reservas de caja y su activo total y, por tanto, entre sus
reservas de caja y sus depósitos). Las reservas disponibles establecen
un límite final al volumen de préstamos que pueden hacerse. Después de concedido un préstamo, el prestatario firmará cheques, de
los cuales solamente algunos serán depositados en el banco que dio
el préstamo. Habrá alguna salida de efectivo de la caja de este banco
a los demás bancos.*

27.5. Movimientos de caja de banco a banco

*Lo que ocurre cuando el efectivo
fluye de un banco a otro*

Consideremos un *sistema* bancario compuesto solamente, para
mayor simplicidad, por dos bancos: Banco Primero y Banco Segundo. Supongamos de nuevo que el pasivo de cada uno de ellos se
compone únicamente de depósitos y que los únicos activos son la
caja y los préstamos. Los dos bancos desean mantener una relación
de caja a depósitos del 20 por 100. Podemos entonces calcular para
cualquier nivel del activo la estructura de activos deseada por un
banco, que se compondrá de un 20 por 100 de caja y un 80 por 100
de préstamos.

Se suele considerar que la *caja* del banco es un dato, de manera
que calculamos la estructura deseada del activo partiendo de la
caja con que cuenta.

Equilibrio inicial

Podemos suponer que ambos bancos tienen el mismo tamaño,
con estructuras iniciales del activo a los niveles deseados, que se
reflejan en el balance siguiente:

BALANCE DEL BANCO PRIMERO. FASE 1 *

(Miles de pesetas)

				Estructura existente	*Estructura deseada, dada la caja existente*
PASIVO		ACTIVO			
Depósitos	1.000	Caja		200	(200)
		Préstamos		800	(800)
	1.000			1.000	(1.000)

* *El balance del Banco Segundo es idéntico.*

Proceso de transferencia

Consideremos primero lo que sucede si·un depositante retira 10.000 pesetas de la caja del Banco Primero y las deposita en el Banco Segundo, acaso porque no le es simpático el pagador del Banco Primero.

El Banco Primero pierde simultáneamente 10.000 pesetas de caja y 10.000 de depósitos: obsérvese que el activo (caja) y el pasivo (depósitos) cambian juntos, así que el balance del banco siempre está en equilibrio. Su balance pasará a ser el que se indica a continuación, que refleja la estructura (división del activo total en caja y préstamos) deseada de su activo, así como la estructura existente.

BALANCE DEL BANCO PRIMERO. FASE 2

(Miles de pesetas)

PASIVO		ACTIVO		Estructura existente	Estructura deseada, dada la caja existente
Depósitos	990	Caja	190	(190)
		Préstamos	800	(760)
	990		990	(950)

Para obtener la estructura del activo deseada, el Banco Primero quiere tener 760.000 pesetas en préstamos en vez de las 800.000 que tiene ahora. Reclamará la devolución de préstamos por valor de 40.000 pesetas (obsérvese que esta cifra es *cuatro veces* el valor de la caja perdida, pues la estructura deseada del activo es 1/5 en caja y 4/5 en préstamos). Después de este reintegro (que podemos suponer que no origina al principio ninguna transferencia de caja), tanto los depósitos como los préstamos habrán disminuido en 40.000 pesetas, lo que ofrece una nueva visión del balance:

BALANCE DEL BANCO PRIMERO. FASE 3

(Miles de pesetas)

PASIVO		ACTIVO		Estructura existente	Estructura deseada, dada la caja existente
Depósitos	950	Caja	190	(190)
		Préstamos	760	(760)
	950		950	(950)

──── **Cápsula suplementaria 27.3** ────────────────────────

OTRAS FUNCIONES DE LOS BANCOS

En el texto principal nos hemos concentrado en el papel de los bancos como instituciones monetarias, papel cumplido principalmente por los bancos comerciales regulares en los que se encuentran la mayoría de las cuentas corrientes. Hemos simplificado mucho las complejas funciones de los bancos a fin de poder analizar los aspectos monetarios. Aunque un banco que se encuentre con un exceso de reservas tratará de aumentar sus préstamos, tendrá que empezar por encontrar prestatarios cuyas promesas de devolución ofrezcan suficiente confianza para servir como activos del banco. Un banco puede conceder préstamos con muchos fines. Es tradicional que los préstamos se hagan principalmente a las empresas, pero los préstamos directos a los consumidores también han venido creciendo. En los Estados Unidos, los préstamos comerciales e industriales descendieron del 41 por 100 al 38 por 100 del total de los préstamos de 1940 a 1969, mientras que la proporción de los préstamos a personas individuales subió del 19 al 22 por 100. Los préstamos a los consumidores son más rentables, con un tipo de interés más elevado, pero tienen un riesgo mayor que los préstamos comerciales.

Aunque los bancos comerciales (bancos de depósitos en cuentas corrientes) dominan la cara monetaria de la banca, la otra función fundamental de la banca —la de canalizar recursos monetarios, de personas individuales y de otra naturaleza, hacia su empleo por las empresas— está más dispersa. Existen las *cajas de ahorro* y otras instituciones que aceptan principalmente depósitos a plazo, aunque con flexibilidad en las retiradas y en el empleo de fondos. Las *compañías de seguros de vida* también recogen ahorros individuales (en forma de primas) y prestan estos fondos, desempeñando un papel de intermediarios financieros.

───

Veamos ahora lo que sucede en el Banco Segundo. El primer impacto de la transferencia será que tanto la caja como los depósitos han aumentado en 10.000 pesetas, dando el nuevo balance siguiente:

BALANCE DEL BANCO SEGUNDO. FASE 2

(Miles de pesetas)

			Estructura existente	*Estructura deseada, dada la caja existente*
PASIVO		ACTIVO		
Depósitos	1.010	Caja	210	(210)
		Préstamos	800	(840)
	1.010		1.010	(1.050)

Existen *bancos de inversión* o industriales y otras sociedades financieras especializadas que canalizan fondos, normalmente de prestamistas en gran escala, hacia un gran número de usuarios. Por último, las empresas —no aquellas cuyo objetivo principal es el financiero— disponen de fondos, procedentes de los beneficios no distribuidos y de otras fuentes, que no proyectan utilizar inmediatamente en sus operaciones propias y que pueden ser prestados directamente o a través de bancos comerciales o de inversión. Incluso los *organismos oficiales* tienen algunos fondos disponibles.

En 1968, los recursos disponibles para inversión en los Estados Unidos sumaban 116.000 millones de dólares. Aproximadamente un tercio de esta cifra procedía de los bancos comerciales, un tercio de las instituciones de ahorro («asociaciones de ahorro y préstamo», compañías de seguros y cajas de ahorro) y el resto provenía de bancos de inversión, empresas no financieras y organismos oficiales. En 1969 hubo una drástica reducción de los fondos procedentes de los bancos comerciales, como resultado de la crisis financiera de 1969-1970.

La asociación directa entre industria y bancos comerciales es, por lo general, más débil en los Estados Unidos que en otros países. Por ejemplo, en Europa continental y Japón determinados bancos son con frecuencia grandes accionistas de ciertas empresas y canalizan directamente los fondos hacia las empresas asociadas con ellos. Una novedad reciente en los Estados Unidos ha sido la entrada de los bancos comerciales en el sector de las tarjetas de crédito. Como las tarjetas de crédito pueden, a largo plazo, afectar profundamente a los saldos en dinero que los consumidores desean mantener, es ésta una lógica extensión del campo de funciones monetarias de los bancos.

Ahora la estructura del activo del Banco Segundo no está en equilibrio, pues cuenta con un incremento de caja sin que haya habido cambio en las otras partidas del activo de su balance. Podemos contemplar el desequilibrio de dos formas distintas. Una consiste en observar que, para unos depósitos de 1.010.000 pesetas, el banco necesita unas reservas de caja de solamente 202.000. Como en caja hay 210.000, podemos considerar que se está manteniendo un *exceso de reservas* de 8.000 ($=210.000-202.000$).

Otra forma de ver la situación es observando que, al haber ahora 210.000 pesetas en caja, la estructura deseada del activo para el Banco Segundo exigirá 840.000 pesetas en préstamos, que es 40.000 más de los que realmente hay.

En las circunstancias de nuestro ejemplo, la reacción del Banco Segundo a la entrada de caja será tratar de prestar a alguien 40.000 pesetas. Por ejemplo, podría prestar a la misma persona a quien el Banco Primero exigió la cancelación de su préstamo.

Después de hacer el préstamo, el Banco Segundo tendrá su estructura del activo en la forma deseada, y su balance habrá pasado a ser el siguiente:

BALANCE DEL BANCO SEGUNDO. FASE 3

(Miles de pesetas)

			Estructura existente	Estructura deseada, dada la caja existente
PASIVO		ACTIVO		
Depósitos	1.050	Caja	210	(210)
		Préstamos	840	(840)
	1.050		1.050	(1.050)

Equilibrio final

Podemos consolidar ahora los balances de los dos bancos en la fase 3:

BALANCE CONSOLIDADO. FASE 3

(Miles de pesetas)

			Estructura existente
PASIVO		ACTIVO	
Depósitos	2.000	Caja	400
		Préstamos	1.600
	2.000		2.000

Este balance consolidado es exactamente igual al balance consolidado inicial de los dos bancos. Aunque el movimiento de caja entre los dos bancos ha originado en un banco una disminución de los préstamos igual a un múltiplo de la disminución de caja, también ha originado en el otro banco un aumento de los préstamos igual al mismo múltiplo del flujo de caja.

Por tanto, un movimiento de caja que se produzca por entero dentro del sistema bancario *(caja interna)* modifica la posición relativa de los bancos, pero los totales consolidados para el sistema bancario en su conjunto no se modifican, a condición de que las reservas guarden la misma proporción en todos los bancos. En particular, no resulta afectada la cifra total de depósitos de la economía en su conjunto (el componente más importante de la *cantidad de dinero*).

Pueden tener lugar ajustes posteriores a la fase 3, en la que detuvimos nuestro análisis. El beneficiario del nuevo préstamo del

Banco Segundo puede hacer pagos que acabarán yendo a las cuentas del Banco Primero. Estos ajustes tenderán a acercar algo los balances de los bancos, pero no los harán volver a la situación original. Con todo, el balance consolidado seguirá sin sufrir modificación.

RECAPITULACIÓN 27.5. *Si el efectivo retirado de un banco se deposita en otro, de manera que permanece dentro del sistema bancario, el primer banco encuentra ahora demasiado bajo su coeficiente de reservas de caja, mientras que el segundo lo encuentra demasiado alto. Supongamos que todos los bancos quieren que su estructura del activo se componga de una peseta en caja por cada cuatro pesetas de préstamos: un banco que pierda 10.000 pesetas de caja reducirá sus préstamos en 40.000, mientras que el que reciba las 10.000 pesetas aumentará sus préstamos en 40.000 pesetas. Mientras todo el dinero en efectivo permanezca dentro del sistema (caja interna), su movimiento de un banco a otro no afectará al nivel total de préstamos y depósitos en el sistema bancario en su conjunto.*

27.6. El efecto multiplicador del efectivo de origen externo

Lo que sucede cuando el efectivo fluye del exterior al interior del sistema bancario

Consideremos ahora lo que sucede al sistema bancario de la sección precedente si hay un aumento de la *caja externa,* esto es, efectivo que viene del exterior del sistema bancario, y no el que pasa simplemente de un banco a otro.

Caja externa es todo efectivo que inicialmente no estaba en la caja de ninguno de los bancos. Puede consistir en moneda metálica o billetes de banco recién fabricados por el Estado, dinero en efectivo, o su equivalente, procedente del exterior del país (por ejemplo, oro procedente de pagos del exterior), o incluso dinero que los consumidores habían tenido escondido en sus casas y llevan ahora a los bancos.

Supongamos, para concretar, que el sector público paga 10.000 pesetas por unos servicios adquiridos del sector privado y que el pago lo hace con billetes de banco recién impresos. El receptor de esa suma la depositará en un banco, por ejemplo, en el Banco Segundo. Si partimos de que tanto el Banco Primero como el Banco Segundo estaban inicialmente como en la fase 1 del análisis de la sección anterior, el Banco Segundo estará ahora en la misma situación en que estaba en aquel análisis después de la transferencia de caja procedente del Banco Primero. El balance del Banco Segundo en la fase 2 será el siguiente:

BALANCE DEL BANCO SEGUNDO. FASE 2

(Miles de pesetas)

			Estructura existente	Estructura deseada, dada la caja existente
PASIVO		**ACTIVO**		
Depósitos	1.010	Caja	210	(210)
		Préstamos	800	(840)
	1.010		1.010	(1.050)

El banco aumentará sus préstamos en 40.000 pesetas, como en la sección anterior, para elevarlos al deseado nivel de 840.000 pesetas. Si lo hace así, sus depósitos también aumentarán en 40.000 pesetas, lo que da su balance en la fase 3.

BALANCE DEL BANCO SEGUNDO. FASE 3

(Miles de pesetas)

			Estructura existente	Estructura deseada, dada la caja existente
PASIVO		**ACTIVO**		
Depósitos	1.050	Caja	210	(210)
		Préstamos	840	(840)
	1.050		1.050	(1.050)

Equilibrio final

En este caso no ha habido ninguna pérdida de caja para el Banco Primero, cuyo balance no se ha modificado. Podemos determinar el balance consolidado en la fase 3, sumando para cada partida las cifras invariadas del Banco Primero con las del Banco Segundo en su fase 3. Se ofrece también, para su comparación, el balance consolidado original (fase 1).

Si comparamos la fase 1 con la fase 3, vemos que la entrada en el sistema bancario de 10.000 pesetas de caja externa ha hecho aumentar:

1) la caja del sistema, en 10.000 pesetas;
2) los préstamos del sistema, en 40.000 pesetas;
3) los depósitos del sistema, en 50.000 pesetas.

El aumento de los depósitos es un *múltiplo* (que en este caso es 5) del aumento de la caja.

BALANCE CONSOLIDADO

(Miles de pesetas)

Estructura existente

PASIVO		ACTIVO	
		FASE 1	
Depósitos	2.000	Caja	400
		Préstamos	1.600
	2.000		2.000
		FASE 3	
Depósitos	2.050	Caja	410
		Préstamos	1.640
	2.050		2.050

La entrada de caja externa en el sistema bancario hará que los depósitos totales dentro del sistema aumenten en un múltiplo del aumento de caja.

Valor del multiplicador

No es difícil ver cuál será este múltiplo. Si todos los bancos mantuvieran un coeficiente de caja (porcentaje de la caja sobre los activos totales) del r por ciento, para aumentar en 100 pesetas el activo total se requeriría un aumento de r pesetas en la caja. Por tanto, un aumento de 1 peseta en la caja puede sustentar un aumento de $\dfrac{100}{r}$ pesetas en el activo total. Como el pasivo total es igual al activo total, y hemos partido de suponer que los depósitos constituyen el único pasivo, los depósitos aumentarán en $\dfrac{100}{r}$ pesetas por cada peseta de caja externa que entre.

Si el coeficiente de caja es del r por 100, los depósitos del sistema bancario en su conjunto aumentarán en un múltiplo del aumento externo del efectivo en caja, que será igual a $\dfrac{100}{r}$. Si el coeficiente de caja cambia, también cambiará el multiplicador.

─────── **Cápsula suplementaria 27.4** ───────────────────────

LA SECUENCIA DEL MULTIPLICADOR DE CAJA

El efecto multiplicador de la caja externa puede contemplarse como una secuencia, exactamente igual que el efecto multiplicador keynesiano de las inyecciones en la corriente de la renta. De esta forma, que a algunos lectores les puede resultar más fácil de seguir que la empleada en el texto principal, nos concentramos en el exceso de reservas y seguimos a través del sistema el flujo de los sucesivos préstamos, en vez de concentrarnos en la posición final de equilibrio.

Cuando se depositan 10.000 pesetas en efectivo de origen externo en el Banco Primero, este banco se encuentra con 10.000 pesetas más en depósitos, los cuales sólo exigen un aumento de caja de 2.000 pesetas. Tiene, por lo tanto, un exceso de reservas de 8.000 pesetas, que puede prestar. Hace entonces un préstamo de 8.000 pesetas en efectivo, que pueden ser depositadas en el mismo Banco Primero o en algún otro banco. Cualquiera que sea el banco que reciba el depósito, se encontrará con un aumento de 8.000 pesetas tanto en su caja como en sus depósitos. Como sólo necesita aumentar en 1.600 la caja (el 20 por 100 de 8.000) en respuesta a los nuevos depósitos, tiene un exceso de reservas de 6.400 pesetas, con el que puede hacer un préstamo en efectivo. Este nuevo préstamo hará aumentar los depósitos y la caja de algún banco en 6.400 pesetas, lo que le dará un exceso de reservas de 5.120 pesetas (es decir, 6.400 menos el 20 por 100 de 6.400 pesetas) y la posibilidad de hacer otro préstamo.

Cada sucesivo exceso de reservas y su préstamo correspondiente serán iguales al 80 por 100 del préstamo anterior. Los sucesivos préstamos irán dando origen a depósitos de la misma cantidad, que irán siendo, sucesivamente:

10.000; 8.000; 6.400; 5.120; 4.096; ...

──

Ocurrirá a la inversa cuando el sistema bancario en su conjunto *pierda* caja: por ejemplo, si el Gobierno retira dinero en efectivo de los bancos y lo quema. En este caso, los bancos tendrán que reducir sus préstamos y disminuirán sus depósitos, en un proceso simplemente inverso del descrito anteriormente.

Si el sistema bancario pierde caja, los depósitos disminuirán en un múltiplo de la pérdida de efectivo, siendo el valor del multiplicador igual a $\dfrac{100}{r}$

Ajustes interbancarios

Al analizar el proceso anterior, nos detuvimos en el momento en que el Banco Segundo había hecho nuevos préstamos y alcanzaba la estructura del activo que deseaba (fase 3). Por supuesto, habrá posteriores transacciones a medida que se gasten los nuevos préstamos. Estas solamente darán origen a transferencias bancarias y, como hemos visto, el balance consolidado del sistema bancario permanecerá invariable. Por tanto, el efecto total sobre el sistema bancario en su

Es una serie geométrica, cuya suma se acerca a 50.000 pesetas cuando tomamos un número suficiente de préstamos sucesivos.

En general, si el coeficiente de caja es del r por 100, el exceso de reservas asociado a un depósito en efectivo de 1 peseta será $\left(1-\dfrac{r}{100}\right)$ pesetas. Para una caja externa de 1 peseta, el primer préstamo será de $\left(1-\dfrac{r}{100}\right)$ pesetas. El siguiente será $\left(1-\dfrac{r}{100}\right)$ veces el anterior, o sea, $\left(1-\dfrac{r}{100}\right)^2$ pesetas, y así sucesivamente. Por lo tanto, el volumen total de préstamos (y el de depósitos) derivados de la peseta inicial vendrá dado por la suma de los términos de la serie:

$$1+\left(1-\frac{r}{100}\right)+\left(1-\frac{r}{100}\right)^2+\left(1-\frac{r}{100}\right)^3+\ \dots$$

Según el álgebra elemental, es la suma de los infinitos términos de una progresión geométrica, cuya razón es $\left(1-\dfrac{r}{100}\right)$. Esta suma viene dada por

$$\frac{1}{1-\left(1-\dfrac{r}{100}\right)}=\frac{100}{r}$$

que es el mismo multiplicador dado en el texto principal.

---

conjunto es el recogido en la fase 3, pues los ajustes posteriores sólo afectarán a las posiciones relativas de los bancos dentro del sistema.

Obsérvese que los depósitos en el sistema bancario aumentan en un múltiplo del volumen de caja externa que entra en el sistema. Como los depósitos bancarios son una forma importante de dinero, puede decirse de los bancos que *crean dinero* a través de este proceso de expansión multiplicada. En otras palabras, han entrado en el sistema 10.000 pesetas de caja externa, pero se han originado depósitos por valor de 50.000 pesetas. El sistema bancario ha «creado» 40.000 pesetas: no el total de 50.000, pues el efectivo podía haberse empleado como dinero en cualquier caso.

Cuando los coeficientes de reserva son constantes —y lo serán si no hay ningún cambio en la estructura económica que permita suponer probable un cambio en la proporción entre las retiradas de efectivo y los depósitos— no podemos considerar que un banco en particular esté «creando» dinero. Esto es así porque si nos fijamos en las operaciones de un *solo* banco, no podemos distinguir entre flujos de caja interna (en los cuales los nuevos depósitos creados por

un banco se equilibran con las reducciones de depósitos en otros
bancos) y flujos de caja externa (en los cuales los nuevos depósitos
no están compensados por otras reducciones). Para un banco individual, una entrada de caja tiene la misma apariencia si procede de
otro banco como si procede del exterior del sistema. Por otra parte,
puede decirse que el *sistema* bancario «crea» dinero, en el sentido de
que multiplica la caja de origen externo y, por tanto, genera depósitos (que son parte del dinero total) en exceso sobre la caja que
recibe. Con todo, el sistema bancario tampoco puede crear dinero
de la nada, así que la expansión de los depósitos bancarios requiere
una modificación del coeficiente de reserva o una variación del efectivo en caja del sistema.

RECAPITULACIÓN 27.6. *Si el efectivo depositado en un banco no
procede de otro banco, sino de fuera del sistema bancario (caja externa), el banco encontrará demasiado alto su coeficiente de reserva
y aumentará sus préstamos. Con un coeficiente de caja (porcentaje
de la caja sobre el activo total) del 20 por 100, el banco aumentará
sus préstamos en 400 pesetas por cada 100 pesetas de aumento de
caja. Sus depósitos aumentarán en 500 pesetas: 400 pesetas de préstamos y 100 pesetas de aumento de caja. Como no ha habido pérdida
de caja en otros bancos, habrá un aumento neto de los depósitos en
el sistema bancario. Con un coeficiente de caja del r por 100, los
depósitos del sistema bancario aumentarán en* $\dfrac{100}{r}$ *pesetas por cada
peseta de caja externa que entre en el sistema. Aunque puede que
estos depósitos no permanezcan en su totalidad en el banco que recibió inicialmente el nuevo efectivo, el efectivo total no se modificará dentro del sistema por los flujos interbancarios de caja subsiguientes.*

RESÚMENES DE LAS SECCIONES. *Para repasar el contenido de este
capítulo, hojéese el texto y vuélvanse a leer los trozos titulados «Recapitulación» que ponen fin a todas las secciones.*

TÉRMINOS Y CONCEPTOS DEL CAPÍTULO 27

   Intermediario financiero
   Estructura del activo
   Coeficiente de caja o de reserva
   Excedente de reservas
   Caja interna
   Caja externa
   Coeficiente multiplicador de caja

EJERCICIOS

1. Se considera, en una economía imaginaria, que el coeficiente de caja adecuado es del 10 por 100. Formúlese el balance de un banco comercial en dicha economía que está en equilibrio con un volumen total de préstamos de 74.700.000 pesetas.

2. Supóngase que, debido a ciertos cambios institucionales en la economía, se considera ahora completamente seguro para los bancos el mantener en caja solamente el 20 por 100 de sus activos, en lugar del 25 por 100 que mantenían antes. Si la caja ha permanecido invariable dentro del sistema bancario con un volumen de 100.000 millones de pesetas, ¿cuánto habrán cambiado los depósitos una vez alcanzado el nuevo equilibrio?

3. Una economía tiene dos clases de bancos comerciales. Los bancos situados en las zonas rurales son pequeños, con pocos depositantes, y consideran necesario un coeficiente de caja del 25 por 100. Los bancos de las zonas urbanas, con muchos depositantes, encuentran perfectamente adecuado un coeficiente de caja del 20 por 100. ¿Qué sucederá: a) al total de los depósitos de los bancos rurales; b) al total de los depósitos de los bancos urbanos, y c) al total de los depósitos del sistema bancario, si un depositante retira 100.000 pesetas de un banco rural y las deposita en un banco urbano?

PARA REFLEXIÓN Y DISCUSIÓN

1. Es corriente opinar que los bancos son fuentes de gran poder en el sistema capitalista. ¿Con qué aspectos de las funciones bancarias asociaría usted especialmente dicho poder?

2. La Unión Soviética cuenta con un sistema bancario. ¿Le extraña a usted esto?

3. Los Estados Unidos tienen un sistema bancario singular, con un gran número de bancos comerciales (algunos de ellos enormes), en lugar de un pequeño número de bancos muy grandes con redes de sucursales extendidas por todo el país. ¿Qué argumentos encuentra usted a favor y en contra del sistema norteamericano?

4. Supóngase que todas las cuentas bancarias y todas las cuentas de tarjetas de crédito se integrasen en un ordenador central, de manera que todos los cheques y todos los pagos con tarjetas de crédito se cargasen inmediatamente al firmante del cheque o la tarjeta y se adeudasen al acreedor. ¿En qué sentido cree usted que la estructura del activo deseada por los bancos sería con el nuevo sistema distinta de la estructura presente?

Capítulo 28

BANCOS CENTRALES Y OFERTA MONETARIA

28.1. La oferta monetaria sin banco central

*Cómo se determina la oferta monetaria en un sistema
compuesto únicamente de bancos comerciales*

Es del todo posible que una economía disponga de un sistema
bancario compuesto de un cierto número de bancos independientes
(quizá con un acuerdo entre ellos para centralizar la compensación
de cheques) sin intervención de ninguna clase, a excepción de las
medidas destinadas a minimizar el riesgo de un puro fraude o un
desfalco por parte de los banqueros. En esencia, el sistema bancario
en los Estados Unidos fue así durante el siglo xix.

Antes de pasar a considerar la naturaleza de los *bancos centrales*
y la clase de intervención que pueden ejercer sobre el sistema bancario en general y la *oferta monetaria* (=*cantidad de dinero*) en particular, nos prepararemos mediante el estudio de la determinación
de la oferta monetaria en un sistema bancario sin intervención central. Se trata simplemente de reunir lo que sabemos sobre el dinero
con lo que sabemos sobre los bancos.

Cantidad de dinero

En una economía con bancos y cuentas corrientes, las principales cosas que, a los fines de las empresas y las personas integrantes
de la economía, cumplen las funciones de dinero, son:

1) el efectivo, compuesto de moneda metálica (incluso de oro)
y billetes de banco, y

2) los depósitos bancarios (saldos de las cuentas corrientes).

Es importante tener muy claro desde el principio el papel del efectivo en la oferta monetaria. El dinero en efectivo total, excluido el que el Estado o la autoridad emisora pueda guardar en sus cajas fuertes, se distribuye entre dos sectores:

1) *el del público*, o efectivo que puede estar en los bolsillos y las carteras, debajo de los colchones, en las cajas registradoras de las tiendas, o en circulación, y
2) *el de los bancos,* o efectivo mantenido como reserva para atender a las demandas de los depositantes.

Solamente el efectivo en manos del público es el que puede ser considerado como la parte de la oferta monetaria constituida por el efectivo.
La razón es sencilla. Para cada persona o empresa, su saldo monetario es su *propio* dinero en efectivo más su saldo bancario. Las reservas en efectivo de los bancos existen para respaldar los depósitos bancarios, pero para una persona concreta, lo que cuenta es su *depósito* en el banco y no el efectivo que para respaldarlo haya en la caja del banco.

El efectivo en caja del banco
Aunque las reservas de efectivo propias de los bancos no forman parte de la oferta monetaria, sí *determinan* el nivel de los depósitos y, por tanto, el nivel de una parte importante de la oferta monetaria. Como vimos en el capítulo anterior, el volumen total de depósitos que un banco puede mantener en condiciones de seguridad depende directamente del volumen de las reservas en efectivo que posee. Si todos los bancos mantienen un coeficiente de caja (en relación con los depósitos) del 20 por 100, los depósitos totales serán cinco veces mayores que las reservas en efectivo del sistema bancario: podrá mantenerse constante esta relación variando los préstamos del modo descrito en el capítulo anterior.
Ahora bien, una peseta en efectivo y una peseta en depósitos son, en la consideración del público, tan extremadamente buenos sustitutivos, que sumamos simplemente todas ellas para determinar el volumen total de saldos monetarios, o sea, la oferta monetaria. Por otra parte, si una peseta de efectivo está en la caja de un banco en lugar de hallarse en manos del público, estará vinculada a *cinco* pesetas de depósitos (dado un coeficiente de reserva del 20 por 100), equivalentes a cinco pesetas de efectivo en manos del público.
El efectivo en las cajas de los bancos está dotado de «mayor potencia» que el efectivo en manos del público, pues una peseta en la caja de un banco se traduce en una aportación de más de una

peseta (en forma de depósitos) a la oferta monetaria. Aunque el efectivo en caja del banco no forma por sí parte de la oferta monetaria, crea depósitos que sí forman parte de ella.

La oferta monetaria

Como la cantidad de dinero (oferta monetaria) es el efectivo en manos del público más los depósitos bancarios, y como el nivel de los depósitos bancarios está determinado por la cantidad de efectivo mantenida en el sistema bancario, la cantidad total de dinero en un sistema bancario sin intervención central depende en última instancia de la cantidad de efectivo disponible, dada la estructura y los hábitos financieros de la sociedad. La relación exacta entre la cantidad de efectivo y la cantidad de dinero depende fundamentalmente de dos factores:

1) La relación que el *público* desea mantener entre su propio efectivo y sus propios depósitos. Solamente puede haber efectivo como reserva en el sistema bancario en la medida en que esté satisfecha la demanda de efectivo por parte del público: pues el público puede en cualquier momento solicitar de los bancos que le abastezcan de efectivo o que le acepten efectivo adicional en forma de depósitos.

2) La relación de reservas de efectivo a depósitos que los bancos encuentren prudente mantener. Es esta relación la que determina cuántas pesetas de depósitos podrá mantener el sistema bancario por cada peseta de reserva en efectivo.

Normalmente, la relación que el público mantiene entre su propia caja y sus propios depósitos será de un orden similar al coeficiente de caja en el sistema bancario, pues mientras mayor sea la proporción de su saldo monetario que el individuo medio desee mantener en efectivo, mayor será la proporción de efectivo que los bancos necesitarán mantener para hacer frente a las retiradas de fondos.

Ejemplo

Si se nos dan estas dos relaciones, podemos deducir de ellas la relación exacta entre la cantidad de dinero y la cantidad total de efectivo.

Supongamos, para mayor sencillez, 1) que el público desea tener en efectivo 20 pesetas por cada 100 pesetas que mantiene en depósitos bancarios, y 2) que los bancos desean mantener 20 pesetas de reservas de efectivo por cada 100 pesetas en depósitos.

Según esto, 100 pesetas en depósitos requieren una cantidad total de 40 pesetas en efectivo, 20 en manos del público y 20 en el sistema bancario. Invirtiendo el razonamiento, un total de 40 pesetas de dinero en efectivo acabará dividiéndose en partes iguales entre el público y los bancos y generará un total de 100 pesetas en depósitos. La cantidad de dinero vinculada a 40 pesetas de efectivo será de 120 pesetas: las 100 pesetas de los depósitos, y las 20 pesetas de efectivo en manos del público. En este ejemplo, la cantidad de dinero será tres veces mayor que la cantidad total de efectivo, y un aumento o disminución del efectivo dará origen a un aumento o disminución tres veces mayor en la cantidad de dinero.

El control de la oferta de efectivo

Al estar determinada la cantidad de dinero por la cantidad de efectivo, puede controlarse la cantidad de dinero, incluso en un sistema bancario sin intervención central, siempre que pueda controlarse la cantidad de efectivo.

El control es mucho menos seguro de lo que pueda parecer por un simple ejemplo. El público puede variar, acaso de modo imprevisible, la relación entre su propia caja y sus depósitos, haciendo así que la cantidad de dinero varíe aun cuando el total de efectivo permanezca constante. Sin intervención, los coeficientes de caja de los bancos están determinados por sus propias ideas sobre el equilibrio entre el riesgo (caja demasiado escasa) y la rentabilidad (una relación alta de préstamos a caja), y pueden variar. Si el coeficiente de reserva desciende, o las perspectivas económicas parecen adversas, el público puede tratar de aumentar sus *propias* tenencias de efectivo, como medida de seguridad, haciendo descender cada vez más la caja de los bancos y ocasionando quizá quiebras bancarias y hasta una súbita contracción de los depósitos y, por tanto, de la oferta monetaria.

Aunque la variación del efectivo origine una variación de la cantidad de dinero en una proporción directa, puede no ser posible variar la cantidad de efectivo en la medida necesaria. Un caso extremo es cuando el efectivo se compone de oro o de papel moneda con el 100 por 100 de respaldo de oro. En este caso, la cantidad de efectivo y, por tanto, la cantidad de dinero, está determinada por la cantidad de oro, sobre la cual el Estado tiene escaso control directo.

En los tiempos en que funcionaba plenamente el patrón oro (antes del siglo xx), las existencias de oro en un país, y, por tanto, su efectivo y su cantidad de dinero, dependían de las entradas y salidas de oro resultantes de las transacciones internacionales, y la cantidad de dinero estaba ligada directamente a la balanza de pagos, determinándose así automáticamente más que por medidas de política económica.

Con el sistema del papel moneda fiduciario, en el que la cantidad de efectivo puede variarse con bastante libertad (al menos dentro de ciertos límites), la autoridad emisora del dinero en efectivo posee el control final de la cantidad de dinero.

En los sistemas económicos modernos, el control final sobre la cantidad de dinero ha pasado en gran parte a las instituciones conocidas como *bancos centrales,* cuyas funciones desempeña en Estados Unidos el Sistema de la Reserva Federal *.

RECAPITULACIÓN 28.1. *Con un sistema constituido solamente por bancos comerciales, las reservas de los bancos se compondrán de efectivo (dinero legal). El stock de dinero legal estará dividido entre el público y los bancos en una proporción determinada principalmente por la división que haga el público de sus saldos monetarios entre efectivo y depósitos. Una vez determinado el coeficiente de seguridad entre efectivo en caja y los demás activos, el efectivo mantenido en los bancos determinará el volumen total de depósitos. Por lo tanto, la oferta de efectivo, o dinero legal, determinará el nivel de los depósitos bancarios y, de ahí, la cantidad total de dinero.*

28.2. Bancos de banqueros

Cómo pueden los bancos obtener para sí mismos algunos de los servicios que ellos proporcionan a sus propios depositantes

En el elemental sistema bancario que analizábamos en el capítulo precedente, las reservas de efectivo en caja de cada banco cumplían dos papeles fundamentales: proporcionaban reservas para hacer frente a las retiradas de efectivo hechas por los depositantes, y proporcionaban reservas para pagar a *otros bancos* cuando la compensación de cheques exigía una transferencia neta.

Por término medio, los ingresos en efectivo de un banco procedentes de otros bancos durante unos días tenderán a equilibrarse en gran medida con sus pagos a otros bancos otros días, si se toma un período de tiempo suficientemente extenso. Es incómodo llevar dinero un día a un banco para sacarlo de allí al día siguiente, así que es posible mejorar el proceso de compensación bancaria reduciendo este movimiento de ida y vuelta del efectivo.

Bancos centrales

El siguiente paso, que completa el montaje de un sistema bancario avanzado moderno, consiste en proporcionar a los propios bancos uno de los principales servicios que ellos proporcionan a sus depositantes: la facultad de operar con cheques en vez de emplear di-

---

* Y en España, el Banco de España.—(*N. del T.*)

nero en efectivo. Si un depositante debe 1.000 pesetas a otro depositante, puede pagarle con un cheque por esta cantidad en lugar de trasladar el dinero en efectivo de un lado para otro. Naturalmente, para actuar de esta forma necesita disponer de una cuenta bancaria.

Para que también los bancos tengan las ventajas de una cuenta bancaria, necesitamos un «banco de banqueros» o *banco central,* en el cual los depositantes son los bancos comerciales. Casi todos los países del mundo tienen un banco que funciona de esta forma: el Banco de España, el Banco de Inglaterra, el Banco de Francia, el Banco de la India, etc. Sin embargo, los Estados Unidos no tienen un verdadero banco central de esta clase y las funciones de un banco central las lleva a cabo el *Sistema de la Reserva Federal,* que analizaremos más adelante en este mismo capítulo. Como en definitiva el funcionamiento del Sistema de la Reserva Federal es similar al de un banco central, aunque a veces sea en forma más indirecta, estudiaremos un sistema con un banco central propiamente dicho, y después pasaremos a analizar los rasgos especiales del sistema norteamericano.

Dada, pues, la existencia de un banco central, si el Banco Primero de nuestros anteriores ejemplos debe al Banco Segundo 10.000 pesetas como resultado de la compensación corriente, puede pagar al Banco Segundo extendiendo un cheque (o su equivalente) contra su cuenta en el banco central. El Banco Segundo, como si fuera un depositante ordinario, puede entonces decidir entre hacer «efectivo» el cheque o simplemente depositarlo en su cuenta del banco central.

Un banco central, contemplado simplemente como un banco para bancos, proporciona a los bancos las mismas ventajas básicas que el banco ordinario proporciona a sus depositantes. Los bancos pueden retirar sus depósitos a la demanda, así que sus depósitos en el banco central son prácticamente tan útiles para ellos como las reservas de efectivo en sus propias cajas, y pueden hacer pagos interbancarios en forma de cheques. Si un depósito bancario es casi siempre tan útil para una persona como el dinero en efectivo, pero esta persona siempre necesita tener cierta cantidad de efectivo en su bolsillo, análogamente los depósitos en el banco central son casi siempre tan útiles para los bancos comerciales ordinarios como el efectivo en caja, pero éstos siempre necesitarán tener algún dinero en efectivo en caja.

Importancia de la seguridad

Es, evidentemente, esencial que el banco central, para cumplir su papel de banco de banqueros, sea extremadamente *seguro.* Los bancos comerciales tienen que sentir una confianza absoluta en que los depósitos que mantienen en el banco central (*depósitos de reser-*

──────── **Cápsula suplementaria 28.1** ────────────────────

EL BANCO DE LOS ESTADOS UNIDOS, 1791-1811, 1816-1836

Los Estados Unidos tuvieron una vez un banco que estuvo en condiciones de convertirse en el verdadero banco central de aquel país. Fue el Banco de los Estados Unidos, que nació en 1791, se le dejó morir en 1811, resucitó cinco años después como Segundo Banco de los Estados Unidos y, finalmente, fue asesinado y enterrado en 1836.

La formación del Banco de los Estados Unidos inicial fue obra de Alexander Hamilton, secretario del Tesoro del general Washington, como parte de un amplio bloque de medidas de política económica destinadas a facilitar un buen comienzo a la nueva nación. El Banco fue concebido, a imagen del Banco de Inglaterra de la época, para operar como banco del Estado pero también para funcionar como banco comercial y banco central y con derecho a abrir sucursales. No era un banco de propiedad pública (aunque el Estado suscribió el 20 por 100 del capital inicial), pero dependía, para el desempeño de su fundamental papel, de su carácter de instrumento elegido por el Estado.

Hubo oposición al Banco desde diversos frentes, como los terratenientes de Virginia, que temían ser dominados por los comerciantes y financieros, los habitantes de Nueva York y de Boston, celosos por la elección de Filadelfia como residencia del Banco, y los estados del oeste, a los que disgustaba que el nuevo Banco frenara la exuberante y arriesgada política crediticia de los bancos locales. La carta constitucional del Banco había de renovarse cada cinco años, y la oposición creció lo suficiente como para bloquear la segunda renovación, con lo que el primer Banco de los Estados Unidos acabó su existencia en 1811.

La guerra de 1812 hizo patentes las dificultades de las finanzas públicas cuando no existe un banco central, y el caos financiero al final

──

vas) pueden ser convertidos en efectivo en cualquier momento en que un banco comercial necesite más efectivo para atender a las retiradas de fondos de sus propios clientes. Si esta condición no se cumple, el banco comercial no puede considerar su depósito de reservas como equivalente al efectivo en su propia caja.

Podemos señalar que el primer banco central, el Banco de Inglaterra, se hizo acreedor a tanta confianza en este terreno que la frase «seguro como el Banco de Inglaterra» se usa aún en nuestros días como signo de la máxima solidez.

Estructura del activo del banco central

Es evidente que el banco central será completamente seguro, en el sentido anterior, si mantiene un efectivo en caja igual al 100 por 100 de sus depósitos, que son los depósitos de reservas de los bancos comerciales. Pero seguirá siendo seguro aunque mantenga algo menos del 100 por 100 de reservas en efectivo en caja. Así como para un banco comercial la probabilidad de que todos sus clientes deseen retirar simultáneamente todos sus depósitos y convertirlos en efectivo es despreciable en circunstancias normales, tamde esta guerra fue suficiente para apoyar la resurrección del banco. De este modo, nació en 1816 el Segundo Banco de los Estados Unidos, que tuvo un mal comienzo debido a su mala administración. Aunque logró después una administración acertada, gradualmente fue encontrando la misma oposición que había surgido contra el primer banco, y fue visto en los nuevos territorios que se desarrollaban hacia el Oeste como el intento del perverso Este de evitar el desarrollo de aquéllos. La elección de Andrew Jackson puso en la Casa Blanca a uno de los enemigos del Banco, y aunque el veto de Jackson en 1832 a la renovación de la carta permitía durante cuatro años los intentos de hacer efectiva la renovación, el propio Jackson decidió asesinar al Banco por el procedimiento de retirar de él los depósitos del Tesoro. Dos secretarios del Tesoro tuvo que nombrar antes de poder hacer acatar sus órdenes, pero al final éstas se cumplieron.

La defunción del Banco de los Estados Unidos no se tradujo en lo que habían esperado los más ingenuos, que era destruir la estructura del poder financiero. El poder pasó inmediatamente de Filadelfia a Wall Street y continuó prosperando. La muerte del Banco acabó con la última oportunidad de levantar un verdadero banco central, pues aunque el Banco de los Estados Unidos no había sido un banco central pleno en el sentido moderno, tampoco lo era el Banco de Inglaterra de aquella época. Puede suponerse que ambos se habrían desarrollado según las mismas líneas. Los Estados Unidos se encontraron con un sistema bancario inestable y de rodaje libre, y el gobierno federal se quedó sin el control pleno de la política monetaria, del que habría dispuesto con la existencia de un banco central, desde 1836 hasta la creación del Sistema de la Reserva Federal en 1913.

---

bién es despreciable la probabilidad de que todos los bancos comerciales quieran convertir simultáneamente en efectivo sus depósitos de reservas.

Por lo tanto, el banco central no necesita mantener en caja un efectivo igual al 100 por 100 de sus reservas: puede mantener menos. La parte de su activo total que no está en forma de efectivo o su equivalente tiene que mantenerse en una forma que ofrezca el mínimo riesgo. Los préstamos comerciales, que constituyen un activo fundamental para los bancos comerciales, presentan demasiado riesgo para el banco central, que prestará principalmente al prestatario más seguro: el Estado. Por esta razón, el típico activo de un banco central, aparte del efectivo en caja, es el crédito al Estado, en sus diversas formas, tales como bonos (préstamos a largo plazo) o letras del Tesoro (préstamos a corto plazo).

Préstamo de las reservas

Con todo, un banco central puede extender su utilidad para sus clientes (los bancos comerciales) con poca reducción en su seguridad, por medio de un programa limitado de préstamos a los propios bancos comerciales. El banco central puede prestar reservas adicionales a los bancos comerciales cuyas reservas se encuentren temporalmente demasiado bajas en relación con sus depósitos, exactamente igual que un banco comercial puede prestar depósitos adicionales a uno de sus propios clientes. Los bancos centrales sólo llevarán a cabo esta operación con criterios muy restringidos, para períodos cortos, y sólo si el banco comercial ha «explicado» (como el cliente de un banco comercial que pide un crédito) exactamente por qué necesita el préstamo, y cómo y cuándo lo devolverá. El modo particular de conceder normalmente estos préstamos el banco central varía de un país a otro, según los acuerdos institucionales que ligan el banco central a los bancos comerciales. El volumen de estos préstamos (llamados «descuentos y créditos») será lo más frecuentemente pequeño en comparación con los préstamos al Estado y con los activos totales. Como los préstamos del banco central a los bancos comerciales se conceden solamente en condiciones muy rigurosas (y se carga normalmente sobre ellos un tipo de interés relativamente alto), el banco central es definido con frecuencia como un *prestamista de último recurso*.

RECAPITULACIÓN 28.2. *Los bancos comerciales pueden acelerar sus transacciones interbancarias manteniendo cuentas en un banco central, que es un banco especial que tiene el mismo tipo de relación con los bancos comerciales que éstos con sus propios depositantes. Los depósitos en el banco central pueden considerarse equivalentes a las reservas de efectivo en caja de los bancos comerciales. En un sistema bancario muy desarrollado, estos depósitos de reservas llegan a ser las reservas principales de los bancos comerciales. En cuanto al banco central, éste no necesita mantener un 100 por 100 en efectivo en relación con los depósitos de reservas, y puede hacer préstamos, pero sólo si ofrecen la máxima seguridad, como ocurre con los préstamos al Estado, y algunas veces a los bancos comerciales.*

28.3. El control del banco central sobre el dinero

*Cómo el banco central se convierte
en el regulador final de la oferta monetaria*

En un sistema moderno con un banco central desarrollado, las reservas de «efectivo» en caja de los bancos comerciales se componen casi por entero de depósitos de reservas en el banco central. Por esta razón, vamos a dejar de utilizar los términos «efectivo» y «caja» y a referirnos simplemente a las *reservas*. El comportamiento de los bancos comerciales sigue estando determinado por el ajuste de su activo de manera que éste mantenga la estructura deseada, siendo la pieza clave el coeficiente de reserva (relación de reservas a depósitos).

Ahora bien, la cantidad de dinero es igual a los depósitos de los bancos comerciales más la parte del efectivo que está en las manos (y en los bolsillos) del público. Como se señaló antes en este mismo capítulo, el efectivo mantenido en el sistema bancario no puede contarse como dinero, pues sirve de contrapartida parcial de los depósitos que ya hemos incluido en el dinero.

El nivel de los depósitos de los bancos comerciales está determinado por el nivel de sus reservas en el banco central (más el efectivo en poder de aquellos bancos, que es una partida menor) y por el coeficiente de reserva. El efectivo en manos del público lo determina él mismo, que tiene siempre libertad para cambiar depósitos por efectivo o efectivo por depósitos.

La oferta monetaria

Así pues, la cantidad de dinero está determinada por los cuatro factores principales siguientes:

1) la cantidad de efectivo;
2) el nivel de los depósitos de reservas en el banco central;
3) el coeficiente de reserva, que determinará el nivel de los depósitos del sistema bancario a partir de un nivel dado de las reservas más el efectivo en poder de los bancos, y
4) la relación de dinero legal a depósitos elegida por el público, pues ésta determinará la cantidad de efectivo que quedará en manos del público.

Instrumentos de regulación

La cantidad de dinero puede variarse modificando la cantidad de dinero legal (o efectivo), la cantidad de reservas, o el coeficiente de reserva. La otra relación (efectivo en manos del público a depósitos) no está abierta al juego de la política económica, pues depende completamente de las elecciones de las empresas y las personas. Como el dinero legal es ahora una parte poco importante en el activo de los bancos comerciales, podemos considerar como instrumentos esenciales para variar la cantidad de dinero el *nivel de las reservas* y el *coeficiente de reserva*. El dinero legal se ajusta ahora principalmente para satisfacer las demandas del público, no para influir sobre los depósitos bancarios.

Sin banco central, el coeficiente de reserva (o de caja) se determina (como señalamos en el capítulo 27) compensando el riesgo de una retirada de fondos superior al efectivo disponible en el momento

con la rentabilidad de los préstamos bancarios. Dadas unas circunstancias, existirá un coeficiente que podrá considerarse suficientemente alto en cuanto a seguridad y sin embargo suficientemente bajo
en cuanto a rentabilidad.

Un banco central, ya en virtud de las facultades legales que se
le hayan concedido, ya mediante la amenaza de retirar a un banco
comercial sus útiles servicios, podrá prescribir determinados coeficientes de reserva a los bancos comerciales, con lo que hará variar
el volumen total de depósitos modificando los coeficientes prescritos.
Si el banco central sube el coeficiente de reserva del 20 al 25 por 100
los bancos comerciales podrán mantener solamente 400 pesetas de
depósitos por cada 100 pesetas de reservas, en lugar de las 500 pesetas que podían tener antes. Si se mantienen invariables las reservas,
el total de los depósitos tendrá que descender en un 20 por 100
(en proporción de 100 pesetas por cada 500 pesetas), y los bancos
comerciales tendrán que cancelar algunos préstamos anteriores y limitar fuertemente los nuevos.

Los coeficientes de reserva pueden elevarse por *encima* del nivel
considerado prudente por los bancos comerciales, pero no pueden
reducirse fácilmente por debajo de dicho nivel. Si se considerase
que la relación de seguridad mínima es del 20 por 100, reducir
el coeficiente legal no tendría ningún efecto: los bancos se negarían
a realizar una expansión de sus préstamos que los llevase a niveles
inseguros. Por consiguiente, si se pretende que la variación de los
coeficientes de reserva sea un instrumento importante de política
económica, el requisito «normal» de reservas debe ser fijado a un
nivel superior al que los bancos elegirían por propia voluntad.

Cambios en el nivel de las reservas

Cambiar el nivel de las reservas en lugar de cambiar los coeficientes de reserva requiere también una técnica cuidadosa. Como las
reservas son depósitos mantenidos por los bancos comerciales, y son
tan útiles para éstos como el efectivo en caja, el banco central normalmente no quiere hacer un *regalo* a un banco comercial por el
procedimiento de proporcionarle más reservas, aunque en principio
podría hacerlo. Tampoco puede reducir las reservas limitándose a
cambiar las cifras en sus libros (en principio, también podría hacerlo), porque en ese caso las reservas dejarían de gozar de su propiedad
esencial: que los bancos comerciales consideren a sus depósitos de
reservas tan buenos como el dinero en efectivo.

El banco central puede incrementar las reservas sin necesidad de
hacerles un regalo a los bancos comerciales, concediéndoles préstamos del mismo modo que los bancos comerciales los conceden a sus
clientes, y también puede reducir las reservas cancelando préstamos.
Además, existe otro medio de influir indirectamente sobre el nivel

de las reservas: a través de las *operaciones de mercado abierto*. Este es el tema de la sección siguiente.

Incluso existiendo un banco central, quedan algunas influencias en la oferta monetaria sobre las que aquél no tiene acción, pero el banco puede utilizar otros instrumentos para compensarlas. Una de esas influencias es el efecto de las transacciones internacionales.

RECAPITULACIÓN 28.3. *Como los depósitos en el banco central constituyen las reservas que los bancos comerciales deben mantener frente a sus depósitos ordinarios, puede variarse el nivel de los depósitos comerciales y, por tanto, el de la oferta monetaria, cambiando el nivel de dichas reservas. Alternativamente, por tener normalmente el banco central la facultad, legal o de otro tipo, de imponer coeficientes de reserva, la oferta monetaria puede variarse alterando estos coeficientes.*

28.4. Operaciones de mercado abierto

*Una importante técnica
para influir sobre la oferta monetaria*

Una forma directa por la que el banco central puede aumentar los depósitos de reservas consiste en comprar *algo* al público y pagar la compra con un cheque del propio banco central. En la práctica, los bancos centrales se limitan a la compra de valores mobiliarios, y de éstos, casi exclusivamente valores del Estado, como bonos, aunque pueden hacer también, y en ocasiones hacen, compras de valores comerciales.

Supongamos que el banco central compra al público bonos del Tesoro por valor de un millón de pesetas, y paga con un cheque del propio banco por valor de la misma cantidad. Debe señalarse que estos bonos no constituyen una nueva emisión, que, por lo mismo, tendría que haber sido comprada al Estado, sino que se trata de bonos del Tesoro en poder ya de personas particulares o de empresas y comprados de la misma forma en que usted o yo podríamos adquirirlos *en el mercado abierto,* y de ahí el nombre de este tipo de operaciones. Podemos suponer que el vendedor tiene su cuenta en el Banco Primero, así que deposita allí su cheque. El Banco Primero acreditará en esa cuenta un millón de pesetas, y pasará el cheque al banco central para su pago por éste. El banco central completa la compensación del cheque abonando un millón de pesetas en la cuenta del Banco Primero.

Los *cambios* en la fase 1 en los balances del Banco Primero y el banco central serán los siguientes:

CAMBIOS EN EL BALANCE. FASE 1

(Miles de pesetas)

PASIVO   ACTIVO

BANCO PRIMERO

Depósitos   + 1.000   Reservas (en el
                                   banco central)   + 1.000

BANCO CENTRAL

Depósitos   Valores
de reservas   + 1.000   del Estado   + 1.000

Equilibrio final

El Banco Primero tiene ahora un millón de pesetas más en depósitos y un millón de pesetas más en reservas. Como las reservas son tan buenas como el efectivo en caja, a los efectos del banco, y como no proceden de una transferencia de otro banco *comercial,* son equivalentes a la caja *externa.* Como se destacó en el capítulo anterior, la entrada de caja externa en el sistema bancario se traducirá por un aumento de los depósitos en un múltiplo del valor del nuevo efectivo, múltiplo que dependerá del coeficiente de reserva. Para un coeficiente de reserva del 20 por 100, el aumento de un millón de pesetas en las reservas conducirá finalmente a un aumento de 5 millones de pesetas en el total de depósitos del sistema de los bancos comerciales. La variación final del balance consolidado de los bancos comerciales será la siguiente:

CAMBIOS EN EL BALANCE. FASE 3

(Miles de pesetas)

Balance consolidado de los bancos comerciales

PASIVO   ACTIVO

Depósitos   + 5.000   Reservas   + 1.000
                                   Préstamos   + 4.000
                 ———   ———
                 + 5.000   + 5.000

El balance del banco central no experimentará cambios después de la fase 1.

Parte del aumento de los depósitos en el Banco Primero puede haberse trasvasado a otros bancos *comerciales,* pero el total de los depósitos de los bancos comerciales no se modificará por ello.

Por lo tanto, el banco central puede aumentar la cantidad de dinero en 5 pesetas por cada peseta que gaste en la compra de valores mobiliarios en el mercado abierto (supuesto un coeficiente de reserva del 20 por 100).

Pueden *disminuirse* los depósitos de reservas de modo simétrico: el banco central *vende* un millón de pesetas en bonos, por los que recibe un cheque extendido contra una cuenta en un banco comercial. Cuando se pague este cheque, los depósitos de reservas del banco comercial en el banco central descenderán en un millón de pesetas, mientras que, en el banco comercial, los depósitos descenderán también en un millón de pesetas en la cuenta del comprador de los bonos. El banco central habrá reducido así su pasivo (depósitos de reservas) y su activo (bonos del Tesoro), por valor en ambos casos de un millón de pesetas. Los depósitos de los bancos comerciales tendrán que acabar por descender en 5 millones de pesetas, incluyendo en ellas la reducción de un millón de pesetas en la cuenta del comprador de los bonos.

Préstamos para reservas

Un banco central puede variar también el nivel de los depósitos de reservas modificando sus propios préstamos a los bancos comerciales. Si presta nuevas reservas libremente y a bajo coste, los bancos comerciales tendrán un estímulo para pedir en préstamo nuevas reservas, en una transacción que en esencia será igual al préstamo que un banco comercial hace a sus clientes, utilizando este aumento de sus reservas para respaldar un aumento de sus préstamos comerciales. Al cancelar tales préstamos, o hacerlos más caros elevando el tipo de interés, los bancos comerciales reducirán sus propios préstamos, reintegrarán al banco central los que de él han recibido y reducirán sus reservas. Cada peseta de variación de los préstamos del banco central a los bancos comerciales hará cambiar la cantidad de dinero en cinco pesetas, si el coeficiente de reserva es el 20 por 100.

El tipo de interés

Estos dos modos de modificar las reservas y, por lo tanto, la oferta monetaria, tendrán también efectos sobre el *tipo de interés*. Si el banco central compra bonos, aumenta la demanda de bonos ya existente y se eleva el precio de éstos.

Para ver cómo afecta este hecho al tipo de interés, supongamos que tenemos un bono que se vendió inicialmente en 10.000 pesetas, que producirá el próximo año 500 pesetas de interés y será amortizado por 10.000 pesetas al final de ese año. El comprador recibirá un total de 10.500 pesetas por sus 10.000 pesetas iniciales: el rendimiento es del 5 por 100. Supongamos ahora que el banco central entra en el mercado y el precio del bono sube a 10.100 pesetas. El nuevo comprador recibirá también 10.500 pesetas el próximo año, pero ahora con un gasto de 10.100 pesetas: el rendimiento es algo inferior al 4 por 100.

Por lo tanto, la variación de la cantidad de dinero por medio de la compra o la venta de bonos en el mercado abierto (operaciones de mercado abierto) tenderá a producir un efecto simultáneo sobre los tipos de interés, de la forma siguiente.

El aumento de la cantidad de dinero llevará consigo la disminución de los tipos de interés.

La disminución de la cantidad de dinero llevará consigo la disminución de los tipos de interés.

La variación de los préstamos a los bancos comerciales para la creación de reservas adicionales (operación llamada *descuento* en el sistema de los Estados Unidos) tendrá generalmente efectos similares sobre los tipos de interés a los engendrados por las operaciones de mercado abierto.

Otros instrumentos de control

Un banco central puede modificar también la cantidad de dinero sin modificar las reservas, variando reglamentariamente el *coeficiente de reserva*. Si el banco central eleva el coeficiente de reserva del 20 al 25 por 100, los bancos comerciales solamente podrán tener 400 pesetas en depósitos por cada 100 pesetas de reservas, en lugar de las 500 pesetas que podían tener antes. Si las reservas se mantienen invariables, los depósitos totales tendrán que descender en un 20 por 100 (en la proporción de 100 pesetas por cada 500 pesetas), y los bancos comerciales tendrán que cancelar algunos préstamos antiguos y limitar fuertemente los nuevos. El coeficiente de reserva fijado reglamentariamente tiene un límite *inferior*: si los bancos consideran prudente mantener unas reservas del 20 por 100, hacer descender el coeficiente legal al 15 por 100 no tendrá efecto; sin embargo, sí sería efectiva una elevación del coeficiente al 25 por 100.

Influencias automáticas

Además de las variaciones discrecionales de la cantidad de dinero por los medios que acaban de indicarse, existen variaciones que son automáticas (si no se toman medidas compensadoras) y que operan a través del banco central.

Las más importantes de ellas son las transacciones internacionales. Supondremos que los pagos internacionales se hacen en oro y que todo el que recibe oro debe entregarlo al banco central. Si un exportador vende algo en el extranjero y recibe un millón de pesetas en oro, lleva el oro a su propio banco, que acredita un millón de pesetas en su cuenta. El banco comercial lleva el oro al banco central y recibe de éste un aumento de un millón de pesetas en su depósito de reservas. A partir de aquí, el proceso es el típico: los depósitos de los bancos comerciales pueden aumentar en 5 millones de pesetas, pues el millón de pesetas en oro se ha convertido en depósitos de reservas. Como cada peseta de oro se traduce en 5 pesetas de depósitos, el oro es dinero de «alta potencia».

En los Estados Unidos, el banco central (Sistema de la Reserva Federal) pasa el oro al Tesoro a cambio de *certificados oro,* pero este hecho afecta solamente a la custodia nominal del oro y no al resultado de las transacciones. La pérdida de oro al hacer un pago al extranjero tendrá un efecto simétrico, reduciendo la cantidad de dinero.

Una de las características de los bancos centrales modernos, que tiene mucha importancia en algunos países (aunque su importancia es menor en los Estados Unidos), es que el control discrecional sobre la cantidad de dinero por medio de la variación del coeficiente de reserva puede utilizarse para *neutralizar* los cambios en la cantidad de dinero que se producirían de otro modo a consecuencia de las variaciones del saldo de la balanza de pagos internacionales.

RECAPITULACIÓN 28.4. *Uno de los medios más importantes para influir sobre la oferta monetaria (especialmente en los Estados Unidos) son las operaciones de mercado abierto. Si el banco central compra valores del Estado al público, los paga con sus propios cheques. Estos cheques se depositan en los bancos comerciales, y acaban por sumarse a los depósitos de reservas de los mismos en el banco central. El aumento de las reservas permite la expansión de los depósitos de los bancos comerciales, con lo que la oferta monetaria aumenta en un múltiplo de la transacción original en el mercado abierto. La oferta monetaria puede reducirse de modo correspondiente si el banco central vende valores mobiliarios.*

28.5. El Sistema de la Reserva Federal

Cómo desempeña el Sistema de la Reserva Federal en los Estados Unidos la función de un banco central

Las funciones de un banco central en los Estados Unidos son desempeñadas principalmente por el Sistema de la Reserva Federal (el «Fed»), aunque el Tesoro también cumple algunas funciones secundarias (por ejemplo, tiene la propiedad nominal de la reserva de oro) que en otros países corresponden a los bancos centrales.

Estructura básica

De la misma manera que la estructura del sistema de la banca comercial en los Estados Unidos es anómala si se la juzga por patrones internacionales (miles de bancos individuales, algunos de ellos

───── **Cápsula suplementaria 28.2** ──────────────────────────────

EL CONTROL DEL DINERO LEGAL EN LOS ESTADOS UNIDOS

Aunque en los análisis de los bancos centrales y la oferta monetaria se dé más relieve al nivel de los depósitos de reservas en el banco central y al nivel resultante de los depósitos ordinarios en los bancos comerciales, el dinero legal sigue siendo una parte importante de la oferta monetaria. En los Estados Unidos, el Sistema de la Reserva Federal tiene a su cargo el control del papel moneda, que es la parte más importante del dinero legal. Una de sus tareas consiste en proporcionar unas disponibilidades de dinero legal que respondan a las necesidades del público. Como se ha indicado en el texto principal, aunque la cantidad total de dinero puede ser determinada por la autoridad monetaria, la proporción que se mantiene en forma de dinero legal está determinada por el público. Esta proporción tiene variaciones estacionales, siendo especialmente alta en Navidades.

¿Cómo mantiene el Fed las disponibilidades de dinero legal al nivel adecuado? Cuando una persona desea más dinero en billetes y moneda metálica, hace efectivo un cheque en un banco comercial, que le paga con dinero legal del stock relativamente pequeño que tiene siempre dispuesto. En los períodos de aumento de la demanda de dinero legal, las retiradas de efectivo de las cajas de los bancos comerciales serán superiores a los nuevos depósitos, y su pequeño stock se agotará pronto. El banco comercial tratará de disponer de más dinero legal, con lo que la demanda del público pasará a ser la demanda de los bancos comerciales. El banco comercial puede obtener dinero legal solicitándolo del Fed; en la práctica, haciendo «efectivo» un cheque extendido contra su depósito de reservas. Este dinero legal es dinero *no emitido* mientras lo conserva el Fed; pero al pagar con él al banco comercial se realiza la acción de emitirlo. Por ley, el Sistema de la Reserva Federal sólo puede emitir billetes si el valor de éstos está cubierto por papel del

──

muy pequeños, en lugar de unos cuantos grandes bancos con sucursales en todo el país), también la estructura del banco central es diferente a la de la mayoría de los demás países. Un banco central norteamericano, si estuviera concebido como la mayoría de los demás bancos centrales, sería un banco único, que se llamaría «Banco de los Estados Unidos». Sería una institución pública o semipública y contaría con una legislación que le daría poderes discrecionales muy amplios sobre *todos* los bancos comerciales. Cualquiera que fuese la historia de sus comienzos, su política la decidiría ahora su presidente o gobernador, cuya dimisión sería de esperar en caso de producirse serias diferencias entre él y el Gobierno en cuanto a la política a seguir.

Por el contrario, el Sistema de la Reserva Federal está compuesto por un grupo de doce bancos regionales, propiedad cada uno de ellos, en forma cooperativa, de sus bancos «miembros». Las razones originarias de esta estructura no fueron económicas, sino políticas. En realidad, sólo algo menos de la mitad de los bancos comerciales de los Estados Unidos son miembros del sistema, pero los activos de

Estado, oro u otros tipos determinados de valores mobiliarios. Cuando
se emiten los billetes, los activos compensadores no pueden utilizarse
ya para otro destino.

Ahora bien, cuando el banco comercial paga en dinero legal al público, su pasivo (depósitos) disminuye en la cantidad que se ha retirado. Sus reservas serán menores, *pero solamente en un 20 por 100 de
la retirada de efectivo* (si el coeficiente de reserva es el 20 por 100).
Sin embargo, si obtiene del Fed nuevo dinero legal, sus reservas habrán
disminuido en el valor total de esta transacción, pues de su depósito
de reservas en el Fed habrá de deducirse el valor entero del nuevo
dinero legal. El banco comercial tendrá, pues, que buscar el modo de
aumentar las reservas.

Cuando se produce un aumento general de la demanda de dinero legal,
el Fed tiene que estar preparado para aumentar las reservas bancarias.
Lo hará mediante operaciones de mercado abierto, comprando al público
valores del Estado, y así contribuirá además a restablecer su cartera de valores, reducida por haber tenido que pasar parte de ella a contrapartida
del dinero legal recién emitido.

Si disminuye la demanda de dinero legal (como sucede pasadas las
Navidades), el proceso actúa en sentido inverso. Los bancos comerciales, al ver apilarse en sus cajas el dinero legal, lo depositan en el Fed
e incrementan así sus reservas. El Fed puede esterilizar, es decir, anular
la emisión del dinero legal y poner en movimiento los activos que había
retirado como contrapartida de la emisión. Las operaciones de mercado
abierto (esta vez en forma de venta de valores) pueden hacer descender
de nuevo las reservas. Así, el volumen de dinero legal en circulación
puede variarse sin dejar de mantener las disponibilidades totales de dinero al nivel que se desee.

---

los bancos que son miembros representan más del 80 por 100 de los
activos de toda la banca comercial.

Cuando fue fundado en 1913, el Sistema de la Reserva Federal
no era del todo un banco central, ni tampoco existía entonces la
intención de que esta institución llegara a controlar realmente el
volumen de los depósitos del sistema bancario. La estructura del
Sistema fue reforzada en 1935, aumentando entonces sus poderes
hasta convertirse en un verdadero banco central.

Aunque el Sistema conserva formalmente una estructura descen-
tralizada, en la práctica funciona ahora como un banco único con
sucursales regionales. El control último es ejercido por el Consejo
de Gobernadores del Sistema de la Reserva Federal («Board of Governors of the Federal Reserve System»), al que se le suele denominar «Consejo de Gobernadores» o «Consejo de la Reserva Federal»,
habiendo sido este último título el oficial hasta la reorganización
de 1935. Sus siete gobernadores son nombrados por el Presidente
de los Estados Unidos, por plazos muy largos (catorce años), pero
no simultáneamente, con lo que cada dos años se produce una va-

cante. El Presidente de los Estados Unidos designa también a uno
de los gobernadores como presidente del «Fed» (para un plazo corto), pero los gobernadores han supuesto tradicionalmente que son
responsables ante el Parlamento más que ante el poder ejecutivo.

Las principales facultades del Sistema de la Reserva Federal afectan solamente a sus bancos miembros. No obstante, como éstos abarcan más del 80 por 100 de la actividad de la banca comercial en
los Estados Unidos, podemos analizar el Sistema como si cubriera
a toda la banca comercial.

El balance del «Fed»

Fijémonos primero en el balance del Sistema de la Reserva Federal, reflejado en la tabla 28.1. Algunas de las partidas pueden ser
reconocidas inmediatamente a la luz de nuestro anterior análisis de
los bancos centrales. Los «Depósitos» son los depósitos de reservas
de los bancos comerciales, es decir, las reservas en las que se basa
la cantidad de dinero en forma de depósitos del público en los bancos comerciales. Del lado del activo, los «Títulos de la Deuda pública de los Estados Unidos» son los bonos y otros valores públicos
que son propios de la cartera de un banco central. «Descuentos y
créditos» son los préstamos a los bancos comerciales, que constituyen una reserva adicional: obsérvese qué insignificante es esta partida
en los Estados Unidos.

TABLA 28.1

Sistema de la Reserva Federal

ESQUEMA DEL BALANCE, 1972[a]

(Miles de millones de dólares)

PASIVO		ACTIVO	
Billetes de la Reserva Federal	54,5	Certificados oro	9,5
		Títulos de la deuda pública de los Estados Unidos	70,3
Depósitos	30,1	Descuentos y créditos	0,1
Otras partidas	13,6	Otras partidas	18,3
TOTAL	98,2	TOTAL	98,2

[a] Abril.

La partida «Certificados oro» en el activo puede considerarse
como equivalente a «reservas en oro». El Sistema de la Reserva
Federal no posee oro, sino que lo pasa al Tesoro a cambio de los

certificados oro. El Tesoro puede guardar físicamente el oro en Fort Knox, pero de hecho gran parte del metal se queda en las cajas fuertes de los bancos de la Reserva Federal, aun cuando éstos no son sus propietarios nominales. A todos los efectos ordinarios, podemos analizar el Sistema considerando que «certificados oro» y «reservas en oro» son términos equivalentes.

Queda la partida «Billetes de la Reserva Federal», en el pasivo. El Fed es ahora la autoridad emisora de dinero legal, en su papel de banco central, y la anotación «Billete de la Reserva Federal» aparece en todo el papel moneda excepto algunos billetes de antiguas emisiones. Esta anotación aparece subordinada a la de «Los Estados Unidos de América», y el billete lleva las firmas del Tesorero y el Secretario del Tesoro, y no las de los altos funcionarios de la Reserva Federal, poniéndose así de relieve que el papel moneda está «respaldado» por el país, no por el banco.

Dinero legal

¿Por qué aparece el papel moneda como una partida del pasivo? La razón de esto, así como la posición del papel moneda en el balance, se aprecia mejor examinándolo históricamente. Los primeros billetes de banco fueron trozos de papel emitidos por particulares, que podían ser convertidos a la demanda en oro o en lo que fuese el dinero legal del país. De este modo, cada billete emitido por un banco comercial representaba una demanda potencial de oro (suponiendo que éste fuese el dinero legal definitivo). El banco asumía la *obligación* de reembolsar en oro sus billetes, de modo que cada billete emitido era un pasivo para el banco, exactamente igual (y por la misma razón) que son un pasivo los depósitos.

Los billetes de la Reserva Federal no pueden ya ser reembolsados en oro ni en ninguna otra cosa, salvo en otros billetes de la Reserva Federal, pero se conserva la práctica contable tradicional.

Facultades del Fed

Aparte de la emisión de dinero legal, que en la mayoría de los bancos centrales aparece en cuentas separadas, el Fed tiene las mismas facultades generales sobre la oferta monetaria que cualquier banco central. Puede llevar a cabo las siguientes operaciones:

1) variar los depósitos de reservas por medio de *operaciones de mercado abierto;*
2) variar los depósitos de reservas haciendo préstamos a los bancos comerciales, u *operaciones de descuento;*
3) variar los *coeficientes de reserva* dentro de determinados límites, que son el 10 por 100 y el 22 por 100 para la clase más importante de bancos comerciales, según la legislación vigente.

El instrumento más utilizado por el Sistema de la Reserva Federal ha sido siempre las operaciones de mercado abierto; los bancos centrales de otros países tienen sus propias preferencias entre estos tres principales instrumentos.

Para que las operaciones de mercado abierto tengan éxito, se requiere, en primer lugar, un mercado de valores públicos bien desarrollado y que opere con suavidad, en el que pueda entrar o salir el Fed sin causar mayores perturbaciones. Un mercado con estas características existe en los Estados Unidos, pero no en muchos países pequeños. También es necesario que el Fed pueda operar como un negociante ordinario, lo que no podría hacer si comprara y vendiera directamente, de manera que para realizar en secreto sus operaciones de mercado abierto tiene que comprar y vender valiéndose de un gran número de agentes de Bolsa que mezclan las operaciones del Fed con otras transacciones regulares. Las operaciones de mercado abierto suponen normalmente entre un 5 y un 10 por 100 de todas las transacciones con valores públicos, por lo que requieren un manejo cuidadoso.

Las decisiones en relación con las operaciones de mercado abierto las toma diariamente el «Comité de Mercado Abierto», compuesto por los miembros del Consejo de Gobernadores más cinco de los gobernadores de los doce bancos de la Reserva Federal regionales.

Como ya se ha indicado, las operaciones de mercado abierto tienden a afectar simultáneamente a la *cantidad de dinero* y al *tipo de interés*. Según las épocas, debido a diversas circunstancias o a diferentes maneras de entender la política monetaria, se atiende más a la variación de la cantidad de dinero o a la del tipo de interés, pero ambas cosas están ligadas entre sí.

A veces, las operaciones de mercado abierto se emplean, a corto plazo, como ayuda en los programas de operaciones crediticias del Estado. Si se lleva a cabo rápidamente una emisión grande de nuevos bonos del Estado, tenderá a deprimir el mercado de valores (a elevar el tipo de interés). El Sistema de la Reserva Federal puede eliminar potenciales fluctuaciones comprando en el mercado abierto durante el período de emisión, para después vender lentamente a lo largo de las semanas o meses siguientes.

Descuento

Como puede observarse en el balance de la tabla 28.1, el descuento es un instrumento marginal para el Sistema de la Reserva Federal; el nivel de los préstamos es demasiado bajo para que el descuento pueda ejercer una influencia importante sobre las reservas o la oferta monetaria.

En términos estrictos, el Fed distingue entre *créditos,* que son préstamos directos de reservas adicionales, y *descuentos,* que son en realidad compras de activos ya en poder de los bancos comerciales,

a un coste (o descuento) para el banco comercial. Aunque de hecho
la parte más importante de la rúbrica «descuentos y créditos» son
los *créditos,* este conjunto de operaciones se denominan hoy «descuento».

Como cualquier banco central, el Sistema de la Reserva Federal
tiene dos principales maneras de operar en su «ventanilla de descuento»: puede modificar mucho el tipo de interés que carga (el
tipo de descuento) y ofrecer descuentos o créditos en cuantía relativamente ilimitada a los bancos comerciales que quieran pagar el
precio, o puede modificar relativamente poco el tipo de descuento
y *racionar* los créditos con mayor o menor rigidez, según le parezca
conveniente.

Dado que el tipo de descuento de un banco central se toma generalmente como un indicador importante de los tipos de interés,
cualquier modificación de aquél debe tener en cuenta los efectos
sobre la estructura total de los tipos de interés en la economía. En
consecuencia, su modificación se lleva a cabo con mucho cuidado,
y en la práctica el racionamiento de los préstamos tiene más importancia que el tipo de descuento.

El Sistema de la Reserva Federal no ha hecho tradicionalmente
mucho uso de su facultad de variar el coeficiente de reserva; a diferencia del Banco de Inglaterra, que lo utiliza como instrumento fundamental de su política. La variación del coeficiente de reserva es
un instrumento de gran alcance, especialmente para *reducir* la cantidad de dinero, pero su funcionamiento es bastante brutal, por lo
que es mejor limitar su empleo a situaciones de crisis como las que
experimenta Gran Bretaña en ocasiones frecuentes. Las variaciones
del coeficiente de reserva tienen efectos muy directos sobre la cantidad de dinero y sobre los préstamos comerciales, pero sus efectos
sobre los tipos de interés son sólo indirectos.

Relaciones con el Estado

Por lo dicho, el Sistema de la Reserva Federal es la *autoridad
monetaria* de los Estados Unidos. Puede controlar plenamente la
cantidad de dinero y ejercer una gran influencia sobre la *estructura
de los tipos de interés,* que son los dos instrumentos básicos de la
política monetaria.

Aunque, en un sentido amplio, el Sistema de la Reserva Federal
forma nominalmente parte del Estado, no se halla bajo el control
inmediato de la Administración y no está siempre dispuesto a aceptar las sugerencias del Gobierno en cuanto a la política a seguir. En
principio, la organización existente podría desaparecer por una medida legislativa en caso de divergencias irreconciliables, pero solamente
en las circunstancias de una grave crisis general. Existen dos principales razones por las que el Sistema de la Reserva Federal puede

negarse a llevar a efecto una política monetaria en la forma deseada por el Gobierno.

1) Sus gobernadores y directores pueden estar simplemente en desacuerdo con el Gobierno en el juicio sobre la situación económica, sobre el método a poner en práctica para hacer frente a la situación o sobre la naturaleza y papel de la política monetaria en el contexto de la política general.

2) Puede tener divergencias *técnicas* con el Gobierno sobre la forma estricta de emplear los instrumentos a su disposición. Por su relación estrecha con la comunidad bancaria, el Sistema de la Reserva Federal es reacio a tomar medidas (tales como la modificación del coeficiente de reserva) que no puedan aplicarse con suavidad. El Fed es responsable del funcionamiento suave y eficiente del sistema bancario, pues ejerce funciones *bancarias* además de tener a su cargo la política monetaria general.

RECAPITULACIÓN 28.5. *El Sistema de la Reserva Federal desempeña en los Estados Unidos las funciones de un banco central. Se trata de un grupo de bancos para banqueros, que son «propiedad» cooperativa de un cierto número de bancos comerciales, pero bajo el control final del Estado. El Sistema de la Reserva Federal tiene a su cargo las funciones regulares de un banco central y, además, controla la oferta de dinero legal. Regula la oferta de dinero principalmente por medio de operaciones de mercado abierto, y sólo en raras ocasiones utiliza la modificación del coeficiente de reserva. A pesar de estar bajo el control final del Estado, el Sistema de la Reserva Federal goza de una independencia considerable a corto plazo, y su política monetaria puede no estar siempre bien coordinada con la política macroeconómica de la Administración.*

RESÚMENES DE LAS SECCIONES. *Para repasar el contenido de este capítulo, hojéese el texto y vuélvanse a leer los trozos titulados «Recapitulación» que ponen fin a todas las secciones.*

TÉRMINOS Y CONCEPTOS DEL CAPÍTULO 28

Banco central
Coeficiente de reserva o de caja
Operación de mercado abierto
Operación de descuento
Sistema de la Reserva Federal

EJERCICIOS

1. Supóngase que el público desea mantener en efectivo el 20 por 100 de sus saldos monetarios totales dejando el resto en forma de depósitos bancarios, y que los bancos mantienen reservas de efectivo en caja iguales al 10 por 100 de los depósitos. ¿Qué cantidad total de efectivo hará falta, para cubrir tanto las necesidades de los bancos como las del público, si la oferta monetaria total es de 10.000 millones de pesetas? (Supóngase que no hay banco central.)

2. Una economía cuenta con un banco central que exige a los bancos comerciales mantener depósitos de reservas iguales a un 25 por 100 de sus depósitos en cuentas corrientes a la vista. Los depósitos de reservas de todos los bancos comerciales suman 100.000 millones de pesetas. ¿Cuál será el volumen total de depósitos del público en los bancos comerciales si éstos no tienen exceso de reservas?

3. ¿Cuánto aumentarán los depósitos del público en los bancos comerciales si el banco central cambia su regulación y pasa a exigir sólo el 20 por 100 como coeficiente de reserva, suponiendo que se mantienen sin variación los demás datos del ejercicio número 2?

PARA REFLEXIÓN Y DISCUSIÓN

1. Durante el siglo XIX y a principios del XX, tenía muchos partidarios la idea de un banco central independiente de la Administración pública. ¿Qué argumentos pueden ser (o han sido) empleados a favor de esa independencia? ¿Cuáles son los argumentos en contra?

2. En algunos países, el mismo banco que funciona como banco central se dedica (o se ha dedicado) también a operaciones propias de la banca comercial. ¿Cree usted que una combinación de este tipo perturba el funcionamiento del banco central o el del sistema de bancos comerciales en su conjunto?

3. Si los bancos se utilizaran solamente para efectuar depósitos y retiradas de efectivo, y por consiguiente no se empleasen los cheques, pero los bancos pudieran hacer préstamos (en efectivo), ¿tendría algún papel un banco central?

4. ¿Son necesarios los bancos en una sociedad socialista?

5. Un estudio de las características ligadas al desarrollo económico muestra un alto grado de correlación entre el nivel de desarrollo del sistema bancario y el nivel de desarrollo económico general. ¿Le sorprende esto? ¿Cómo se explicaría esta relación?

LECTURAS RECOMENDADAS. *Para los capítulos 26-28 (Parte VII)*

Duesenberry, James S., *Money and Credit,* 3.ª edición. Prentice-Hall, 1972.

Sprinkel, Beryl W., *Money and Markets: A Monetarist View.* Dow
    Jones-Irwin, 1971.

Estos dos libros de bajo precio ofrecen al lector un tratamiento del dinero y los bancos más extenso que el que reciben en la presente obra y aproximadamente al mismo nivel de dificultad. Duesenberry presenta un enfoque del dinero relativamente «keynesiano»;
Sprinkel (como se ve claramente por el subtítulo de su libro) presenta un enfoque «monetarista».

Board of Governors, Federal Reserve System, *The Federal Reserve
    System, Purposes and Functions.*

Esta publicación, cuya primera edición data de 1939 (apareciendo
desde entonces nuevas ediciones con intervalos de pocos años), es
la interpretación que el Fed da de su propio ser, dirigida al lector en
general. Debe leerse la última edición, aunque puede resultar de interés la comparación de distintas ediciones, a fin de observar cómo ha
variado a lo largo de los años la idea del Fed sobre sí mismo.

Parte VIII

POLITICA MACROECONOMICA

Esta parte, que comprende los capítulos 29 a 32, trata de reunir los materiales de las partes V (Macroeconomía), VI (Aplicaciones del análisis macroeconómico) y VII (Dinero y bancos) en una presentación unificada de la política macroeconómica, en la que las políticas monetaria y fiscal se consideran medios para alcanzar fines esencialmente similares. El capítulo 29 analiza los objetivos generales de la política macroeconómica en relación con los medios disponibles para llevar a cabo dicha política; los capítulos 30 y 31 presentan en detalle las políticas fiscal y monetaria, respectivamente, y el capítulo 32 trata de los problemas prácticos de la política y de la elección de una mezcla de medios monetarios y fiscales.

Capítulo 29

FINES E INSTRUMENTOS
DE LA POLITICA MACROECONOMICA

29.1. Objetivos generales

*Lo que distingue a los objetivos de la política macroeconómica
de otros objetivos de política económica*

El objeto de la política macroeconómica es la economía como
conjunto de macromagnitudes o cantidades agregadas: es decir, de
cosas tales como el volumen agregado de la producción y el empleo,
la tasa de crecimiento y el nivel general de precios. Es evidente que
todo lo que afecta a la economía en su conjunto tiene que afectar a
sus partes; por ello, el decisor en macropolítica deberá tener también en cuenta los efectos que va a provocar sobre los precios relativos y la eficiencia económica, sobre la distribución de la renta y (en
una economía abierta) sobre la balanza de pagos, aun cuando estas
cuestiones pueden no ser los principales objetivos de la política macroeconómica.

Se considera generalmente que la política macroeconómica ideal
será la que logre alcanzar los objetivos primarios siguientes:

1) un nivel de producción real agregada que se mantenga siempre cercano al de la capacidad;

2) un nivel de precios estable, o que aumente con lentitud, y

3) un crecimiento sostenido de la capacidad de producción —y
de la producción real, ya que ésta debe mantenerse cercana a la capacidad— a la tasa adecuada a las circunstancias de la economía. (La
tasa adecuada puede ser de crecimiento cero.)

———— Cápsula suplementaria 29.1 ————————————————

PROBLEMAS DE LA BALANZA DE PAGOS: UNA VISION PREVIA

En el capítulo 35 nos ocuparemos de los problemas de política económica planteados por la existencia de relaciones económicas con otros países, que se suman a los del funcionamiento interno de la propia economía. Llegados a este punto, necesitamos, sin embargo, tener ya alguna conciencia de estos problemas, por lo que el propósito de esta cápsula suplementaria es presentarlos en una breve visión previa.

La balanza de pagos de un país es el efecto neto de todos los pagos al extranjero hechos por los residentes y de todos los ingresos que sus residentes reciben del extranjero. Los más importantes, aunque de ninguna manera los únicos, son los pagos al extranjero por los bienes importados y los ingresos por los bienes exportados. Un país solamente puede financiar un excedente de pagos al exterior sobre sus ingresos del exterior reduciendo sus reservas de divisas extranjeras o de oro, por lo que dicho excedente (*déficit* de la balanza de pagos) no puede sostenerse indefinidamente y, por lo tanto, tiene que ser vigilado por los responsables de la política económica.

En términos generales, las medidas económicas de expansión interna tenderán a aumentar las importaciones (pues las gentes comprarán más bienes importados, así como más bienes producidos en el interior, cuando suban sus ingresos); por lo tanto, las medidas de este tipo llevan el riesgo de aumentar el déficit de la balanza de pagos, si es que existe, o de crearlo, si no existiera. Por el contrario, las medidas contractivas tenderán a reducir el déficit de la balanza de pagos. Por consiguiente, la situación de la balanza de pagos puede suponer una limitación importante para el responsable de la política económica. Si el país está en una fase de recesión y tiene déficit en la balanza de pagos, no podrá llevarse a cabo una política de expansión interna, a menos que se tomen las medidas apropiadas para reducir este déficit de la balanza de pagos por medios que no se limiten simplemente a contrarrestar los propios efectos expansionistas. Una de estas medidas es la devaluación de la moneda, que consiste en variar a favor de las divisas extranjeras el tipo de cambio de la moneda del país.

Mientras no abordemos, en la parte IX, los aspectos internacionales de la política económica, supondremos que la balanza de pagos, así como otros problemas exteriores, no significan una limitación para el político en su elección entre los instrumentos disponibles para lograr los objetivos económicos interiores.

———————————————————————————————

La política debe satisfacer también los objetivos secundarios de no interferir con los objetivos de política microdistributiva e internacional, por lo que podemos añadir:

4) el mantenimiento de la eficiencia económica y del conjunto de productos y servicios óptimo;

5) el mantenimiento de la distribución deseable o aceptable de la renta, y

6) el mantenimiento del equilibrio en los pagos internacionales u otros objetivos internacionales elegidos.

Podemos resumir los objetivos primarios en la siguiente fórmula breve y simplificada:
Pleno empleo con un crecimiento adecuado y sin inflación.

Una elección que no puede evitarse

Los objetivos no son independientes entre sí, y los problemas de política macroeconómica que no son meramente técnicos surgen, sobre todo y precisamente, de la interdependencia de aquéllos. No solamente no son independientes, sino que hasta cierto punto son competitivos. En particular, el pleno empleo y la estabilidad de los precios son objetivos competitivos, pues las influencias inflacionistas entran en juego antes de haberse alcanzado el nivel de pleno empleo y aumentan conforme la actividad económica se acerca a su capacidad. Por otra parte, el crecimiento y el pleno empleo no son generalmente objetivos en conflicto, pues tanto el pleno empleo como el crecimiento rápido son impulsados por un nivel alto de inversión. Por el contrario, el crecimiento rápido y la estabilidad de los precios suelen estar en conflicto.

Por tanto, existe la posibilidad real de que el político tenga que hacer una *elección* en cuanto a la importancia otorgada a los diferentes objetivos. Por ejemplo, puede tenerse que elegir entre una combinación de desempleo relativamente alto con inflación nula y otra de desempleo bajo con alguna inflación. Cada combinación afecta de distinta forma a los diversos grupos de la sociedad, y cualquier elección encontrará la oposición política de los representantes de los grupos para quienes la alternativa escogida es la peor. En la mayoría de los países, la alternativa elegida en definitiva podría preverse generalmente sabiendo el partido político que está en el poder.

Todos los economistas estarían de acuerdo en que, considerados uno por uno, todos los objetivos primarios son deseables. Cuando el problema es la elección entre combinaciones distintas, con ninguna de las cuales se llegan a alcanzar todos los objetivos, la tarea del economista profesional consiste principalmente en definir con la mayor claridad posible la elección disponible, aportando un análisis completo del modo en que cada alternativa afectará a cada sector de la economía.

RECAPITULACIÓN 29.1. *La política macroeconómica es la política económica cuyo objetivo primario es el control de las variables fundamentales: nivel de producción, tasa de crecimiento y nivel de precios. Aunque para él sean secundarios, el responsable de la política macroeconómica debe tener en cuenta los objetivos distributivos y los microeconómicos. Se define generalmente el objetivo primario como la combinación del pleno empleo y el crecimiento sin inflación. Sin embargo, la elección real está entre más o menos empleo y crecimiento acompañados de más o menos inflación.*

29.2. ¿Qué es «pleno empleo»?

Análisis del concepto de pleno empleo

Como se indicó en el capítulo 22, la capacidad de producción de la economía no es un nivel claramente definido, sino que en realidad se trata de una zona dentro de la cual la producción puede contraerse un poco sin necesidad de despedir trabajadores, o aumentar un poco con la fuerza laboral existente.

Al analizar el funcionamiento de la economía, hemos utilizado los términos «capacidad de producción», «plena capacidad», «potencial» y «pleno empleo» como intercambiables, porque lo que nos interesaba principalmente era el *nivel de producción*. Cuando analizamos el «pleno empleo» como objetivo de la política económica, necesitamos señalar dos acepciones del término:

1) como definición de la producción correspondiente a la *plena capacidad* de la economía, y

2) como definición de una proporción de la *fuerza laboral* que está empleada, respecto a la fuerza total.

Las dos no tienen por qué coincidir idénticamente. La «producción al nivel de la capacidad», como concepto operativo para las decisiones políticas, corresponderá normalmente a un nivel en el que existe cierto desempleo de trabajo. En una economía de mercado dinámica es inevitable que exista *algún* desempleo, no solamente en la situación de «plena capacidad», sino incluso traspasada la zona nominal de plena capacidad, cuando consideramos que la actividad económica marcha ya «forzada».

Una de las razones más importantes de la existencia de algún desempleo, aun cuando pueda considerarse que la economía esté funcionando al nivel de toda su capacidad o por encima de él, se oculta en la agregación consustancial al enfoque macroeconómico.

Desempleo estructural

El trabajo no es homogéneo, aunque lo tratemos así en los modelos simples. Por el contrario, existe un gran número de tipos diferentes de trabajo, que requieren bases educativas diferentes, así como formación profesional diferente. Es perfectamente posible que, en una situación determinada, 1.000 ingenieros electrónicos no puedan encontrar trabajo en su propia profesión, mientras que la industria de la construcción necesite 1.000 fontaneros más. Los 1.000 ingenieros irán a engrosar las estadísticas de desempleo, aunque existen 1.000 puestos de trabajo sin cubrir en otro lugar, e incluso aunque existieran 10.000.

Conforme cambia la economía, cambian las necesidades de fuerza laboral en las distintas áreas e industrias. Hay gentes que pueden perder sus empleos en un lugar mientras existen puestos sin cubrir (en la misma especialidad) en otra parte. Pueden emigrar a donde están los puestos de trabajo vacantes, pero aparecerán en las listas de desempleo durante el período de transición. El tipo de desempleo existente cuando gentes con determinadas especialidades, o en determinados lugares, se encuentran en situación de desempleo mientras que existen puestos de trabajo vacantes en otros campos laborales o en otros lugares, se denomina a menudo desempleo *estructural. Para los afectados, este tipo de desempleo es tan real como el desempleo general,* pero no se debe necesariamente a que la economía esté funcionando por debajo del nivel de su capacidad.

En una economía como la de los Estados Unidos, donde los costes de la flexibilidad en la utilización del trabajo recaen principalmente sobre la fuerza laboral, es inevitable cierto grado de desempleo estructural. Sus efectos individuales pueden mitigarse por medio del seguro de desempleo (trasladando algunos de los costes a la sociedad) o las indemnizaciones por despido (trasladando algunos de los costes a las empresas), pero sólo pueden reducirse con programas (como los de formación profesional o reciclaje, subvenciones a las migraciones interregionales o eliminación de las barreras de entrada puestas por los sindicatos obreros) que ayuden a acomodar a las condiciones de los puestos vacantes a las personas desempleadas.

Desempleo general

Lo que aquí más nos interesa, sin embargo, es el desempleo «general», es decir, el desempleo relacionado con el funcionamiento de la economía por debajo del nivel de capacidad. Esto nos lleva de nuevo al problema que planteamos al principio del capítulo en torno a la definición de «pleno empleo» o «capacidad».

Se ha propuesto como definición del pleno empleo la situación en la que la cantidad de puestos de trabajo sin cubrir es igual al número de personas desempleadas. Esta definición, a pesar de su buena apariencia, es tan arbitraria como cualquier otra, y destaca el problema de que la información sobre puestos de trabajo sin cubrir es muy pobre en comparación con la información sobre el desempleo. En definitiva, probablemente no podemos hacer nada mejor que elegir la tasa de desempleo más baja que parezca compatible, según la experiencia pasada, con una relativa estabilidad de los precios y tomarla como el nivel de pleno empleo. La mayor parte de los economistas situarían esta tasa de desempleo entre el 2 y el 4 por 100 en los Estados Unidos, con los actuales procedimientos estadísticos de determinación del paro; no existe, sin embargo, acuerdo en relación con una cifra concreta dentro de esos límites.

Desde luego, el desempleo general implica que hay personas en paro con especialidades laborales para las que existiría demanda si la economía estuviera funcionando a un nivel para el que dispone

de capacidad física. Por tanto, en el sentido más directo, desempleo
equivale a recursos no utilizados, de manera que la economía no está
en su frontera de posibilidades de producción. Así pues, el desempleo es *malo* en el sentido, desprovisto de ambigüedad, de que si la
economía pasara al pleno empleo, podría haber una producción mayor y todos podrían tener más bienes.

Por supuesto, podría utilizarse el mismo argumento refiriéndolo
al equipo de capital no utilizado o a la tierra sin aprovechar, pero
son las consecuencias *sociales* del desempleo de las personas lo que
nos lleva a poner de relieve este aspecto de la subutilización general de recursos. Si existen puestos de trabajo disponibles, incluso las
personas que viven de rentas de propiedad podrían vender sus servicios personales si les fallasen aquellos ingresos. La venta de servicios personales es, en último término, el recurso de todos, y el *único*
recurso sustancial de todos, a excepción de unos pocos.

Efectos distributivos

En una situación de desempleo moderado (del 5 al 7 por 100),
característica de las recesiones en los Estados Unidos desde 1944,
gran parte de la carga resultante de una pequeña variación de las
condiciones económicas es soportada por un pequeño grupo, el de
las personas sin empleo. En los verdaderos desastres económicos,
como la depresión de los años treinta, los poseedores de capital resultan también severamente afectados, y la distribución se altera en
perjuicio de ellos y de las personas sin empleo y en favor de los que
han tenido la suerte de conservar su ocupación. El valor total de los
salarios descendió en un 42 por 100 en los Estados Unidos entre
1929 y 1933, pero las demás rentas cayeron casi un 70 por 100.

El desempleo es una situación que causa más daño a los miembros más débiles de la economía, pues normalmente los primeros
que quedan desempleados son los trabajadores no cualificados (que
son los más pobres), los jóvenes (a quienes se les priva de la oportunidad de obtener una experiencia que les proporcionaría ventajas
para el resto de sus vidas) y los viejos (a quienes les será más difícil
que a nadie volver a encontrar empleo cuando mejore la situación),
mientras que los trabajadores cualificados y que gozan de un relativo
bienestar, de edades entre veinticinco y cuarenta y cinco años, son
los que tienen más probabilidades de conservar sus empleos. Por
esto, el desempleo es la causa de muchas injusticias sociales.

Con todo, la objeción final al desempleo es la pérdida que supone
de producción potencial, pues esto significa que ni siquiera se puede
compensar por su pérdida de ingresos a las personas desempleadas
sin reducir los ingresos de otros.

Volviendo a la pregunta que tratamos de contestar en esta sección, podemos afirmar que:

El «pleno empleo» como objetivo macroeconómico no significa necesariamente (ni normalmente) un desempleo nulo; el término se utiliza en realidad para definir el nivel de desempleo ligado estructuralmente a la producción al nivel de su plena capacidad.

RECAPITULACIÓN 29.2. *Por distintas razones, puede considerarse que la economía está en pleno empleo cuando aún el desempleo no es cero. Como el trabajo no es homogéneo, un sector de la economía puede estar funcionando a capacidad, con puestos sin cubrir para algún tipo de trabajo, mientras que existe desempleo en otras ocupaciones. En los Estados Unidos se acepta normalmente que el «pleno empleo» corresponde a un desempleo del 2 al 4 por 100, medido éste por los procedimientos estadísticos actuales.*

29.3. El crecimiento como objetivo

*El lugar de la tasa de crecimiento
entre los objetivos macroeconómicos*

Entre los objetivos primarios de la política macroeconómica, en los Estados Unidos, el crecimiento desempeña generalmente un papel menor, dominado por los objetivos del pleno empleo y la mínima inflación. Las razones de esto son suficientemente claras: los Estados Unidos es el país más rico del mundo, y su economía, en su estructura actual, presenta un crecimiento de la capacidad de producción de algo más del 4 por 100 en un año medio de pleno empleo, tasa que algunos ecólogos considerarían, en cualquier caso, demasiado alta. Cuando la producción real no llega a crecer al mismo paso, es principalmente porque no se ha alcanzado el objetivo del pleno empleo, y la capacidad de producción solamente *deja* de crecer cuando se dan las condiciones de una profunda recesión.

Por tanto, en el marco de los Estados Unidos, el crecimiento está subordinado esencialmente al pleno empleo. Si se alcanza este último objetivo, la tasa de crecimiento resultante se considera normalmente aceptable. Como excepción a esta regla, hubo un breve período, durante los años sesenta, en el que los Estados Unidos entraron en competencia con la Unión Soviética para ver cuál de los dos países crecía más rápidamente. La incongruencia de esta especie de deporte internacional con los verdaderos objetivos económicos se hizo aparente en seguida, gracias además a una desaceleración de la tasa de crecimiento de la Unión Soviética y a empezar a comprenderse que el verdadero ganador en una carrera internacional de crecimiento sería el Japón.

Sin embargo, el crecimiento es un objetivo muy importante para muchos otros países. Por ejemplo, Gran Bretaña ha crecido lenta-

mente a lo largo de los últimos años, cualquiera que sea el patrón
de medida utilizado, y asimismo cuenta con una estructura industrial
anticuada (tanto desde el punto de vista físico como del institucional),
cuya reforma sería más rápida si fuese mayor la tasa de crecimiento.
Por otra parte, están los países más pobres, para los cuales el crecimiento supone alcanzar un nivel de vida aceptable, y no un segundo
(o un tercer) coche en el garaje.

Posibles conflictos

En los países más pobres no existe conflicto entre el pleno empleo y el crecimiento rápido, pues el primero es un requisito previo
del segundo, como lo es también en los Estados Unidos. Con todo,
si se atiende en primer lugar al crecimiento en sí, puede ocurrir que
se elijan instrumentos de política con los que se consiga también
el pleno empleo: porque en ese caso es más deseable el aumento
de la inversión que el aumento del consumo.

Ahora bien, y esto es más importante, si el crecimiento es un
objetivo fundamental, cualquier confrontación del pleno empleo con
la inflación se convierte en una confrontación del pleno empleo *más*
el crecimiento con la inflación. Los argumentos contra la inflación
se debilitan necesariamente, y un país que pretenda un crecimiento
rápido estará probablemente más dispuesto a aceptar medidas que
encierran un alto riesgo de inflación que otro país para el que el
crecimiento sólo sea un objetivo subordinado.

Aparte de los conflictos potenciales entre los objetivos del crecimiento y el mínimo de inflación, los principales conflictos entre el
crecimiento rápido y otros objetivos se salen del contexto general
de la macropolítica. Por ejemplo, una tasa alta de crecimiento estará
probablemente en conflicto con los objetivos distributivos, pues se
obtendrá con mayor facilidad un nivel creciente de ahorro (necesario
para un mayor crecimiento) haciendo más desigual la distribución
de la renta: especialmente aumentando la proporción de los beneficios en la renta nacional. En el capítulo 24 se analizaron otros argumentos en contra de las altas tasas de crecimiento.

Algunos tipos de inversión, como la construcción de viviendas,
pueden tener una alta prioridad social, pero llevan a un crecimiento
escaso del PNB futuro; y una política dirigida esencialmente al crecimiento rápido desviará la inversión en proyectos de ese tipo hacia
otros, como la construcción y el equipamiento industriales.

En las consideraciones que siguen sobre la política macroeconómica, adoptaremos un enfoque «americano», subordinando el crecimiento al pleno empleo.

RECAPITULACIÓN 29.3. *La tasa de crecimiento será más alta cuando la economía esté funcionando cerca de su capacidad que cuando
esté en una recesión. Por tanto, para un país como los Estados Uni-*

dos, el objetivo del crecimiento tiende a estar dominado por el del pleno empleo, aunque puede existir algún conficto entre ambos.

29.4. ¿Pleno empleo sin inflación?

La elección política entre distintas combinaciones de empleo e inflación

El problema final de la política macroeconómica consiste en ver si es realmente posible, en una economía con un sector privado de grandes dimensiones, conseguir algo que pueda llamarse honradamente «pleno empleo» sin inflación.

La producción no está formada por un único bien, sino que es un agregado de muchos bienes individuales. Cada uno de los bienes se produce en su propia industria, con distintas necesidades de factores y diversas capacidades industriales. Incluso con un desempleo de, por ejemplo, un 4 por 100, algunas industrias pueden estar ya funcionando con sus instalaciones al nivel de su capacidad. Más aún, como el trabajo no es homogéneo, en algunos tipos de trabajo especializado pueden no llegar a cubrirse todos los puestos de trabajo disponibles, mientras que puede haber desempleo en otras ocupaciones.

Por consiguiente, puede aparecer un excedente de demanda en algunos mercados *antes* de alcanzarse el verdadero pleno empleo. Este excedente de demanda iniciará un movimiento ascendente de algunos precios y tenderá a aumentar la inversión planeada en las industrias que ya trabajan al nivel de su capacidad. Los precios pueden perfectamente comenzar a subir (y la experiencia dice que normalmente así lo hacen) cuando todavía existe cierto desempleo, y antes de alcanzarse el pleno empleo puede estar ya en marcha un proceso inflacionista autogenerado. Mientras más cerca esté la economía del verdadero pleno empleo, más industrias experimentarán estrangulamientos en sus instalaciones y más escaso se hará el trabajo especializado.

La zona problemática

Por tanto, hay una zona cercana al nivel de pleno empleo en la que una posterior reducción del desempleo va unida a una creciente probabilidad de inflación o a un aumento de la tasa de inflación existente. Muchos economistas replicarían que el verdadero pleno empleo sin ninguna inflación no es realmente posible, y que la única elección posible es entre diferentes niveles de desempleo ligados a diferentes tasas de inflación: podemos escoger un desempleo algo menor si aceptamos una inflación algo mayor. El nivel de desempleo al cual *no* existe ninguna probabilidad real de inflación es superior

———— **Cápsula suplementaria 29.2** ————————————————————

EL PROCESO PRESUPUESTARIO EN LOS ESTADOS UNIDOS

Cada mes de enero, el presidente de los Estados Unidos presenta su presupuesto para el año fiscal que comienza el día 1 del mes de julio siguiente. Sin embargo, y debido a la complejidad del sistema parlamentario, este presupuesto representa poco más que las esperanzas fiscales de la Administración, pues sólo muchos meses después sabrá ésta cuáles van a ser las realidades fiscales del año presupuestario (que para entonces ya habrá empezado). Los directores de la política económica de ese país deben sentir envidia del ministro de Hacienda británico, que presenta su proyecto a las cuatro de la tarde del llamado Día del Presupuesto, y puede tener aprobadas por las dos Cámaras del Parlamento las disposiciones esenciales (como las modificaciones de los impuestos) durante la misma tarde, ¡haciéndose efectivos los nuevos impuestos o medidas en la mañana del día siguiente!

El proceso presupuestario es más largo en los Estados Unidos que en ningún otro de los grandes países. Naturalmente, la formulación del presupuesto se inicia muchos meses antes de enero, con estimaciones preliminares por cada pequeña unidad de la Administración, que son aprobadas, rechazadas o modificadas en fases sucesivas, al reunirse en unidades mayores. Estas unidades son integradas por la Dirección del Presupuesto, y el montaje final requiere una decisión presidencial. Este proceso de formulación no plantea problemas importantes a la política fiscal, pues el impacto fiscal total se decide en las fases finales: generalmente durante el fin de semana anterior a la presentación del presupuesto al Congreso. Es el largo proceso de instrumentación y la naturaleza de ese proceso lo que crea dificultades a la política fiscal norteamericana.

Aunque pueda parecer increíble, el Congreso no siempre considera la política fiscal de la Administración en su conjunto, ni vota el presupuesto de forma global. El presupuesto presentado al Congreso es dividido inmediatamente en partes aisladas —créditos a los diversos organismos y departamentos, medidas propuestas para el aumento de los ingresos— y cada parte es objeto de audiencias y debates muy detalla-

——

al que se aceptaría generalmente como «pleno» empleo, por lo menos en las economías que cuentan con investigaciones empíricas sobre el particular: en los Estados Unidos parece estar en la región del 7 al 8 por 100.

Los testimonios cuantitativos sobre las relaciones entre desempleo e influencias inflacionistas se basan en las *curvas de Phillips* (analizadas en el capítulo 22), que relacionan el desempleo con la tasa de variación de los salarios, según los datos observados históricamente.

Se ha dado el mismo nombre a curvas parecidas, pero distintas, trazadas para mostrar las relaciones entre la tasa de desempleo y la tasa de aumento de los precios. En realidad deberíamos llamar a éstas *curvas de Phillips modificadas,* pues se basan en ligar las relaciones básicas de Phillips con un modelo de inflación del tipo «empujón de los costes».

dos tanto en la Cámara como en el Senado. Las distintas comisiones de ambas cámaras adoptan sus decisiones sobre cada pieza del presupuesto con independencia y sin referencia al conjunto presupuestario. Los créditos para defensa son analizados por las Comisiones de servicios armados de ambas cámaras, los créditos para educación por la Comisión de educación y trabajo de la Cámara y la Comisión de trabajo y bienestar social del Senado, pero en ningún sitio se considerará expresamente si el país mejoraría con una transferencia de recursos de la defensa a educación o viceversa.

También se separarán, en vez de considerarse en conjunto, los medios alternativos para alcanzar los mismos fines. El apoyo a una industria determinada por medio de beneficios fiscales será examinado por las Comisiones de recursos (Cámara de Representantes) y de Hacienda (Senado); la misma ayuda, si se planteara por medio de programas especiales de crédito, iría a la Comisión de dinero y bancos, mientras que el auxilio por subvenciones directas iría a Comércio interestatal y exterior (Cámara) y Comercio (Senado).

El resultado final es que el Congreso tiene un control enorme sobre los detalles del presupuesto, y no un verdadero control sobre el impacto fiscal total; pero la Administración puede encontrarse con que todo su plan fiscal ha quedado destruido al combinar las múltiples modificaciones de los créditos y los ingresos introducidas por tantas y tan diversas comisiones y votadas de modo fragmentario en las dos cámaras. Podríamos quizás caracterizar la política fiscal en los Estados Unidos como el resultado de un proceso aleatorio que al final puede tener poca semejanza con el proyecto de presupuesto. El proceso de instrumentación del presupuesto, no solamente dura seis meses más que en la mayoría de los países europeos, sino que además sus resultados son imprevisibles. El presupuesto pierde una de sus más importantes virtudes potenciales como instrumento de política económica, es decir, el ser una exposición fiable de lo que ocurrirá realmente en la economía.

La figura 29.1 refleja la relación histórica entre el desempleo y la tasa de variación de los precios durante el período 1956-1971 en los Estados Unidos, mediante una curva dibujada a mano alzada que se aproxima al mejor ajuste para el período anterior a 1970. La curva tiene la misma configuración que la curva de Phillips original.

Vistos en conjunto, los datos representados en la figura sugieren que la tasa de inflación aumenta con rapidez cuando el desempleo se hace inferior a un 5 por 100. Un desempleo del 5 por 100 o superior se ha asociado con tasas de variación de los precios entre el 1 y el 2 por 100: a una variación de este tipo no podríamos llamarla inflación.

Se han realizado investigaciones sobre esta relación mucho más elaboradas que las que pueden obtenerse observando simplemente un diagrama. Todas las que se basan en los datos de los Estados Unidos sugieren un nivel de desempleo del 4,5 por 100 o más para

un 1 por 100 de aumento de los precios, y hay una estimación que
sitúa nada menos que en el 7 por 100 el correspondiente nivel de
desempleo.

Para una tasa *cero* de aumento de los precios, no hay un testimonio fiable, a causa de la relativa falta de ejemplos históricos; de
todas formas, por extrapolación se obtienen unas tasas de desempleo
del 7 o incluso del 8 por 100 para precios constantes.

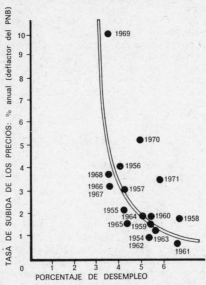

Fig. 29.1.—*Relación entre el nivel de inflación y el nivel de desempleo en Estados Unidos durante el período 1954-1971.*

Los datos históricos, lo único que pueden indicar es que la economía *no ha conseguido* combinar un desempleo muy bajo con una
inflación nula, pero no que *no pueda* hacerlo. Por desgracia, los economistas no tienen testimonios que les permitan afirmar que saben
ahora cómo romper con los precedentes históricos.

Posibilidades de acción política

Si aceptamos una curva del tipo de la de Phillips como testimonio firme en cuanto a posibilidades, podemos contemplarla como
una *curva de posibilidades de acción.* La política económica, o al
menos lo que se conoce actualmente por política económica, puede,
por ejemplo, conseguir un punto sobre la curva de la figura 29.1,
pero no un punto a su izquierda. El político tiene, pues, que *elegir*
la combinación más aceptable entre las posibles: unos elegirán menos desempleo con más inflación, otros más desempleo con menos

inflación. Obsérvese: que algunos años (1970 y 1971, por ejemplo), la economía ni siquiera alcanzó las anteriores combinaciones «Phillips».

Si, teniendo en cuenta los factores estructurales y los trabajadores que están cambiando de puesto de trabajo, consideramos que un desempleo del 4 por 100 es «pleno empleo» en los Estados Unidos, este desempleo parece ir ligado a tasas de inflación del 1 al 3 por 100, según lo atestiguan estudios recientes. Si consideramos «pleno empleo» un desempleo del 3 por 100, las tasas de inflación que parecen asociarse a él son ya muy altas.

Acéptese o no una relación cuantitativa particular, existen pocas dudas de que un bajo nivel de desempleo lleva consigo una elevada probabilidad, o incluso la certeza, de inflación. El objetivo más deseable de política económica sería el *desplazamiento* de la curva de Phillips, para que una determinada tasa de inflación pudiera ir unida a un nivel menor de desempleo. Pero esto es algo que, por desgracia, los economistas no saben todavía cómo conseguirlo. En principio debería ser posible, pero todavía no contamos con un análisis suficientemente claro del comportamiento detallado de la economía en la zona cercana al verdadero pleno empleo.

El pleno empleo con inflación cero es un objetivo político ideal, pero hasta el momento no es factible. Existe solamente la posibilidad de elegir entre estar cerca del desempleo cero con mayor inflación o presión inflacionista, o separarse más del desempleo cero con menor presión inflacionista. El político a quien corresponda la decisión final tiene que elegir el lugar de la escala (entre, por ejemplo, el 1 por 100, que es un cero efectivo, y el 7 por 100) en el que va a funcionar la economía, equiparando las consecuencias de *algún* desempleo con las consecuencias de *alguna* inflación.

RECAPITULACIÓN 29.4. *Aunque el pleno empleo sin inflación sería un objetivo deseable, no sabemos cómo conseguirlo. La alternativa parece estar entre un desempleo mayor con menos inflación y un desempleo menor con más inflación, figurando en una curva de posibilidades de acción las combinaciones alcanzables. Un objetivo importante de la investigación en política económica es el de aprender a desplazar dicha curva para que ofrezca unas combinaciones más deseables.*

29.5. Instrumentos de la política macroeconómica

Breve descripción de los instrumentos disponibles para desarrollar la política macroeconómica

La política macroeconómica incluye el manejo de las relaciones entre producción al nivel de la capacidad total y gasto planeado o, lo

―――― **Cápsula suplementaria 29.3** ――――――――――――――――――

¿QUE CLASE DE POLITICA SON LOS CONTROLES DE SALARIOS Y PRECIOS?

Cuando se impusieron en los Estados Unidos los controles de salarios y precios de 1971, el mandato para ello se derivó de la legislación aprobada por las Comisiones de dinero y bancos del Congreso, lo que haría de ellos una parte de la política monetaria, dada la división del trabajo en el Congreso. Sin embargo, su aplicación fue encomendada a la Dirección de la Renta, uno de los principales brazos fiscales del Estado.

En realidad, los controles directos escapan a la simple división de la política económica en fiscal y monetaria, ilustrando de esta forma el hecho de que la política es la política y las clasificaciones tradicionales son útiles pero no cubren todas las posibilidades. Algunas formas de control directo podrían catalogarse, bien como instrumentos de política monetaria o bien de política fiscal: por ejemplo, la limitación directa de los tipos de interés se suele considerar política monetaria, y en general sería impuesta por un banco central, mientras que las prohibiciones directas de inversión o su limitación se considerarían quizás (aunque no es seguro) política fiscal. Por el contrario, los controles generales de salarios y precios tienen que ser considerados como un tipo especial de política económica en sí mismos.

Obsérvese que los términos «directo» e «indirecto» referidos a la política económica deben tomarse en relación con los objetivos de esa política. Supongamos que se está en una situación de excedente de la demanda planeada, con pleno empleo, y la consiguiente inflación. Los controles de salarios y precios serían directos en cuanto a las variaciones de los precios en sí, pero indirectos en cuanto al excedente de demanda subyacente. Por otra parte, un superavit presupuestario sería una medida directa para reducir el excedente de demanda, pero sólo una medida indirecta en cuanto a las variaciones de los precios. La expresión «controles de mando» encajaría mejor que la de «controles directos» para medidas como el control de salarios y precios, cuyo rasgo específico consiste en prohibir concretamente a quienes toman las decisiones económicas el que actúen como lo harían en respuesta a los estímulos económicos normales.

Los controles directos o de mando se emplean normalmente en forma negativa, para evitar las subidas de los precios durante una inflación. En principio, estos controles también podrían utilizarse en situaciones inversas: por ejemplo, declarando ilegal el despido de trabajadores por las empresas durante un período de recesión. Existen, sin embargo, medidas de política fiscal y monetaria que pueden ser eficaces contra la recesión, mientras que la dinámica interna de la inflación puede exigir controles de salarios y precios *a la vez* que las medidas adecuadas de política fiscal y/o monetaria. No debemos excluir la posibilidad de que, en el futuro, los controles de mando se muestren útiles (en combinación con la política fiscal y monetaria) en otras situaciones aparte de la inflación.

―――

que es lo mismo, entre producción al nivel de la capacidad, detracciones planeadas e inyecciones planeadas, para conseguir una producción real efectiva a un nivel todo lo cercano al de la capacidad que el responsable de la política económica considere deseable, dadas sus ideas sobre el compromiso entre desempleo y riesgo de inflación. También incluye las medidas correctoras, basadas en manipulaciones de la misma naturaleza, cuando la producción se desvía del nivel deseado o se presenta una inflación inaceptable.

Los principales instrumentos de política a la disposición del Estado son los siguientes.

1) Sus facultades para imponer tributos y su control sobre una parte importante del gasto total de la economía. Todos los instrumentos de política relacionados con el control estatal de los ingresos y los gastos, y que aparecen de forma típica (aunque no exclusivamente) en los *presupuestos* del Estado, se denominan en su conjunto *política fiscal.*

2) Sus facultades, ejercidas de forma directa o indirecta, sobre la cantidad de dinero y otros determinados activos, tales como los valores del Estado. Los instrumentos relacionados con las facultades del Estado como definitiva autoridad monetaria se denominan en su conjunto *política monetaria.*

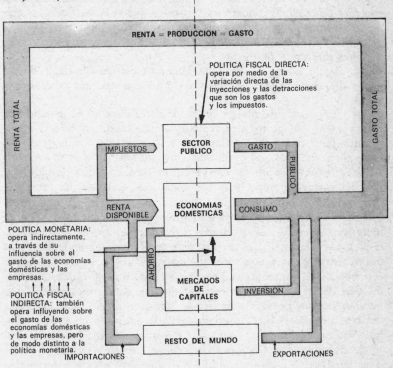

Fig. 29.2.—*Modo de operar de los distintos tipos de política sobre los diferentes flujos que componen la economía.*

La figura 29.2 ilustra la relación entre ambos tipos de política económica.

Debe quedar claro desde un principio que la política monetaria y la política fiscal no son políticas diferentes con objetivos diferentes, sino *dos conjuntos diferentes de instrumentos* para realizar la política macroeconómica en general. Representan medios alternativos, y no fines distintos. En principio, la política macroeconómica puede llevarse a cabo por medio de un amplio abanico de combinaciones monetario-fiscales, que van desde la utilización primordial de métodos fiscales, en un extremo, hasta el uso primordial de métodos monetarios, en el otro. Por ejemplo, en una recesión, el Estado podría bajar los tipos de interés (medida que generalmente se incluye en la política monetaria), o aumentar el déficit presupuestario (política fiscal), o bajar los tipos de interés y provocar un déficit (mezcla de política monetaria y política fiscal). Como las medidas fiscales y monetarias típicas afectan a la economía de manera hasta cierto punto diferente (aun cuando se dirijan a alcanzar los mismos objetivos primarios), los efectos secundarios variarán según la mezcla concreta de medidas monetarias y fiscales que se elija. Podemos elegir una mezcla *óptima* para cada conjunto de circunstancias.

Medidas directas e indirectas

Desde un punto de vista analítico, podríamos clasificar de un modo algo distinto los instrumentos de política macroeconómica, en:

1) *Técnicas directas de inyección-detracción.* Si el Estado aumenta su propio gasto, está realizando una inyección *directa* en el circuito renta-consumo. Análogamente, si aumenta sus ingresos totales por impuestos, está realizando una detracción *directa*.

2) *Técnicas indirectas de inyección-detracción.* Si el Estado maneja la estructura impositiva con objeto de estimular la inversión (por ejemplo, rebajando los impuestos a las empresas que inviertan), está *induciendo* una inyección en forma de un aumento del gasto de inversión, en lugar de realizarla directamente. De modo análogo, si el Estado redistribuye renta (por ejemplo, aumentando los tipos impositivos de las rentas altas y rebajando los de las rentas bajas) con objeto de aumentar la propensión a consumir, *induce* una reducción de las detracciones (menos ahorro). Todas las técnicas monetarias operan de forma indirecta, bien por medio de variaciones del tipo de interés que provocan cambios del gasto de inversión, o bien variando los saldos monetarios y provocando cambios en el gasto de consumo. Las técnicas indirectas se basan en inducir a gastar a las empresas o a los consumidores, y sus resultados son menos seguros y menos controlables —especialmente en cuanto a la magnitud de los efectos— que los de las técnicas directas.

Esta clasificación rompe la división tradicional entre política fiscal y política monetaria. Mientras que la política monetaria es *indirecta,* la política fiscal puede ser *directa* o *indirecta.* Desde un punto de vista estructural, las medidas de política fiscal indirecta tienen más en común con la política monetaria que con la política fiscal directa.

RECAPITULACIÓN 29.5. *Los instrumentos fundamentales de la política macroeconómica son los que se derivan del empleo por el Estado de su presupuesto (política fiscal) y los que provienen de sus facultades monetarias (política monetaria). Se trata de conjuntos diferentes de instrumentos, y no de políticas diferentes. Podemos distinguir también las técnicas directas (detracciones o inyecciones efectuadas directamente por el Estado) de las técnicas indirectas (que inducen a las empresas o economías domésticas a modificar sus detracciones o inyecciones).*

RESÚMENES DE LAS SECCIONES. *Para repasar el contenido de este capítulo, hojéese el texto y vuélvanse a leer los trozos titulados «Recapitulación» que ponen fin a todas las secciones.*

TÉRMINOS Y CONCEPTOS DEL CAPÍTULO 29

Desempleo estructural.
Curva de Phillips modificada.
Política fiscal.
Política monetaria.
Política directa e indirecta.

EJERCICIOS

1. En una economía sólo existen dos clases de trabajo, fontaneros y carpinteros, y es imposible pasar de una a otra sin varios años de readaptación profesional. Supóngase que hay 1.000.000 de carpinteros sin empleo y la misma cifra de fontaneros desocupados, y que cada aumento de mil millones de pesetas en el PNB da origen a un aumento de 75.000 en la demanda de carpinteros, y de 25.000 en la demanda de fontaneros. ¿Cuánto tendrá que aumentar el PNB para eliminar todo el desempleo?

2. Si el PNB aumentara hasta el nivel necesario en el Ejercicio 1, ¿podría preverse una presión inflacionista? En caso afirmativo, ¿cuál sería su origen?

3. Con los datos del Ejercicio 1, supóngase que «pleno empleo» significa que el número de puestos de trabajo sin cubrir (sin ninguna referencia al tipo de trabajo) tiene que ser igual al número de desempleados (de nuevo sin ninguna referencia al tipo de trabajo). ¿Qué aumento del PNB sería necesario para llevar la economía a este nivel?

4. ¿Habría presión inflacionista en las condiciones del Ejercicio 3?

PARA REFLEXIÓN Y DISCUSIÓN

1. Si las posibilidades alcanzables por la economía estuvieran verdaderamente representadas por la curva de la figura 29.1, ¿qué punto sobre ella elegiría usted como objetivo?

2. Si hubiera muchos puestos vacantes de trabajo sin cualificar, y hubiera a la vez muchos ingenieros eléctricos sin empleo, ¿debería inducirse a éstos (por ejemplo, negándoles el seguro de desempleo) a aceptar los empleos que no requieren cualificación?

3. ¿Es honrado referirse a un desempleo del 4 por 100 como una situación de «pleno empleo»?

4. Si el Estado aumenta sus gastos en 1 millón de pesetas, pagándolos en dinero legal que imprime al efecto, ¿se trata de una medida de política fiscal, de política monetaria, o de ambas a la vez?

5. Cuando el Estado gasta 1 millón de pesetas, las gasta claramente en algo concreto. Si aumenta la oferta monetaria, no ejerce ningún control directo en cuanto al destino del aumento del gasto privado. ¿Quiere esto decir que la política monetaria causa menos «interferencias» sobre la economía que la política fiscal?

Capítulo 30
POLITICA FISCAL

30.1. Política fiscal directa

Principios básicos de la política fiscal directa

Los efectos de la política fiscal directa, entendiéndose por tal las variaciones de los impuestos o del gasto público, pueden determinarse aplicando el análisis renta-gasto que se desarrolló en los capítulos 21 y 22.

El gasto público es una *inyección* en el anillo renta-consumo, mientras que la imposición fiscal es una *detracción* de él. Si el objetivo de la política económica se formula como un nivel deseado de producción real, y se conocen las inyecciones y detracciones planeadas por los demás sectores de la economía, el Estado tiene que determinar el nivel de las inyecciones y detracciones que él mismo debe llevar a cabo para alcanzar aquel objetivo.

Efectos de los impuestos sobre el ahorro

Aunque con frecuencia podemos suponer que el gasto público no tiene ningún efecto sobre las demás inyecciones de la economía, no podemos suponer que los impuestos no afectan a las demás detracciones. Por el contrario, un aumento de los impuestos hará normalmente que *disminuyan* las demás detracciones, porque conducirá a un descenso del ahorro para cualquier nivel de renta. Las economías domésticas fundamentan sus decisiones de consumo y ahorro en su renta *disponible* (renta después de deducirse los impuestos), así que un aumento de los impuestos causará una disminución de las rentas disponibles, y de ahí, una disminución del ahorro, así como una reducción del consumo. Por tanto, la variación de las detracciones efectivas totales será *menor* que la variación de los impuestos en sí, a causa del efecto compensador de las variaciones del ahorro.

Al considerar el efecto de un cambio en los impuestos, deben tenerse en cuenta las detracciones efectivas totales y no solamente la variación de los impuestos. La figura 30.1 aclara este punto.

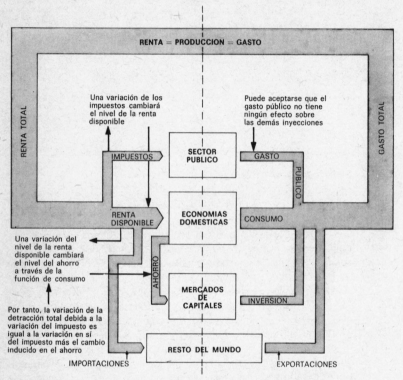

Fig. 30.1.—*Efectos de una variación de los impuestos sobre la economía.*

Tomemos un ejemplo sencillo. Las economías domésticas consumen el 80 por 100 de su renta disponible, con lo que ahorran el 20 por 100 restante. Consideremos el efecto de un aumento de los impuestos de 100 millones de pesetas. Como las rentas disponibles han disminuido en 100 millones, el ahorro descenderá en la cantidad *que se habría ahorrado* de esos 100 millones si hubieran seguido en poder de las economías domésticas, o sea, en 20 millones de pesetas. Las detracciones totales aumentarán solamente en 80 millones, diferencia entre los 100 millones de aumento de los impuestos y los 20 millones de descenso del ahorro.

Análogamente, si se hubieran *rebajado* los impuestos en 100 millones de pesetas, las rentas disponibles habrían aumentado en la misma suma. Pero los consumidores habrían ahorrado 20 millones de pesetas de ese aumento de la renta disponible, con lo que la *reducción* de las detracciones totales sería de 80 millones de pesetas (100 millones menos 20 millones), y no del total de 100 millones que representa la rebaja de los impuestos.

Efecto neto de la política fiscal

Si bien las inyecciones del Estado (gasto público) pueden afectar a veces a otras inyecciones, tales como la inversión, no hay nada directo ni esencial en tales efectos ni, en caso de producirse, tendrán necesariamente una dirección determinada. Podemos aceptar como caso general que el gasto público es independiente de las demás inyecciones. Por tanto, a los efectos de la política económica, la inyección total resultante de un aumento del gasto público puede considerarse igual a la variación del propio gasto.

El efecto *neto* sobre la economía de un cambio simultáneo en el gasto público y en los impuestos será el que corresponda a los efectos combinados del *gasto público* en sí y de la *suma de las detracciones* asociadas a la variación de los impuestos.

Debe observarse que el efecto sobre el *presupuesto* del Estado es el efecto combinado del cambio en el gasto y el *efectivo cambio en los impuestos,* y no la suma de las detracciones resultantes de la variación de los impuestos.

Siguiendo con el ejemplo anterior, con una propensión a consumir del 80 por 100, un aumento de 100 millones de pesetas *tanto* en los gastos públicos *como* en los impuestos mantendría equilibrado el presupuesto (si inicialmente estaba equilibrado), pero provocaría un efecto neto sobre la economía, a la que supondremos inicialmente en equilibrio. Las inyecciones han aumentado en 100 millones de pesetas (gasto público), mientras que las detracciones totales sólo han aumentado en 80 millones (los impuestos menos la variación del ahorro). Considerando el conjunto de la economía, las inyecciones superan ahora a las detracciones, y habrá una *presión ascendente* sobre la economía, aunque el Estado mantenga su presupuesto equilibrado.

Al estar determinados los impuestos, en la mayoría de las economías, por unos *tipos impositivos aplicados a la renta,* y no por cantidades fijas, aplazaremos hasta la próxima sección el análisis más detallado de los efectos de los impuestos, para concentrarnos solamente en los efectos del gasto, supuestos fijos los impuestos.

Un ejemplo

Los principios generales del funcionamiento de la política fiscal directa a través del gasto pueden observarse tomando el modelo keynesiano más simple. Supóngase una función de consumo tal que las

economías domésticas gastan, cualquiera que sea su nivel de renta,
el 80 por 100 de su renta disponible (renta después de deducidos
los impuestos). Por tanto, las propensiones media y marginal serán
iguales a 0,8.

Supondremos que los ingresos del Estado por impuestos se han
fijado a un nivel de 100.000 millones de pesetas y no varían con la
renta. Para cada nivel de la renta total (=producción total), podemos calcular las detracciones totales. Estas serán los 100.000 millones de pesetas (los impuestos) *más* el 20 por 100 de la renta después de deducir los impuestos (ahorro de las economías domésticas).
La tabla 30.1 muestra las detracciones para distintos niveles de la
producción total.

Como la producción de equilibrio será aquella para la que se
igualen las inyecciones totales y las detracciones totales, podemos
hallar dicha producción de equilibrio en la economía representada
por los datos de la tabla 30.1 hallando la cifra total de detracciones,
en la columna (5), que corresponde al total de las inyecciones planeadas, pasando después a la columna (1) para hallar el nivel de
producción correspondiente. También podemos operar a la inversa:
partiendo del nivel de producción deseado, que tomamos de la columna (1), pasamos al nivel correspondiente de detracciones totales
de la columna (5), obteniendo así la cantidad a la que tiene que
igualar la suma total de las inyecciones. Por ejemplo, para obtener
un nivel de producción de 600.000 millones de pesetas, necesitamos
un total de inyecciones de 200.000 millones.

TABLA 30.1

Relación entre detracciones y producción
[Ingresos (fijos) por impuestos = 100.000 millones]

(PMeC = PMaC = 0,8)

(Miles de millones de pesetas)

(1) Producción total = Renta (nacional) total	(2) Renta disponible (1) − 100	(3) Ahorro de las economías domésticas 20% de (2)	(4) Consumo de las economías domésticas	(5) Detrac- ciones totales (3) + 100
400	300	60	240	160
500	400	80	320	180
600	500	100	400	200
700	600	120	480	220
800	700	140	560	240
900	800	160	640	260

En este modelo simple, la política fiscal directa comprende los siguientes pasos:

1) elección del nivel de producción deseado;

2) determinación de las inyecciones planeadas que no proceden del sector público, principalmente la inversión privada, y

3) fijación del nivel del gasto público de manera que el total de inyecciones (gasto público más inversión) esté a la altura correspondiente al objetivo de producción.

Supongamos que el objetivo de producción, que se eligió tras considerar las diversas opciones políticas entre distintos niveles de desempleo y distintos riesgos de inflación, es de 900.000 millones de pesetas. Por comodidad, denominaremos, a lo largo de este capítulo, a esta cantidad producción de «pleno empleo», pero el nivel efectivo dependerá de la política básica elegida.

Para sostener la producción a este nivel de 900.000 millones de pesetas son necesarias inyecciones por un total de 260.000 millones. Si la inversión privada planeada es de 200.000 millones, el gasto público tendría que llegar a los 60.000 millones. Si la inversión privada totalizara solamente 150.000 millones, el gasto público debería aumentar hasta alcanzar 110.000 millones. Obsérvese que en el primer caso el Estado tendrá un superávit presupuestario de 40.000 millones de pesetas, mientras que en el segundo tendría un déficit de 10.000 millones, dado que se ha supuesto que sus ingresos se mantendrán fijos en 100.000 millones de pesetas.

Reglas generales

No es difícil definir las reglas generales que relacionan los superavits y déficits presupuestarios con los efectos expansivos y contractivos sobre la economía. Nos referimos al efecto del presupuesto sobre una economía en equilibrio previo, con un presupuesto anterior también equilibrado.

1) *Pasar a un déficit presupuestario tiene siempre un efecto expansivo.*

Un déficit significa que los impuestos son menores que los gastos. Como el cambio en las detracciones totales es siempre menor que la variación de los impuestos (por el efecto sobre el ahorro), un déficit implica que la detracción total resultante de la acción política (los impuestos menos el ahorro perdido) es necesariamente menor que la inyección total resultante de la misma política (los gastos públicos). El efecto neto de esta política es un excedente de las inyecciones sobre las detracciones y la presión ascendente sobre la economía.

2) *Pasar a un superávit presupuestario suficientemente grande tiene un efecto contractivo, pero un superávit pequeño no provoca necesariamente este efecto.*

————— **Cápsula suplementaria 30.1** —————————————————

IMPUESTOS

Al analizar los fundamentos de la política fiscal, no decimos nada en particular acerca de los «impuestos», excepto que los suponemos directamente relacionados con la renta. Esto no significa necesariamente que nuestro análisis se limite a los impuestos sobre la renta, pues hay otros muchos (los impuestos sobre las ventas, por ejemplo), cuya recaudación total aumentará o disminuirá con la renta.

No todos los impuestos dependen de las rentas, por lo menos a corto plazo. Los impuestos sobre la propiedad mobiliaria e inmobiliaria, por ejemplo, dependen del volumen de riqueza y no del nivel corriente de las rentas; ahora bien, una recesión prolongada puede reducir la riqueza a la vez que las rentas y llevar con el tiempo a una disminución de la recaudación procedente de esos impuestos, a menos que varíen los tipos impositivos. En los Estados Unidos, los impuestos basados en la riqueza suponían en 1970 un 13 por 100 del conjunto de los ingresos federales, de los diversos estados y locales, pero tenían una considerable importancia en las haciendas locales y de los estados, en las que representaban más del 40 por 100 de los ingresos totales.

En los Estados Unidos y otros sistemas políticos federales, la política fiscal es de la competencia del gobierno federal y no de las autoridades de los estados o locales; por lo tanto, nos interesan principalmente aquí los impuestos federales. A nivel federal, los impuestos del tipo del de la renta suponen entre el 85 y el 90 por 100 de los ingresos por impuestos en los Estados Unidos, así que el modelo de política fiscal basado en este tipo de impuestos es una representación razonable de la realidad. Estos impuestos relacionados con la renta son fundamentalmente de tres clases: el impuesto sobre la renta de las personas físicas, el impuesto sobre la renta de las sociedades y las contribuciones a la seguridad social. Estas últimas, aunque se llaman «contribuciones» y tienen una relación con ciertas ventajas potenciales futuras, originan los mismos efectos fiscales que los impuestos sobre la renta y deben ser tratadas como tales.

Los impuestos sobre las ventas y sobre el lujo se relacionan con el *gasto* y no con la renta. Su volumen total sube y baja con la renta, porque así lo hace el gasto, pero sus efectos concretos son algo diferentes de los efectos de un verdadero impuesto sobre la renta. Un impuesto sobre la renta tiene que pagarse cualquiera que sea el empleo dado a la renta, pero un impuesto sobre las ventas puede eludirse no gastando la renta. En otras palabras, los impuestos sobre la renta inciden tanto sobre el consumo como sobre el ahorro, mientras que los impuestos sobre las ventas inciden solamente sobre el consumo. Por lo tanto, mientras que un aumento de los impuestos sobre la renta con-

——

Un superávit significa que los impuestos exceden de los gastos. Pero el aumento de las detracciones totales es *menor* que el aumento de los impuestos, y por tanto puede no ser mayor que el aumento de los gastos si el superávit presupuestario es relativamente pequeño. Un superávit pequeño es compatible con un ligero excedente de las inyecciones sobre las detracciones, y podría ser ligeramente expansivo. Si el superávit es tan grande que las detracciones son mayores que los gastos públicos, el efecto de la política será contractivo.

ducirá a un volumen total de detracciones inferior a la recaudación del impuesto, a causa de la disminución del ahorro, los impuestos sobre las ventas pueden conducir a una detracción total mayor que la recaudación del impuesto, pues el ahorro puede aumentar (aunque sólo se trata de una posibilidad). Las diferencias entre los efectos de los diversos tipos de impuestos pueden despreciarse al analizar los grandes principios de política económica, pero es necesario tenerlas en cuenta al tomar decisiones en la política económica.

Diferentes impuestos afectarán diversamente a la distribución de la renta, y resultados fiscales equivalentes pueden ir unidos a efectos distributivos muy distintos. Es ésta otra aplicación de la importante proposición según la cual la política económica tiene muchas caras, y el político llega antes o después a un punto en el que tiene que considerar en su conjunto todas las medidas económicas que se propone adoptar.

Aunque los impuestos pueden ser recaudados con casi cualquier criterio, a condición de que pueda medirse objetivamente y satisfaga la vieja regla de la imposición (establecida constitucionalmente en los Estados Unidos) de que quienes están en situaciones «iguales» deben pagar impuestos «iguales», son los impuestos sobre la renta los que han llegado a predominar históricamente en los Estados Unidos. Después de la primera guerra mundial, este tipo de impuestos se ha convertido en la fuente más importante de los ingresos federales, y en época reciente ha llegado a ser también una importante fuente de ingresos locales y de los estados, creciendo rápidamente en importancia relativa.

Por una serie de razones, muchas de ellas ligadas a problemas recaudatorios, no en todos los países las haciendas descansan en tan elevado grado sobre los impuestos sobre la renta. Por ejemplo, una importante fuente de ingresos en Europa es el impuesto sobre el *valor añadido*. Este es como un impuesto sobre las ventas pero, a diferencia de los ordinarios de este tipo, grava las materias primas y los bienes intermedios así como los productos finales. Un industrial paga un impuesto sobre las ventas por todo lo que compra, y lo recauda por todo lo que vende. Paga después a la Hacienda el exceso de estas recaudaciones sobre estos pagos, que es tanto como pagar un impuesto sobre la diferencia entre el valor de lo que vende y el valor de los materiales que ha empleado en su manufactura: lo que equivale a un impuesto sobre el valor añadido en la producción, de donde viene su nombre. Este impuesto se recauda fácilmente y tiene muchas propiedades que lo hacen ventajoso como impuesto local o regional: podría fácilmente aparecer en los Estados Unidos. En la Unión Soviética se utiliza un tipo similar de impuesto, llamado impuesto de *giro*.

3) *Un presupuesto equilibrado tiene un efecto ligeramente expansivo si tanto los gastos como los impuestos aumentan, y ligeramente contractivo si ambos disminuyen.*

Si los gastos y los impuestos aumentan en la misma cantidad (presupuesto equilibrado), las detracciones totales aumentarán en una cantidad menor que el aumento de los impuestos, por lo que hay un excedente de inyecciones sobre la detracción total, y el efecto

será expansivo. El mismo argumento, pero en dirección inversa, sirve
para la reducción de gastos e impuestos.

El multiplicador del presupuesto equilibrado

Podemos calcular muy fácilmente el efecto exacto de una variación manteniendo equilibrado el presupuesto. Si tanto los impuestos
como las inyecciones aumentan en 1 millón de pesetas, el excedente
de las inyecciones sobre las detracciones será igual a la cantidad que
se habría ahorrado del millón de pesetas de aumento de la renta.
Este excedente se anula al aumentar la renta de hecho en 1 millón
de pesetas, con lo que la nueva renta de equilibrio será superior a la
antigua en 1 millón de pesetas.

*Si el presupuesto se mantiene equilibrado, el PNB aumentará o
disminuirá en la misma cantidad en que aumenten o disminuyan los
gastos públicos y los impuestos (que son iguales). Esta relación se
cumple para todos los valores de la propensión a consumir, siempre
que el consumo dependa de la renta disponible.*

La razón del cambio en la producción, a pesar de mantenerse
iguales entre sí los ingresos *(detracciones)* y los gastos *(inyecciones)*,
puede verse también como un efecto similar a la redistribución de la
renta. Si el Estado aumenta los impuestos en 1 peseta y la gasta después, está detrayendo 1 peseta de un consumidor que gastaría solamente 80 céntimos de ella, mientras que el Estado gasta la peseta
entera. Está claro que el resultado será un aumento de la producción.
Podemos decir que el *multiplicador del presupuesto equilibrado* es
la unidad, ya que la renta cambia en la misma cantidad que lo han
hecho el gasto y el ingreso.

RECAPITULACIÓN 30.1. *La política fiscal directa se basa en el hecho
de que el gasto público es una inyección y los impuestos son una
detracción. No obstante, debemos señalar que, del lado de las detracciones, un cambio en los impuestos hará variar la renta disponible y, con ello, el ahorro. La detracción total resultante de los impuestos es menor que el ingreso efectivo por impuestos, a causa del
efecto sobre el ahorro. Deducimos de esto que un déficit presupuestario (exceso del gasto público sobre el ingreso por impuestos) es
siempre expansivo, pero un superávit presupuestario tendrá un efecto
contractivo sólo si es suficientemente grande.*

30.2. Tipos impositivos fijos

*Análisis de la política fiscal cuando los ingresos por impuestos
varían directamente con la renta*

Debe observarse que cuando suponemos constantes los impuestos (=ingresos) al analizar en un macromodelo simple el efecto del

gasto público, nos referimos a los *ingresos efectivos por impuestos,* no a los *tipos impositivos.* En la mayoría de las economías reales, los impuestos están determinados por tipos fijos que se aplican al volumen de ventas o a la renta, con lo cual los ingresos efectivos por impuestos aumentan automáticamente cuando la economía está en una fase expansiva y disminuyen cuando está en una fase contractiva. Para aumentar el gasto sin aumentar los ingresos públicos, haría falta en la mayor parte de los casos reducir los tipos impositivos, a fin de que pudieran obtenerse los mismos ingresos por impuestos partiendo de un nivel superior del PNB.

Tipos impositivos

Cuando un gobierno anuncia que proyecta aumentar el gasto sin aumentar los impuestos, eso significa normalmente que no proyecta aumentar los *tipos* impositivos. Un aumento del gasto sin un aumento de la recaudación por impuestos correspondería a una reducción de los tipos impositivos, la que seguramente sería anunciada por cualquier político normal como una *reducción* de los impuestos.

Para analizar la política fiscal en un marco razonablemente realista, debemos examinar los efectos del gasto público cuando los tipos, y no los ingresos, son fijos. Limitaremos nuestro análisis a los impuestos sobre la renta, y supondremos un tipo impositivo marginal que es constante, esto es, que la proporción de cada peseta adicional de renta que es pagada como impuestos permanece igual para todos los niveles de renta.

El efecto general de los impuestos con un tipo marginal constante no es difícil de evaluar. Todo aumento de las inyecciones que dé origen a un aumento de las rentas causará automáticamente un aumento de las detracciones (en forma de impuestos sobre la renta), con lo que el aumento de la diferencia entre inyecciones y detracciones será menor que si los ingresos totales por impuestos fueran fijos. Por tanto, el efecto de ser fijos los impuestos en cuanto a sus tipos y no en cuanto a los ingresos totales es necesariamente la reducción del poder expansivo de una peseta de gasto público. El poder contractivo de una disminución del gasto público en una peseta se reducirá de manera análoga, pues las detracciones disminuirán al bajar la renta.

Un ejemplo numérico

Supongamos, para ser concretos, que la propensión marginal a consumir a partir de la renta disponible es 0,8, y que el tipo impositivo marginal es 0,25, valor cercano al tipo real en algunos países occidentales. De un aumento de 100 pesetas en la renta, 25 pesetas irán a aumentar los pagos por el impuesto sobre la renta, así que la renta disponible aumentará solamente en 75 pesetas. El gasto para consumo aumentará en un 80 por 100 del aumento de la renta disponible, o sea, en este caso, en 60 pesetas ($=0,8 \times 75$), ahorrándose el resto de la renta disponible (15 pesetas).

Por tanto, un aumento de 100 pesetas en la renta total genera un aumento de 60 pesetas en el gasto para consumo. Dicho de otra forma, un aumento de 100 pesetas en la renta total genera un aumento de 40 pesetas en la detracción total: 15 pesetas de ahorro y 25 pesetas de impuestos.

En términos del análisis renta-gasto, el resultado es exactamente el mismo que *si* la propensión marginal a consumir fuera solamente 0,6 en lugar de 0,8, o la propensión marginal a ahorrar 0,4, en lugar de 0,2. El multiplicador será 2,5 [$=1/(1\text{-}0,6)$], en lugar de 5, valor que tendría con la misma función de consumo y unos ingresos fiscales fijos (véase el capítulo 22).

Es cómodo expresarse por medio de la *tasa de detracción marginal* (TDMa), que da el aumento de la detracción total ligado a un aumento de la renta nacional (no de la renta disponible). Naturalmente, depende del tipo impositivo marginal (TIMa) y de la propensión marginal a ahorrar (PMaA).

Relaciones algebraicas
Podemos calcular las relaciones del siguiente modo.

1) Cada peseta adicional de renta *nacional* hace aumentar:

a)   los impuestos, en la cantidad de TIMa pesetas;
b)   la renta *disponible,* en la cantidad restante, de ($1-$TIMa) pesetas.

2) Cada peseta adicional de renta *disponible* hace aumentar el ahorro en la cantidad de PMaA pesetas.
3) Un aumento de la renta disponible de ($1-$TIMa) pesetas hará aumentar, por tanto, el ahorro en la cantidad de PMaA$\times$($1-$TIMa) pesetas.
4) El aumento de la detracción total es igual al aumento de los impuestos *más* el aumento del ahorro. Como el aumento de la detracción total por cada peseta adicional de renta es (TDMa), tenemos que:

$$\text{TDMa} = \underset{\substack{\text{aumento}\\\text{de los}\\\text{impuestos}}}{\text{TIMa}} + \underset{\substack{\text{aumento}\\\text{del}\\\text{ahorro}}}{\text{PMaA} \times (1-\text{TIMa})}$$

Como TIMa está entre 0 y 1, ($1-$TIMa) es positivo, y por tanto, el término PMaA$\times$($1-$TIMa) también es positivo. De ahí se deduce que TDMa es mayor que TIMa.

La relación anterior puede ordenarse también de la forma siguiente:

$$TDMa = PMaA + TIMa \times (1 - PMaA)$$

Como PMaA es menor que la unidad, el segundo término del segundo miembro es positivo. Por tanto, TDMa es necesariamente mayor que PMaA, de lo que resulta que TDMa es mayor que TIMa y que PMaA.

En el ejemplo numérico dado, tenemos TIMa$=0,25$, $(1-$TIMa$)$ $=0,75$, PMaA$=0,2$ y PMaA $(1-$TIMa$)=0,2\times0,75=0,15$.

Por tanto, TDMa$=0,25$ (aumento de los impuestos)$+0,15$ (aumento del ahorro)$=0,4$.

Obsérvese que un ingreso por impuestos constante equivale a un tipo impositivo marginal nulo. Al ser TIMa$=0$, la ecuación anterior se convierte en TDMa$=$PMaA y la única detracción afectada por la renta es el nivel del ahorro.

El multiplicador con tipos impositivos fijos

Como cada peseta de aumento de renta genera TDMa pesetas de aumento de las detracciones, necesitamos TDMa pesetas de aumento de las inyecciones para producir 1 peseta de aumento de renta. Por tanto, el *multiplicador,* que es el cociente de dividir el aumento de renta por la inyección necesaria para generarlo, es 1/TDMa, o sea, $2,5(=1/0,4)$ en el ejemplo numérico anterior.

El multiplicador con tipos impositivos fijos tiene un valor *inferior* al multiplicador simple con ingresos fijos. Este último es igual a 1/PMaA, pues el ahorro es la única detracción que varía con la renta, y el primero es igual a 1/TDMa, siendo TDMa mayor que PMaA. Obsérvese que en el ejemplo numérico el multiplicador es la *mitad* del calculado para unos ingresos fijos, aunque el tipo impositivo marginal es solamente 0,25.

El aumento de los *ingresos por impuestos* es TIMa multiplicado por el aumento de la renta nacional. Cada aumento del gasto público en una peseta genera un aumento de la renta nacional que viene dado por el multiplicador, o sea, por 1/TDMa pesetas. Por tanto, el aumento de los ingresos por impuestos procedente del aumento de una peseta en el gasto público es TIMa$\times$(1/TDMa) pesetas$=$TIMa/TDMa pesetas. Como TDMa es siempre mayor que TIMa, este último cociente es *inferior* a una peseta: es $0,25/0,4$ pesetas, o $62,5$ céntimos, en el ejemplo numérico.

Por tanto, y como era de esperar, si el gasto público aumenta mientras que los tipos impositivos se mantienen constantes, el aumento de los ingresos por impuestos será siempre menor que el aumento del gasto público. Si el presupuesto del Estado estaba inicialmente en equilibrio, tendrá un déficit después del aumento del gasto.

Si el gasto público se *reduce* en lugar de aumentar, manteniéndose fijos los tipos impositivos, será válido todo el análisis anterior, pero a la inversa. Como la renta disponible disminuirá, pero menos que la renta nacional (al disminuir los impuestos totales), el multiplicador descendente disminuirá del mismo modo que el multiplicador ascendente. Los ingresos por impuestos disminuirán, pero en una cantidad menor que la disminución del gasto. Si el presupuesto estaba inicialmente en equilibrio, pasará a tener un superávit.

Obsérvese que el multiplicador con tipos impositivos constantes es aplicable al efecto de los cambios de la *inversión* o de cualquier otra inyección lo mismo que a los cambios del gasto público. Se aplicarán en este caso exactamente los mismos argumentos: una parte del aumento de la renta nacional pasará a los impuestos, con lo que la renta disponible (la que da origen al consumo planeado) aumentará menos que la renta nacional.

RECAPITULACIÓN 30.2 *En las economías modernas, los impuestos se establecen fijando tipos impositivos: un porcentaje de la renta o un porcentaje del volumen de ventas. Este hecho provoca modificaciones de ciertas relaciones básicas entre la renta del país y el gasto público, tales como el multiplicador. Un aumento de las inyecciones que dé origen a un aumento de las rentas causará un aumento de los impuestos, y por lo tanto aumentará las detracciones. Los efectos multiplicadores, dados unos impuestos que varían con el nivel de renta, serán menores que lo que se hubiera deducido de considerar solamente la función de consumo. Dependerán tanto de la propensión marginal a consumir como del tipo impositivo marginal.*

30.3. La medición del efecto presupuestario

Introducción del concepto de presupuesto de pleno empleo

El *presupuesto* del Estado (en lo que se refiere a la política fiscal, podemos limitar nuestro estudio al presupuesto de la Administración central) es una exposición de los gastos planeados y de los ingresos estimados del Estado para un período financiero futuro: normalmente, un período de doce meses que se inicia poco después de la publicación del presupuesto. Si este período no coincide con el año natural, se le llama fiscal: en Estados Unidos, el año fiscal se extiende del 1 de julio al 30 de junio. (El año que se inicia el 1 de julio de 1972 y termina el 30 de junio de 1973 se denomina año fiscal *1973.*)

El propósito original de los presupuestos fue asegurar la honradez de los gobiernos, y no el mostrar el impacto macroeconómico de la acción del Estado. Todavía hoy los presupuestos del Estado

en la mayoría de los países han de ser recompuestos en cierta medida
para poder leer en ellos lo que los economistas desean saber. No nos
preocuparemos de estos problemas de detalle, y nos ceñiremos al
estudio del presupuesto de una Administración central en el contexto
de un macromodelo simple.

Efecto impacto y efecto final

Dos diferentes efectos provoca la política fiscal, y ambos deben
ser considerados:

1) El efecto *impacto* del presupuesto. ¿Va a ejercer el presupuesto, en cuanto entre en vigor, una presión ascendente o descendente sobre la economía? Es el efecto impacto lo que buscábamos
antes, en este mismo capítulo, cuando analizábamos los efectos generales de los superavits y déficits presupuestarios.

2) El efecto *final* del presupuesto. Si permanecen fijos los *tipos*
impositivos y el gasto público, ¿alcanzará la economía el equilibrio
en el pleno empleo, por debajo de éste, o provocará una inflación el
presupuesto?

El efecto impacto del presupuesto depende de la relación entre
los gastos y el total de las detracciones al *entrar en vigor* aquél. El
efecto final del presupuesto depende de la relación entre los gastos
y el total de las detracciones *después de haber variado la renta como
consecuencia de la política presupuestaria*. Como los impuestos varían con la renta, los dos efectos serán distintos.

Ejemplo

Consideremos una situación en la que los tipos impositivos se
han fijado al nivel de un 25 por 100 de la renta, la renta de pleno
empleo es de 100.000 millones de pesetas, y, partiendo de la función
de consumo y los planes privados de inversión, un gasto público de
20.000 millones de pesetas equilibrará la economía exactamente en
el nivel de pleno empleo.

Por tanto, en pleno empleo, la política fiscal adecuada requeriría
un gasto público de 20.000 millones, mientras que los impuestos
supondrían 25.000 millones (25 por 100 de 100.000 millones): el
Estado tendría un *superávit* presupuestario de 5.000 millones.

Supongamos ahora que, cualquiera que sea el motivo, la economía no está ni en equilibrio ni al nivel de pleno empleo y la renta
nacional sólo alcanza 80.000 millones de pesetas. Si el Estado pre-
supuestara unos gastos de 20.000 millones de pesetas, como sus ingresos inmediatos por impuestos sólo llegarían a 20.000 millones
(25 por 100 de 80.000 millones), el presupuesto estaría en equilibrio. Si la economía estuviera aún más deprimida, con una renta de
60.000 millones de pesetas solamente, el presupuesto tendría un

déficit inicial (de 5.000 millones de pesetas) con unos gastos de 20.000 millones, pues los impuestos alcanzarían solamente 15.000 millones (25 por 100 de 60.000 millones de pesetas).

Tenemos tres resultados presupuestarios diferentes —un superávit, un equilibrio y un déficit— para un *mismo gasto y los mismos tipos impositivos,* resultados que dependen del nivel de actividad de la economía al formularse el presupuesto. Si se sostiene esta política presupuestaria, cualquiera de los tres presupuestos llevará a la economía al equilibrio con pleno empleo, a partir del nivel existente, y a un superávit presupuestario de 5.000 millones de pesetas.

Observemos la situación desde el otro lado. La economía está en depresión, con una renta de 60.000 millones de pesetas solamente en lugar de los 100.000 millones que corresponden al pleno empleo. Por la depresión económica, parece adecuado un déficit presupuestario, pues necesitamos un efecto impacto expansivo. En lo que atañe al efecto impacto, mientras mayor sea el déficit, mayor será tal efecto, pero esto no nos dice a dónde irá finalmente a asentarse la economía. ¿Nos llevará al pleno empleo un déficit de 1.000 millones de pesetas?; ¿se necesitarán 5.000 millones?; ¿harán falta 10.000 millones? Todos ellos impulsarán a la economía en sentido ascendente, pero ¿hasta qué nivel?

El saldo presupuestario en la situación de pleno empleo

El modo más sencillo de encontrar la respuesta es considerar, no el déficit o el superávit asociado a cada posible nivel de gasto en las circunstancias en curso, sino lo que este nivel de gasto implicaría una vez alcanzado el pleno empleo. Llevamos esto a cabo calculando el *superávit o déficit en pleno empleo.* Estará determinado por el gasto planeado y los ingresos por impuestos que se obtendrían en pleno empleo.

Cualquiera que sea el nivel presente de la renta, sabemos que un gasto público de 20.000 millones de pesetas será suficiente para llevar la economía al pleno empleo en las condiciones supuestas de ahorro y estructura impositiva. Supóngase que el nivel corriente de la renta es solamente 60.000 millones de pesetas. Los ingresos por impuestos a este nivel de renta serán de 15.000 millones de pesetas, con lo que si los gastos ascienden a 20.000 millones para llevar la economía al pleno empleo, habrá un *déficit* corriente de 5.000 millones. Sin embargo, si se sostiene este gasto y la economía alcanza el pleno empleo, los ingresos por impuestos pasarán a ser de 25.000 millones, con un superávit de 5.000 millones. En este ejemplo, 20.000 millones de gasto darían lugar a un *déficit presupuestario corriente* de 5.000 millones, pero corresponderían a un *superávit en pleno empleo* de 5.000 millones, a causa del aumento de los ingresos públicos a ese nivel de renta.

Si la economía hubiera partido de un nivel de renta de solamente 40.000 millones de pesetas, el ingreso corriente por impuestos hubiera sido solamente de 10.000 millones. El gasto público necesario para alcanzar el pleno empleo seguiría siendo de 20.000 millones de pesetas, y los ingresos por impuestos serían, como antes, a pleno empleo 25.000 millones. En este caso, el gasto necesario para alcanzar el pleno empleo supondría un déficit corriente de 10.000 millones de pesetas, pero seguiría correspondiendo a un superávit en pleno empleo de 5.000 millones. Con independencia de la posición inicial, el gasto necesario para alcanzar el pleno empleo sería siempre de 20.000 millones, y a éste correspondería siempre un superávit de 5.000 millones en pleno empleo: el déficit o superávit presupuestario actual o corriente depende de la posición inicial y de los ingresos por impuestos a ese nivel inicial de renta.

El efecto final del presupuesto puede hallarse calculando el superávit o déficit en pleno empleo. El déficit corriente depende del punto de partida, así como del punto hacia donde va la economía. Dados unos tipos impositivos fijos, el superávit o déficit en pleno empleo es el mismo para todos los presupuestos que produzcan el mismo efecto final, cualquiera que sea el punto de partida.

No es esencial que el superávit o déficit que resultaría en pleno empleo sea el necesario para alcanzar el equilibrio de la economía con pleno empleo, pero debe ser calculado y comparado con el presupuesto en la situación de equilibrio. Podemos desear, por ejemplo, sacar a la economía rápidamente de un nivel de renta de 60.000 millones de pesetas provocando un déficit *corriente* de 15.000 millones, lo que aumentará el efecto impacto. Esto representa un déficit en pleno empleo de 5.000 millones, pues corresponde a unos gastos de 30.000 millones (15.000 millones del ingreso corriente más 15.000 millones del déficit corriente), mientras que el ingreso en pleno empleo será de 25.000 millones. Si se mantuviera firmemente hasta llegarse al pleno empleo, este presupuesto sería claramente inflacionista. Calculando el déficit de este presupuesto en pleno empleo, lo comprobaremos y, por tanto, planearemos la reducción del gasto conforme la economía se vaya acercando al nivel de pleno empleo.

Utilidad del saldo presupuestario en pleno empleo

El déficit o superávit en pleno empleo proporciona una forma de comparar los efectos finales de los presupuestos que funcionan en condiciones económicas diferentes.

Obsérvese que el concepto de presupuesto de pleno empleo no lleva consigo el supuesto de que deba existir *equilibrio presupuestario en el pleno empleo* (superávit o déficit nulos en pleno empleo). Que haya un superávit, un déficit o un equilibrio presupuestario en pleno empleo depende totalmente de las inyecciones y detracciones privadas planeadas y de la relación entre éstas y lo que se requiere para sostener la producción adoptada como objetivo.

La tabla 30.2 permite comparar los saldos presupuestarios corrientes y en pleno empleo en los Estados Unidos (sólo el presupuesto federal), en los años fiscales 1962 a 1973. Si se comparan los saldos en pleno empleo vemos, por ejemplo, que los presupuestos de 1969 y 1973 son similares en sus efectos finales (saldo en pleno empleo), aunque uno de ellos tiene un superávit corriente y el otro tiene un considerable déficit corriente. Podemos observar que el efecto final del presupuesto de 1970 era desinflacionista (un superávit en pleno empleo), mientras que el presupuesto de 1966 era inflacionista (déficit en pleno empleo), aun cuando el déficit corriente fue mayor en 1970 que en 1966.

TABLA 30.2

Presupuestos federales en los Estados Unidos: cifras corrientes y cifras correspondientes al pleno empleo (1962-1972)

(Miles de millones de dólares; años fiscales)

Año	Superávit o déficit corriente	Superávit o déficit correspondiente al pleno empleo
1962	− 7,2	+ 2,4
1963	− 4,7	+ 4,4
1964	− 5,9	+ 2,1
1965	− 1,6	+ 2,4
1966	− 3,8	− 6,1
1967	− 8,8	−10,6
1968	−25,2	−25,2
1969	+ 3,2	0
1970	− 6,4	+ 2,6
1971	−23,0	+ 4,9
1972	−38,8	− 8,1
1973 [a]	−25,5	+ 0,7

[a] Estimación basada en el presupuesto presentado por la Administración federal.

RECAPITULACIÓN 30.3.   *Como los ingresos públicos varían con la renta, un presupuesto que contenga un nivel específico de gastos y unos tipos impositivos fijos mostrará un saldo que dependerá del nivel corriente de la economía. Si la economía está en depresión, los ingresos por impuestos serán menores, y el presupuesto mostrará un déficit mayor, o un superávit menor, que el que hubieran reflejado los mismos gastos y tipos impositivos a altos niveles de empleo.*

*Para comparar los presupuestos introducidos en diferentes situaciones
de la actividad económica, es útil calcular el saldo en pleno empleo;
es decir, el superávit o déficit a que darían origen en pleno empleo
el mismo gasto y los mismos tipos impositivos. El saldo presupuestario en pleno empleo ofrece un cuadro más claro sobre el efecto
final de la política presupuestaria que el reflejado por el saldo corriente.*

30.4. Financiación de los déficits

*Cómo pueden los Estados gastar más
de lo que reciben por impuestos*

La política fiscal directa obliga a una utilización flexible del presupuesto, que puede mostrar a veces un superávit o un déficit corriente. Vamos a pasar ahora al examen de los medios que el Estado
tiene para financiar un déficit —cuando sus gastos exceden de sus
ingresos— o manejar un superávit.

El Estado obtiene recursos para su propio uso tanto por medio
de la coacción como por el intercambio. Los ingresos por impuestos
representan una acción coactiva del Estado; todos los recursos que
reúna por encima de estos ingresos tendrán que provenir de un
cambio por algo. Si el gasto público es mayor que los ingresos por
impuestos, el Estado tendrá que cubrir la diferencia por medio de
intercambios. En otras palabras, tendrá que vender algo al público,
algo que habrá sido producido por el propio Estado sin utilizar los
recursos públicos, y que el público esté dispuesto a aceptar.

Hay dos cosas que el Estado puede vender al público y que satisfacen en circunstancias normales los requisitos citados: son el *dinero*
y los *bonos del Estado.* El Estado puede financiarse un déficit por
medio de una de estas dos cosas, o por una combinación de ambas.

Financiación con dinero nuevo

El Estado puede «vender» dinero por la sencilla razón de que
él mismo, o un agente suyo, tiene el control de la oferta monetaria
y puede, por lo tanto, aumentar la cantidad de dinero. Por ejemplo,
puede imprimir sencillamente nuevos billetes de mil pesetas y pagar
con ellos, pero existen formas más indirectas y sutiles para hacerlo,
a través del sistema bancario. En cualquier caso, el dinero recién
creado es tan válido como el dinero ya existente, y el Estado puede
utilizarlo (quizás de modo muy complicado) para pagar los bienes y
servicios que compra al sector privado. El gasto pagado con dinero
nuevo no afecta a los ingresos por impuestos, por lo cual este procedimiento sirve para financiar un déficit.

────── **Cápsula suplementaria 30.2** ──────────────────

PARA SOSTENER LA DEUDA PUBLICA

¿Puede ir la economía a la bancarrota por causa del pago de los intereses de su deuda pública? La respuesta es negativa, siempre que toda la deuda pública sea *interior* (es decir, esté en poder de los residentes del país), pues los intereses de la deuda pública son simplemente una *transferencia*. La deuda pública (y sus intereses) es una deuda del Estado y, por lo tanto, de los miembros de la economía, con el público, que está formado por los mismos miembros.

Supóngase que todas las personas de una economía (con una población de 100 millones) tuvieran la misma renta, y que cada una de ellas poseyera el mismo número de bonos del Estado. En estas condiciones, un aumento de 10.000 millones de pesetas en la deuda pública, a un tipo de interés del 5 por 100, exigiría la venta de 100 pesetas en bonos a cada persona, con la obligación de pagar a cada una 5 pesetas anuales como interés. Pero este interés se pagaría con un aumento de los impuestos, que, al tener todos la misma renta, ascendería a 5 pesetas por cabeza. Por lo tanto, cada persona percibiría 5 pesetas más en concepto de intereses y pagaría 5 pesetas más de impuestos, quedando exactamente como estaba antes.

Los intereses de la deuda pública tienen un efecto sobre la economía solamente porque quienes perciben los intereses y quienes pagan los impuestos con los que se abonan los intereses no son exactamente las mismas personas. Hay una transferencia neta de los que pagan altos impuestos y no poseen bonos del Estado a los que tienen bonos y no pagan impuestos. Por lo tanto, los pagos de intereses y los correspondientes impuestos dan lugar a cierta redistribución de la renta. Los intereses de los bonos del Estado tienen con frecuencia un tratamiento fiscal *privilegiado* (no es así en lo que se refiere a los bonos federales en los Estados Unidos) lo que asegura automáticamente unos efectos redistributivos. Sin embargo, los intereses de la deuda pública representan siempre un trastorno importante para los gobiernos que heredan esta obligación. Dado el hecho irremediable de la impopularidad del aumento de los impuestos, el aumento de volumen de los intereses de la deuda pública reduce el gasto que queda a la discreción del Estado a partir de unos ingresos dados.

La deuda pública *exterior* (bonos comprados por los extranjeros) no provoca un simple efecto redistributivo. Estos intereses tienen que pagarse en definitiva transfiriendo a los extranjeros bienes del país vendedor de los bonos: se trata de una reducción real de los bienes disponibles dentro de la economía.

───

Por supuesto, el público tiene que estar dispuesto a *retener* el aumento del stock de dinero, o sea, de las disponibilidades monetarias. Si las disponibilidades son mayores de lo que desea el público, éste tratará de reducir sus saldos, aumentando el gasto, lo que introduce un elemento nuevo en la situación. La financiación de un déficit por medio de la expansión monetaria introduce necesariamente un elemento de *política monetaria*. En efecto, se trata de una combinación de política fiscal y monetaria, que provoca un efecto expansionista mayor que lo que podría predecirse si se le tratara como una medida de política fiscal pura.

Por otra parte, *cierta* proporción de un déficit deberá ser financiada por medio de la expansión monetaria, ya que si la producción está aumentando gracias a una política fiscal de creación de déficit, será necesario un aumento de la cantidad de dinero, suponiendo que existía un equilibrio monetario en la cantidad inicial. En un modelo simple, podríamos suponer que un aumento de un 10 por 100 de la producción real hará necesario un aumento de un 10 por 100 de la cantidad de dinero, supuestos unos precios estables, unos tipos de interés constantes y una velocidad de circulación invariable.

Financiación con bonos

El Estado puede vender también sus *bonos*: promesas de pago de un interés anual a un tipo determinado y de reembolso del valor nominal del bono en cierta fecha fija del futuro. Como el dinero, los bonos pueden imprimirse a voluntad y venderse al público.

Mientras que un individuo o una sociedad anónima solamente pueden vender sus promesas de pago en la medida en que los compradores tengan confianza en ellos (y a menudo sólo si pueden demostrar la propiedad de activos reales de valor suficiente para garantizar el reembolso, en caso necesario), el Estado tiene una capacidad relativamente ilimitada para hacerlo. La razón es que el Estado cuenta con la facultad coactiva final de los impuestos, con los que puede pagar el interés de sus bonos. Aunque el Estado puede llegar a estirar tanto la credibilidad de sus promesas que ésta acabe por romperse, supondremos aquí que nos encontramos lejos de ese límite.

La venta de bonos para cubrir un déficit obliga al Estado al pago de intereses hasta la amortización de estos bonos. En términos generales, ello supone la obligación de pagar intereses indefinidamente en el futuro. Aunque es cierto que cada bono aislado se amortiza al vencimiento del plazo fijado, el reembolso se suele hacer vendiendo nuevos bonos (el proceso se llama *conversión),* con frecuencia a las mismas personas poseedoras de los bonos antiguos vencidos. La *deuda pública* (valor norminal global de todos los bonos en poder del público) disminuye muy raras veces.

Así como la expansión de las rentas resultante de un déficit crea demanda de *algún* dinero nuevo, la existencia de un déficit sostenido se traduce en demanda de nuevos bonos del Estado.

Supóngase que, para mantener la economía en su nivel de pleno empleo, es necesario un déficit constante de 10.000 millones de pesetas. Como la economía se mantiene en equilibrio gracias a un exceso de 10.000 millones de las inyecciones públicas sobre las detracciones públicas, las detracciones *privadas* tienen que ser superiores a las inyecciones privadas en 10.000 millones, pues inyecciones y detracciones totales son iguales en la situación de equilibrio. En un modelo elemental, las detracciones privadas son el *ahorro* y las inyecciones privadas son la *inversión.* Por lo tanto, el déficit implica

que los fondos pedidos a préstamo para inversión son menores (en
10.000 millones de pesetas) que los nuevos fondos disponibles para
préstamo (ahorro). Si el Estado pide prestado vendiendo bonos,
puede encontrar la cantidad exacta que necesita en el excedente de
ahorro que la inversión privada no utiliza. Si pide prestada una cantidad menor, habrá un excedente de fondos prestables y los tipos
de interés disminuirán.

El déficit es necesariamente igual al exceso del ahorro sobre la
inversión solamente cuando la economía alcanza el equilibrio, cuando
las detracciones planeadas totales y las inyecciones planeadas totales
son iguales entre sí e iguales a las detracciones e inyecciones efectivas. Esto no tiene necesariamente que ser cierto a lo largo del proceso de ajuste.

Políticas neutrales

Incluso en el caso de que la política fiscal suponga un déficit
presupuestario, podemos considerarla *neutral* con respecto a los factores monetarios, si:

1) el volumen de financiación realizada con dinero nuevo es
exactamente el suficiente para mantener la deseada relación entre
saldos monetarios y renta al nuevo nivel; y

2) el volumen de financiación por empréstitos es exactamente
el necesario para cerrar la brecha que de otro modo existiría entre el
ahorro disponible para préstamos y los préstamos tomados por la
inversión privada.

Si se cumplen estos dos conjuntos de condiciones, la relación
entre cantidad de dinero y renta seguirá siendo la misma y los tipos
de interés permanecerán invariables.

Superávits

Un superávit presupuestario presenta el mismo tipo de problemas que un déficit: parte del ingreso del Estado debe guardarse y
no gastarlo ni el Estado ni nadie, y el Estado tiene las mismas opciones (pero a la inversa) que cuando crea un déficit. En vez de tener
que vender dinero nuevo, dispone ahora de dinero antiguo. El superávit se utiliza en este caso para reducir la masa monetaria, y la
economía tiene que ser inducida a ajustarse a unas disponibilidades
de dinero menores: a través del descenso de las rentas reales, las
reducciones de precios o el alza de los tipos de interés. Todos estos
efectos colaterales suelen ser de desear en el contexto general en el
que se produce un superávit presupuestario: la anti-inflación. Un superávit puede utilizarse también para retirar parte de la deuda pública. Bonos que han llegado a su vencimiento pueden ser amorti-
zados haciendo uso del superávit, en lugar de recurrir a la emisión
de nuevos bonos que reemplacen a los antiguos.

RECAPITULACIÓN 30.4. *Si el Estado proyecta gastar más de lo que recibe como ingreso, tiene que financiar la brecha (el déficit presupuestario). Puede hacerlo vendiendo algo al público que el Estado pueda producir sin gasto: dinero de nueva creación o bonos del Estado. Un aumento de la cantidad de dinero, lo mismo que un aumento de los préstamos tomados por el Estado, tienen algunos aspectos de política monetaria. Con todo, si la economía está en expansión a través del déficit presupuestario, requerirá normalmente algún aumento de las disponibilidades de dinero. Si es necesario un déficit para equilibrar las inyecciones con las detracciones, habrá una demanda adicional de valores del Estado. Por lo tanto, puede financiarse un déficit sin afectar a las relaciones demanda/oferta de dinero o valores, y la política fiscal puede ser neutral con respecto a los factores monetarios.*

30.5. Política impositiva macroeconómica

Notas sobre la utilización de las variaciones de los impuestos en lugar de las de los gastos

El Estado puede practicar una política fiscal mediante la variación de los impuestos en lugar de la variación de los gastos. La reducción de los impuestos, como el aumento de los gastos, es una medida expansiva, mientras que el aumento de los impuestos, como la reducción de los gastos, es una medida contractiva.

En cualquier situación real, el Estado tiene que manipular los tipos impositivos y no los ingresos totales por impuestos. Por supuesto, manipulará el tipo impositivo para obtener un ingreso total determinado a un nivel específico de renta, pero si no fue acertado el cálculo del nivel de la renta, los ingresos no serán los planeados.

Efecto sobre el multiplicador

Como señalamos antes en este capítulo, el tipo impositivo influye sobre el efecto multiplicador total del gasto público y la inversión. Un descenso del tipo impositivo aumenta la proporción de la renta disponible en la renta total y, como la propensión a consumir está relacionada con la renta disponible, aumenta también el nivel de gasto de consumo asociado a un nivel dado de la renta nacional. La reducción del tipo impositivo aumenta el multiplicador efectivo (el multiplicador con impuestos), mientras que el aumento del tipo impositivo reduce el multiplicador.

En el ejemplo numérico que empleamos antes, un tipo impositivo del 25 por 100 y una propensión a consumir de 0,8 daban un multiplicador de 2 1/2. Un tipo impositivo de 1/6 daría un multiplicador de 3; un tipo impositivo cero daría un multiplicador de 5

———— **Cápsula suplementaria 30.3** ————————————————

GASTOS FISCALES

En 1970, el gobierno de los Estados Unidos prestó asistencia a instituciones religiosas y de caridad por importe de unos 3.500 millones de dólares. No lo hizo directamente —en cualquier caso, la Constitución prohíbe las donaciones del Estado a las iglesias—, sino que su contribución adoptó la forma de desgravaciones de los impuestos sobre la renta por los donativos hechos por los particulares. Si se hubiese derogado la disposición que considera los donativos benéficos como gastos deducibles a efectos del impuesto sobre la renta, el Estado habría obtenido 3.500 millones de dólares más de ingresos en 1970, que podría haber gastado a su gusto. Decimos que estos 3.500 millones de dólares constituyen un *gasto fiscal*, porque son una concesión fiscal con el mismo efecto sobre el presupuesto que un gasto adicional de 3.500 millones de dólares. Los gastos fiscales presentan muchos alicientes políticos, pues no significan pagos *directos* del Estado, y una ligera enmienda a un proyecto de ley fiscal puede ofrecer a los agricultores, a las empresas petroleras o a los propietarios de viviendas una subvención estatal indirecta que sería políticamente inaceptable si hubiese aparecido como una subvención directa. Como los tipos impositivos son siempre menores del 100 por 100, los contribuyentes tienen que pagar siempre *una parte* de los costes de todas estas concesiones en forma de deducción de impuestos, y con frecuencia esto se considera deseable.

No obstante, existen fuertes argumentos contra la práctica de los gastos fiscales. ¿Podría el Estado haber hecho mejor uso de los 3.500 millones de dólares si los hubiera dedicado directamente a educación, hospitales o atenciones similares, en lugar de subvencionar los donativos particulares? La respuesta no está clara, pero desde luego existe una posibilidad afirmativa. Los efectos distributivos son contrarios seguramente a los objetivos sociales usualmente defendidos: los ocupantes de sus propias viviendas son favorecidos frente a los inquilinos, y el sacrificio real de 100 dólares de un pobre que los entrega a su institución de caridad favorita tiene una subvención escasa o nula, mientras que el de un rico puede originar una subvención de 223 dólares, que son un regalo del Estado. Algunas formas proyectadas de gastos fiscales, como la deducción del importe de las matrículas pagadas en las universidades, representarían una subvención del Estado hasta de un 70 por 100 de la educación universitaria de los muy ricos, y sólo de un pequeño porcentaje para los pobres.

Los argumentos más fuertes contra los gastos fiscales se refieren precisamente al rasgo que los hace más atractivos desde el punto de vista político: su falta de visibilidad. Si no fuera políticamente posible

——

(el multiplicador simple). Un aumento del tipo impositivo, pasando del 25 al 37,5 por 100, haría descender el multiplicador a 2, y un tipo impositivo de 7/12 daría un multiplicador de 1 1/2 solamente. Una propensión a consumir diferente daría valores diferentes para el multiplicador, pero el efecto de los cambios en los impuestos tendría la misma dirección.

La reducción de los tipos impositivos para lograr una expansión de la economía a partir de un nivel dado se traducirá en un déficit presupuestario *en pleno empleo* mayor que si se hubiera obtenido el

gastar un millón de dólares en algo directamente, sería difícil defender como socialmente deseable el logro del mismo objetivo con un gasto fiscal sobre todo teniendo en cuenta que el Estado puede saber con seguridad el destino del gasto en el caso de un gasto directo, pero no tiene ningún control real sobre los gastos fiscales. Aunque los gastos fiscales serán menores que los costes totales de cualquier proyecto que se financie de esta forma (pues siempre quedará una parte del coste a cargo del contribuyente), el Estado pierde el control sobre la *cantidad* así como sobre la dirección del gasto. Puede ser socialmente deseable un gasto de 100 millones de dólares en cierta dirección, que costaría al Estado, por ejemplo, 50 millones en impuestos perdidos. Pero el gasto efectivo puede llegar a ser de 200 millones de dólares, cantidad superior a la considerada óptima, mientras que el Estado pierde 100 millones de dólares en impuestos. Con un gasto *directo* de 100 millones, en lugar de un gasto fiscal de la misma cantidad, el Estado podía haber obtenido *exactamente* lo que quería.

Existen también efectos institucionales inevitables. Los contribuyentes discurrirán pronto procedimientos que cumplan la *letra* de la disposición fiscal en una forma que maximizará sus ventajas particulares, perdiéndose quizás totalmente los objetivos sociales deseados. Además, los gastos de esta clase beneficiarán más a los contribuyentes situados en los escalones impositivos más altos, lo que originará el máximo coste por impuestos perdidos. El gobierno de los Estados Unidos paga ya, en gastos fiscales, el 70 por 100 (el tipo impositivo más alto) de la mayor parte del gasto de las fundaciones privadas, sobre las cuales no tiene ningún control.

Los gastos fiscales en los Estados Unidos se estimaron en 51.000 millones de dólares en 1969: cantidad que era más del 25 por 100 de los gastos federales realizados directamente. Los gastos fiscales de mayor volumen fueron los destinados a fomentar el ahorro de las sociedades (tratamiento impositivo especial de las ganancias de capital) y la propiedad de viviendas (tratamiento impositivo especial en favor de las viviendas ocupadas por sus propietarios, frente a las alquiladas). Otras partidas concretas fueron los gastos fiscales para ayudar a la industria petrolera (descuentos por agotamiento), para fomentar la actividad de las empresas en países menos desarrollados, para la promoción del comercio en el hemisferio occidental y para la promoción de instituciones educativas y caritativas, entre otras. La agricultura, que recibió 8.000 millones de dólares en gastos directos —principalmente subvenciones directas— recibió además 1.000 millones de dólares en gastos fiscales.

mismo resultado por medio de un aumento del gasto, pues los impuestos recaudados sobre el aumento de la renta son menores.

Modificaciones en los impuestos frente a modificaciones en el gasto público

Los efectos expansivos de una reducción de los impuestos están sujetos a una incertidumbre mayor que la expansión por medio del gasto directo. Puede suceder que las economías domésticas *no* aumenten el consumo cuando aumente su renta disponible al reducirse los impuestos. El efecto inmediato de un aumento del gasto es un aumento directo de la renta, al menos en la cantidad en que aumenta el gasto si el efecto multiplicador fuese insignificante, mientras que puede concebirse una reducción de los impuestos que no dé lugar a expansión alguna.

Existe una asimetría entre la aplicación práctica de las modificaciones del gasto público y las de los impuestos. Un aumento del gasto supone un ataque frontal a la insuficiencia del gasto total planeado. mientras que una reducción de los impuestos es sólo un *estímulo* al sector privado para que gaste más; por esta razón, los efectos de las modificaciones del gasto deben ser más seguros en una política expansiva. En sentido opuesto, cuando se necesita una contracción, puede resultar difícil para el Estado, por razones políticas o sociales, emprender una política de reducción del gasto, por lo que puede escogerse la política de aumentar los impuestos.

Otras consideraciones

La alternativa entre modificar el gasto o los impuestos no es cuestión que afecte sólo a la política macroeconómica. La expansión por medio del aumento del gasto público aumentará la proporción de bienes y servicios producidos por el sector público, mientras que la expansión por medio de reducciones de impuestos hará aumentar la proporción de bienes y servicios producidos por el sector privado. La elección entre los dos métodos dependerá en gran medida del juicio del político sobre la proporción óptima en que sector público y mercado deben repartirse la oferta de bienes: juicio que lleva en sí un fuerte contenido político e incluso ideológico.

Como en el caso del gasto, la *naturaleza* de la modificación de los impuestos es tan importante como el efecto agregado. Con un sistema progresivo de impuestos sobre la renta, una modificación *lineal* de los impuestos sobre la renta (como una sobrecarga o una reducción del 10 por 100 en todos los impuestos), cambiará las rentas disponibles de los ricos relativamente más que las de los pobres. Una reducción impositiva de esta naturaleza aumentará las rentas disponibles de los grupos de rentas altas más que las de los grupos de rentas bajas. Se supone normalmente que la propensión a consumir disminuye con la renta, en cuyo caso las modificaciones lineales serán menos efectivas para generar gasto que los cambios que afecten más a los grupos de rentas bajas. Ahora bien, no están claros los testimonios en favor de este supuesto, y las modificaciones lineales pueden llevarse a cabo sin necesidad de retocar mucho la legislación tributaria

Política fiscal indirecta

Se pueden modificar los impuestos para influir sobre la *inversión* y no sobre el consumo Esto se lleva a cabo normalmente variando

los impuestos de sociedades o por medidas específicas que cambien
el atractivo de la inversión. En los Estados Unidos se han utilizado
algunas veces fórmulas especiales de subsidios de amortización que
otorgan ventajas fiscales a las empresas que inviertan durante algún
período concreto. No está claro que esta clase de medidas puedan
considerarse estrictamente de política *fiscal*: son en realidad una
manipulación de los precios, y sus efectos sobre el presupuesto son
relativamente pequeños. En cualquier caso, se trata de una política
indirecta y no de una política directa, y encierra la incertidumbre
usual respecto a sus efectos. ¿Cuánto aumentará la inversión si per-
mitimos a las empresas aplicar planes de amortización que doblen
las tasas normales? Usualmente, nuestras estimaciones en este caso
serán mucho más aventuradas que si tratamos de evaluar los efectos
directos de un aumento del gasto público.

RECAPITULACIÓN 30.5. *El Estado puede modificar los impuestos*
(quiere decirse, los tipos impositivos) en lugar de los gastos públi-
cos. La reducción de los tipos impositivos tendrá un efecto expan-
sivo, y su aumento lo tendrá contractivo. Es más incierto el efecto
de las reducciones de los impuestos que el de las modificaciones de
los gastos públicos. Pueden también utilizarse como medidas de polí-
tica fiscal indirecta ciertas formas de variación de los impuestos:
por ejemplo, el estímulo a la inversión privada mediante concesiones
fiscales especiales.

RESÚMENES DE LAS SECCIONES. *Para repasar el contenido de este*
capítulo, hojéese el texto y vuélvanse a leer los trozos titulados «Re-
capitulación» que ponen fin a todas las secciones.

TÉRMINOS Y CONCEPTOS DEL CAPÍTULO 30

    Detracciones efectivas totales.
    Multiplicador del presupuesto equilibrado.
    Tasa marginal de detracción.
    Efecto impacto del presupuesto.
    Efecto final del presupuesto.
    Saldo del presupuesto en pleno empleo.

EJERCICIOS

    Una economía tiene un tipo impositivo constante, igual al 10 por
100 de la renta. El nivel de la renta de pleno empleo es de 400 millones de pesetas, y para sostenerlo el Estado debe sumar un gasto
de 50 millones a la inversión y demás inyecciones. Los dos ejercicios están referidos a esta economía.

1. Calcúlese:

a) El saldo en pleno empleo (superávit o déficit de un presupuesto que sostenga exactamente el pleno empleo).

b) El superávit o déficit corriente, a un nivel de renta de 300 millones de pesetas, de un presupuesto que represente el saldo en pleno empleo calculado en *a*).

2. La economía está en una fase de depresión, con un nivel de renta de 250 millones de pesetas. El Estado impulsa la economía con un presupuesto que tiene un déficit corriente de 20 millones.

a) ¿Cuál es el saldo en pleno empleo de este presupuesto?
b) ¿Llevará este presupuesto a un pleno empleo sostenido?

PARA REFLEXIÓN Y DISCUSIÓN

1. Los gastos públicos fueron durante el siglo XIX equivalentes a menos del 5 por 100 del PNB, mientras que en fechas más recientes representan el 20 por 100 aproximadamente. ¿Qué significa este hecho en cuanto a efectividad de la política fiscal durante el siglo XIX?

2. Examine el presupuesto del Estado más reciente que pueda encontrar. Compare sus probables efectos impacto y final.

3. Se solía decir con frecuencia, y todavía se dice a veces, que el Estado tiene que ajustar sus gastos a sus ingresos, como lo hacen las economías domésticas. ¿Gastan alguna vez los consumidores más de lo que representan sus ingresos? ¿Tiene alguna validez la analogía?

Capítulo 31
POLITICA MONETARIA

31.1. ¿Qué puede hacer la política monetaria?

*Alcance potencial
de la política monetaria*

Lo más obvio que puede hacer la autoridad monetaria es variar la cantidad de dinero de que dispone la economía. Pero la cantidad de dinero no es un objetivo de la política, es sólo un instrumento. Por lo tanto, los efectos finales de la política monetaria dependen de la repercusión que un cambio en la cantidad de dinero ejerza sobre la economía.

Como el dinero es un stock, o sea, un fondo, y tiene que acabar siendo retenido en forma de saldos por las empresas y personas que componen la economía, los efectos de las variaciones en la cantidad de dinero pueden expresarse de modo muy sencillo y claro.

Puede esperarse que una variación de la cantidad de dinero provoque todos los cambios necesarios en la economía para inducir a las empresas y unidades de consumo a retener el nuevo volumen de saldos monetarios.

Los problemas en la evaluación de los efectos de la política monetaria y las permanentes discusiones acerca de su efectividad para alcanzar ciertos objetivos están, todos, relacionados con la existencia o no de posibles reacciones en la economía capaces de inducir al sector privado a retener el nuevo stock de dinero.

Demanda de dinero
Como vimos en el capítulo 26, la demanda de dinero, entendido como saldos monetarios *nominales,* en simples pesetas corrientes, depende de:

———— Cápsula suplementaria 31.1 ————————————————————

EL ELEMENTO POLITICO EN LA POLITICA MONETARIA

En una obra que pasa revista a la política económica posterior a la segunda guerra mundial, en Europa Occidental y los Estados Unidos, sus autores (E. S. Kirschen y asociados) observan que la política monetaria gozaba generalmente del favor de los gobiernos de derechas y se evitaba generalmente por los gobiernos de izquierdas. Esta observación no puede sorprender, pues la preferencia por la política monetaria se ha asociado desde hace mucho tiempo a la ideología conservadora, y la preferencia por la política fiscal keynesiana, al liberalismo político de izquierdas.

Existen dos razones importantes para estas asociaciones políticas con la política monetaria. La primera es de carácter histórico y de selección del personal: la profesión de banquero va ligada desde hace mucho tiempo en la mente del público al conservadurismo en el primitivo sentido de precaución y desconfianza ante el cambio. La otra razón, más sustancial, es la naturaleza indirecta de la política monetaria y su implícita delegación de poder en los banqueros.

Cuando se produce una expansión de la cantidad de dinero en una economía moderna, el principal mecanismo de esta expansión es la concesión de préstamos por los bancos. Si no aumentan los préstamos, generalmente no aumentará la oferta monetaria, a menos que la acción del sistema bancario sea sustituida por la expansión de la circulación fiduciaria. Si el Estado decide seguir una política monetaria expansiva a través del sistema bancario, puede controlar el nivel de los nuevos préstamos concedidos, pero no puede controlar con detalle el destino de dichos préstamos. Las decisiones sobre qué empresas y qué personas van a recibir los nuevos préstamos se dejan en manos de los propios banqueros, lo que da a éstos un poder considerable en cuanto a los tipos de actividad económica que son fomentados e incluso a si a determinadas personas o empresas les será permitido participar en la expansión general.

De otra parte, si el Estado dirige la expansión por medio de la política fiscal, puede decidir con detalle los lugares adonde irán los gastos

——

1) *La relación que el público desea mantener entre sus saldos «reales» (en pesetas constantes) y su renta o gasto «real».* Esto puede expresarse por el número de semanas de gasto real que sus saldos podrían financiar. Su inversa es la velocidad de circulación.

2) *El tipo de interés.* Como el dinero y los activos que producen interés son en cierta medida sustitutivos entre sí, aquella relación —apartado 1) anterior— será influida inversamente por el tipo de interés. Es decir, la elevación de los tipos de interés estimulará al público a colocar, por ejemplo, en cartillas de ahorro, parte de sus depósitos en cuentas corrientes, descendiendo así la proporción de los saldos *monetarios* (pero no necesariamente la de los activos totales) con respecto a la renta. A diferencia de los keynesianos, los monetaristas prevén efectos monetarios incluso bajo circunstancias que no alteran los tipos de interés.

3) *El nivel de la renta real.* Juntamente con la relación del apartado 1), este factor determinará el nivel deseado de saldos reales.

4) *El nivel de precios.* Este factor convierte la demanda de

adicionales. Los conservadores en política, que abogan generalmente por una mínima intervención directa del Estado en el funcionamiento de la economía, prefieren la política monetaria concretamente porque el Estado no toma la decisión final en cuanto a la asignación de los recursos financieros. Las personas más a la izquierda defienden la política fiscal concretamente porque las decisiones en cuanto a esa asignación no se delegan en los banqueros.

Existen también efectos importantes sobre la distribución. Aunque en una expansión económica, sea ésta originada por medidas monetarias o por medidas fiscales, tendrán participación muchas personas, los efectos inmediatos de la política monetaria serán probablemente más beneficiosos para las empresas y para los ricos. Generalmente, los bancos no aumentan sus préstamos concediendo los nuevos créditos a los pobres, sino haciendo préstamos adicionales a las empresas y a los clientes personales que les ofrecen menor riesgo (o sea, los que están en buena situación económica). La expansión de las empresas puede aumentar el empleo y, por tanto, las rentas de los pobres, pero este es un efecto secundario y no primario. La política fiscal puede tener cualquier efecto que elija el Estado sobre la distribución. El aumento de gasto puede ir por entero a ayudar a los ricos, pero es *posible* dirigir directamente la política fiscal a la asistencia a los pobres, mientras que es imposible asegurar que la política monetaria tendrá este efecto.

El elemento político de la situación va inserto en la estructura del sector monetario y es probable que persista. En principio, las autoridades monetarias pueden especificar la finalidad a que han de dedicarse los nuevos préstamos —esto es poco frecuente en los Estados Unidos, pero es corriente fuera de este país—, lo cual da algún control sobre la asignación final, pero éste es mucho más débil que el que puede lograrse a través de la política fiscal.

---

saldos reales, expresada en pesetas constantes referidas a un año base, en la demanda de pesetas corrientes. Es decir, convierte la demanda de *saldos reales* en demanda de *saldos nominales*.

La facultad monetaria fundamental

La facultad del Estado de cambiar la cantidad de dinero se refiere solamente a la *cantidad nominal* (al número existente de pesetas corrientes). Es posible que, en algunas circunstancias, un aumento de un 5 por 100 de la cantidad nominal pueda traducirse en un aumento de un 5 por 100 de los precios, con lo que la cantidad *real* (o nivel de los *saldos reales*) no habrá variado.

Por lo tanto, un aumento del número de pesetas podría ser absorbido por el público si hubiera:

1) Un aumento de la proporción de los saldos deseados respecto a las rentas (o, lo que es lo mismo, un descenso de la velocidad de circulación).

2)   Un descenso del tipo de interés.
3)   Un aumento del nivel de precios.
4)   Un aumento de la renta real.
5)   Una combinación cualquiera de los efectos 1) a 4).
6)   Una mezcla de variaciones, algunas de las cuales operen en sentido «negativo», pero con un efecto neto total de sentido «positivo»: por ejemplo, una subida de los tipos de interés cuyo efecto es más que compensado por una elevación del nivel de precios.

Causa y efecto

Dar una lista de condiciones por las cuales un aumento de la cantidad de dinero sería absorbido por el sector privado no ofrece ninguna prueba de que aquellas condiciones favorables hayan sido *ocasionadas* por un aumento del dinero.

Consideremos la analogía de un mercado de manzanas, que podemos suponer inicialmente en equilibrio. El Estado, que, por alguna razón histórica, tiene un gran stock de manzanas, decide llevarlas al mercado. Ahora bien, sabemos por el análisis ordinario de la oferta y la demanda que las gentes estarán dispuestas a consumir más manzanas si: *a)* aumentan sus rentas, *b)* baja el precio de las manzanas, *c)* sube el precio de otras frutas. ¿Será el aumento de la oferta de manzanas la *causa* de alguno de estos cambios?

Respondemos a esta pregunta considerando el *mecanismo* del mercado de manzanas. Existe un mecanismo bien establecido, por el que puede esperarse que el aumento de la oferta conducirá a un comportamiento del mercado que se traducirá en un descenso del precio de las manzanas. Pero no existe ningún mecanismo que nos lleve a esperar que el aumento de la oferta de manzanas pueda dar lugar a un cambio importante de la renta agregada.

Por lo tanto, en el ejemplo de las manzanas, aunque una elevación de la renta absorbiese el aumento de la oferta de manzanas, nunca podríamos afirmar que un aumento de la oferta de manzanas *origina* una elevación de la renta real.

El mecanismo

El dinero no es como las manzanas —ejerce una influencia más ubicua sobre el conjunto de la economía que ningún bien ordinario— y, existen mecanismos por medio de los cuales un cambio de la cantidad de dinero afectará, a través de los *efectos de saldos reales* (véase capítulo 26) al gasto y, por lo tanto, a la renta. Sin embargo, este ejemplo es ilustrativo de las discrepancias de los economistas en cuanto a los efectos de la política monetaria. Todos coinciden en la lista de cambios entre los que deberán encontrarse los efectos, pero hay desacuerdo sobre *cuál* de ellos tendrá lugar como resultado directo de la política monetaria.

La política monetaria *keynesiana* destaca el efecto de la política monetaria sobre los tipos de interés y la sensibilidad de la inversión a las variaciones del tipo de interés. La demanda de dinero se expresa principalmente en forma de *preferencia de liquidez,* como una elección entre dinero, de liquidez total pero que no produce intereses, y otros activos que producen interés. La demanda de dinero desciende al aumentar el tipo de interés, por lo que un aumento de la cantidad de dinero reducirá los tipos de interés, como se ve en la figura 31.1 *a*). El descenso de los tipos de interés aumentará el nivel de inversión, como se ve en la figura 31.1 *b*). El aumento de la inversión aumenta las inyecciones totales y ejerce por lo tanto un efecto expansivo sobre la economía.

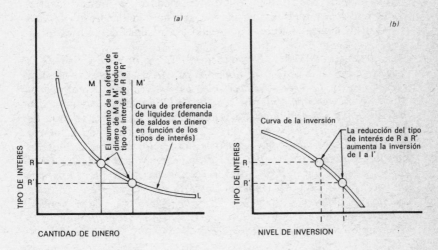

Fig. 31.1.—*Los ingredientes de la política monetaria keynesiana.*

Los *modernos monetaristas* (o *neomonetaristas*) destacan la relación directa entre la cantidad de dinero y el nivel de gasto y renta. Aunque no descartan un mecanismo subsidiario de tipo keynesiano, lo que subrayan es que un aumento de los saldos en dinero eleva la relación de saldos a gasto por encima del nivel deseado, con lo que el gasto (incluyendo el consumo) aumenta, originándose una expansión económica. El mecanismo de expansión contemplado se basa en que, al encontrarse el público con unos saldos en dinero mayores que los deseados, tratará de reducirlos gastando más. La función de consumo se desplaza (temporalmente), el consumo planeado aumenta y la economía recibe un impulso ascendente.

La dirección está clara

La *dirección* prevista del efecto final es la misma en ambos casos
con este modelo simple: un aumento de la oferta monetaria tiene
carácter expansivo. Sin embargo, en el mecanismo keynesiano esto
depende de que los cambios monetarios puedan inducir variaciones
del tipo de interés, y de que la inversión sea sensible a tales variaciones —cosas ambas dudosas—, por lo cual la política monetaria
desempeña un papel secundario en el enfoque keynesiano.

Los modernos monetaristas, aunque describen un mecanismo que
podría servirles de guión, dan a éste menos importancia que a
los *testimonios históricos,* los cuales indican que siempre ha existido
una relación estrecha entre la cantidad de dinero y el nivel de la
renta monetaria. El estudio clásico es *A Monetary History of the
United States, 1867-1960,* de Milton Friedman y Anna Schwartz,
en el que los autores sostienen que la cantidad de dinero *domina*
a todos los demás factores, incluyendo las medidas de política fiscal.

RECAPITULACIÓN 31.1.   *La política monetaria opera a través de la
variación de la cantidad de dinero. Sus efectos serán los cambios
necesarios en la economía para inducir al público a retener el
stock de dinero resultante de aquella variación. Estos cambios aparecerán como variaciones de la velocidad de circulación, del tipo de
interés, del nivel de la renta real o del nivel de precios. La política
monetaria keynesiana pone de relieve los efectos del tipo de interés,
con los consiguientes cambios en la inversión y, por lo tanto, en el
nivel de renta. La política monetaria «monetarista» destaca los cambios en el gasto de las economías domésticas y las empresas (incluso
aunque no cambien los tipos de interés) derivados de la proporción
existente entre saldos monetarios y renta. Ambos puntos de vista
predicen efectos en la misma dirección.*

31.2.   Cantidad frente a tipo de interés

*Si debemos enjuiciar la política monetaria fijándonos
en la cantidad de dinero o en el tipo de interés*

El indicador cuantificable que ha servido tradicionalmente como
índice de «actividad» de la política monetaria es el *tipo de interés.*
La política monetaria se ha considerado «restrictiva» cuando los tipos
de interés se han mantenido a un nivel superior al normal, y lo
opuesto si se han mantenido bajos. En los macromodelos keynesianos más simples, los efectos de las variaciones de la cantidad de
dinero sólo aparecen a través de los efectos sobre el tipo de interés,
originando de este modo variaciones de la inversión y, por lo tanto,
de la renta. No aparece ningún efecto directo del dinero sobre el

gasto de las economías domésticas, sino solamente sus efectos a través del tipo de interés y la inversión.

Este enfoque general de la política monetaria se conoce corrientemente como *keynesiano,* y se encontraba implícito en los macromodelos *simples* ideados en los años inmediatamente posteriores a la inclusión de la obra de Keynes como parte del análisis económico generalmente aceptado.

Política orientada hacia el tipo de interés

Si la política monetaria se utiliza solamente para influir sobre el tipo de interés, la cantidad de dinero se contempla como un residuo pasivo. El banco central, si quiere reducir los tipos de interés, da las órdenes para aumentar la cantidad hasta que los tipos de interés hayan descendido al nivel deseado, y después ordena que la cantidad se mantenga en aquel nivel. Podría no fijarse siquiera en la nueva cantidad, salvo a efectos estadísticos en su contabilidad.

En los Estados Unidos, los objetivos directos del Sistema de la Reserva Federal se han medido tradicionalmente por su efecto sobre los tipos de interés. El Comité federal de mercado abierto decidía los márgenes dentro de los cuales deseaba mantener los tipos de interés, y después daba instrucciones a sus directores para comprar y vender valores del Estado (*operaciones de mercado abierto*) a fin de mantener los tipos de interés dentro de aquellos márgenes. Como vimos en el capítulo 28, las operaciones de mercado abierto originan variaciones del nivel de los depósitos de los bancos comerciales (el componente más importante de la oferta monetaria), pero tales variaciones eran consideradas como un efecto secundario. Solamente cuando la variación de la oferta monetaria quedaba notablemente fuera de línea se modificaba el objetivo en cuanto a tipo de interés. En algunos casos, especialmente al preparar el mercado para la recepción de nuevas emisiones de valores del Estado, la oferta monetaria se trataba como una cuestión completamente secundaria. Así, pues, el Sistema de la Reserva Federal (y otros bancos centrales, como el Banco de Inglaterra) han considerado las variaciones de la cantidad de dinero como un efecto secundario y no el objetivo fundamental.

La atención concedida últimamente a la *cantidad de dinero,* en lugar del tipo de interés, como variable objetivo de la política monetaria, se debe principalmente a la influencia de los neomonetaristas.

Interés y cantidad, relacionados

Como la cantidad de dinero afecta a los tipos de interés, al menos a corto plazo, la autoridad monetaria no puede por sí sola alcanzar simultáneamente su objetivo en cuanto a tipo de interés y su objetivo de cantidad de dinero, a menos que se trate de un par de valores que irían juntos en cualquier caso.

Para unas autoridades monetarias que han pasado su vida profesional vigilando los tipos de interés, considerar éstos como una cuestión secundaria supone una readaptación muy fuerte. Con todo, si se acepta, como lo es hoy en día, que la cantidad de dinero es importante, y si el tipo de interés también lo es, la autoridad monetaria tendrá que elegir entre influir sobre una cosa o sobre otra.

Los monetaristas argumentarían que los efectos del interés serán, en cualquier caso, de corto plazo. En este análisis, un aumento de la cantidad de dinero podría reducir temporalmente los tipos de interés, pero la resultante expansión de la economía se traduciría en efectos sobre las rentas y los precios que anularían el descenso de los tipos de interés, aunque con un cierto grado de retardo.

Política orientada hacia la cantidad

Al destacar la *cantidad* se introduce un importante problema técnico. Si la cantidad de dinero es un dato crítico para la política económica, necesitamos una definición clara acerca de qué es «dinero». A efectos de nuestro análisis básico, hemos supuesto que el dinero se compone de la moneda metálica y billetes en manos del público y los depósitos en cuentas a la vista en los bancos comerciales. Pero existen otros activos, tales como los depósitos a plazo en los bancos comerciales y quizás los depósitos en cuentas de ahorro, que cumplen muchas funciones idénticas a las de los depósitos en cuentas a la vista. ¿Forman estos activos parte de la oferta monetaria? La pregunta, para la cual no existe una respuesta universalmente aceptada, es importante, porque estos otros activos pueden variar a una tasa diferente que los depósitos en cuentas a la vista, dando lugar a diferentes tasas de variación de la oferta monetaria según la definición que se adopte; y a grandes discusiones de política económica que también son cuestiones de definición.

Si se está utilizando la política monetaria para alcanzar objetivos macroeconómicos, al menos no existe ningún conflicto de *dirección* entre los objetivos cuantitativos y los del tipo de interés. Cuando la economía está en depresión, un aumento de la cantidad de dinero tendrá efectos expansivos, tanto directamente como a través de la reducción de los tipos de interés. Análogamente, en una situación de inflación, cualquier política que reduzca la oferta monetaria (igual que una economía en crecimiento si se disminuye la tasa de expansión monetaria) tendrá un efecto amortiguador cualquiera que sea la vía por la que opere.

Retardos

Con todo, existe un problema de *retardos*. Si el efecto directo de la cantidad de dinero sobre la renta se produce al cabo de seis meses, mientras que el de los tipos de interés, a través de la inversión, se produce al cabo de doce, puede haber un conflicto. Si por alguna razón se espera que la economía sufra dentro de seis meses una breve contracción que habrá terminado dentro de doce, la política monetaria puede causar efectos directos en el momento adecuado, pero también puede producir más tarde efectos no deseados, cuando la inversión inducida por los acontecimientos del año anterior impulse la actividad económica en una situación ya en pleno empleo.

Pueden surgir conflictos entre los objetivos de cantidad y tipo de interés cuando se utiliza la política monetaria para alcanzar metas que no son de naturaleza macroeconómica. Una de las misiones más indignas, aunque tradicionales, de la autoridad monetaria consiste en reducir (o evitar que aumenten) los tipos de interés en los períodos en que el Estado está recurriendo intensamente a la emisión de deuda. Si la cantidad emitida es considerable, una inflación podría ser la consecuencia indeseada de lo que se considera normalmente una simple tarea de buena administración pública. Los monetaristas han atacado a menudo este tipo de operaciones de apoyo, precisamente por las razones aquí dadas.

RECAPITULACIÓN 31.2. *La política monetaria puede ser enjuiciada fijándose en la cantidad de dinero o en el tipo de interés. Hasta épocas muy recientes, la atención se dirigía hacia el tipo de interés más que a la cantidad de dinero. El Sistema de la Reserva Federal y otros bancos centrales variaban la oferta monetaria para alcanzar un tipo de interés considerado como meta, teniendo apenas en cuenta el nivel efectivo de la oferta monetaria. La cantidad de dinero influye sobre el tipo de interés, así que la autoridad monetaria no puede alcanzar a la vez unos objetivos arbitrariamente escogidos para la cantidad y el tipo de interés. La atención que se concede ahora a la cantidad de dinero ha introducido problemas técnicos en cuanto a su definición y medida.*

31.3. El nivel de precios

Nota acerca de los efectos de la política monetaria sobre los precios

Si reducimos a su forma más simple los guiones keynesiano y monetarista de la economía, podemos exponerlos del modo siguiente:

1) El modelo keynesiano ignora las variaciones de los precios y predice como nivel de *producción real* aquel al que se igualan las inyecciones y las detracciones, a condición de que la economía esté por debajo del pleno empleo.

2) El modelo monetarista supone la existencia de una relación constante entre la cantidad de dinero (en pesetas corrientes) y el

volumen de renta o producción (también en pesetas corrientes), así
que podemos predecir el *valor monetario de la producción* partiendo
de la cantidad nominal de dinero.

Por supuesto, el valor monetario de la producción es igual a la
producción real multiplicada por un índice apropiado del nivel de
precios. En principio, las predicciones keynesianas y monetaristas
no están en conflicto, pues podrían equipararse por medio de una
variación adecuada del nivel de precios.

Sería muy bonito que pudiéramos utilizar el modelo keynesiano
para predecir la producción real, el modelo monetarista para predecir el valor de la producción y calcular después la variación del nivel
de precios por comparación entre los dos. Pero sabemos que la variación de la cantidad de dinero influye sobre la producción real así
como sobre el valor de la producción, y tenemos suficientes pruebas
de que, cuando se está cerca del pleno empleo, las variaciones de la
producción real tienen efectos sobre los precios. La figura 31.2 ilustra
las dos versiones y su relación.

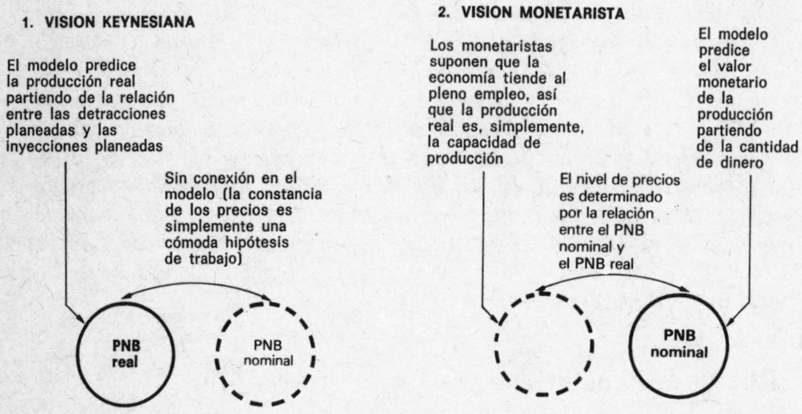

1. VISION KEYNESIANA

2. VISION MONETARISTA

El modelo predice
la producción real
partiendo de la relación
entre las detracciones
planeadas y las
inyecciones planeadas

Los monetaristas
suponen que la
economía tiende al
pleno empleo, así
que la producción
real es, simplemente,
la capacidad de
producción

El modelo
predice
el valor
monetario
de la
producción
partiendo
de la cantidad
de dinero

Sin conexión en el
modelo (la constancia
de los precios es
simplemente una
cómoda hipótesis
de trabajo)

El nivel de precios
es determinado
por la relación
entre el PNB
nominal y
el PNB real

PNB
real

PNB
nominal

PNB
nominal

Fig. 31.2.—*Dos visiones de la relación entre la magnitud del PNB en términos
reales y su valor nominal.*

No se sabe cómo separar los efectos

No hay nada en el propio análisis monetarista que permita predecir cuánto, en una variación del valor de la producción, será debido a variación de la producción real y cuánto será debido a variación
de los precios. No hay nada en el propio análisis keynesiano que
permita predecir qué efectos sobre los precios, si es que hay alguno,
se derivarán de las variaciones de la producción real: la constancia
del nivel de precios que suele aceptarse es solamente un *supuesto*.

La división de los efectos de las variaciones de la cantidad de dinero en variaciones de los precios y variaciones de la producción real es una de las grandes incógnitas de la economía. Podemos afirmar que sólo existe acuerdo respecto a lo siguiente:

1) A un nivel muy por debajo del de pleno empleo (condiciones de depresión o de recesión profunda), los efectos sobre los precios serán probablemente débiles. Una política expansiva, sea monetaria o sea fiscal, se traducirá en variaciones de la producción real más que en variaciones de los precios.

2) En situación de pleno empleo, o por encima de ella, las influencias expansivas, de cualquier tipo que sean, *solamente* podrán originar variaciones de los precios.

3) En una zona cercana pero inferior al pleno empleo, toda expansión posterior provocará, como resultado inevitable, variaciones de los precios.

4) En condiciones inflacionistas, cuando los precios han estado subiendo durante algún tiempo, una nueva subida de los precios puede estar determinada principalmente por el empujón de los costes y otras influencias dinámicas. Una política monetaria desinflacionista (en especial una reducción de la oferta monetaria) puede reducir la producción real y provocar una recesión mientras que los precios continúan subiendo.

La política monetaria puede afectar al nivel de la renta monetaria sin afectar a los tipos de interés. Pero no puede decidir entre afectar a la renta real o afectar al nivel de precios: cuál de estos dos efectos aparezca dependerá de la situación de la economía.

RECAPITULACIÓN 31.3. *La política monetaria no puede utilizarse para actuar separadamente sobre la producción real y sobre los precios. En condiciones de depresión, los efectos principales incidirán probablemente sobre la producción real, mientras que estando cerca del pleno empleo incidirán probablemente sobre los precios. Si está en marcha un proceso inflacionista, los efectos pueden afectar a la producción real más que a los precios.*

31.4. Técnicas de política monetaria

Algunos detalles institucionales sobre el empleo de la política monetaria

Es importante tener presente que cada país cuenta con unas instituciones bancarias típicas y unas relaciones que le son también propias entre Estado, Tesoro y sistema bancario. En cada uno se han desarrollado a lo largo del tiempo técnicas para llevar a cabo la políti-

——— **Cápsula suplementaria 31.2** ——————————————

POLITICA MONETARIA EN LOS ESTADOS UNIDOS, 1920-1972

La moderna política fiscal keynesiana no existía antes de 1940, si bien las medidas económicas del New Deal de Roosevelt a partir de 1932 contenían algunos de sus elementos. Por otra parte, antes de la segunda guerra mundial se consideraba la política monetaria como clave de la solución de las fluctuaciones económicas. Un argumento capital de los neomonetaristas (con Milton Friedman a la cabeza) ha sido que la política monetaria anterior fue simplemente una *mala* política monetaria: punto que tiene gran importancia, pues evidentemente los neomonetaristas no podían permitirse el lujo de basar su defensa de la política monetaria en el triste comportamiento de la economía de los Estados Unidos en las décadas de 1920 y 1930.

Podemos analizar a lo largo del período considerado la política monetaria con arreglo al patrón de medida propuesto por los neomonetaristas: un crecimiento sostenido de la oferta monetaria de un 4 por 100 anual. Un vistazo a las cifras muestra que el crecimiento de la oferta monetaria a partir de 1920 puede calificarse de todo menos de sostenido. Las tasas anuales de variación (basadas en medias móviles de seis meses) oscilaron entre aumentos hasta del 34 por 100 (la tasa máxima durante la segunda guerra mundial) y reducciones hasta del 19,75 por 100 (en 1921).

No solamente cambió considerablemente de unos períodos a otros la tasa de variación, sino que además lo hizo exactamente en la *dirección errónea* en muchos momentos críticos. Podemos comprobar fácilmente este hecho fijándonos en los períodos de recesión. Dentro de las fechas que estamos considerando, el primero de ellos tuvo lugar a mediados de 1921, declinando rápidamente la oferta monetaria a lo largo de todo este período de recesión. La economía consiguió recuperarse pronto de la recesión de 1921 (a pesar de la política monetaria contractiva) y la cantidad de dinero empezó a aumentar con cierta rapidez. A lo largo de la recesión de 1924, la tasa de aumento del dinero descendió fuertemente hasta valores cercanos a cero, pero sin llegar esta vez a ser negativa. En la siguiente recesión (1927), la tasa de aumento de la oferta monetaria tuvo de nuevo un fuerte descenso, pero sólo ligeramente pasó a valores negativos. Durante los «booms», la tasa de aumento fue alta, normalmente por encima del 10 por 100 anual.

No obstante, durante el «boom» de 1929, la política monetaria parecía seguir el buen camino: la cantidad de dinero se mantuvo bastante estable

———————————————————————————————

ca monetaria bajo determinadas circunstancias. No son las *únicas* técnicas disponibles, ni siquiera dentro de aquel marco institucional, y mucho menos las únicas posibles si hay modificaciones institucionales.

Las autoridades monetarias son por tradición, y hasta cierto punto, conservadoras en sus técnicas; no experimentan nuevas técnicas en cuanto a política monetaria a menos que se vean obligadas a ello. Como la aceptabilidad del dinero depende de la confianza que ofrezca, y como el dinero se sigue viendo como algo misterioso por el público en general, no es despreciable el argumento de que un cambio repentino de las técnicas de la política monetaria puede tener efectos inesperados y posiblemente indeseables.

y no fue aumentada rápidamente añadiendo una presión ascendente a la situación. A partir de entonces, la política monetaria fue un desastre. Cuando la economía inició el descenso hacia la Gran Depresión, se redujo la oferta monetaria, lo que vino a añadir otra influencia contractiva. La cantidad de dinero descendió con firmeza desde 1930 hasta el fondo de la depresión, a mediados de 1933. La disminución de la cantidad de dinero llegó a precipitarse conforme la economía se acercaba a ese fondo: la tasa anual de disminución entre agosto de 1931 y agosto de 1932 se mantuvo entre el 10 y el 20 por 100. Después de una breve interrupción, la tasa de disminución volvió de nuevo a superar el 10 por 100 en los meses finales del hundimiento de la economía.

Hubo otra recesión en 1938: de nuevo se redujo la oferta monetaria, pero la tasa de disminución fue considerablemente menor que en los períodos anteriores de recesión. La segunda guerra mundial fue un caso especial, con un rápido crecimiento de la oferta monetaria durante todo su curso, pues la inflación de precios constituyó deliberadamente un elemento de la política total necesaria para sostener los enormes gastos bélicos.

Las antiguas fluctuaciones brutales de la tasa de variación de la oferta monetaria no han reaparecido después de la segunda guerra mundial. Ha habido algunos períodos de reducciones poco importantes de la cantidad de dinero (la disminución máxima apenas rebasó una tasa correspondiente al 3 por 100 anual durante algunos meses de 1960), así como de expansión relativamente rápida (siempre inferior al 10 por 100, con anterioridad a 1971). En 1971, con la economía en recesión (pero también en inflación), la tasa de expansión monetaria alcanzó el 22 por 100 (sobre una base anual) durante un período breve, pero después de la segunda guerra mundial el rasgo característico es la modesta fluctuación de la tasa de crecimiento de la oferta monetaria.

¿Se hubiera evitado la Gran Depresión con una política monetaria expansiva (o, por lo menos, no contractiva)? No podemos estar seguros de ello, pero lo que sí cabe asegurar es que la política monetaria que se practicó entonces tuvo que empeorar la situación. La Depresión fue lo suficientemente larga y profunda para que la política monetaria ejerciese efectos importantes, incluso aunque no aceptemos el optimismo de los neomonetaristas acerca de la rápida respuesta de la economía a los factores monetarios.

Técnicas de urgencia

Técnicas no frecuentes, como la manipulación directa de los saldos monetarios individuales, se han utilizado en circunstancias anormales, como después de una guerra o una hiperinflación desastrosa. Existen varios casos (como el de Alemania) en los que se introdujo una «nueva» unidad monetaria. Por sí mismo, esto no significa nada, pues nada importa el nombre que se dé al signo monetario, pero si la iniciativa sirve para anunciar una *política* monetaria fundamentalmente nueva, puede tener profundos efectos sobre las expectativas y, por lo tanto, sobre el comportamiento de la economía. Una hiperinflación solamente puede remediarse cuando el público cree que se está adoptando un enfoque completamente nuevo, y el «nuevo» dinero es un arma psicológica importante.

El nuevo dinero permite también una modificación directa de los saldos monetarios. Se lleva a cabo emitiendo, por ejemplo, una nueva «peseta fuerte» con un valor establecido de diez pesetas antiguas. Todos los precios y salarios deberán volverse a calcular en las nuevas unidades. Pero si el efectivo y los saldos bancarios solamente pueden convertirse en las nuevas pesetas al tipo de veinte pesetas antiguas por una peseta nueva, esta medida reduce efectivamente a la *mitad* todos los saldos nominales y, por lo tanto, la cantidad de dinero.

Este ejemplo pretende simplemente ilustrar el hecho de que la política monetaria no está limitada *necesariamente* al uso de un pequeño número de técnicas bien conocidas. Volvamos ahora a un contexto más «normal» y consideremos el funcionamiento de la política monetaria en sus formas tradicionales.

Papel de los bancos

En la mayor parte de las economías, el aumento de la cantidad de dinero no se lleva a cabo directamente, sino *a través del sistema bancario*. En los Estados Unidos, por ejemplo, la forma más usual son las operaciones de mercado abierto a cargo del Sistema de la Reserva Federal, explicadas en el capítulo 28. El efecto inmediato de las operaciones de mercado abierto expansionistas será un aumento de los depósitos de reservas de los bancos comerciales en un banco de la Reserva Federal. El aumento de las reservas se traducirá en un aumento multiplicado de los depósitos privados en los bancos comerciales y, por lo tanto, de los saldos monetarios del público.

La vía por la que el aumento de las reservas se traduce en un aumento de los depósitos privados es la expansión de los préstamos bancarios. Estos se hacen principalmente a las empresas, pero los préstamos comerciales pueden presentar problemas si la economía está en una recesión profunda.

En caso de depresión económica, es probable que sea pequeño el número de préstamos a las empresas que se consideran «seguros» desde el punto de vista de un banquero. Los banqueros pueden decidirse por mantener una proporción entre reservas y depósitos superior a la necesaria en lugar de conceder préstamos con riesgos excesivos, con lo que podrá ocurrir que no tenga lugar la expansión de la oferta monetaria que el simple análisis preveía. Las persistentes dudas sobre la efectividad de la política monetaria, bajo sus formas tradicionales, en condiciones de depresión no quedan, pues, eliminadas.

Por otra parte, en condiciones inflacionistas el mismo mecanismo tiende a hacer la política monetaria especialmente eficaz. A causa de las ganancias potenciales obtenidas de casi todas las inversiones (incluyendo la inversión en existencias en almacén, que es una de las formas típicas de empleo de los préstamos bancarios) cuando se espera que la inflación continúe, es altamente deseable amortiguar el gasto de las empresas. La contracción o la desaceleración de la oferta monetaria tendrá inmediatamente efectos sobre los préstamos a las empresas.

Coeficientes de reserva

La otra técnica básica para el control de la oferta monetaria —cambiar la proporción entre reservas y depósitos exigida— opera a través del sector no financiero esencialmente del mismo modo que las operaciones de mercado abierto. Si el coeficiente de reserva se reduce para aumentar la oferta monetaria, serán los préstamos a las empresas los que tendrán que aumentarse, y la oferta monetaria sólo crecerá *si* los préstamos pueden elevarse.

Así pues, sigue habiendo importantes dudas acerca de la política monetaria en condiciones de depresión. Si bien los bancos comerciales pueden ser *forzados* a reducir sus préstamos y, por lo tanto, los depósitos cuando la autoridad monetaria quiere contraer la actividad económica, simplemente porque existe un límite legal para la proporción de depósitos a reservas, esa autoridad no puede forzar a los bancos a aumentar sus préstamos y depósitos en una economía en depresión. El banco central puede ampliar los depósitos de reservas de los bancos comerciales, pero no puede evitar que éstos mantengan un «exceso de reservas» y aumenten de hecho su coeficiente de reserva. En condiciones económicas estables, es la *rentabilidad* de los préstamos el factor que inducirá a los bancos comerciales a aumentarlos hasta el límite que les sea permitido, pero la depresión puede reducir la rentabilidad (una vez deducido el riesgo) a un valor cero. Por lo tanto, el banco central puede encontrarse sin posibilidades de aumentar la cantidad de dinero en estas circunstancias.

En condiciones de prosperidad, el banco central puede perder *parte* de su control sobre la oferta monetaria. Aunque es posible forzar a una reducción de los depósitos ordinarios, pueden crearse formas ingeniosas de «cuasidinero» que no son fácilmente controlables por el banco central.

Por lo tanto, las técnicas de política monetaria no son siempre tan seguras en su aplicación como puede aparecer en los modelos simples.

Recapitulación 31.4. *En la mayoría de los países, las autoridades monetarias tienden a operar con las técnicas particulares conocidas y empleadas tradicionalmente en cada uno, aunque haya otras técnicas disponibles en potencia. En los Estados Unidos, la política monetaria corre a cargo del Sistema de la Reserva Federal, principalmente por medio de las operaciones de mercado abierto. La confianza en la expansión del crédito bancario para aumentar la cantidad de dinero puede no estar justificada en condiciones severas de depresión: los bancos pueden no aumentar sus préstamos aun cuando hayan recibido las reservas adecuadas para hacerlo.*

31.5. Política monetaria automática

¿Debe la autoridad monetaria aumentar en un porcentaje constante la cantidad de dinero?

Según una concepción de la política monetaria, asociada en particular a Milton Friedman y no aceptada en su integridad por algunos otros monetaristas, ésta debería ser esencialmente automática y no discrecional.

La idea básica es sencilla. Cada economía tiene una tasa de crecimiento de la producción real, en pleno empleo, bastante sostenida (próxima al 4 por 100, en el caso de los Estados Unidos). Partiendo de una situación de estabilidad de precios y pleno empleo, la autoridad monetaria aumentará la cantidad de dinero a una tasa sostenida del 4 por 100 anual, o a la que sea igual a la tasa de crecimiento de la producción real. Conocida la tasa de crecimiento de la economía, la tasa de crecimiento de la oferta monetaria queda determinada, y es en este sentido en el que la política monetaria es automática.

Efectos estacionales

Con todo, la instrumentación detallada de una política monetaria de este tipo no es tan automática como parece. En primer lugar, el volumen de transacciones no crece al mismo ritmo a lo largo de todo el año, sino que está sujeto a variaciones *estacionales,* con lo que la oferta monetaria tiene que ser ajustada a este ciclo estacional a la vez que presentar una tasa media de crecimiento adecuada. Además, se tiene que mantener el adecuado equilibrio entre los componentes de la oferta monetaria: en particular, entre el efectivo y los depósitos. Este equilibrio también varía algo, según una pauta estacional propia. Por ejemplo, el dinero en efectivo retenido aumenta temporalmente al acercarse las Navidades, a causa del incremento estacional de las compras.

La política automática

La regla del crecimiento automático no es defendida simplemente como una regla empírica para mantener una oferta monetaria que sirva de base adecuada para otras actividades, sino como *pieza fundamental* de la política macroeconómica. En particular, se supone que la política fiscal debe permanecer *neutral,* en el sentido de que no debe manejarse de manera que se acomode a las fluctuaciones a corto plazo de la actividad.

Si todo funciona de modo suave e ideal, la producción real de la economía crece a su 4 por 100 sostenido, la oferta monetaria aumenta al mismo paso, la relación de saldos monetarios a rentas no varía y no existen influencias cuyo resultado sea variar o la producción real o el nivel de precios.

Una versión modificada consistiría en hacer que, por ejemplo, la oferta monetaria creciese a un 5 por 100, lo que permitiría una pequeña tasa de aumento de los precios (1 por 100), cosa que generalmente se considera útil para mantener la flexibilidad de los precios relativos.

Influencias aleatorias

Toda economía real está sujeta a un conjunto de influencias aleatorias que tienden a desviarla de la suave ruta que se le ha trazado. La capacidad de una política automática para hacer frente a estas influencias es lo que determina su utilidad.

Podemos trazar una versión simplificada de la política monetaria propugnada por Friedman, en los siguientes términos.

Supongamos que una influencia de tipo aleatorio ha reducido a la economía a un nivel inferior al de su pleno empleo: ha descendido la producción real y hay desempleo. La cantidad de dinero será ahora excesiva en relación con el nivel reducido de la actividad. El público considerará que sus saldos monetarios exceden de sus necesidades corrientes y tratará de reducirlos algo aumentando el gasto. Considerados en conjunto, los saldos no pueden reducirse (están fijados por la oferta monetaria), pero los intentos de variarlos aumentarán el gasto y ejercerán una influencia expansiva sobre la economía. La expansión puede originar inicialmente aumentos de los precios así como de la producción real. Al mismo tiempo, el desempleo ejerce una presión descendente sobre los salarios. El alza de precios y la reducción de los salarios harán rentable la expansión de la producción (real). Como efecto secundario, el exceso de la oferta monetaria sobre las necesidades de dinero, consecuencia de la reducción del nivel de la producción, hará bajar los tipos de interés, lo que estimulará la inversión. Todas las influencias operan en la misma dirección: hacia la expansión definitiva de la *producción real*.

Supongamos ahora que estamos en pleno empleo y que los precios comienzan a subir. Las rentas monetarias aumentarán a la vez que el nivel de precios, pero los saldos monetarios no lo harán así, salvo en la medida en que esté también creciendo la producción real. Los saldos monetarios se quedarán cortos en relación con los niveles de renta, y los gastos se reducirán en un intento de reconstruir los saldos monetarios. El tipo de interés subirá, desalentando la inversión. También ahora las influencias actuarán todas en la misma dirección, amortiguando las presiones inflacionistas.

Así pues, los monetaristas predicen el reajuste de la economía por medio de reacciones autogeneradas en respuesta a cualquier desviación que la aparte del crecimiento sostenido con pleno empleo y estabilidad de precios.

Retardos y velocidades de ajuste

Sin embargo, nadie defiende la idea de un reajuste *instantáneo*, por lo que la economía, si ha sido lanzada a un descenso, pasará por un período de desempleo y recesión (quizás suave) antes de recuperarse o, si ha sido empujada hacia arriba, pasará por una fase de reajuste con alguna inflación, e incluso una posible recesión, antes de estabilizarse.

Como tantas veces ocurre con la política macroeconómica, los *retardos* y la *velocidad* de ajuste son los problemas capitales para determinar la elección de las medidas a adoptar. Por desgracia, la información sobre las velocidades de ajuste es muy pobre. ¿Aceptaríamos la política monetaria de Friedman si el reajuste para salir de una depresión significase un desempleo del 8 por 100 durante dos años?

En realidad, no hay nada en la política monetaria automática que indique que no podríamos complementarla con otras medidas para aumentar la velocidad de ajuste, aunque muchos de sus partidarios creen que no *necesitemos* hacerlo.

Si bien no es muy compartida la visión monetarista extrema según la cual la cantidad de dinero es casi lo *único* que importa, no volverá ya a ignorarse nunca la cantidad de dinero como lo fue durante treinta o más años.

El impacto más importante de la política monetaria de Friedman está. probablemente en que nos obliga a preguntarnos la razón de que la oferta monetaria *no* crezca a la par que la producción real. Podemos no creer que los procesos de ajuste serán lo bastante rápidos o seguros como para aceptar que el crecimiento automático de la oferta monetaria es todo lo que necesitamos en política macroconómica, pero parece razonable concluir que son los responsables de la política los obligados a probar la necesidad de separarse del principio del crecimiento automático.

Una tasa de crecimiento automático (como el saldo del presupuesto en pleno empleo en política fiscal) proporciona un punto de *origen* a partir del cual pueden medirse las divergencias.

RECAPITULACIÓN 31.5. *Como la proporción deseada entre stock de dinero y renta total es relativamente constante, el stock de dinero debe crecer a la par con la economía. Algunos monetaristas han argumentado que la autoridad monetaria debería mantener una tasa sostenida de crecimiento de la oferta monetaria, elegida de acuerdo con la tasa de crecimiento de la economía, y no tratar de variar la oferta en respuesta a las fluctuaciones económicas de corto plazo. Esta idea no ha recibido una aceptación general, pero parece ofrecer un punto de referencia para evaluar la política monetaria.*

RESÚMENES DE LAS SECCIONES. *Para repasar el contenido de este capítulo, hojéese el texto y vuélvanse a leer los trozos titulados «Recapitulación» que ponen fin a todas las secciones.*

TÉRMINOS Y CONCEPTOS DEL CAPÍTULO 31

> Cantidad nominal de dinero.
> Saldos reales.
> Neomonetaristas.
> Política monetaria orientada hacia el tipo de interés.
> Política monetaria orientada hacia la cantidad.
> Política monetaria automática.

EJERCICIOS

1. Si el PNB real está creciendo a una tasa anual sostenida del 3,5 por 100 y la cantidad nominal de dinero (pesetas corrientes) lo hace a una tasa anual sostenida del 2,5 por 100, ¿se trata de una política monetaria expansiva, restrictiva, o neutral?

2. En las condiciones del ejercicio 1, ¿aumentará, disminuirá o permanecerá constante el tipo de interés? (Supóngase que no hay más cambios en la economía que el crecimiento sostenido de la producción real y de la oferta monetaria.)

3. En las condiciones del ejercicio 2, ¿qué aparecería en el guión monetarista en cuanto a los precios: un aumento, una disminución o precios estables?

4. ¿A qué tasa aumentará el PNB nominal (en pesetas corrientes) en la visión monetarista?

PARA REFLEXIÓN Y DISCUSIÓN

1. Si la autoridad monetaria considerase que su función consiste en mantener un tipo de interés constante, ¿qué sucedería a la oferta monetaria durante una onda ascendente de la economía? Y durante una onda descendente?

2. Si la economía se encuentra en depresión y los bancos se niegan a aumentar los préstamos porque dudan de la solvencia de sus potenciales prestatarios, ¿qué medidas podrían idearse para aumentar la oferta monetaria?

3. Si su saldo bancario aumentara de la noche a la mañana por arte de magia, ¿sería más probable que usted saliese inmediatamente a gastarlo en un período de inflación o en un período de depresión?

4. Se sostiene a menudo que la política monetaria defiende más que la política fiscal la libertad de elección individual, pues los efectos de la política monetaria se difunden más uniformemente a través de la economía. Partiendo de su conocimiento del mecanismo de la expansión monetaria, ¿está usted de acuerdo con esta afirmación?

5. Supongamos que tenemos la certeza de que una política de restricción monetaria, en un período de inflación, originaría este año un desempleo elevado y ejercería poco efecto sobre los precios, pero que el próximo año el desempleo disminuiría y los precios dejarían de subir. ¿Adoptaría usted aquella política en tales circunstancias?

Capítulo 32

PROBLEMAS PRACTICOS
DE LA POLITICA ECONOMICA

32.1. Algunas elecciones fundamentales

Las decisiones fundamentales que ha de afrontar el político

Consideraremos como objetivos de la política macroeconómica el pleno empleo sin inflación, si es alcanzable, o en otro caso, una combinación de un empleo relativamente alto, sin llegar al pleno empleo, y una tasa de aumento de los precios relativamente baja, sin llegar a cero, combinación elegida entre el conjunto de las que se pueden alcanzar.

Dados estos objetivos y nuestro conocimiento de los diversos instrumentos de política macroeconómica disponibles, los problemas prácticos son los siguientes:

1) *¿Qué* se requiere? ¿Hay que impulsar a la economía, hay que frenarla, o se la debe dejar en paz?

2) *¿Cuál* de los diversos instrumentos de política económica es el más adecuado?

3) *¿En qué medida* debe aplicarse ese instrumento económico? Si hay que subir los tipos de interés, ¿deberá ser un alza del 1/2 por 100, del 1 por 100, o del 2 por 100?

4) *¿Cuándo* deberá aplicarse esta medida? Por ejemplo, ¿será ya demasiado tarde cuando la desviación de la economía respecto a su situación deseada se ha hecho clara y evidente?

Importancia de las cantidades

Antes del desarrollo del análisis keynesiano, la teoría de la política económica se limitaba en gran medida a los problemas del «qué» y del «cuál». Los modelos económicos al uso eran en sustancia cualitativos y no cuantitativos: predecían la *dirección* en la que una medida determinada impulsaría a la economía, pero no la relación entre la cuantía de la acción política y la cuantía de los resultados.

Los economistas dedicados a la aplicación de la política económica tienen ideas empíricas sobre el «cuanto» y el «cuando», pero muy pocos conocimientos sólidos.

La primitiva teoría económica keynesiana, con el multiplicador simple ligado a un parámetro de comportamiento que puede medirse (la propensión a consumir) y un modelo no más complejo que el expuesto en el capítulo 22, introdujo la política económica cuantitativa (el «cuanto»). Al principio pareció muy sencillo: si el multiplicador es, por ejemplo, 5, el aumento exacto del gasto público o del gasto inducido necesario para activar la economía en 100 pesetas será de 20 pesetas. Por muchas razones, no resultó tan sencillo en la práctica. La economía es mucho más compleja que el modelo keynesiano simple, y fue necesario idear modelos mayores y más complejos. La función de consumo (y por lo tanto la propensión a consumir) era más compleja que la incluida en el modelo simple, y la determinación del multiplicador no era un tema sencillo.

Problemas dinámicos

Vinieron después análisis más dinámicos tanto de la economía como de la política económica. Se introdujo así el problema del «cuando» y, al avanzar el análisis, se vio claro que el «cuanto» y el «cuando» no podían separarse. El multiplicador simple se convirtió en una secuencia dinámica que relacionaba actos de ahora con resultados del trimestre actual, del trimestre siguiente, del posterior a éste, y de otros muchos trimestres sucesivos. Así como los actos de ahora seguirán produciendo efectos el año próximo y el siguiente a éste, los actos del año pasado tendrán todavía influencia sobre la economía actual y la ejercerán también sobre el año próximo.

Estos *retardos* en las relaciones entre acciones y consecuencias significan que no puede considerarse nunca que la economía parte de la nada. Tenemos que estar en condiciones de *predecir* las consecuencias continuas de las medidas económicas pasadas antes de poder predecir los resultados de las medidas presentes. Por ejemplo, la inversión actual puede ser baja y, sin embargo, estar a punto de aumentar grandemente como consecuencia de la modificación de los impuestos llevada a cabo el año pasado. Fundamentar la política económica en los niveles actuales de la inversión puede conducir a un efecto indeseado, la inflación, y no a un nivel de empleo más alto.

La política económica tiene que apuntar hacia un *objetivo móvil,* y no a uno estacionario. Las acciones de ahora tendrán su impacto principal más tarde; pasados seis meses, o quizás más tarde. Por lo tanto, las acciones tienen que proyectarse para hacer frente a las condiciones que dominen entonces, y no a las actuales.

Importancia de la predicción

Dar en el blanco económico exacto es como intentar echar a tierra un misil con otro. Requiere *predicciones* exactas de las trayectorias tanto del objetivo como del interceptor. La mecánica newtoniana que determina las trayectorias de los misiles está sujeta a leyes mucho más sencillas y establecidas con mayor claridad que las del comportamiento económico, por lo que el problema de los misiles es mucho más sencillo que el económico.

Con todo, la política económica tiene una ventaja sobre el problema de la interceptación del misil. Esta interceptación no tiene ningún sentido (y puede ser desastrosa) si se falla el objetivo, aunque sólo sea por una pequeña distancia. Por el contrario, en política económica no es necesario dar en el blanco; incluso un fallo grande puede ser mejor que no hacer nada, a condición de que al menos la dirección del movimiento de la economía sea la adecuada. Sin embargo, continúa siendo cierto que *la precisión en la política económica exige precisión en las predicciones.* Por desgracia, precisión en las predicciones es algo que los economistas no se han mostrado aún capaces de conseguir en el grado suficiente para que sirvan de base *firme* a las medidas económicas destinadas a alcanzar exactamente los objetivos. Los grandes modelos económicos que se utilizan en las simulaciones del funcionamiento de la economía son relativamente nuevos. Existen varios de ellos, y con frecuencia ofrecen predicciones que, aunque en un contexto amplio no sean muy distintas, difieren lo suficiente para estorbar los intentos de alcanzar exactamente los objetivos.

Seguridad

Dada la incertidumbre en cuanto a la precisión de las predicciones y, por lo tanto, en cuanto a la exactitud de las decisiones de política económica, la *seguridad* adquiere una consideración importante en la elección de política. Una medida que lo resuelve todo si da exactamente en el blanco, pero que produce efectos indeseados si no alcanza el objetivo, puede ser peor que otra con menos efectos indeseados si cae fuera del blanco, aunque sea menos eficaz si alcanza justo su objetivo. El modelo para uso del político, cuidadosamente estimado por métodos econométricos, puede indicar que, con la economía en recesión, un aumento del gasto público de 100.000 millones de pesetas hará que se alcance el objetivo «pleno empleo», con un aceptable aumento del 2 por 100 en los precios, pero que un aumento de 110.000 millones en el gasto pondrá en marcha un proceso inflacionista que después será difícil detener. De ahí puede

──────── Cápsula suplementaria 32.1 ────────────────────────

¿PUEDEN LOS ECONOMISTAS HACER PREDICCIONES?

Debido a los retardos que operan por sí mismos en el mecanismo del sistema económico, una buena política económica exige una buena capacidad de predicción. Todas las medidas económicas requieren algún tiempo para llegar a producir sus verdaderos efectos, después de haber entrado en vigor, y hay medidas fiscales que requieren además un tiempo considerable para pasar a través de los trámites parlamentarios, antes de su promulgación. Por lo tanto, una buena política exige conocer lo que va a ocurrir en el curso de, al menos, el año próximo, y preparar las medidas adecuadas adelantándose a los acontecimientos sobre los que tales medidas habrán de influir.

¿Hasta qué punto podemos llevar a cabo esta predicción? A pesar de la creciente complejidad de los grandes modelos de predicción mediante ordenadores, todavía no se ha llegado a un nivel suficientemente bueno para nuestras necesidades de política económica. En los Estados Unidos, la predicción fue muy acertada en 1968 y 1969, cuando la economía seguía un camino bastante firme. 1970 fue un año crucial, en el que la economía cambió algo de dirección. Una predicción correcta de 1970 hubiera sido un indicador de que nuestra capacidad de predicción y análisis de la política económica era bastante buena.

Veamos los resultados de la predicción correspondiente a 1970. Al final de 1969, se hicieron numerosas predicciones económicas para los Estados Unidos, por parte de toda clase de economistas y utilizándose toda clase de técnicas. Algunas de estas predicciones fueron realizadas por especialistas de economía de la empresa que se basaron en impresiones generales. La tabla recoge una selección de estas predicciones, mostrando su grado de aproximación a los hechos reales. Incluye también la tabla, entre paréntesis, la relación entre la predicción y la realidad para el año siguiente, 1971.

Todas las predicciones subestimaron el grado que alcanzaría la inflación durante 1970: ese fue un fallo importante. Los modelos keynesianos sobreestimaron el crecimiento real y, por lo tanto, el PNB alcanzado, mientras que los modelos monetaristas subestimaron el PNB obtenido. El modelo Wharton, probablemente el más cercano en espíritu a los modelos keynesianos básicos, parece haber alcanzado en conjunto los mejores resultados para 1970: fue el único modelo que predijo con un error inferior al 1 por 100 la tasa de variación tanto del PNB real como de los precios.

Si nos fijamos en las cifras entre paréntesis, que recogen las desviaciones entre las predicciones y la realidad en 1971, nuestra fe en las predicciones no sale reforzada. La mejor predicción correspondió al modelo GE, que se acercó mucho al crecimiento del PNB real y a la tasa de inflación: pero este mismo modelo había obtenido los peores resultados en la previsión para el año anterior. (El modelo Harris Trust se

──

deducirse que si las *predicciones* estuvieran ligeramente equivocadas y solamente hiciera falta un aumento de 90.000 millones, el de 100.000 millones pondría también en marcha un proceso inflacionista. Por lo tanto, puede elegirse como seguro un aumento del gasto algo menor de 100.000 millones, en lugar de los 100.000 millones de la predicción.

acercó al PNB nominal, pero ello sólo fue debido a que se compensaron sus grandes errores en cuanto al PNB real y a los precios.) El modelo Wharton, bastante acertado en 1970, obtuvo en 1971 unos resultados sólo ligeramente buenos, aunque sigue siendo el mejor para el conjunto de 1970 y 1971.

Obsérvese que el Consejo de Asesores Económicos del Presidente de los Estados Unidos, que lleva a cabo la predicción oficial del gobierno y se basa en los datos más al día, no brilló por su acierto en ninguno de los dos años y fue el que más se alejó en su predicción del PNB total para 1971. Cuando se hizo pública la predicción del Consejo para ese último año, la mayoría de los economistas lo tomaron a risa, pues el profesional cuenta con su intuición en estas materias. De hecho, la predicción para 1971 de la Asociación nacional de economistas de empresa, basada en una encuesta entre sus miembros, no fue peor que la mayoría de las predicciones. ¿Tendremos que empezar a estudiar los métodos de nuevo?

Autor de la previsión	Desviación, respecto al valor efectivamente alcanzado, del PNB nominal corriente (miles de millones de dólares)	Desviación, respecto al valor efectivamente alcanzado, de la variación porcentual, en cuanto a:	
		el PNB real	los precios
1. Grandes macromodelos			
Consejo de asesores económicos del presidente de los EE. UU.	+ 8 (+13)	+1,6 (+1,6)	−0,9 (−0,2)
Modelo Wharton	+ 3 (− 6)	+0,6 (+0,3)	−0,4 (−1,1)
Modelo IBM	+ 3 (+ 7)	+1,5 (+1,2)	−1,5 (−0,8)
Modelo Michigan	+13 (− 9)	+2,1 (+0,2)	−1,0 (−1,0)
Modelo GE	+13 (− 4)	+3,4 (−0,5)	−1,4 (0)
2. Modelos monetaristas			
Banco de la Reserva Federal de San Luis	− 4	+0,3	−1,0
Harris Trust (Chicago)	−11 (− 2)	+0,3 (+0,9)	−1,2 (−1,2)
First National City Bank (Nueva York)	−13	—	—

Consideramos en general que la seguridad aumenta:

1) con una política económica que provoca pequeños movimientos y no con una que origina grandes saltos, para evitar *rebasar* el objetivo;

2) intentando dotar de mecanismos internos a la economía, de modo que cuente con toda la autorregulación que sea posible, para

que tienda hacia el estado deseado incluso en ausencia de una política deliberada.

Con cualquiera de estos métodos, la seguridad será obtenida normalmente a costa de la velocidad: y un desempleo (o una inflación) duradero resultará muy poco menos desagradable por saber que una política prudente o únos mecanismos de autorregulación interna acabarán *finalmente* por remediarlo.

Los grados relativos de seguridad, velocidad y precisión de las distintas medidas económicas son muy diversos, como lo son entre la política monetaria y la política fiscal. Existen muchas diferencias de perspectiva entre los que defienden la política monetaria como instrumento principal y los que propugnan la política fiscal, pero muchas de esas diferencias se refieren a problemas de seguridad, velocidad y precisión. La política fiscal (si puede ser instrumentada con rapidez y flexibilidad) es en potencia más rápida y precisa, pero sólo en la medida en que sea posible una buena predicción. La política monetaria, más difusa, es generalmente más lenta en cuanto a sus efectos finales sobre el PNB (aunque esta afirmación no sería compartida por todos los monetaristas) y se basa firmemente en la creencia en la estabilidad esencial del comportamiento del mercado.

RECAPITULACIÓN 32.1. *La política macroeconómica requiere decisiones de cuatro clases: qué necesita la economía, cuáles son los instrumentos de política económica que pueden utilizarse, con cuánta intensidad es necesario emplear dichos instrumentos, y cuándo podrá ponerse en práctica aquella política. Los economistas ven con mucha más claridad el «qué» e incluso el «cuál» que el «cuanto» y el «cuando». Debido a la existencia de retardos en la economía, la precisión en la política económica exige precisión en las predicciones, lo que encierra un problema difícil. A falta de ella, pueden tener importancia las consideraciones sobre la «seguridad» en la política económica.*

32.2. Influencias estabilizadoras automáticas

Cómo una política económica que cree mecanismos automáticos puede contribuir a la estabilización

Muchos monetaristas creen que la economía es estable por su propia naturaleza y que, si la cantidad de dinero se ajusta firmemente al crecimiento de la producción real, son poco necesarias las medidas específicas de ajuste, salvo para hacer frente a influencias originadas fuera del sistema económico propiamente dicho, tales como las guerras o las malas cosechas. Los mismos monetaristas argumentarían que la inestabilidad de la actividad económica se debe a una política monetaria inestable: en la década de los 30, por ejemplo, la inestabilidad fue el efecto de haber reducido la cantidad de dinero en lugar de mantener un crecimiento automático de la oferta monetaria. Esta creencia se basa en la relación histórica entre la cantidad de dinero y el nivel, seis meses más tarde, del PNB y en una descripción muy general e imprecisa de la forma en que puede esperarse que las variaciones de los saldos monetarios reales influyan sobre el gasto.

Desestabilizadores

Los keynesianos y otros economistas aceptan la idea de que una oferta monetaria sostenida, o con aumento sostenido, generará muchas influencias estabilizadoras, pero que éstas no serán ni tan seguras ni tan rápidas como creen los monetaristas y, por otra parte, creen que deberían señalarse más las influencias *desestabilizadoras* conocidas.

Entre las principales influencias desestabilizadoras están las siguientes:

1) el efecto multiplicador, por el que una disminución (o un aumento) inicial del gasto en alguna parte de la economía hará disminuir (o aumentar) otras rentas y, por lo tanto, otros gastos;

2) el efecto acelerador, por el que un descenso de la producción llevará a una disminución de la inversión, reduciendo el gasto y, por lo tanto, disminuyendo más la producción, con un empuje ascendente equivalente sobre la producción si la producción aumenta;

3) los efectos de las expectativas, por los que las expectativas de malos (o buenos) tiempos futuros tenderán a reducir (o aumentar) los planes de inversión y, por lo tanto, contribuirán a que las expectativas se hagan realidad, y

4) el proceso inflacionista, que sostendrá la inflación incluso después de haberse eliminado las causas que la iniciaron.

Estabilizadores

Incluso sin las medidas económicas modernas trazadas específicamente al efecto, existen algunas relaciones estructurales, institucionales y de comportamiento en el seno de la economía que son más estabilizadoras (o menos desestabilizadoras) de lo que pudiera parecer a primera vista.

Supóngase un movimiento descendente que se inicia por un descenso de la inversión planeada. Si el ahorro planeado permanece en su nivel previo, no se puede alcanzar el equilibrio y la economía iniciará el movimiento descendente. En el macromodelo simple, el ahorro planeado procede únicamente de las economías domésticas y, por lo tanto, sólo disminuye cuando disminuyen las rentas. Pero, en los Estados Unidos y en la mayoría de las economías industria-

les, gran parte del ahorro ha sido creado por las empresas en forma
de reservas para amortización y beneficios no distribuidos. Dentro
de ciertos límites, la inversión y el ahorro de las empresas están
ligados entre sí, y puede esperarse que este ahorro disminuirá si
disminuye la inversión; aunque no en la misma medida. Por lo tanto, es la *diferencia* entre la disminución de la inversión y el descenso del ahorro de las empresas lo que tiene que compensarse con
la disminución del ahorro de las *economías domésticas* debido a un
descenso de la renta.

Cuando las rentas empiezan a disminuir, las economías domésticas, dominadas por los efectos de la renta permanente, tienden a
aferrarse a los niveles altos de consumo. A corto plazo, el ahorro
de las economías domésticas desciende rápidamente, dando lugar en
el siguiente período a una renta de equilibrio cuyo nivel no queda
muy por debajo del nivel original. Sin embargo, si la reducción de
las rentas se mantiene, las economías domésticas se ajustan de modo
gradual a su nueva renta permanente. Este ajuste se traduce en un
aumento de la propensión a ahorrar y una nueva presión descendente sobre las rentas. Por lo tanto, el efecto de la renta permanente sólo durante un tiempo limitado puede frenar las presiones
descendentes.

Durante un corto tiempo también, es relativamente pequeña la
presión descendente de los efectos del acelerador. Los planes de inversión tienen que prepararse por anticipado, y probablemente se
llevarán a cabo si los empresarios creen que la recesión que puede
haber comenzado va a ser breve. De hecho, un debilitamiento de
la economía puede facilitar las condiciones de oferta de las industrias suministradoras de capital y estimular la aceleración de algunos
planes de inversión. Por lo tanto, un descenso inicial de la inversión y de las rentas no siempre significa que la economía vaya a tomar
un precipitado camino descendente.

Expectativas

La influencia de las expectativas es grande. Mientras las personas que formulan los planes de gasto más optimistas sean acerca
de la naturaleza pasajera de la recesión, más fuertes serán las influencias que tienden a reducir la disminución potencial de la renta.
Podría incluso afirmarse que el mayor factor estabilizador en los
Estados Unidos después de la segunda guerra mundial ha sido simplemente la *expectativa* de que el gobierno no permitiría que una
recesión se convirtiera en una depresión, expectativa que no existía
antes de la guerra.

Medidas estabilizadoras

Con todo, existen medidas más concretas de política económica
que actúan como estabilizadores potenciales. Una de ellas es el *im-*

puesto progresivo sobre la renta. Como el *tipo* del impuesto es menor para las rentas bajas que para las rentas altas, una disminución de, por ejemplo, el 5 por 100 en las rentas antes de deducir los impuestos se traducirá en una disminución menor del 5 por 100 en las rentas disponibles. Como los planes de consumo se basan en la renta disponible, la influencia descendente provocada por la disminución del consumo será aminorada por la progresividad del impuesto sobre la renta. El impuesto progresivo sobre la renta no se estableció con este objetivo específico —sino con fines de redistribución de la renta—, pero la influencia estabilizadora se ha ido convirtiendo en un importante efecto colateral a medida que ha aumentado la parte de las rentas que se lleva el impuesto.

Un segundo estabilizador creado en el interior del sistema es el crecimiento automático de los gastos de transferencia del Estado al decaer la actividad económica. Cuando la actividad económica se reduce y aumenta el desempleo, aumentan los pagos del seguro de desempleo y los gastos de beneficencia. Esto frena la disminución de· las rentas personales y, por lo tanto, el descenso del gasto planeado para consumo. Ninguna de estas influencias estabilizadoras, ni siquiera todas ellas juntas, pueden *evitar* un descenso de la actividad bajo una presión descendente continua. Las influencias de las expectativas (manteniendo los planes de inversión y sosteniendo temporalmente unos altos niveles de consumo) pueden evitar que una presión descendente muy breve dé origen a una verdadera caída. Ahora bien, cuanto mayor sea el movimiento descendente de la economía, más se debilitarán estas influencias. Por otra parte, las influencias de los impuestos y de los gastos de transferencia se hacen mayores cuanto mayor sea la caída de la economía (a condición de que el Estado no decida reducir los gastos de transferencia cuando éstos empiecen a hacerse demasiado grandes), pero nunca lo bastante como para elevar la economía a su nivel inicial de pleno empleo. Los pagos del seguro de desempleo son menores que los salarios, así que un aumento del desempleo siempre reducirá las rentas.

Estabilización incompleta

Considerados como una parte del sistema autorregulador, los «estabilizadores automáticos» operan en la dirección apropiada, pero, o se desvanecen rápidamente (las influencias que no proceden del sector público) o, por su propia naturaleza, no pueden hacer que la economía se restablezca plenamente. Por ejemplo, para mantener las rentas a los niveles de pleno empleo, los pagos del seguro de desempleo tendrían probablemente que establecerse a unos niveles *superiores* a los salarios, a fin de compensar la pérdida de ingresos (al trabajar menos horas) de quienes permanecen empleados. Pero pagar a unas personas que no tienen que renunciar en absoluto al ocio *más* que a quienes ceden cuarenta horas semanales tendría unos

──────── Cápsula suplementaria 32.2 ────────────────────

LA POLITICA ECONOMICA EN LOS ESTADOS UNIDOS:
LA EXPERIENCIA DEL PERIODO 1960-1971

El esquema de la historia de 1965 a 1971 se resume en la tabla siguiente, que da como término de comparación los promedios anuales del período 1960-1964. Durante la primera mitad de la década, el cuadro general es el de una economía moviéndose con lentitud. Aunque la política monetaria fue expansiva, con una oferta monetaria que aumentaba a más del 7 por 100 (en comparación con un aumento del 4 por 100 de la capacidad productiva), la política fiscal no lo fue, y los presupuestos reflejaron por término medio considerables superavits en pleno empleo. Para hacer más expansiva la política fiscal, el presidente Kennedy propuso una reducción de impuestos en 1963. El Congreso no aceptó entonces la propuesta, votando la reducción de impuestos dos años después (bajo la administración Johnson) y proporcionándonos así una lección sobre uno de los problemas prácticos de la política económica.

Llegado el año fiscal 1966, cuando entró en vigor la reducción de impuestos, la economía ya había iniciado un movimiento ascendente, resultante de varios factores, entre los cuales los gastos militares en Vietnam fueron el más importante. La reducción de impuestos llegó demasiado tarde para conseguir su objetivo original, y solamente sirvió para crear nuevos problemas a la economía. En 1965, la economía operaba muy poco por debajo del nivel de su capacidad, mientras que la política monetaria, lo mismo que la fiscal, eran algo más expansivas que en el período 1960-64.

No puede, por lo tanto, sorprender que la economía se moviera claramente hacia la inflación en 1966. La tasa de aumento de los precios, que había sido baja durante varios años, llegó casi a duplicarse, alcanzando el 3,3 por 100. La combinación de la reducción de impuestos con el rápido aumento de los gastos de defensa dio, en el año fiscal 1966, el primer

───

efectos sociales, distributivos y sobre la eficiencia que serían generalmente inaceptables.

El veredicto sobre la política monetaria automática y los estabilizadores automáticos es que *contribuyen* a estabilizar la economía, pero, o bien no conseguirán devolverla al estado deseado, o bien no lo harán con la rapidez suficiente para evitar la necesidad de utilizar otras medidas.

RECAPITULACIÓN 32.2.   *La economía cuenta en su interior con mecanismos que ejercen influencias estabilizadoras y desestabilizadoras. A diferencia de los economistas keynesianos, los monetaristas se inclinan a considerar que en su conjunto estas influencias son estabilizadoras. No obstante, los efectos multiplicador y acelerador, así como las expectativas y la espiral inflacionista, se consideran generalmente desestabilizadores. Entre los estabilizadores automáticos figuran, en las economías más avanzadas, el impuesto progresivo sobre la renta y el seguro de desempleo y otras formas de sostenimiento de las rentas.*

Año	Nivel de producción (a)	Variación de los precios (b)	Política fiscal (c)	Política monetaria (d)
1960-64	−5,6	+1,4	+ 3,0	+0,9
1965	−0,9	+1,8	+ 2,4	+1,7
1966	+1,8	+3,3	− 6,1	+0,9
1967	+0,2	+3,1	−10,6	+1,6
1968	+1,1	+4,2	−25,2	+0,8
1969	−0,7	+4,9	0,0	−0,5
1970	−3,4	+5,3	+ 2,6	−5,8
1971	−6,1	+4,8	+ 4,9	+0,6

a) *Porcentaje en que el PNB supera (+) o queda por debajo (−) de la capacidad nominal. Las cifras positivas indican que la capacidad está siendo «estirada» bajo la presión inflacionista.*

b) *Porcentaje de variación, desde el final del año anterior hasta el final del año corriente, del «deflactor del PNB», que es un índice de todos los precios.*

c) *Saldo en pleno empleo (véase el capítulo 30) del presupuesto para el año fiscal que termina el 30 de junio. Cuanto mayor sea el déficit (−) o menor el superávit (+), más expansiva será la política fiscal.*

d) *Diferencia positiva (+) o negativa (−) entre la variación porcentual de la oferta monetaria (en el año que termina el 30 de junio) y la variación media anual (7 por 100) de la década 1960-70.*

(Continúa en la pág. sig.)

32.3. Política discrecional

*Por qué es necesaria para el restablecimiento de la economía
la política discrecional, y de qué medidas se dispone*

La política económica ideal sería una capaz de mantener a la economía en el estado deseado, reaccionando de modo adecuado e inmediato a la menor tendencia hacia una desviación. Un mantenimiento perfecto requeriría una predicción perfecta, pues cualquier tendencia a la desviación debería ser captada antes de aparecer. Las medidas automáticas del tipo analizado en la sección precedente no pueden conseguirlo, pues se basan en influencias restauradoras que sólo aparecen cuando ha tenido lugar *efectivamente* una desviación.

Podemos emplear como analogía la conducción de un automóvil por un camino recto. Los estabilizadores automáticos sólo *comienzan* a operar cuando las ruedas se han situado de hecho fuera de la dirección correcta. Una conducción perfecta requiere un mecanismo

déficit del presupuesto en pleno empleo de la década. Entre 1966 y 1968 la economía se mantuvo en el nivel nominal de su capacidad o por encima de él; la política fiscal fue muy expansiva (el déficit en pleno empleo alcanzó los 25.200 millones de dólares en el año fiscal 1968) y la política monetaria se mantuvo más o menos invariable. Aunque los precios continuaron aumentando a lo largo del período, la tasa se aceleró poco hasta 1969.

Nixon asumió la presidencia a principios de 1969, pero los primeros efectos de las medidas de la nueva Administración no pudieron manifestarse hasta mediados de aquel año, a causa del tiempo necesario para llevar a cabo los cambios en la política económica. La nueva Administración heredó un *aumento* de los impuestos que se había votado antes, pero que no llegó a ser efectivo hasta 1968: fue el primer intento de frenar la economía desde que comenzó la inflación en 1966. El gobierno de Nixon era más propenso a la política monetaria que los de los presidentes anteriores, por lo que en 1969 tuvo lugar la primera modificación real de la política monetaria desde el principio de la década. La tasa de aumento de la oferta monetaria cayó por primera vez por debajo del 7 por 100.

Para los economistas, 1969 fue la pesadilla final: la economía inició un movimiento descendente en cuanto a la producción real, mientras que la tasa de aumento de los precios subió de nuevo. Con el impacto de la elevación de los impuestos, que se manifestó claramente aquel año, la política fiscal pasó de ser altamente expansiva a limitarse a mantener el equilibrio presupuestario en pleno empleo. La nueva Administración puso inicialmente mucha fe en la política monetaria, confiando en ella para reducir la tasa de aumento de los precios sin causar demasiado descenso de la producción real. Al final de 1969 y principios de 1970, la política

---

diferente (a cargo del conductor), que permita prever la llegada de un bache y adoptar la acción preventiva.

En el estado actual de conocimientos de la teoría económica, las dificultades de la predicción parecen obligar a descartar como objetivo práctico la política de mantenimiento de un nivel de la actividad económica, excepto quizá durante ciertos períodos afortunados en los que apenas aparecen influencias anormales. En los Estados Unidos se intentó, durante el período 1964-1968, aplicar una forma modificada de este tipo de política económica (llamada entonces de «ajuste de sintonía», o *fine tuning*), pero no acertó a capturar las fases iniciales de la inflación de 1967-71.

Nivelación de la economía

Las medidas *niveladoras*, destinadas a devolver la economía a su estado deseado después de haberse hecho aparente la desviación, siguen siendo la tarea principal de los ejecutores de la política macroeconómica. Como éstas no dependen tanto de un completo acierto en la predicción y de una cuantificación completa de los

monetaria era muy restrictiva, y el aumento de la oferta monetaria representó la tasa más baja registrada en muchos años.

La política monetaria restrictiva no consiguió parar la inflación, aunque la tasa de *aceleración* del aumento de los precios descendió algo: los precios aumentaron un 5,3 por 100 en 1970, con lo que la tasa de aumento subió un 0,4 por 100, mientras que de 1968 a 1969 había subido un 0,7 por 100. La restricción monetaria *desaceleró* el crecimiento real: de hecho, el PNB real cayó en 1970, por primera vez desde 1954. A pesar del optimismo de los neomonetaristas, la política monetaria no había sido capaz de desacelerar la inflación sin originar una recesión.

A mediados de 1970, los rasgos recesionistas de la economía dominaron las consideraciones de la política económica. La política monetaria se hizo más expansiva, aunque el presupuesto para el año fiscal 1971 se planteó todavía con un superávit en pleno empleo, y, por lo tanto, para que no fuese expansivo. Desde mediados de 1970 a mediados de 1971, la economía se negó a salir de una combinación de desempleo e inflación sostenidos. Por último, forzada a tomar medidas enérgicas para hacer frente a una crisis de la balanza de pagos que había crecido incesantemente a lo largo de aquel período (véase el capítulo 35), la Administración se decidió por una combinación de política de precios y salarios contra la inflación (que ya se manifestaba en una espiral continua pero que sin duda no era el resultado de un exceso de demanda corriente) y unas medidas fiscales y monetarias moderadamente expansivas. Reducida la velocidad de la espiral, pudo considerarse concluida la larga secuencia de acontecimientos iniciada diez años antes con la economía preparada para empezar una nueva secuencia, nacida de una actividad económica inferior a su capacidad, al comienzo de los años 70.

efectos de las medidas adoptadas, los economistas se sienten más capaces de conseguir una situación económica caracterizada por un alto nivel de empleo pero con un cierto grado de inflación, que de mantenerla rigurosamente en la línea ideal.

Los principales problemas de la nivelación son el aumento de la actividad económica cuando ésta es demasiado baja, y la reducción de la inflación cuando la tasa de aumento de los precios se considera demasiado alta.

Política contra la recesión

En principio, los economistas tienen gran confianza en las posibilidades de sacar de una recesión a la economía. Si la recesión existe, se debe a que la producción en la situación de equilibrio es inferior a la correspondiente al nivel de pleno empleo. A su vez, esta situación tiene lugar porque el gasto privado planeado cuando la renta alcanza el nivel de pleno empleo sumado al nivel corriente del gasto público son insuficientes para sostener ese nivel de renta. Por lo tanto, el Estado tiene sencillamente que aumentar su propio gasto en una cuantía suficiente, sin interferir con el gasto privado planeado, para cubrir la brecha o inducir a un aumento del gasto privado.

El aumento del gasto público es una vieja prescripción que, como principio, está sujeta a dos dificultades prácticas. La primera está en el modo de aumentar el gasto público sin reducir en la misma medida el gasto privado planeado; la segunda es la tremenda magnitud del aumento del gasto público que puede ser necesario.

El problema de la magnitud del gasto público no puede ser ignorado en una depresión o en una recesión importante. El PNB corriente de los Estados Unidos en 1933 fue de 56.000 millones de dólares, mientras que el PNB de pleno empleo se elevaba por lo menos a 100.000 millones de dólares. Para que el gasto público hubiese cubierto la brecha *por sí solo* habría sido necesario aumentarlo 6½ veces, es decir, haberlo elevado de 8.000 millones a 52.000 millones de dólares. En la recesión de 1956, se habrían necesitado unos 43.000 millones para alcanzar el pleno empleo: cantidad que no llega a superar en más del 50 por 100 al gasto público corriente de aquel año, pero que no deja de ser sustancial.

Los primeros análisis macroeconómicos introdujeron el concepto de multiplicador, que pareció reducir extraordinariamente el problema de la magnitud del gasto público. Si el Estado aumentara sus gastos *sin incrementar sus ingresos,* el PNB se elevaría en una cantidad igual al producto del aumento del gasto por el multiplicador. Las primeras estimaciones de la propensión al consumo dieron un multiplicador igual a 4 aproximadamente, lo que significaba que bastaría aumentar el gasto público en una cuarta parte de la brecha entre el PNB corriente y el PNB en pleno empleo. Esto hubiera supuesto un aumento inferior a 2½ veces el gasto de 1933 (y provocar un déficit del Estado igual a vez y media el gasto público total de aquel año), y tan sólo un aumento del 12 por 100 del gasto público en 1958.

Resulta así que la realización de un gasto público suficiente para sacar directamente de una recesión a la economía está perfectamente dentro de las posibilidades de la política fiscal. Pero su viabilidad política en los Estados Unidos es otro tema: en especial si el aumento masivo del gasto público exige un déficit presupuestario y tiene que ser instrumentado con rapidez si se quiere que sea útil.

Por ello, una alternativa al aumento del gasto público está en que el Estado estimule al gasto privado para que aumente en el volumen requerido.

Medidas indirectas

El estímulo para aumentar el gasto privado puede conseguirse por medio de la política fiscal (por ejemplo, con reducciones de impuestos), pero es un campo especialmente acotado por la política monetaria. No obstante, pueden aplicarse reducciones selectivas de los impuestos para lograr una distribución de la renta y unos aumentos del gasto diferentes, y quizá más deseables, que los que pueden obtenerse con la política monetaria.

La política monetaria puede ser utilizada, o principalmente para influir sobre los tipos de interés, o principalmente para influir sobre la cantidad de dinero. El enfoque «clásico» de la política contra la recesión se basaba en el supuesto de que una reducción suficiente del tipo de interés daría origen a un gran aumento de la inversión, y posiblemente a un aumento del consumo a consecuencia de la disminución del ahorro.

Actualmente se duda de la posibilidad de hacer bajar el tipo de interés por medio de la política monetaria ordinaria hasta el punto de caer por debajo de un cierto nivel mínimo. Por esta razón, el alcance de una reducción del tipo de interés depende muchísimo de su nivel inicial: si el nivel inicial es alto, puede hacérsele descender, pero si ya es bajo, puede ser difícil o imposible hacerlo descender más. En cualquier caso, la teoría de la inversión y las investigaciones empíricas más modernas indican que la inversión es relativamente insensible al tipo de interés, o mucho menos sensible de lo que se suponía en el análisis clásico.

Probablemente no existe ningún método de estímulo de la inversión privada capaz, por sí solo, de originar los masivos aumentos de la inversión necesarios para sacar a la economía de una situación de gran estancamiento. Admitiendo un valor muy generoso, de 3, para el multiplicador a corto plazo, se hubiera necesitado multiplicar por 2½ la inversión de 1933, para alcanzar el pleno empleo, en un momento en el que los tipos de interés ya eran bajos, no obtenían beneficios las empresas, y eran insignificantes las desgravaciones tributarias.

La utilización de la política monetaria para aumentar la cantidad de dinero, en lugar de intentar reducir más todavía los tipos de interés, es la prescripción de los monetaristas modernos. En su opinión, el aumento de la cantidad de dinero hace que el cociente entre saldos monetarios y gasto corriente suba por encima de lo deseado, con lo que las empresas y los individuos reaccionan aumentando su gasto. Según el modelo keynesiano, el efecto consiste en aumentar a la vez la inversión (por aumento de los saldos monetarios de las empresas) y la propensión al consumo. Como el multiplicador aumenta al aumentar la propensión al consumo, el mecanismo —si funciona del modo indicado— sería más poderoso que el que operara a través de los tipos de interés únicamente.

En condiciones de depresión o de una recesión importante, existe un serio problema práctico. Si bien las autoridades monetarias pueden aumentar siempre las reservas de los bancos comer-

ciales («dinero de alto potencial») para que aumenten los depósitos en cuentas corrientes (que constituyen los saldos monetarios
de las empresas y de las economías domésticas), hace falta que los
bancos comerciales aumenten sus préstamos: lo que quizás no
estén dispuestos a hacer cuando las condiciones económicas son
desfavorables. Por lo tanto, la política monetaria puede no ser suficiente para aumentar la cantidad de dinero en la medida necesaria

Política antiinflacionista

Respecto a la *inflación,* los principios son similares, pero las
direcciones se invierten. La política fiscal actúa a través de una
reducción del gasto público o un aumento de los impuestos o ambas cosas a la vez. Como el gasto público contiene muchas obligaciones que no pueden reducirse, para alcanzar el grado necesario
de reducción del gasto total planeado será preciso, casi con certeza,
aumentar los impuestos.

La política monetaria operará poniendo el acento o en el alza
de los tipos de interés o en la reducción de la cantidad de dinero:
no hay conflicto entre ambas medidas, pues las dos significan una
política monetaria «tirante», pero según la técnica utilizada destacarán principalmente los efectos del tipo de interés o los de la
cantidad de dinero. El aumento de los tipos de interés desalentará la inversión, mientras que la reducción de la cantidad de dinero
hará disminuir el gasto planeado por el deseo de reponer los saldos
individuales.

Al comparar este caso con el de la política dirigida a combatir
la recesión, aparece invertida la eficacia relativa de las políticas
monetaria y fiscal. El aumento de los impuestos es políticamente
impopular y requiere algún tiempo (en los Estados Unidos, desde
luego) antes de entrar en vigor. La cantidad de dinero puede reducirse rápidamente aumentando los coeficientes de reserva y obligando así a los bancos comerciales a cancelar préstamos: es decir,
mientras que los bancos no pueden ser obligados a *aumentar* los
préstamos y, por lo tanto, la oferta monetaria, sí pueden ser obligados a *reducirlos.*

Por las razones analizadas con mayor detalle en el capítulo
sobre la inflación (capítulo 25), puede ser casi imposible remediar una inflación empleando sólo medidas de política fiscal y monetaria *sin pasarse* del blanco y provocar cierta recesión, que puede
ser suave o puede no serlo. La razón está en la dinámica interna
del proceso de la inflación, que opera a través del empujón de los
costes y de las expectativas inflacionistas. No obstante, la regulación de precios y salarios (que se analiza en la última sección de
este capítulo) puede ser suficiente para evitar esa caída en la recesión.

RECAPITULACIÓN 32.3. *Debido a lo imperfecto de las predicciones y al hecho de que los estabilizadores automáticos sólo son parcialmente eficaces, la mayoría de las medidas económicas se proponen llevar la economía al nivel deseado, cuando ya la economía ha abandonado este nivel. Las prescripciones económicas para restablecer el pleno empleo a partir de una recesión están bien codificadas, y el restablecimiento puede obtenerse siempre por medio de un aumento suficientemente grande del gasto público. Ahora bien, en condiciones graves de depresión, como las de los años 30, la magnitud de este aumento tiene que ser muy grande. Son también posibles, aunque menos seguras, las medidas que actúan sobre la oferta monetaria o el tipo de interés. Mucho menos seguras son las medidas para eliminar la inflación sin dar origen a una considerable recesión, pero en este punto la política monetaria puede ser más útil que la política fiscal.*

32.4. ¿Importa el tipo de gasto?

Notas sobre los efectos de las distintas clases de gastos públicos

La decisión del Estado sobre el empleo que dará a un determinado gasto total tiene, evidentemente, la mayor importancia. Las decisiones sobre el gasto público influyen sobre la *composición del paquete de productos de la economía* y sobre la *distribución de las rentas y de los bienes dentro de la economía*: cuestiones de la mayor importancia política.

Sin embargo, nuestra preocupación aquí será simplemente averiguar si el tipo de gasto afecta a las consecuencias *macroeconómicas* de la política fiscal. En otras palabras, nos interesa saber si un aumento de un millón de pesetas en el gasto público tiene el mismo efecto sobre la renta nacional cualquiera que sea aquello en que se gaste.

La utilidad del gasto no es fundamental

Desde el punto de vista de la generación de rentas, no importa en realidad que el resultado *inmediato* del gasto sea crear algo «útil» o no. Si el Estado gasta 1.000 millones de pesetas en dar empleo a los parados y utiliza a los trabajadores para cavar zanjas que luego rellenen ellos mismos, esta acción tendrá el mismo impacto general sobre las rentas que si los trabajadores se emplearan en reedificar los suburbios, decorar las estaciones del metro, limpiar las calles o ejecutar proyectos de electrificación rural. En realidad, no habría ninguna verdadera diferencia si a las personas desempleadas se les diera simplemente una renta sin obligarles en absoluto a trabajar.

Por supuesto, dado que en cualquier economía real existe una amplia lista de cosas útiles por hacer, sería un despilfarro no utilizar eficientemente los recursos. Mil millones de pesetas gastadas en la reedificación de suburbios en vez de dedicarlos a la apertura y posterior relleno de zanjas tendrían el mismo efecto en cuanto al aumento de las rentas y aumentarían el bienestar social con los resultados del proyecto. Sin embargo, la apertura de zanjas ofrece un ejemplo importante. Ilustra el hecho de que la falta de imaginación sobre lo que puede hacerse en la sociedad no es excusa para no impulsar la actividad en una economía estancada. Las zanjas pueden no tener ninguna utilidad en sí mismas, pero la renta generada hará aumentar la producción de bienes y servicios reales.

Efectos de los diferentes tipos de gastos

Desde el punto de vista exclusivo de la generación de rentas, lo que importa respecto al gasto público es lo siguiente:

1) ¿quién recibe la renta inicial (la primera vuelta) generada por el gasto?

2) ¿afecta este gasto a los planes de gasto de *otros* sectores?

La propensión marginal a consumir no es uniforme para todos los miembros de la sociedad. Puede esperarse que en general sea más baja entre los ricos que entre los pobres. Por lo tanto, el gasto que aumente inicialmente las rentas de los ricos (como el que permite a las sociedades petroleras norteamericanas almacenar petróleo) tendrá un efecto multiplicador menor que el que aumente las rentas de los pobres (como el gasto en actividades que utilicen un gran volumen de trabajo no especializado).

En muchos casos, la simple redistribución en favor de los pobres puede aumentar la propensión a consumir del conjunto de la sociedad lo suficiente para aumentar la renta de equilibrio en un grado notable, *sin* que aumente el gasto público total.

Cuando el Estado está intentando amortiguar la marcha de la economía, en lugar de acelerarla, las fuerzas operan en el sentido inverso. Será más efectivo reducir el gasto que genere rentas para los pobres que el gasto que produce rentas para los ricos, y la actividad económica se amortiguará por la redistribución en favor de los ricos. Estas consideraciones vienen a añadirse a los problemas que presenta el control de una inflación: las medidas macroeconómicas adecuadas están en conflicto con los objetivos de redistribución, mientras que ambos objetivos son compatibles cuando la economía está siendo acelerada.

Enlaces

La otra consideración importante desde el punto de vista de la generación de rentas es el efecto del gasto público sobre otros sectores. Por ejemplo, el aumento del gasto público en la construcción de viviendas protegidas puede reducir la inversión en construcción planeada por el sector privado y contrarrestar en parte (completamente, en el caso extremo) los efectos del gasto público. Por el contrario, el aumento del gasto en el programa espacial (que nunca sería emprendido por el sector privado) puede *estimular* un aumento de la inversión privada planeada en las industrias aeroespacial, electrónica y otras afines, que se añadirá a los resultados, generadores de rentas, de la actividad directa del Estado.

Por desgracia, desde los puntos de vista moral y político, la guerra (o la amenaza de guerra) proporciona la forma casi ideal de gasto público para la expansión de la economía. El gasto básico se dedica a algo que el sector privado no produciría por sí mismo, mientras que el efecto del gasto público es el aumento del gasto en inversión privada en muchas actividades relacionadas con aquél.

Aunque algunos sostienen que el capitalismo necesita la guerra, o la amenaza de guerra, para evitar el colapso que se derivaría de la falta de gasto generador de rentas, existen otras formas de gasto público que serían igualmente efectivas —por ejemplo, el desarrollo masivo del transporte urbano—, pero solamente si se desarrollasen a escala suficientemente grande (como la escala de los gastos de defensa y espaciales) para generar una gran inversión privada auxiliar.

RECAPITULACIÓN 32.4. *El efecto generador de rentas del gasto público no depende de la «utilidad» final del gasto. Sin embargo, el efecto depende de quiénes sean los receptores iniciales del gasto, y de que el gasto afecte o no a otras inyecciones. Puede esperarse que los efectos generadores de rentas sean máximos para aquellos gastos cuyo efecto inicial es el aumento de las rentas de los pobres y para los que se dedican a la producción de bienes que normalmente no son producidos por el sector privado. Algunos tipos de gastos pueden incluso tener efectos de enlace que aumentan la inversión privada.*

32.5. ¿Política fiscal, política monetaria, o una mezcla de las dos?

Cómo debe decidirse el político entre las diversas combinaciones de política monetaria y política fiscal

Como la política monetaria y la política fiscal pueden utilizarse, tanto una como otra, para alcanzar objetivos de política macroeconómica, estos dos conjuntos de instrumentos se consideran con frecuencia rivales: política fiscal *frente* a política monetaria.

Aunque en principio los dos tipos de medidas pueden utilizarse para alcanzar objetivos similares, no son sustitutivos directos entre sí. Cada uno de ellos tiene sus efectos especiales propios, y probablemente cada uno de ellos es más efectivo que el otro en sus circunstancias específicas.

La combinación público/privada

Empezando por la mayor diferencia, la política fiscal supone importantes cambios en la relación entre el sector público y el privado, a menos que consista sólo en transferencias directas de renta. La política fiscal es más sencilla de funcionamiento y más efectiva cuando el gasto público es alto en comparación con el del sector privado. Hay aquí un «efecto trinquete» automático. Si el sector público aumenta su gasto para acelerar la economía, contrae el compromiso de realizar ciertos tipos de gastos. Cuando lo que hace falta es amortiguar, y no acelerar, es probable que el sector público no pueda romper los compromisos recientemente contraídos, por lo que es probable que tenga que recurrir a aumentar los impuestos. De este modo, la utilización de la política fiscal *tiende* a aumentar la magnitud del sector público en comparación con el sector privado. Por el contrario, la política monetaria opera completamente a través del sector privado y es compatible con un sector público de pequeña dimensión.

Los que creen, sea por razones ideológicas o por sus cálculos sobre la eficiencia y el bienestar social, que la economía debería pertenecer casi por entero al sector privado, tenderán a favorecer la política monetaria frente a la política fiscal.

Efectos microeconómicos

Los efectos de la política monetaria se difunden mucho, pero no se reparten más uniformemente sobre la economía que los efectos de la política fiscal. Una política monetaria contractiva elevará los tipos de interés, desalentando la demanda de préstamos y la inversión. La actividad que decaerá más en estas circunstancias es la construcción de nuevas viviendas. La necesidad de viviendas no es una necesidad cíclica a corto plazo, sino a largo plazo: puede ocurrir que una ola de bodas o de nacimientos alcance sus efectos máximos justamente cuando la política monetaria esté reduciendo casi a cero la nueva construcción. Por el contrario, durante una recesión, una política monetaria expansiva puede dar grandes facilidades para la concesión de préstamos a bajo interés para la construcción de viviendas, pero puede no haber compradores, en cuyo caso no se genera gasto.

Con las técnicas normales de política monetaria, pueden predecirse, pero no cambiarse fácilmente, sus efectos sobre la composición de la mezcla de productos. La política fiscal, que puede modificar los gastos o los impuestos de manera altamente selectiva, permite conseguir simultáneamente el paquete de productos deseado y unos amplios objetivos macroeconómicos.

En principio, es posible contar con una política monetaria *selectiva*. Los bancos pueden recibir instrucciones de prestar para algunos fines y no para otros, lo cual se hace en muchas economías de planificación centralizada y en otras más cercanas al modelo norteamericano. No obstante, la mayoría de los partidarios de la política monetaria consideran que la ausencia de selección explícita es una virtud: los tipos de interés cambian y actúan como precios, lo que permite a las empresas privadas y a las economías domésticas establecer sus propias prioridades.

Interdependencia de las políticas

La política fiscal y la política monetaria no son verdaderamente independientes. El modo de funcionar una de ellas dependerá de lo que esté haciendo la otra. La política monetaria «pura» se contempla en general como si funcionase en el contexto de una política fiscal *neutral,* en el sentido de la existencia de un presupuesto estrictamente equilibrado. Análogamente, la política fiscal «pura» supone una política monetaria *neutral,* en el sentido de mantenerse constantes los tipos de interés.

La política *neutral* sigue siendo una política. Supongamos que la economía está en una depresión, pero que la oferta monetaria es la de equilibrio en las condiciones vigentes. Si la renta crece por obra de la política fiscal *sin* ninguna intervención de las autoridades monetarias, la oferta monetaria existente será insuficiente para el nuevo nivel, más alto, de la renta, a los antiguos tipos de interés. Podemos esperar entonces que los tipos de interés suban. Así, una política monetaria neutral significará en este caso un aumento de la cantidad de dinero más o menos en proporción con el aumento de la renta. Se trata, pues, de una política muy positiva. Si no se llevara a cabo el aumento adecuado de la oferta monetaria, los tipos de interés aumentarían, reduciendo la inversión y disminuyendo la efectividad de la política fiscal.

Como la política monetaria y la política fiscal pueden provocar efectos generales análogos, pero diferir en sus efectos detallados, la «mejor» política deberá ser una *mezcla* de medidas fiscales y monetarias, mezcla que variará de acuerdo con las necesidades. Durante los años 30, los intentos de una política fiscal expansiva naufragaron por culpa de una inadecuada política monetaria. Si tanto la política fiscal como la monetaria hubieran sido expansivas, el resultado habría sido muy diferente.

La política fiscal parece tener alguna ventaja en la acción contra las recesiones, y la política monetaria en la antiinflacionista. En cualquier caso, el refuerzo de una política por medio de la otra no puede hacer daño.

Factores institucionales

Los factores institucionales pueden ser importantes a la hora de elegir la mezcla de políticas. Como el proceso presupuestario en los Estados Unidos incluye un complicado paso a través del Congreso, es muy difícil llevar a cabo cambios *rápidos* en la política fiscal, a menos de existir una situación crítica. En principio, los presidentes podrían obtener del Congreso poderes fiscales discrecionales tales como la facultad de variar los tipos de los impuestos, dentro de unos porcentajes límites especificados, pero el Congreso es reacio a perder el control en materias como ésta.

Incluso en una organización política menos compleja que la de los Estados Unidos, los instrumentos de la política monetaria pueden manejarse más rápidamentne que los de la política fiscal. Esto no quiere decir que los *efectos* se manifiesten necesariamente de inmediato.

Testimonios empíricos

La simulación en ordenadores, mediante macromodelos muy elaborados, permite obtener algunos testimonios sobre los retardos entre las medidas de política económica y sus efectos. Por ejemplo, la simulación con uno de ellos, el *Modelo Reserva Federal-MIT,* muestra, para tres tipos diferentes de medidas económicas, los resultados cronológicos siguientes:

Política económica	Proporción del efecto final sobre el PNB obtenida en		
	6 meses	1 año	2 años
Fiscal I (reducción de los impuestos)	45 %	90 %	casi completa
Fiscal II (aumento del gasto)	63 %	106 %	112 %
Monetaria	8 %	17 %	80 %

[Las cifras superiores al 100 por 100 en la política fiscal II reflejan que se han rebasado los objetivos: el efecto sobre el PNB disminuye después de pasados dos años, y el efecto final (100 por 100) es menor que los efectos a medio plazo.]

Así pues, aunque la política monetaria puede quizá iniciarse con mayor rapidez, parece ser más lenta en su operación que la política fiscal.

RECAPITULACIÓN 32.5. *La política fiscal y la política monetaria pueden alcanzar objetivos generales análogos, pero con distintos efec-*

tos colaterales. La política fiscal cambiará normalmente la proporción entre bienes públicos y bienes privados. La política monetaria actúa sobre el sector privado, pero no de manera uniforme. Las variaciones del tipo de interés afectan mucho a la construcción, y mucho menos a otras industrias. Existen otros elementos que afectan a la elección de medidas económicas, como los factores institucionales y políticos y las velocidades de instrumentación y de respuesta. Normalmente, la elección adecuada será una mezcla de política fiscal y política monetaria.

32.6. Regulación de precios y salarios

*El uso apropiado de la intervención del Estado
sobre precios y salarios*

Aparte de la seguridad de las personas y las disposiciones sanitarias (y más recientemente, las medidas contra la contaminación), los únicos controles directos que se han empleado de modo extensivo en los Estados Unidos han sido la regulación de precios y salarios en períodos de inflación. Controles de este tipo se utilizaron durante la segunda guerra mundial; en forma modificada se emplearon durante la guerra de Corea (1950-53), y la regulación de precios y salarios apareció de nuevo durante el período inflacionista de 1971-72.

Los argumentos en favor de esta regulación en una situación inflacionista se expusieron en el capítulo 25. Se basan en la distinción entre la causa inicial de una inflación (exceso de la demanda planeada sobre la oferta disponible) y la dinámica inflacionista tendente a autoperpetuarse (espiral inflacionista), por la que la inflación, una vez iniciada, conduce a aumentos de los precios que presionan a favor de aumentos de los salarios, que a su vez dan lugar a elevaciones de costes y subidas de precios. La eliminación de la causa inicial del proceso compete a la política fiscal o a la política monetaria, pero la espiral puede continuar manifestándose aún después de la eliminación de aquella causa. La regulación de precios y salarios es una política que opera sobre el propio proceso dinámico. Por lo tanto, la política de precios y salarios no es un *sustitutivo* de la política fiscal o la monetaria, sino un *suplemento* de éstas. Puede amortiguar la espiral inflacionista una vez que se han eliminado las causas del exceso inflacionista de demanda, pero si el exceso de demanda no se elimina por otros medios, la regulación degenerará en una extensa violación de las medidas legales y en el desarrollo del mercado negro.

La regulación de precios y salarios durante períodos como la segunda guerra mundial, cuando el excedente de demanda era inevitable y permanente, fue simplemente un intento de moderar una inflación que no podía evitarse, y no podía haber eliminado el proceso inflacionista. También era importante, desde el punto de vista de la equidad, sostener la apariencia de que se mantenían bajos los beneficios obtenidos en el interior del país mientras una parte considerable de la población prestaba el servicio militar.

La regulación de precios y salarios en 1971 ofrece un mejor ejemplo del empleo de estas medidas como una opción, más que como una necesidad política. Cuando fue impuesta la regulación (agosto de 1971), la economía de los Estados Unidos se hallaba en un período caracterizado simultáneamente por la inflación y la recesión. Una combinación como ésta denota claramente que no existe problema de exceso de demanda (porque la economía no ha llegado siquiera al nivel de su capacidad) y, por lo tanto, que la inflación tiene que deberse a la continuación de una espiral inflacionista iniciada durante un período de exceso de demanda anterior. Se tienen así las circunstancias ideales para utilizar la política de precios y salarios, haciéndola operar sobre el propio mecanismo de la espiral: la política fiscal puede ser incluso expansiva, porque no hay problema de exceso de demanda. Por lo tanto, las regulaciones de 1971 suponían un empleo justificado de la política de precios y salarios, aunque podría objetarse que debieron introducirse un año antes.

Los problemas fundamentales de la política de precios y salarios, como de otros controles directos, son administrativos. Una cosa es analizar sobre macromodelos sencillos las variaciones que deben aceptarse en los niveles generales de precios y salarios, y otra muy distinta es tomar las decisiones adecuadas acerca de decenas de miles de escalas salariares y cientos de miles de precios de productos. Por estas razones puramente administrativas, las regulaciones de precios y salarios son más eficaces cuando pueden imponerse para períodos relativamente cortos (por ejemplo, de dos años o menos) y aplicando reglas empíricas, tales como una variación proporcional de todos los salarios y/o los precios. Para períodos más largos, estas reglas simples introducen importantes distorsiones e injusticias.

Los controles de Nixon de 1971 intentaron una simplificación administrativa, al limitarse a la regulación de los precios establecidos por empresas con una gran participación en el mercado y de los salarios en los grandes convenios colectivos. Se proyectaron como regulaciones para un período corto, con el fin de amortiguar la espiral inflacionista mediante un mínimo de complicación administrativa.

RECAPITULACIÓN 32.6.   *Las regulaciones de precios y salarios están justificadas como suplemento a la política fiscal y a la política monetaria en determinadas circunstancias, en especial en condicio-*

nes inflacionistas. Aunque las políticas fiscal y monetaria pueden eliminar la causa inicial de la inflación, la espiral inflacionista auto-sostenida puede continuar incluso después de haber sido suprimida la causa inflacionista inicial. Las regulaciones de precios y salarios pueden actuar directaménte sobre la dinámica de esta espiral.

RESÚMENES DE LAS SECCIONES. *Para repasar el contenido de este capítulo, hojéese el texto y vuélvanse a leer los trozos titulados «Recapitulación», que ponen fin a todas las secciones.*

TÉRMINOS Y CONCEPTOS DEL CAPÍTULO 32

Seguridad de alcance de la política económica.
Desestabilizadores.
Estabilizadores automáticos.
Política discrecional.
Política de nivelación económica.

EJERCICIOS

1. Señale todas las diferencias que pueda encontrar entre los efectos colaterales de:

a) un aumento del 10 por 100 en todos los impuestos sobre las rentas; y
b) un aumento de los tipos de interés dirigido a conseguir el mismo nivel de demanda agregada que el aumento de los impuestos.

2. Compare las consecuencias de

a) quedarse corto; y
b) pasarse del blanco,
en una medida proyectada para conseguir exactamente el pleno empleo.

3. Señale los problemas que es probable que surjan si se mantienen permanentemente en vigor las regulaciones de precios y salarios.

PARA REFLEXIÓN Y DISCUSIÓN

1. ¿Cómo influiría en su elección entre política monetaria y política fiscal su opinión acerca de la necesidad de que la economía cuente con más, o con menos, bienes públicos?

2. Uno de los tipos de política automática que se han propuesto consiste en que el Estado actúe como «patrono de última instancia», garantizando un empleo a todos, con un salario igual al mínimo pagado en el sector privado. ¿Mantendría semejante medida a la economía en el nivel de su capacidad?

3. ¿Tendría distintos efectos que el Estado ofreciera un empleo a todos, pagando a cada persona un salario igual al último que recibió en el sector privado?

4. Suponga que su objetivo de política económica sea impulsar a la economía en general, pero estimulando especialmente la construcción de viviendas en urbanizaciones para ser ocupadas por sus propietarios. Dada la alternativa entre una oferta monetaria constante con un déficit presupuestario financiado por la venta de bonos, y una expansión de la oferta monetaria sin modificación de los presupuestos del Estado, ¿con cual de estas dos opciones tendría más probabilidades de alcanzar sus objetivos?

5. Si el objetivo fuese aumentar la oferta de viviendas urbanas de alquiler para los pobres ¿daría usted la misma respuesta que en 4?

LECTURAS RECOMENDADAS. *Para los capítulos 29-32 (Parte VIII)*

Referencias bibliográficas específicas sobre política fiscal y política monetaria se encontrarán, respectivamente, al final de la parte V (páginas 634-5) y de la parte VII (página 797-98), figurando también referencias sobre política económica en la parte VI (página 719-720).

Probablemente, la mejor introducción a los temas actuales de la política económica en los Estados Unidos se obtendría con la lectura del *Annual Report of the Council of Economic Advisers* (Informe anual del Consejo de asesores económicos del presidente de los Estados Unidos), que forma parte del volumen publicado anualmente con el título de *Economic Report of the President* (Informe Económico del presidente de los Estados Unidos) y que se somete al Congreso en el mes de enero. Es extremadamente útil leer los informes de años sucesivos y comparar los problemas y las medidas previstas en cada informe con el análisis ex-post de los resultados económicos que figura en el Informe del año siguiente. En cualquier caso, estos informes contienen, a lo largo de los años, un análisis de casi todos los tipos de problemas de política económica, desde casi todos los puntos de vista.

Otro ejercicio de evaluación de la política económica consiste en comparar el *Special Analysis, Budget of the United States, Fiscal*

Year 1971 (Government Printing Office), que representa el punto de vista oficial sobre el presupuesto de aquel año, con el volumen *Setting National Priorities: The 1971 Budget* (de Charles Schultze, publicado por la Brookings Institution, 1970), que adopta una postura crítica sobre ese presupuesto.

Sobre el eterno debate entre política monetaria y política fiscal, el lector debe acudir a:

Friedman, Milton, y Walter Heller, *Monetary vs. Fiscal Policy; A Dialogue* (The Arthur K. Salomon Lectures). New York University, 1969.

Ambos polemistas son probablemente los portavoces más elocuentes y convencidos que podían haberse encontrado para defender los puntos de vista que representan.

Parte IX
ECONOMIA INTERNACIONAL

Esta parte, que comprende los capítulos 33 a 35, se ocupa de los efectos de las relaciones económicas entre los distintos países. El capítulo 33 considera las razones para que los países comercien entre sí y los efectos de ese comercio sobre sus economías interiores. El capítulo 34 se ocupa de las formas en que se realizan los pagos entre distintos países, tratando la balanza de pagos, los valores relativos de las monedas y las relaciones monetarias internacionales. El capítulo 35, que debe ser leído incluso por los no interesados en los asuntos económicos internacionales, se ocupa de los efectos de las relaciones internacionales sobre los problemas generales de la política económica.

Capítulo 33

COMERCIO INTERNACIONAL

33.1. ¿Por qué hay comercio internacional?

Razones de que los países comercien entre sí

La idea suyacente al comercio entre países es la misma que en el intercambio entre personas dentro de cada país, a saber, que ambas partes pueden obtener ventajas del comercio. En realidad, el *librecambio* (esto es, el comercio al que los Estados no imponen ninguna restricción ni arancel de ninguna clase) es simplemente un intercambio entre *individuos* de distintos países. Los dos países «comercian» solamente en el sentido de que podemos agregar las transacciones individuales, pero el comercio tiene lugar tanto si se conocen las cantidades agregadas como si no se conocen.

Puede suponerse que el librecambio mejora la situación de los dos países, a condición de que cada uno de ellos tenga un comercio interior libre, porque todos los intercambios individuales, tanto interiores como exteriores, mejoran la posición de los individuos afectados, y porque toda mejora de algunos individuos de un país, si ninguno de los demás empeora, puede considerarse una mejora del bienestar del país en su conjunto. Más adelante examinaremos con más detalle las ventajas del librecambio.

El país, como actor del comercio

Un país puede comerciar con el exterior *como tal país* si el Estado determina en qué cantidad y en qué condiciones podrán intercambiarse las mercancías con otros países, en lugar de dejar a los individuos decidir libremente. Un país puede desarrollar una política de comercio exterior de esta naturaleza por medio de *controles directos,* por ejemplo, a través de un organismo comercial público que tenga a su cargo todas las transacciones internacionales, o por medio de *controles indirectos* que influyan sobre las condiciones en que pueden comerciar los individuos. Las economías del tipo de la soviética desarrollan normalmente su política comercial a través del empleo directo del comercio de Estado. Las economías occidentales influyen en el comercio por métodos indirectos, el más conocido de los cuales es la imposición de gravámenes especiales o *aranceles* a la importación de productos.

Si dos países mantienen bajo control central todo el comercio, se encontrarán en una situación en cierto modo análoga a la de dos individuos contratando una operación de compraventa. En ausencia de coacción, podemos suponer que los dos Estados piensan que sus respectivos países mejoran con las condiciones comerciales acordadas: en caso contrario, uno de ellos se negaría a comerciar. Por supuesto, puede haber coacción: uno de los usos más antiguos de la conquista militar, o de la amenaza de conquista, era forzar al país más débil a comerciar en condiciones desfavorables. También puede «explotarse» a las colonias o a los países clientes imponiéndoles condiciones comerciales desfavorables.

Aunque el comercio sin coacción puede aportar ventajas a los dos países, *en comparación con una situación sin comercio,* esto no significa que todos los sistemas comerciales sean igualmente buenos. Gran parte de la teoría del comercio internacional se ocupa de la evaluación de los efectos de los diferentes sistemas comerciales, tales como el librecambio, el comercio con diversas clases y niveles de aranceles y el comercio de control central, sobre los países que comercian.

El análisis general del comercio *internacional* se aplica también, con pocas modificaciones, al comercio *interregional* dentro de un país. La principal diferencia en este caso es que podemos esperar que dos recursos fundamentales, el trabajo y el capital, se moverán con más libertad dentro de un país que entre distintos países.

RECAPITULACIÓN 33.1. *El comercio entre países tiene lugar por la misma razón que el comercio en el interior de un país: porque ambas partes pueden obtener ventajas del comercio. Cuando existe comercio entre individuos (o empresas individuales) de distintos países sin ninguna intervención estatal, se le denomina librecambio. Si los Estados intervienen en el comercio internacional, lo hacen normalmente imponiendo gravámenes, llamados en este caso aranceles, a los bienes que entran en el comercio.*

33.2. La expansión de las posibilidades económicas

Cómo pueden aumentarse con el comercio
las posibilidades económicas

En términos generales, el comercio permite a los países (o regiones) alcanzar puntos *más allá* de las fronteras de posibilidades de producción abiertas a ellos como economías aisladas.

Podemos ilustrar este hecho con un ejemplo simplificado de dos países, cada uno de los cuales puede producir dos bienes, que llamaremos automóviles y alimentos. Uno de los países, Capitalia, está bien dotado de maquinaria, por lo que puede emplear métodos de producción con elevadas proporciones de capital en relación con el trabajo. El otro país, Ruralia, no cuenta con ningún capital, por lo que tiene que emplear técnicas que requieren solamente trabajo.

Las producciones anuales por hombre de cada uno de los bienes en cada uno de los dos países son las siguientes:

PRODUCCION ANUAL POR HOMBRE

	Automóviles *(número)*	*Alimentos* *(toneladas)*
Capitalia	4	10
Ruralia	1	5

Obsérvese que, por haber más capital disponible en Capitalia, la producción anual por hombre es *mayor* en este país que en Ruralia *para los dos productos*. Por otra parte, como el empleo de mucho capital representa una mayor diferencia de resultados en la producción de automóviles que en la de alimentos (la producción de automóviles es *intensiva en capital*), la producción por hombre de automóviles en Capitalia es superior a la de Ruralia en una proporción mayor (4 a 1), que lo es la de alimentos (2 a 1).

Ruralia no tiene ningún capital, mientras que se supone que Capitalia tiene tanto capital que nunca hay escasez de este recurso. Por lo tanto, las dos posibilidades de producción en los *dos* países están determinadas por la *disponibilidad* de trabajo. Si Capitalia tiene una población de un millón de economías domésticas y Ruralia de dos millones —con un trabajador por cada economía doméstica—, podemos calcular fácilmente las posibilidades de producción de cada uno de los dos países aisladamente.

Posibilidades de producción

Capitalia, con un millón de años-hombre de trabajo disponible, podría producir cuatro millones de automóviles si todo el trabajo

se empleara en la producción de automóviles o 10 millones de toneladas de alimentos si todo el trabajo se empleara en la producción
de alimentos. La asignación de una parte del trabajo a automóviles
y otra parte a alimentos dará los puntos de la frontera de posibilidades de producción, la línea recta de la figura 33.1 *a*). Este país
tiene una relación marginal de transformación constante de 2½ toneladas de alimentos por automóvil, pues un trabajador que pase
de la producción de alimentos a la de automóviles hará aumentar la
producción de éstos en cuatro unidades anuales, reduciendo la producción de alimentos en 10 toneladas anuales.

Ruralia, con dos millones de años-hombre de trabajo disponible, podría producir dos millones de automóviles si todo el trabajo
se dedicase a la industria del automóvil. La curva de posibilidades
de producción de Ruralia es en este caso la recta de la figura 33.1 *b*).
La relación marginal de transformación en este país es de cinco
toneladas de alimentos por automóvil, pues con un año-hombre se
obtiene un automóvil o cinco toneladas de alimentos.

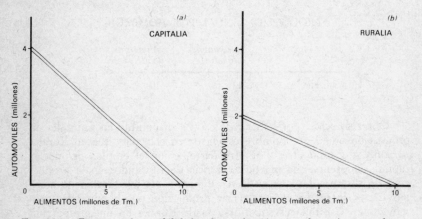

Fig. 33.1.—*Fronteras de posibilidades de producción para dos países con dotaciones de recursos en proporciones distintas.*

Si los dos países tienen el mismo patrón de alimentación, de
tres toneladas por economía doméstica y año, Capitalia, si estuviera aislada, produciría y consumiría tres millones de toneladas
de alimentos (para lo que necesitaría 300.000 trabajadores), y podría producir 2,8 millones de automóviles con los 700.000 trabajadores restantes. Para el mismo patrón de consumo de alimentos,
Ruralia produciría y consumiría seis millones de toneladas de alimentos (tiene el doble de población que Capitalia), empleando
1.200.000 trabajadores, con lo que quedarían disponibles 800.000
para producir 800.000 automóviles.

Con el patrón de alimentación supuesto, Capitalia puede producir 2,8 automóviles por economía doméstica y Ruralia solamente 0,4. Capitalia es un país más rico que Ruralia porque tiene más recursos: además del trabajo, cuenta con un abundante capital.

Posibilidades de comercio

Consideremos ahora las posibilidades de comercio entre los dos países. En Capitalia, un automóvil puede cambiarse por 2½ toneladas de alimentos, mientras que en Ruralia puede cambiarse por cinco toneladas. Supóngase que tomamos cualquier relación de cambio entre 2½ y cinco: por ejemplo, cuatro. Con esta relación, una persona de Capitalia podría cambiar un automóvil por cuatro toneladas de alimentos: más alimentos de los que obtendría en su país, dada la relación de cambio en una Capitalia aislada. Una persona de Ruralia que diera cuatro toneladas de alimentos a cambio de un automóvil, conseguiría éste por una cantidad de alimentos menor que con la relación de cambio en Ruralia si ésta se hallase aislada.

Por lo tanto, si estuviera permitido el comercio libre, los individuos de ambos países estarían mejor comerciando a una relación de cambio de, por ejemplo, cuatro toneladas de alimentos por cada automóvil, que si solamente pudieran realizar intercambios dentro de sus países respectivos. Pero solamente pueden ganar *ambas* partes si la relación de cambio internacional está *entre* las dos relaciones en el aislamiento. A un ruraliano le haría feliz cambiar dos toneladas de alimentos por un automóvil, pero ningún capitaliano estaría dispuesto a cambiar en el mercado internacional un automóvil por solamente dos toneladas de alimentos, cuando en el mercado interior podría obtener 2 ½ toneladas.

Las ventajas de una relación adecuada, para quienes comercian en los dos países, se dan solamente cuando el intercambio tiene lugar *en una dirección determinada*. En nuestro ejemplo, los capitalianos cambiarán sus automóviles por alimentos ruralianos, nunca sus alimentos por automóviles ruralianos. El comercio en la dirección inversa significaría que los capitalianos renunciaban a cuatro toneladas de alimentos a cambio de un automóvil ruraliano, cuando les bastaba dar solamente 2½ toneladas cambiando dentro de su propio país a la relación de cambio interior; mientras que los ruralianos daban un automóvil por solamente cuatro toneladas de alimentos en lugar de las cinco toneladas que podrían conseguir con la relación de cambio interior en su país. Ambas partes *pierden* con el comercio cuando éste tiene lugar en la dirección errónea.

Posibilidades económicas

Estamos ahora en condiciones de considerar el efecto del comercio, a la relación de cambio de cuatro toneladas de alimentos por automóvil, sobre las posibilidades económicas de los dos países.

Supóngase que Capitalia no produce alimentos, pero fabrica automóviles, algunos de los cuales puede cambiar por alimentos. Si no cambia ninguno, tendrá cuatro millones de automóviles, los mismos que habría tenido aisladamente si hubiera dedicado todos sus recursos a la producción de automóviles. Si cambia todos sus automóviles por alimentos, recibirá 16 millones de toneladas, frente a los 10 millones de toneladas que obtendría aisladamente. Si se queda con parte de los automóviles y vende el resto, puede alcanzar las combinaciones de automóviles y alimentos representadas por la *curva de posibilidades de comercio* (una línea recta, en este caso) de la figura 33.2 *a)*.

Análogamente, si Ruralia produce solamente alimentos y cambia por automóviles una parte de ellos, puede alcanzar las combinaciones de alimentos y automóviles representadas por los puntos de la recta [figura 33.2 *b)*] que une el punto de 10 toneladas de alimentos (su producción máxima) con el punto de 2½ millones de automóviles (la cantidad obtenida al cambiar toda su producción de alimentos).

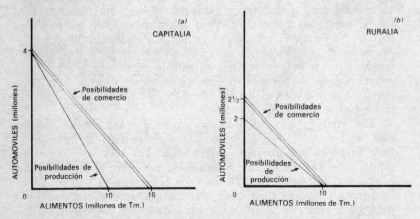

Fig. 33.2.—*El comercio permite ampliar las posibilidades económicas de ambos países por encima de lo que cada uno de ellos podría producir aisladamente.*

Para ambos países, la curva de posibilidades de comercio está más allá de las curva de posibilidades de producción, excepto en uno de sus extremos. *Las posibilidades económicas de los dos países, representadas ahora por sus posibilidades de comercio y no por sus posibilidades de producción, son mayores con el comercio que en el aislamiento.*

RECAPITULACIÓN 33.2. *Si dos países tienen posibilidades de producción distintas, ambos pueden obtener ventajas del comercio entre ellos, en el sentido directo de que la frontera de posibilidades económicas puede avanzar más, para ambos países, que su frontera de posibilidades de producción. Esto se demuestra con un simple ejemplo numérico.*

33.3. La ventaja comparativa

*Lo que determina qué bienes exporta
un país y qué bienes importa*

Vimos en la sección precedente que para dos países, Capitalia y Ruralia, *con diferentes relaciones internas de transformación entre dos bienes,* los comerciantes individuales de ambos países obtendrían ventajas del comercio y los dos países también las obtendrían, pues aumentarían sus posibilidades económicas, a condición de que:

1) la relación de cambio internacional entre los dos bienes (equivalente, en este ejemplo, a la *relación real de intercambio* entre los países) esté comprendida entre las dos relaciones internas de transformación;

2) el comercio tenga lugar en una dirección determinada: Capitalia produciría automóviles y los cambiaría por alimentos de Ruralia.

Dirección y ventaja

Nos concentraremos aquí en la *dirección* del comercio. ¿Por qué los dos países ganan si Capitalia cambia sus automóviles por alimentos de Ruralia, mientras que los dos pierden si Capitalia cambia sus alimentos por automóviles de Ruralia? La razón es que las posibilidades de producción de Capitalia son de tal naturaleza que allí se puede producir *relativamente* más automóviles que alimentos con un año-hombre de trabajo (cuatro automóviles frente a 10 toneladas de alimentos) en comparación con Ruralia (solamente un automóvil frente a cinco toneladas de alimentos).

La situación representada por las posibilidades de producción de los dos países se suele resumir diciendo que Capitalia tiene una *ventaja comparativa* en la producción de automóviles.

Ruralia puede producir relativamente más alimentos que automóviles con un año-hombre de trabajo (cinco toneladas de alimentos frente a un automóvil) en comparación con Capitalia (10 toneladas de alimentos frente a cuatro automóviles). *Ruralia tiene una ventaja comparativa en la producción de alimentos.*

La dirección del comercio en la que se obtienen ganancias está, pues, relacionada del siguiente modo con la ventaja comparativa:

Las ganancias del comercio tienen lugar normalmente cuando cada país exporta el bien para cuya producción presenta una ventaja comparativa.

Eficiencia y ventaja comparativa

La ventaja comparativa y las consiguientes ganancias del comercio dependen solamente de la productividad *relativa* de las industrias de cada país. Capitalia gana al importar alimentos de Ruralia aun cuando su propia industria alimentaria pueda ser considerada más «eficiente» que la de Ruralia, puesto que un año-hombre de trabajo en Capitalia produce el doble de alimentos (10 toneladas frente a cinco toneladas) que la misma cantidad de trabajo en Ruralia. Las ganancias existen porque, comparada con la de Ruralia, la producción de automóviles en Capitalia es todavía más «eficiente», en este sentido, que su producción de alimentos.

Al emplear un año-hombre para producir cuatro automóviles y cambiar después con Ruralia estos automóviles por 16 toneladas de alimentos (suponiendo una relación de cambio de cuatro toneladas por automóvil), el trabajo en Capitalia puede «producir» *indirectamente* 16 toneladas de alimentos, es decir, un 60 por 100 más que con la producción directa. Análogamente, un año-hombre de trabajo en Ruralia empleado para producir cinco toneladas de alimentos que se cambian por 1¼ automóviles ha «producido» indirectamente 1¼ automóviles, que es el 25 por 100 más que con la producción interna directa.

Un país puede ser el productor más «eficiente» del mundo en un producto y obtener a pesar de ello ganancias importando este producto en vez de producirlo, si es todavía más eficiente en la producción de otros bienes.

Fuentes de la ventaja relativa

Las *razones* de que un país tenga una ventaja comparativa en un producto y no en otro son diversas. Pueden ser importantes las diferencias en recursos naturales —los países tropicales tendrán normalmente una ventaja comparativa extrema en los productos de la agricultura tropical en comparación con los países de clima frío—, así como las diferencias en el nivel de cualificación del trabajo o en la tecnología. En el ejemplo que hemos utilizado, la ventaja comparativa de Capitalia en automóviles se suponía el resultado de:

1) que la producción de automóviles era intensiva en capital en comparación con la producción de alimentos;

2) que Capitalia estaba bien dotada de capital, lo contrario que Ruralia.

Se cree en general, aunque la idea puede fallar en la realidad debido a la acción de otros factores, que los países tienden a exportar los bienes en cuya producción se emplean de modo intensivo los factores en que están mejor dotados. Los Estados Unidos tienden a exportar productos manufacturados de tecnología avanzada (intensiva en capital) porque tienen una alta proporción de capital respecto al trabajo; Australia tiende a exportar productos ganaderos (intensivos en tierra) porque tiene una alta proporción de tierra respecto al trabajo. Pero también hay mucho comercio entre países con dotaciones de factores bastante similares, que se intercambian modelos diferentes de automóviles o tipos diferentes de máquinas herramientas, por lo que la regla de la dotación de factores es solamente una guía general para las expectativas.

Por supuesto, el mundo real no se compone de dos países que comercian en dos bienes, sino de muchos países que comercian en miles de bienes. Sin embargo, desde la perspectiva de un país cualquiera, podemos considerar, hasta cierto punto, el «resto del mundo» como un solo país. Nuestro país tenderá a exportar los bienes en los que tenga una ventaja comparativa en relación con la media del resto del mundo, y a importar aquéllos para los que tenga una desventaja comparativa de análoga naturaleza. Con todo, la *estructura del comercio* entre un país y cada uno de los demás sólo podrá determinarse exactamente a partir de los datos detallados de cada país.

RECAPITULACIÓN 33.3. *La diferencia entre las fronteras de posibilidades de producción de dos países puede expresarse como una diferencia en las relaciones internas de transformación entre los distintos bienes en los dos países. De dos países que tengan diferentes relaciones de transformación entre, por ejemplo, automóviles y alimentos, se dice que tiene una ventaja comparativa en la producción de automóviles el país que puede producir una mayor proporción de automóviles respecto a alimentos a partir de unos determinados recursos. El otro país tiene, pues, que gozar de una ventaja comparativa en la producción de alimentos. Ambos países ganan comerciando si, y sólo si, cada uno de ellos exporta el bien para el que tiene una ventaja comparativa en la producción.*

33.4. La relación real de intercambio y el volumen de comercio

Qué es lo que determina el volumen del comercio y la relación entre los precios de los bienes que se comercian

Ya hemos visto que los comerciantes *de los dos países* estarán dispuestos a intercambiar automóviles y alimentos solamente dentro de la escala de relaciones de cambio comprendidas entre las relaciones de transformación de los dos países aislados.

En el ejemplo numérico anterior, las relaciones de transformación eran 2½ y cinco toneladas de alimentos por automóvil, y escogimos arbitrariamente las cuatro toneladas de alimentos por automóvil como relación de cambio posible para el comercio internacional. Serían también posibles otras relaciones de cambio siempre que estuvieran entre 2 ½ y cinco.

Comercio y relación de precios

Observemos las figuras 33.3 y 33.4. Nos muestran la relación entre las posibilidades de producción aisladas y las posibilidades de comercio de Capitalia y Ruralia para dos relaciones de cambio distintas entre automóviles y alimentos: tres toneladas de alimentos por automóvil en la figura 33.3, y cuatro toneladas de alimentos por automóvil en la figura 33.4. Comparando los diagramas, vemos inmediatamente que:

1) la curva de posibilidades de comercio de Capitalia se aleja más por encima de sus posibilidades de producción con una relación de cambio de cuatro toneladas de alimentos por automóvil que con una relación de tres toneladas por automóvil;

2) la situación de Ruralia es la inversa: la expansión de sus posibilidades económicas es mayor con una relación de cambio de tres toneladas de alimentos por automóvil que con una relación de cuatro toneladas por automóvil.

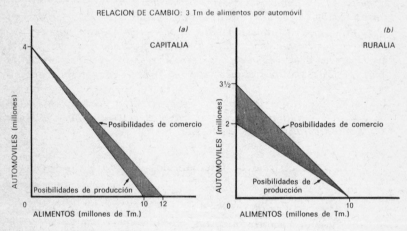

FIG. 33.3.—*Con una relación de cambio de 3 toneladas de alimentos por automóvil, los dos países ganan, pero la ganancia de Ruralia es relativamente mayor.*

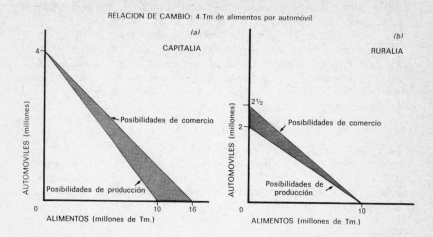

RELACION DE CAMBIO: 4 Tm de alimentos por automóvil

(a) CAPITALIA — (b) RURALIA

Fig. 33.4.—*Con una relación de cambio de 4 toneladas de alimentos por automóvil, los dos países ganan, pero la ganancia de Capitalia es relativamente mayor.*

Capitalia tiene ventaja comparativa en la producción de automóviles, así que exporta automóviles. Su ganancia con el comercio es mayor cuando es más alto el precio de los automóviles expresado en toneladas de alimentos (su importación), es decir, a cuatro toneladas de alimentos por automóvil. Por el contrario, Ruralia exporta alimentos, y su ganancia con el comercio es mayor cuando es más alto el precio de los alimentos expresado en automóviles (su importación), es decir, a 1/3 de automóvil por tonelada de alimentos.

Relación real de intercambio

El precio de las exportaciones de un país expresado en sus importaciones se denomina *relación real de intercambio* de dicho país. Un mayor precio de las exportaciones expresado en importaciones equivale a decir que se cuenta con una *relación real de intercambio más favorable*. En nuestro sencillo ejemplo, cada país exporta un bien e importa otro bien, así que las relaciones reales de intercambio están vinculadas directamente con la relación de cambio entre alimentos y automóviles. El precio de los automóviles expresado en alimentos (tantas toneladas de alimentos por automóvil) representa la relación real de intercambio de Capitalia y su inverso (el número de automóviles por tonelada de alimentos) es la relación real de intercambio de Ruralia.

Al estar en relación inversa las relaciones reales de intercambio de los dos países, una relación real de intercambio más favorable para un país implica una menos favorable para el otro, si solamente hay dos países que comercien.

Como conclusión general, podemos decir que:

Para dos países que comercian, cuanto más favorable sea para uno de ellos la relación real de intercambio, mayor será la ganancia en posibilidades económicas de ese país y menor la del otro. No obstante, y en ausencia de coacción, las relaciones reales de intercambio no significarán nunca que uno de los dos países pierda con el comercio.

Las ganancias dependen del volumen

Las ganancias *efectivas* del comercio dependen de las *posibilidades* económicas abiertas y el *interés* de los consumidores en aprovechar estas posibilidades. Volviendo a nuestro ejemplo, si los ruralianos no tuvieran interés por los automóviles y sólo quisieran alimentos (a causa de sus preferencias o de su pobreza), no habría ninguna ganancia efectiva al abrirse el país al comercio, pues no existirían ruralianos que quisieran cambiar alimentos por automóviles. Las posibilidades económicas serían mayores, pero no darían lugar a una ganancia efectiva.

Cuanto más interés tengan los ruralianos por los automóviles y más los capitalianos por los alimentos, mayores serán las cantidades intercambiadas y, como cada intercambio encierra una ganancia, mayores serán las ganancias totales. En otras palabras, las ganancias efectivas del comercio dependen de dos cosas: *la relación real de intercambio* y el *volumen de comercio*. Las dos están en parte interrelacionadas, y en parte desligadas.

Un país puede lograr para sí mismo una relación real de intercambio tan favorable que su producto de exportación sea demasiado caro y nadie en el resto del mundo pueda comprarlo. De esta forma, el país tendrá una relación real de intercambio altamente favorable, pero un volumen de comercio nulo, con lo que no obtendrá ganancia alguna de la existencia de comercio. El país podría mejorar con una relación real de intercambio «peor», que hiciera aumentar el volumen de comercio y, por lo tanto, sus propias ganancias comerciales.

RECAPITULACIÓN 33.4. *Para que dos países obtengan ganancias del comercio, la relación de precios de los bienes que se intercambian tienen que estar dentro de ciertos límites, que dependen de las condiciones internas de la producción en ambos países. El cociente de dividir el precio del bien de exportación de un país por el precio del bien que importa el mismo país es su relación real de intercambio. Las ganancias de un país con el comercio dependen a la vez de la relación real de intercambio y del volumen de comercio. Para un determinado volumen, el país ganará más si el precio de su exportación au-*

menta en comparación con el precio de su importación, es decir, si la relación real de intercambio es más favorable.

33.5. Aranceles y relación real de intercambio

*Cómo un país, al imponer aranceles, puede obtener
a veces ganancias a costa de otros*

En el modelo simple de dos países y dos bienes que hemos venido utilizando, hemos visto que (en ausencia de coacción):

1) el comercio tendrá lugar en una dirección determinada: Capitalia exportará automóviles y Ruralia, alimentos; nunca a la inversa;

2) la relación real de intercambio estará dentro de unos límites, que son las relaciones de transformación entre automóviles y alimentos en los dos países;

3) la relación real de intercambio exacta (relación de cambio entre automóviles y alimentos), determinará las ganancias relativas del comercio para los dos países.

No hemos examinado qué es lo que determina la relación real de intercambio en cualquier situación dada. La relación real de intercambio no es arbitraria, sino que depende de los efectos combinados de:

1) las curvas de posibilidades de producción en los dos países;

2) las preferencias de los consumidores en los dos países;

3) las estructuras de los mercados interiores (competencia perfecta o competencia imperfecta) en los dos países;

4) las prácticas de comercio exterior.

Si hay *un comercio libre en competencia perfecta en los dos países y ningún coste de transporte,* habrá de hecho un mercado único a escala mundial para cada bien. Un ruraliano podrá cambiar alimentos por un automóvil en el mercado de Capitalia con la misma facilidad que en el mercado de Ruralia, pues no le costará nada llevar el automóvil o los alimentos de un mercado a otro, y un capitaliano podrá comprar sus alimentos en el mercado de Ruralia. Es evidente que, en equilibrio, el precio de los alimentos en relación con el precio de los automóviles será el mismo en los dos países, pues en caso contrario se trasladarían al mercado donde obtuvieran las condiciones más favorables.

Si los dos países utilizaran la misma moneda (por ejemplo, lingotes de oro), los precios en dinero de los dos bienes serían efectivamente iguales en los dos países. Si las monedas fueran diferentes, los

—————— **Cápsula suplementaria 33.1** ——————————————

EL MERCADO COMUN

Sería extremadamente difícil establecer el librecambio a escala mundial, pero es posible que un grupo de países acuerden el librecambio entre ellos con un arancel común frente al mundo exterior. Se dice entonces que dicho grupo de países constituye una *unión aduanera*. La unión aduanera más extensa y con más éxito del mundo es el grupo de países de Europa Occidental conocido oficialmente como *Comunidad Económica Europea* (CEE) y popularmente como *Mercado Común Europeo* o, por brevedad, *Mercado Común*. El Mercado Común fue el resultado conjunto del más acertado programa de ayuda exterior de los Estados Unidos, el Programa para la Restauración Europea (más corrientemente llamado Plan Marshall, nombre del entonces secretario de Estado norteamericano), y de la determinación de muchos europeos de que Europa no volviera a ser nunca un conjunto de pequeños países rivales. El experimento se inició en 1952, con la Comunidad Europea del Carbón y del Acero, y el éxito fue tal, que se desarrollaron proyectos para extender el plan de mercado unificado a todos los bienes. Entretanto, Holanda, Bélgica y Luxemburgo ya habían constituido, en 1948, una auténtica unión aduanera también con un feliz resultado.

En 1958, Francia, Italia, Alemania occidental y los tres países del Benelux formaron la Comunidad Económica Europea. El tratado de constitución preveía la abolición por etapas de todos los aranceles interiores entre los países miembros y la unificación durante el mismo período de los diversos aranceles exteriores en un arancel común. Desde sus comienzos, el Mercado Común fue proyectado para evolucionar hacia una asociación mucho más estrecha que la de una simple unión aduanera, de modo que llegase finalmente a la unificación de las economías de los países miembros. Tras diez años de intensas negociaciones punto por punto, en la fecha límite de 1968 se consiguió la abolición de las restricciones al comercio interior y la unificación del arancel exterior. Vencida esta barrera cronológica que, de no haberse llegado a un acuerdo, habría supuesto la disolución de la unión, el Mercado Común se convirtió en un acuerdo permanente.

Los triunfos de los países del grupo del Mercado Común durante la década de 1960 fueron muy espectaculares, especialmente en comparación con el estancamiento económico de Gran Bretaña y la desaceleración de la economía en los Estados Unidos. Es todavía discutible si esto se debió de hecho a la existencia del Mercado Común o si fue simplemente el resultado inevitable de la completa restauración de las eco-

——

precios *relativos* de los bienes serían iguales en los dos países. En el próximo capítulo nos ocuparemos del análisis cuando las monedas son diferentes.

Condiciones de la demanda

En condiciones equivalentes a un único mercado mundial para cada bien, la relación de cambio entre alimentos y automóviles estará determinada por la situación respectiva de la demanda mundial y la oferta mundial de los dos bienes. Con todo, no es posible ilustrar la

nomías europeas. Es cierto que Japón, otro país con una economía destrozada por la guerra, mostró también un crecimiento espectacular durante el mismo período, y sin la ayuda de ninguna agrupación comercial favorable. En cualquier caso, nadie puede decir que el acuerdo del Mercado Común *dañase* a los países miembros.

En 1971 se dio un nuevo paso importante en la historia de la organización, con su decisión de admitir a Gran Bretaña como país miembro. Se había ofrecido en su día a Gran Bretaña la condición de miembro fundador, pero en aquel momento rehusó aceptarla, y los posteriores intentos británicos de ingresar en el Mercado Común en 1963 y 1968 fueron vetados por Francia. La decisión de admitir a Gran Bretaña abrió también la entrada como miembros a Noruega, Dinamarca e Irlanda, países que desde mucho antes deseaban pertenecer al Mercado Común, pero que por sus relaciones comerciales tan estrechas con Gran Bretaña no hubieran podido ingresar en la organización si este país hubiera quedado fuera de ella. Noruega decidió al final no ingresar, y el nuevo Mercado Común ampliado se hizo realidad al comenzar 1973, con un total de nueve países miembros y un plan para llegar hacia 1980 a una verdadera integración económica. El Mercado Común ampliado dispone de todos los recursos naturales importantes de Europa occidental (a excepción de algunos en España), tiene una población superior a la de los Estados Unidos o la Unión Soviética y posee enormes recursos de capital y tecnología. El *tamaño* fue siempre un factor clave en la decisión de formar el grupo, y uno de los motivos originarios más fuertes había sido la creación de un mercado para la producción de las industrias de la Comunidad que fuera comparable en tamaño al de los Estados Unidos y que permitiera aprovechar todas las grandes economías de escala. Fue conseguido este objetivo, así como la iniciación de otro: formar un grupo con poder *político* comparable al de las superpotencias.

El éxito del Mercado Común europeo dio origen a varios intentos de obtener los mismos resultados en otras partes del mundo. Diversos grupos de países de América Latina, el Caribe y Africa intentaron crear algunas formas ampliadas de mercado. Sin embargo, en ninguno de estos casos estaban los países dispuestos a ir tan lejos como Europa en la abolición de las restricciones comerciales entre los miembros y el establecimiento de un arancel exterior común, por lo que de estas asociaciones no ha surgido aún ningún resultado espectacular.

---

determinación del equilibrio con simples curvas de oferta y demanda, pues estamos ante un problema de equilibrio general: toda variación del precio de los automóviles en relación con el de los alimentos afectará a la relación real de intercambio y, por lo tanto, a las rentas de los ciudadanos de los dos países. De todas formas, es fácil ver que cuanto más se dirijan las preferencias de los consumidores del mundo a los automóviles en lugar de a los alimentos, mayor será el precio de los automóviles respecto al de los alimentos y más favorable la relación real de intercambio para Capitalia.

Aranceles y relación real de intercambio

Si uno de los dos países abandona su política de librecambio, puede intentar, imponiendo un gravamen o *arancel* sobre las importaciones, mejorar su relación real de intercambio. Supongamos que Ruralia establece un arancel sobre los automóviles (su producto de importación). El precio de los automóviles, en relación con el de los alimentos, será más alto para sus ciudadanos que en el mercado de Capitalia, puesto que en el precio a pagar ahora por los ruralianos tiene que incluirse el arancel. Por lo tanto, el efecto del arancel será una disminución de la demanda ruraliana de automóviles de Capitalia. Pero en este mundo de dos países la demanda ruraliana de automóviles representa una proporción importante de la demanda total, por lo que la disminución de la demanda de Ruralia tenderá a originar un descenso del precio de los automóviles en relación con el de los alimentos y, por lo tanto, una mejora de la relación real de intercambio de Ruralia.

Aranceles y volumen de comercio

Del razonamiento anterior podría deducirse que un país obtiene necesariamente ganancias al imponer un arancel, ganancias que serán tanto mayores cuanto más elevado sea el arancel. Pero el mecanismo por el que Ruralia mejora su relación real de intercambio encierra una disminución de su propia demanda de automóviles. Por este motivo, Ruralia está reduciendo su volumen de comercio: si el arancel es suficientemente alto, los automóviles pueden resultar tan caros para los ruralianos que éstos no puedan comprar ninguno, en cuyo caso la relación real de intercambio favorable resulta inútil y no conduce a ninguna ganancia.

Así pues, el empleo de aranceles para mejorar la relación real de intercambio hace también descender el volumen de comercio. La mejora de la relación real de intercambio tiende a aumentar las ganancias del comercio, pero el descenso del volumen de comercio tiende a reducirlas. Puede demostrarse que existe un arancel «óptimo» que maximiza la ganancia del comercio, para el que la mejora de la relación real de intercambio no está todavía neutralizada por un descenso demasiado grande del volumen de comercio.

Obsérvese que el empleo de aranceles para manipular la relación real de intercambio depende de que el país que impone el arancel tenga una participación suficiente en el mercado mundial para que su demanda afecte a la demanda mundial total. *Sólo es aplicable en un país que sea o un importante consumidor o un importante productor del bien que se comercia.*

Efecto mundial

Si bien un arancel puede mejorar la relación real de intercambio de un país, empeora necesariamente la relación real de intercambio de

————— **Cápsula suplementaria 33.2** —————————————————

GATT

Con el crecimiento de las barreras arancelarias al comercio mundial, cada país *individual* puede mejorar su posición relativa por medio del establecimiento de sus propios aranceles. Sin embargo, como cada arancel adicional reduce el *volumen* de comercio, *todos* los países pueden quedar peor de lo que estarían sin aranceles. Pero, de otra parte, un país aislado no podrá obtener ventajas de suprimir sus propias barreras arancelarias mientras que permanezcan las de los demás países.

Por esta razón, las barreras arancelarias existentes han de ser reducidas simultáneamente por todos los países, en un esfuerzo mutuo de cooperación. El Acuerdo general sobre aranceles y comercio (denominado siempre GATT *) fue adoptado con este fin, para tratar de suprimir las muy elevadas barreras arancelarias que se habían levantado durante los años anteriores a la segunda guerra mundial. El GATT es una especie de sociedad negociadora central. Cada «ronda» de negociaciones arancelarias (que puede durar varios años) consiste en un gran número de acuerdos bilaterales que se convierten automáticamente en multilaterales. Por ejemplo, si los Estados Unidos y Francia inician una negociación, lo que más interesa a los Estados Unidos puede ser quizá la venta de maquinaria a Francia, y a este país, la venta de productos textiles a los Estados Unidos. Con la negociación entre ambos países, se llega a un acuerdo por el que Francia rebajará en una determinada proporción sus aranceles a la maquinaria si Norteamérica rebaja en una cierta cantidad sus aranceles a los productos textiles.

Las rebajas de aranceles se aplican entonces a todos los textiles (no sólo a los franceses) importados por los Estados Unidos, y a toda la maquinaria importada por Francia, en virtud de la *cláusula de la nación más favorecida* incluida en el acuerdo del GATT. Según esta cláusula, ningún país miembro del GATT puede tener un trato peor que el concedido a la «nación más favorecida»: esto significa en la práctica que no puede aplicarse a las importaciones procedentes de un país miembro un arancel superior al aplicado a otro país miembro cualquiera, a menos que se trate de alguna excepción especial. Aunque ha tenido que ser a través de un largo proceso, el GATT ha logrado una rebaja importante de las barreras arancelarias mundiales desde que el acuerdo entró en vigor.

Un intento mucho más ambicioso de eliminación de las barreras comerciales fue la Organización Internacional del Comercio (ITO), cuyos trabajos preparatorios tuvieron lugar después de la segunda guerra mundial. El Senado de los Estados Unidos se negó a ratificar el acuerdo por el que se instituía esta organización, que murió así antes de nacer. Los Estados Unidos ocupan una posición muy peculiar en el comercio mundial: su propio comercio representa una parte grande y crucial en el mercado mundial total, pero el impacto *interno* de este comercio es mucho menor en los Estados Unidos que en ninguna otra nación comercial de importancia.

---

* Siglas de General Agreement on Tariffs and Trade. *(N. del T.)*

——

otros países. Al restringirse con el arancel el volumen de comercio, puede demostrarse que la pérdida de los otros países, resultante de la combinación de una peor relación real de intercambio y un menor volumen de comercio, es, en un sentido real, mayor que la

ganancia que obtiene el país que impone el arancel, resultante de
su mejor relación real de intercambio a pesar del descenso de su volumen de comercio.

Más aún, si un país mejora su relación real de intercambio con
el empleo de aranceles, los países que comercian con él pueden
tomar represalias estableciendo también aranceles. Estas represalias
pueden mejorar la relación real de intercambio de los países que
las adoptan, en comparación con la situación anterior a las represalias, pero lo hacen reduciendo aún más el volumen de comercio. De
este modo, una «guerra de aranceles» puede desembocar en que *todos* los países lleguen a estar peor que con el librecambio.

RECAPITULACIÓN 33.5. *La relación real de intercambio y el volumen de comercio exterior están ligados, de la misma manera que lo
están el precio y la cantidad en el análisis ordinario de un mercado.
Si un país tiene la importancia suficiente en el comercio para influir
sobre las condiciones de la demanda o de la oferta, puede mejorar
para sí la relación real de intercambio por medio del establecimiento
de un arancel. Sin embargo, la imposición de un arancel reducirá el
volumen de comercio. Un país obtiene ganancias de un arancel solamente en la medida en que la ganancia derivada de una mejor relación real de intercambio no se anule por la pérdida resultante del
menor volumen de comercio. Si un país establece aranceles, otros países pueden tomar represalias. El resultado final puede ser que todos
los países estén peor que con el librecambio.*

33.6. Efectos internos del comercio internacional

Por qué el comercio provoca cambios internos en la economía

Si un país abre sus puertas al comercio, la estructura interna de
su economía se verá inevitablemente afectada. Las ganancias del
comercio tienen lugar *únicamente* porque el país pasa de producir
para atender a todas sus necesidades a producir más cantidad de los
bienes que puede exportar y menos de los bienes que puede importar.

En general, los Estados Unidos tienen una ventaja comparativa
en la producción de bienes de capital complejos (como aeronaves
y maquinaria) y una *desventaja* comparativa en determinados tipos
de bienes característicos de las primeras fases de la industrialización, como los textiles de algodón. Por lo tanto, los resultados pre-
visibles de la liberalización del comercio en los Estados Unidos serían un aumento de sus exportaciones de bienes de capital y de sus
importaciones de textiles. El aumento del comercio daría así origen
a un cambio en la estructura interna de la economía, que llevaría
a producir más aeroplanos y menos textiles.

El aumento de la producción aeronáutica puede presentar problemas específicos tales como una escasez de trabajadores especializados y de equipo material adecuado, pero se tratará de problemas de corto plazo. La caída de la industria textil también creará problemas, que serán de un tipo muy difícil de ignorar por los políticos.

Por supuesto, disminuirá el empleo en la industria textil. Si los trabajadores de esta industria pudieran pasar simplemente a la industria aeronáutica en expansión, no habría ninguna dificultad. Pero los trabajadores textiles no tienen la preparación adecuada para la industria aeronáutica: y en general es un hecho que las industrias que crecen gracias al comercio son muy distintas de las que se contraen.

Por lo tanto, el efecto del comercio será una redistribución de la renta, perdiéndola los trabajadores con ciertas especializaciones y las empresas de las industrias en declive. Si los trabajadores (y las máquinas) textiles no tienen realmente ninguna utilidad en ningún otro lugar de la economía, desaparecen parte de los argumentos a favor del comercio exterior, puesto que se basan en que la *industria que se enfrenta con las importaciones utiliza unos recursos que podrían ser empleados en otras partes.*

Recursos inmóviles

No obstante, en caso de ser real la falta de alternativas, ésta afecta solamente a los recursos que *ya* están empleados en la industria textil. Mantener *permanentemente* dicha industria a resguardo de la competencia extranjera significaría que se capacitarían para ella nuevos trabajadores y que se reemplazaría la maquinaria textil envejecida en ella.

Como la economía obtiene ganancias del comercio, está perdiendo estas ganancias potenciales por proteger industrias que serían muy duramente afectadas. Por otra parte, tiene que afrontar los problemas temporales de distribución de la renta que se presentan cuando se inicia el comercio.

La medida más racional sería eliminar el arancel protector de los productos textiles y utilizar después parte de las ganancias del comercio (quizás por medio de un impuesto temporal sobre las ventas de *todos* los textiles, tanto los producidos en el país como los importados) para compensar la inevitable dislocación de la industria textil nacional. Esta operación podría llevarse a cabo con subvenciones a la industria nacional, pero sólo en la medida en que ésta produjese del modo más eficiente posible con los recursos *inamovibles* existentes.

Pero es difícil formular una política económica racional cuando se está frente a fuertes presiones políticas. En las circunstancias descritas, los sindicatos de trabajadores textiles y los empresarios de

───── **Cápsula suplementaria 33.3** ─────────────────────

OTRAS RESTRICCIONES AL COMERCIO

El arancel de aduanas es el tipo de restricción más estudiado por la teoría del comercio internacional, por ser el que con más frecuencia se emplea. No obstante, existen otras muchas maneras de restringir el comercio sin imponer aranceles. Debido a las negociaciones desarrolladas en el GATT, a lo largo de los últimos veinticinco años ha disminuido el alcance de las cargas arancelarias, pero ha aumentado el empleo de otras medidas restrictivas, a pesar de que estas últimas han sido también objeto de las negociaciones.

Entre las más importantes alternativas a los aranceles están los *cupos* o *contingentes*. Mientras que un arancel es un gravamen sobre las importaciones que no restringe el nivel de éstas más que en la medida en que las encarece y, por lo tanto, reduce los deseos de compra de los residentes del país, los contingentes representan un límite cuantitativo al nivel de importaciones autorizado. Los Estados Unidos mantienen cupos de importación de petróleo: ésta no puede superar un número determinado de millones de barriles anuales.

Los cupos plantean un importante problema de asignación que no existe en el caso de los aranceles. ¿A quién se dará el derecho al beneficio de las importaciones? Supongamos que el petróleo de importación cuesta 2,50 dólares por barril y el petróleo nacional cuesta 3 dólares. El precio interior será lo bastante elevado para cubrir los costes de la producción interior (en caso contrario, no habría producción), con lo que los importadores obtendrán un beneficio adicional de 0,50 dólares por cada barril importado. En estas circunstancias, no faltarán importadores potenciales. En los Estados Unidos se aplica el procedimiento de dividir el cupo total entre todos los productores del país; en una proporción aproximada a su producción interior. El problema de la asignación de las importaciones —con el peligro, a él ligado, de corrupción de funcionarios públicos— no existe con los aranceles. Con las restricciones arancelarias, todo el que puede vender un producto importado a su precio de adquisición más el arancel es libre de hacerlo.

Los contingentes no siempre tienen que aplicarse en el punto de importación. Muchos países, como Canadá, exigen que las emisoras de televisión, para conservar su licencia, incluyan en sus programas una determinada proporción de material producido en el propio país. Aunque el

──

la industria textil ejercerían una fuerte presión política en demanda de protección permanente para «su industria». Se argumentaría (y de hecho, se argumenta) que la industria textil es «esencial» para la defensa nacional. ¿Quién haría los uniformes militares en caso de guerra?

Otros efectos internos

Si están en juego fuertes factores *regionales* es todavía más difícil reestructurar la economía para hacer frente a la situación creada por el comercio exterior. En la mayoría de los países, la industria textil suele estar localizada en determinadas regiones donde tiene el carácter de industria dominante. Por esta razón, la reestructuración puede tener profundos efectos sobre la distribución

material de programas producido en los Estados Unidos puede ser *importado* en Canadá sin ninguna restricción, no puede ser *vendido* sin restricciones, con lo que el efecto es el mismo que el de un contingente
de importación.

Aunque parezca paradójico, un país puede conseguir el mismo resultado con un impuesto a las *exportaciones* que con un arancel general
a las importaciones. Supóngase que un país es el único exportador (o un
exportador importante) de un determinado bien. Al establecer un impuesto a la exportación de ese bien, eleva el precio de las exportaciones en
comparación con el de las importaciones y mejora su relación real de
intercambio, exactamente igual que lo haría por medio de un arancel a la
importación. Para un país pequeño cuyas importaciones no tengan peso
dentro del comercio mundial, pero cuya exportación de un determinado
bien sea significativa dentro de las cifras totales del mundo, un derecho
a la exportación puede mejorar la relación real de intercambio, mientras
que un arancel de importación no tendría el mismo efecto. Esta es la
razón de que los impuestos a la exportación sean típicos de los países
pequeños con exportaciones especializadas.

Las restricciones pueden adoptar formas más sutiles. Las cuarentenas
y reglamentos sanitarios pueden emplearse para evitar las importaciones
de determinados bienes, aun cuando no exista ningún riesgo sanitario
importante. Las autoridades aeronáuticas pueden denegar la concesión de
certificados de aptitud para el vuelo a los aviones de importación, y así
en muchos otros casos. Estos procedimientos pueden utilizarse para
restringir las importaciones, pero la existencia de reglamentos sanitarios
y de seguridad no significa necesariamente que se abuse con frecuencia
de ellos en la práctica.

Por último, con la amenaza de una acción más drástica, el país importador puede llegar a un acuerdo de contingentes «voluntarios» con
el país exportador, o con las principales empresas productoras de éste.
Los industriales japoneses de varias ramas (por ejemplo, textiles y apara-
tos de televisión) han aceptado restringir «voluntariamente» sus exportaciones a los Estados Unidos ante la amenaza de una imposición oficial
de contingentes.

---

interregional de la renta, dando lugar a una nueva presión política.
La distribución regional aumenta asimismo la probabilidad de que
sea difícil el desplazamiento de la mano de obra a otras industrias
alternativas.

Uno de los principales problemas sociales de la economía de
mercado es que los *costes* del cambio de empleo para mejorar la
asignación de los recursos han de ser soportados en gran medida
por los propios trabajadores como individuos, mientras que las *ganancias* van a parar a la sociedad en su conjunto.

En una economía compleja, no todas las industrias tienen que o
ser exportadoras o desaparecer por efecto de las importaciones. Muchas industrias podrán compartir el mercado interior con las importaciones, y solamente las empresas de altos costes serán las que

tengan que cerrar. *En este caso, la competencia exterior tiene en gran medida el mismo efecto que el aumento de empresas en una industria.* Reduce el grado de monopolio si hay una sola empresa en el país, y amortigua la situación de oligopolio si sólo existe en él un escaso número de empresas.

RECAPITULACIÓN 33.6. *Las ganancias del comercio sólo se consiguen gracias a la reasignación de recursos dentro de cada país. Por lo tanto, el comercio afecta necesariamente a la estructura interna de la economía: a más comercio, mayores efectos internos. Si algunos de los cambios internos originan efectos indeseados, existen posibles medidas para paliar estos efectos sin restringir el comercio.*

33.7. Política comercial

Algunos de los argumentos a favor y en contra de las restricciones al comercio

Hemos visto ya que:

1) Todo país obtiene ganancias del comercio, salvo si las condiciones comerciales le han sido impuestas por coacción.

2) En algunas circunstancias, un país determinado puede ganar estableciendo aranceles, si éstos tienen *exactamente la magnitud adecuada.*

3) Cualquier ganancia que se obtenga de 2) será menor que la suma de las pérdidas causadas a los países que comercian con el país en cuestión. En condiciones estáticas, el librecambio es un óptimo *para el mundo en su conjunto.*

4) La expansión o contracción del comercio requiere *necesariamente* el desplazamiento de recursos en el interior de cada país, con los correspondientes problemas a corto plazo.

Industrias nacientes

Tenemos que analizar la política comercial fundamentalmente en función de las anteriores proposiciones. Con todo, debemos fijarnos antes en otro conjunto de argumentos según los cuales un país puede obtener a veces ganancias de la restricción al comercio. Se incluyen entre ellos varias ideas relacionadas entre sí, pero la más ilustrativa del conjunto es la más antigua: *el argumento de la industria naciente.*

Consideremos una industria, como la del automóvil, que presenta indivisibilidades que dan origen a *rendimientos crecientes a escala,* como los analizados en el capítulo 7. Si un país importa automóviles producidos por una experimentada empresa japonesa con un gran volumen de producción, el precio a la importación será bajo y reflejará la capacidad del empresario japonés para obtener ventajas de las economías de escala debidas a su gran volumen de ventas.

Un empresario nacional que empiece a una pequeña escala tendrá que soportar unos costes altos, por lo que no podrá competir con las importaciones. Sin embargo, si se le protegiera contra la competencia de las importaciones durante la fase inicial o «naciente», su escala de operaciones iría aumentando hasta llegar a ser lo suficientemente grande (suponiendo que el mercado total del país tiene una dimensión adecuada) para conseguir economías de escala y, por lo tanto, estar en condiciones de competir con las importaciones.

Este es en esencia el argumento de la industria naciente. Demanda una protección arancelaria *temporal* para una industria en vías de crecimiento en la que existen economías de escala (o economías por experiencia de funcionamiento). El arancel estará en vigor mientras la industria sea «naciente», y se suprimirá cuando aquélla haya «madurado».

A principios de este siglo se establecieron aranceles protectores para las industrias nacientes en países entonces en vías de desarrollo, como Australia y Canadá, y lo mismo se ha venido haciendo con posterioridad por las sucesivas generaciones de países menos desarrollados que buscaban su expansión industrial. Pocas industrias nacientes han madurado hasta el punto de poderse suprimir sus aranceles: las industrias más avanzadas tienden a mantenerse siempre un paso adelante. No obstante, Japón, que desarrolló la mayor parte de su industria a la sombra de aranceles u otras barreras equivalentes, es claramente competitivo en los mercados internacionales, pero sigue manteniendo sus aranceles aduaneros.

El argumento de la industria naciente aparece en ocasiones en los Estados Unidos. La demanda de apoyo oficial para la construcción de un prototipo de avión supersónico de transporte (SST) era en esencia de este género, aunque el mecanismo recomendado fuera la subvención directa en lugar de la protección arancelaria.

La industrialización como objetivo

Una forma modificada de la argumentación, utilizada por los países menos desarrollados, es que la industrialización es en sí misma deseable, como parte del largo proceso del desarrollo. Según esto, deben establecerse aranceles y mantenerse durante mucho tiempo, aunque el mercado interno no tenga probabilidades de llegar a ser lo suficientemente grande para permitir en muchos años economías de escala. El argumento descansa en el supuesto de que la industria del acero, por ejemplo, es por su propia naturaleza ne-

cesaria para el desarrollo a largo plazo y debe ser estimulada aunque
necesite protección durante cien años.

Industrias seniles

La mayoría de los argumentos a favor de la protección arancelaria en los Estados Unidos vienen del extremo opuesto: la protección de una industria *senil,* y no la de una industria naciente. Durante muchos años se han ejercido continuas presiones para proteger a industrias como la textil y la de confección, que en los Estados Unidos no poseen una ventaja comparativa.

Como se ha indicado en la sección precedente, el declive de las
industrias nacionales a consecuencia del aumento de las importaciones plantea verdaderos problemas. Sin embargo, una de las pocas
cosas sobre las que existe prácticamente unanimidad entre los economistas es que la protección arancelaria no es la mejor medida
para resolver tales problemas.

Consideraciones mundiales

Un comercio mundial óptimo, y en especial el desarrollo de los
países pobres mediante la expansión de su comercio, exige que los países ricos permitan el declive de algunas de sus industrias: las asociadas a las primeras etapas del desarrollo. Entre ellas se incluyen las
textiles, la siderúrgica y ya incluso quizá los automóviles.

Esto no quiere decir que todos los costes de cambiar la estructura de la economía deban incidir necesariamente sobre las personas afectadas por la industria en declive. Aparte de la protección,
existen otros medios de desviar de aquella industria una parte de la
carga. Supongamos que es la industria textil la que decae por la competencia de las importaciones. En este caso, cualquiera de las medidas
siguientes sería considerada por los economistas como preferible a la
protección arancelaria.

1) Pagar con cargo a los ingresos generales del Estado parte,
o incluso la mayoría, de los costes de la reconversión profesional
de los trabajadores textiles.

2) Pagar en parte estos costes con la recaudación de un impuesto a las industrias de exportación, pues éstas obtendrán ganancias con el aumento del comercio exterior.

3) Pagar en parte estos costes con la recaudación de un impuesto sobre las ventas de *todos* los productos textiles, nacionales
o de importación, pues son los consumidores de tejidos quienes saldrían perdiendo con el arancel.

Por desgracia, a menudo el arancel aduanero tiene mayor atractivo político que las otras medidas, aún cuando no sea económica-

mente óptimo, porque es tradicional y porque sus costes se reparten con gran amplitud.

RECAPITULACIÓN 33.7. *Aunque, en condiciones estáticas, el libre-cambio es un óptimo para el mundo en su conjunto, los países pueden individualmente decidirse a imponer restricciones al comercio. Uno de los argumentos utilizados, analizado en una sección anterior, es la ganancia que se obtiene al mejorar la relación real de intercambio. Otro argumento es el de la industria naciente: debido a los rendimientos crecientes a escala, sólo con protección pueden crecer algunas industrias hasta llegar a lograr unos costes suficientemente bajos y poder competir a nivel internacional. En los Estados Unidos, es corriente el argumento de la industria senil, según el cual una industria en decadencia debe ser protegida para evitar su total desaparición.*

RESÚMENES DE LAS SECCIONES. *Para repasar el contenido de este capítulo, hojéese el texto y vuélvanse a leer los trozos titulados «Recapitulación» que ponen fin a todas las secciones.*

TÉRMINOS Y CONCEPTOS DEL CAPÍTULO 33

Librecambio.
Intensivo en capital; intensivo en trabajo.
Curva de posibilidades de comercio.
Relación real de intercambio.
Ventaja comparativa.
Ganancias del comercio.
Arancel.
Industria naciente.

EJERCICIOS

El país A tiene 1 millón de habitantes y produce arroz y pescado. Con la tecnología de que dispone, puede producir 10 toneladas de pescado por hombre y 5 toneladas de arroz por hombre. El país B obtiene los mismos bienes, con producciones de 16 toneladas de pescado por hombre y 7 toneladas de arroz por hombre, y tiene una población de 10 millones.

1. Dibujar las curvas de posibilidades de producción de cada uno de los dos países.
2. ¿Qué país tiene ventaja comparativa en cada bien?

3. Una relación de cambio de 2,1 toneladas de pescado por tonelada de arroz, ¿permitiría a los dos países obtener ganancias del comercio?

4. ¿Cuál de los dos países podría ganar estableciendo un arancel a la importación de arroz?

Para reflexión y discusión

1. Dos países, Este y Oeste, han sido antes economías cerradas. Ahora, ambos países comercian entre sí. Como resultado de este comercio, hay una ganancia total para el conjunto de los dos países evaluada en 1.000 millones de pesetas. La ganancia de Oeste es de 30 millones y la de Este, de 970 millones. ¿Está Este explotando a Oeste? ¿Debería Oeste negarse a continuar comerciando?

2. Las compañías navieras de los Estados Unidos utilizan buques construidos en los Estados Unidos gracias a subvenciones muy fuertes a la construcción naval. Utilizan tripulaciones norteamericanas, por lo cual reciben una subvención muy grande en sus operaciones. ¿Qué clase de argumentos podrían emplearse para apoyar esta política?

3. Si un país vende en el extranjero su producto de exportación a un precio mucho menor que el precio de venta en el interior, está practicando lo que se llama «dumping». Los acuerdos comerciales internacionales permiten la imposición de gravámenes a los bienes que han sido objeto de dumping. Si hay dumping, ¿obtendrá ganancias el país importador por el hecho de establecer un gravamen de este tipo?

4. ¿En qué bienes cree usted que tiene España una ventaja comparativa frente al resto de Europa? Enumere los principales productos objeto de comercio entre España y el resto de Europa.

5. Si en los Estados Unidos existe la preocupación del agotamiento de sus reservas petrolíferas, ¿cuál de las dos medidas siguientes sería la política adecuada?:

a) Restringir la importación, de modo que el desarrollo de la industria del petróleo siga siendo rentable en los Estados Unidos, o

b) Permitir las importaciones sin ninguna restricción.

Capítulo 34
PAGOS INTERNACIONALES

34.1. El pago de las importaciones

El sencillo caso del intercambio directo

En los modelos simples de dos bienes y dos países que utilizamos (como en el capítulo anterior) para ilustrar el análisis básico del comercio internacional, hay un intercambio *directo*. Ruralia, que tiene una ventaja comparativa en alimentos, los cambia con Capitalia directamente por automóviles, en los que este último país tiene una ventaja comparativa. Como solamente hay dos bienes, toda unidad económica, ya sea un consumidor o el sector público, o quiere automóviles a cambio de alimentos, o quiere alimentos a cambio de automóviles. Cada país paga directamente sus importaciones entregando sus exportaciones.

Supongamos que por alguna razón ha cesado o disminuido la producción de automóviles en el país exportador de este bien. El país puede estar en condiciones de continuar importando alimentos en el mismo volumen *si tiene existencias de automóviles de las que echar mano*. Por supuesto, solamente podrá continuar haciéndolo mientras que disponga de existencas, lo que no podrá ser por tiempo indefinido, pues las existencias van reduciéndose precisamente para pagar las importaciones corrientes.

Como los automóviles sacados de las existencias almacenadas y los recién producidos son indistinguibles, no podríamos identificar en este ejemplo un *déficit* comercial, pero tenemos su ingrediente fundamental.

------- Cápsula suplementaria 34.1 -------

¿EXPORTANDO EMPLEO, O EXPLOTANDO A LOS EXTRANJEROS?

Un sindicato de trabajadores en los Estados Unidos decide ir a la huelga contra la gran empresa que les da empleo, en señal de protesta por la apertura de una nueva compañía filial en un país de América Central. Al mismo tiempo, en el país donde se ha situado la nueva planta industrial, los ciudadanos se manifiestan en las calles para protestar contra el imperialismo norteamericano y la explotación de sus compatriotas. Probablemente no ha ocurrido nunca esta coincidencia exacta de acontecimientos, pero los dos puntos de vista respectivos se expresan con bastante frecuencia.

¿Representa la exportación de capital una pérdida de puestos de trabajo en el interior? ¿Da origen la importación de este capital en otro país a una explotación del trabajo en este último? Para aclarar el terreno, debemos antes señalar que «explotación» es un término técnico de la teoría económica marxista y que, en este sentido, el factor trabajo debería considerarse explotado tanto en el país exportador como en el importador de capital. En nuestro contexto, queremos examinar la aparente contradicción entre el punto de vista de los trabajadores locales, que piensan que salen perdiendo con la exportación de capital, y los extranjeros, que parecen actuar como si salieran perdiendo por entrar capital en su país.

Según las teorías generales de la distribución de la renta, deberíamos aceptar en principio que la demanda de trabajo en un país será mayor y los salarios más elevados cuanto más capital exista en relación con la oferta de trabajo disponible. En este sentido, los sindicatos de trabajadores del país observan una conducta racional al oponerse a la exportación de capital. Aunque la renta originada por el capital exportado seguirá yendo a parar al país de origen, sólo irá a manos de los capitalistas. Si el capital no saliera del país, la renta por él originada también iría a manos de los mismos capitalistas, pero la mayor abundancia de capital tendería a aumentar los salarios y a reducir los beneficios, lo que supondría una mejora para el factor trabajo.

Siguiendo el mismo razonamiento, los trabajadores extranjeros deberían dar la bienvenida al capital, que al elevar la proporción del capital res-

---

Préstamos

Supongamos ahora que los exportadores de automóviles de Capitalia no tienen existencias o no quieren agotarlas. Se puede seguir manteniendo las importaciones si se *aplaza* el pago de éstas. El país exportador de alimentos puede estar de acuerdo en enviar sus alimentos *ahora* contra la promesa de recibir automóviles *más tarde*: pero al actuar así, querrá probablemente recibir más automóviles por tonelada de alimentos que si el pago hubiera sido inmediato. En este caso, el valor de los alimentos importados *este año* puede ser mayor que el valor de los automóviles exportados este año; lo que representa un verdadero *déficit comercial,* que se *financia* en este caso por la disposición a percibir el pago (los automóviles) el próximo año. La aceptación del pago aplazado es equivalente a la concesión de un *préstamo* durante el período de aplazamiento. Diríamos que el déficit comercial de Capitalia fue

pecto al trabajo, aumentará sus salarios, aun cuando éstos sigan muy por debajo de los del país exportador de capital. No obstante, en un caso límite, el trabajo puede ser tan abundante en relación con el capital que los salarios no sean afectados por la apertura de una nueva planta industrial. Incluso en este caso, esta nueva planta proporcionará salarios a los trabajadores que emplee y que es de suponer que de otra forma estarían en paro: pues si no existía un gran desempleo lo más probable es que los salarios reflejasen el efecto del nuevo empleo.

Las ganancias que, gracias a la importación de capital extranjero, obtienen los países escasos de capital son indudablemente reales, pero también lo son los problemas. La propiedad en manos extranjeras de unos sectores sustanciales de la economía —lo típico es que estos sectores estén precisamente entre los más modernos y más importantes— plantea la amenaza muy real de una fuerte presión política de origen exterior. Incluso países tan ricos y estables como el Canadá pueden sentirse preocupados por la proporción de su industria que es propiedad de los Estados Unidos. Aunque el país y sus trabajadores puedan haber ganado en el aspecto económico gracias al capital importado, las ganancias pueden ser (o pueden parecer) pequeñas al lado de los beneficios obtenidos por el capital extranjero y repatriados por éste; no es, pues, difícil sentirse explotado en estas circunstancias.

Los países pequeños buscan cada vez más las fórmulas para obtener capital extranjero —del cual tienen necesidad— con el mínimo de desventajas tradicionales. Una de estas fórmulas es la de autorizar las entradas de capital sólo a sociedades anónimas mixtas con accionistas nacionales y extranjeros. Con esta fórmula, las sociedades extranjeras pueden encontrar ventajoso el *conceder* algún capital a personas del país para realizar en común alguna actividad económica. Otra fórmula es la nacionalización nominal de la planta construida con un préstamo de la sociedad extranjera, otorgando a continuación a ésta la explotación a cambio de un pago nominal.

---

financiado mediante un préstamo de su copartícipe en el comercio, o, en una terminología usual, por una *entrada de capital* procedente de Ruralia. «Entrada de capital» significa simplemente recepción de préstamos del extranjero.

Con todo, y en ausencia de unos acuerdos *específicos* de préstamos, el intercambio directo se traducirá automáticamente en la igualdad del valor de las exportaciones y el valor de las importaciones. Mientras los exportadores ruralianos de alimentos insistan en percibir el pago inmediatamente en automóviles, cada 100 toneladas de alimentos que entren en el comercio serán compensadas exactamente por su valor equivalente en automóviles.

RECAPITULACIÓN 34.1. *Las importaciones no tienen necesariamente que ser pagadas con exportaciones sacadas de la producción corriente, ni siquiera en un mundo simple de dos países y dos bienes.*

Se puede ir dando salida a las existencias de bienes de exportación, o pueden obtenerse las importaciones contra la promesa de pagarlas más tarde con bienes de exportación. En este simple ejemplo, las importaciones deben equilibrar a las exportaciones, a menos que se conceda al importador un aplazamiento de pago (equivalente a un préstamo).

34.2. Dinero universal

Cómo su existencia permite que las importaciones difieran, a corto plazo, de las exportaciones, pero las enlaza a largo plazo

El intercambio directo simple es demasiado complejo cuando tenemos más de dos bienes o más de dos países. Si solamente existen dos países, pero entre los bienes se incluyen los «vestidos» junto a los alimentos y los automóviles, algunos exportadores de alimentos pueden no querer automóviles sino vestidos, mientras que los exportadores de automóviles pueden querer alimentos. Tenemos entonces los mismos problemas que surgen en el trueque dentro de un solo país, pero los problemas aumentan cuando entra en juego un tercer país.

El patrón oro

Hoy por hoy, el método más sencillo de resolver el problema del intercambio entre muchos países es la utilización de un medio de cambio *universalmente aceptado,* o «dinero universal». Como ocurre con el dinero nacional, un dinero universal tiene que ser escaso y esperarse que continúe siéndolo, y tiene que inspirar confianza respecto a este punto a los individuos de *todos los países.* El oro cumplió históricamente esta función porque su escasez era un hecho físico y, por lo tanto, estaba garantizada a escala mundial, mientras que sus ventajas específicas lo hacían exactamente tan útil en un país como en otro.

Por consiguiente, supondremos, a los efectos de la exposición inicial de nuestro análisis de la balanza de pagos, que existe un dinero universal (al que llamaremos oro), aceptable como pago en todas las transacciones tanto interiores como internacionales. Cualquier exportador de cualquier país aceptará oro a cambio de bienes, pues podrá emplear después el oro para comprar bienes en su propio país, para comprar bienes en el extranjero o (si es un industrial) para pagar los recursos que ha empleado en la producción. Por lo tanto, un importador pagará con oro, que a su vez recibe de sus propios clientes.

Balanza de pagos

En estas condiciones, *la balanza de pagos* de una economía sencilla recogerá el valor (en pesetas oro) de los bienes comprados a los extranjeros y el de los vendidos a los extranjeros. Cuando el proceso del intercambio directo se sustituye por pagos en dinero universal, se rompe el lazo *directo* entre el valor de las importaciones y el valor de las exportaciones.

Con dinero universal, el valor de las exportaciones de un país no tiene que ser necesariamente igual al valor de sus importaciones.

Capitalia puede exportar automóviles por valor de 100 millones de pesetas oro, e importar alimentos por valor de 120 millones de pesetas oro. Sus exportadores percibirán por sus ventas 100 millones de pesetas oro, que gastarán en Capitalia o emplearán en el pago de una parte de los alimentos que han de ser importados. Sus importadores pagarán 120 millones de pesetas oro sacadas de Capitalia u obtenidas de los exportadores capitalianos. Pero aunque todo el oro obtenido por las exportaciones se empleara directamente en la compra de las importaciones, seguirían faltando 20 millones de pesetas oro, que deberán sacarse de la economía de Capitalia.

Si las importaciones de Capitalia son mayores que sus exportaciones, la diferencia habrá de financiarse sacando oro de Capitalia. Si las exportaciones fueran superiores a las importaciones, el movimiento tendría la dirección opuesta y sería Capitalia el país que ganase oro.

Podemos tabular el comercio y los pagos de Capitalia en una *balanza de pagos,* como la que constituye la tabla 34.1.

El signo de las partidas de la balanza de pagos

Se han establecido importantes convenciones en relación con la balanza de pagos, que hacen muy sencilla su interpretación si aquellas convenciones se siguen, pero muy difícil en caso contrario. Todas estas convenciones se derivan de un solo principio fundamental: *el valor de todo lo que se vende al extranjero aparece como una partida positiva y el valor de todo lo que se compra al extranjero, como una partida negativa.*

Desde este punto de vista, una transacción consistente en la salida de oro, que representa una *pérdida* de oro, aparece sin embargo como una partida *positiva*: la razón es que en realidad el oro es *vendido* para pagar parte de las importaciones.

Obsérvese que la balanza de pagos, que registra *todas* las transacciones, siempre está equilibrada. Cuando hablamos de un *superávit* o un *déficit* de la balanza de pagos, nos referimos al saldo de una *parte* de ella, no de su conjunto.

En el ejemplo capitaliano, diríamos que la balanza de pagos de Capitalia reflejaba un *déficit,* pues había un movimiento neto de dinero universal (oro) hacia el exterior. Si las exportaciones hubieran sido de 120 y las importaciones 100, se invertirían todos los signos de la tabla 34.1, y Capitalia reflejaría un *superávit*.

En casos más complejos, el superávit o déficit de la balanza de pagos puede medirse de diferentes modos, pero en un ejemplo tan simple como el nuestro se mide por el saldo de los bienes y servicios. Representaríamos el «saldo» de la tabla 34.1 por:

— *20 millones de pesetas oro,*

lo que significa que hubo un déficit de 20 millones de pesetas oro.

En este sencillo ejemplo, Capitalia sólo puede sostener un déficit exportando oro. Como el oro es el dinero universal, Capitalia está reduciendo su oferta monetaria total: es decir, para que se mantenga el equilibrio, los capitalianos tienen que estar dispuestos a reducir sus saldos monetarios.

TABLA 34.1

Balanza de pagos de Capitalia

(Millones de pesetas oro)	
Exportaciones de bienes y servicios	+100
Importaciones de bienes y servicios	−120
Balanza de bienes y servicios	− 20
Ventas netas de oro al extranjero	+ 20
Saldo neto de las transacciones totales	0

Transacciones de contrapartida

Fijémonos en la balanza de pagos del copartícipe de Capitalia en el comercio, al que llamaremos EME («el mundo exterior»). Naturalmente, las exportaciones de Capitalia son las importaciones de EME y las importaciones de Capitalia son las exportaciones de EME. La pérdida de oro de Capitalia es una ganancia de oro para EME. La balanza de pagos de EME se recoge en la tabla 34.2: es el reverso de la de Capitalia.

El saldo de EME es + 20, un *superávit*. En general, como las exportaciones de un país son importaciones de otros, y las ventas de oro de un país son compras de otros:

Un déficit en un país tiene como necesaria contrapartida un superávit en el mundo exterior considerado en su conjunto, y un superávit en un país corresponde a un déficit en el mundo exterior como grupo.

Como EME está ganando oro en el ejemplo de las tablas 34.1
y 34.2, está aumentando sus saldos monetarios del mismo modo
que Capitalia los está reduciendo.

TABLA 34.2

Balanza de pagos de EME

Contrapartida de la Tabla 34.1	
(Millones de pesetas oro)	
Exportaciones de bienes y servicios	+120
Importaciones de bienes y servicios	−100
Balanza de bienes y servicios	+ 20
Ventas netas de oro al extranjero	− 20
Saldo neto de las transacciones totales	0

Conexión entre exportaciones e importaciones

Podría parecer que, al contrario que en el caso del intercambio
directo, no existe ninguna conexión entre el valor de las exportaciones totales y el valor de las importaciones totales y no hay razón
para que los países no sostengan arbitrariamente grandes déficits
o grandes superavits. Sin embargo, existen relaciones que enlazan
las importaciones con las exportaciones a través de las restricciones presupuestarias de los individuos. Supongamos que Capitalia
tiene una producción por valor de 200 millones de pesetas oro,
que se compone totalmente de automóviles. Si los movimientos
comerciales están representados en la tabla 34.1, en la que los
automóviles son la única exportación y los alimentos la única importación, los capitalianos gastan 100 millones de pesetas oro en
automóviles (200 millones de producción menos 100 millones de
exportación) y 120 millones de pesetas oro en alimentos (todos de
importación): es decir, su gasto total supone 220 millones de pesetas oro. Como el gasto es superior a la renta, los capitalianos
tienen que estar reduciendo sus saldos monetarios.

Por lo tanto, el valor de las exportaciones y el valor de las
importaciones están enlazados a través de la relación renta-gasto.
Si los capitalianos desearan mantener sus saldos monetarios a los
niveles existentes, sus gastos deberían igualar a sus rentas, y redu-
cirían, por ejemplo, en 20 millones de pesetas oro sus compras de
automóviles (lo que dejaría libres 20 millones más de pesetas oro
para exportaciones) o en 20 millones de pesetas oro sus compras
de alimentos (lo que reduciría las importaciones en 20 millones),
equilibrando así la balanza de pagos.

EME, el copartícipe de Capitalia en el comercio, se encuentra en la situación opuesta. En su conjunto, EME está *aumentando* sus saldos monetarios (con los 20 millones de pesetas oro de Capitalia) y gastando una cantidad menor que su renta. Si el conjunto de los ciudadanos de EME no desea gastar por debajo de su renta y acumular saldos monetarios, EME no sostendrá un superávit de la balanza de pagos.

La conexión entre el valor de las exportaciones y el valor de las importaciones es claramente mucho más indirecta que en el trueque, en el que toda importación debe pagarse inmediatamente con una exportación de equivalente valor. En las economías grandes y complejas, la relación entre los gastos y las rentas individuales está ligada por muchos eslabones, que suponen muchos retardos, a la relación entre las exportaciones y las importaciones. Con todo, esta última relación está en definitiva ligada a la otra y, por lo tanto, no es arbitraria.

Efectos monetarios

Existe otra conexión, aunque es más indirecta. Si Capitalia está acusando un déficit de la balanza de pagos, está perdiendo oro y, por lo tanto, parte de su *oferta monetaria.* A largo plazo, podemos esperar que este hecho influya sobre el nivel de precios en Capitalia. Según la teoría cuantitativa del dinero, una disminución de la cantidad de dinero tenderá a reducir el *nivel de precios* de los bienes *producidos en Capitalia.* Esto hará que se abaraten las exportaciones de Capitalia en comparación con los bienes de EME, con lo que tenderán a aumentar estas exportaciones, y hará que resulten también más baratos los productos de Capitalia en comparación con las importaciones procedentes de EME, con lo que tenderán a disminuir estas importaciones. De este modo, los efectos sobre el nivel de precios tenderán a reducir el déficit de la balanza de pagos.

Los acontecimientos en Capitalia se verán reforzados por el hecho de que la oferta monetaria de EME está *aumentando,* tendiendo a aumentar allí el nivel de precios.

Los economistas clásicos (anteriores al siglo xx) creían que el mecanismo anterior era suficiente para mantener el equilibrio de la balanza de pagos a largo plazo aun a pesar de sus fluctuaciones.

En cualquier caso, el mecanismo clásico del flujo del oro no tendría ahora importancia, porque los países utilizan dinero nacional, y no universal, e intentan aislar la oferta monetaria interior de las variaciones de la balanza de pagos. Aunque funcionase plenamente el patrón oro, la mayoría de los economistas actuales le acusarían de ser demasiado lento y de causar demasiados quebrantos a la economía nacional, por provocar desempleo o inflación durante el período de ajuste.

RECAPITULACIÓN 34.2. *Si existe un medio de cambio universalmente aceptado (como lo fue en otros tiempos el oro), los pagos pueden hacerse con este medio en lugar de realizarse directamente con bienes. El valor de las exportaciones no tiene que ser necesariamente igual al valor de las importaciones, pues la diferencia será saldada por un flujo neto de oro. El país cuyas importaciones fueran superiores a sus exportaciones pagaría más oro del que recibiría. La balanza de pagos se presenta en una tabla que registra todas las transacciones entre un país y el resto del mundo. Por convenio contable, todo lo que se vende al extranjero aparece como una partida positiva, y todo lo que se compra, como una partida negativa. Los pagos totales, incluyendo los flujos de oro, son necesariamente iguales a los ingresos totales. Cuando hablamos de superávit o de déficit de la balanza de pagos, nos estamos refiriendo a una parte específica de las transacciones y no al total de éstas. En un ejemplo simple en el que solamente aparecen bienes y flujos de oro, un país tendría déficit si las importaciones fueran superiores a las exportaciones, es decir, si el flujo neto de oro se dirigiera al exterior del país. A largo plazo, un país no puede perder oro de manera indefinida, por lo que las exportaciones y las importaciones están en definitiva ligadas entre sí.*

34.3. Dinero internacional especial

El empleo de dinero que es universal en el comercio internacional, pero no se utiliza para el comercio interior

Hemos analizado en la sección precedente la balanza de pagos cuando se emplea verdadero dinero universal, que podría usarse tanto en las operaciones internas como en las internacionales. Como el oro ha sido, históricamente, la única forma de dinero que se ha aproximado alguna vez a este grado de universalidad, conocemos usualmente al sistema de dinero universal con la denominación de *patrón oro pleno*. Un patrón oro pleno es compatible con la existencia de papel moneda y otras formas de dinero que no es oro, a condición de que no existan restricciones a la conversión voluntaria en oro de los demás tipos de dinero y viceversa.

Patrón de cambio oro

Una modificación del sistema de dinero universal consiste en disponer de un dinero internacional especial que es universalmente aceptado en las transacciones internacionales, aun cuando su uso pueda tener restricciones en el interior de cada país. Como el oro ha sido también el medio principal de pago de esta clase, denominamos a este sistema *patrón de cambio oro*.

Con el patrón de cambio oro, los *extranjeros* pueden demandar, y recibir, oro como pago de sus exportaciones, pero los ciudadanos del país no pueden retener oro ni demandarlo como pago. La práctica normal consistía, por ejemplo, en que un exportador de los Estados Unidos que vendiera en Gran Bretaña podía percibir el pago en oro, que podía emplear en compras en otros países del extranjero, pero no en el interior de los Estados Unidos. Si quería gastar en los Estados Unidos los ingresos procedentes de su exportación, tenía que entregar el oro a la tesorería de los Estados Unidos (a través del sistema bancario), recibiendo la cantidad equivalente de dólares. ¿Dónde obtenía el importador británico el oro para hacer el pago inicial? Comprándolo en las fuentes oficiales británicas (el Banco de Inglaterra) a cambio de libras esterlinas.

En este sistema, todo el dinero internacional (oro) está en poder de organismos oficiales (en definitiva, en poder de los Estados) y sólo circula para llevar a cabo transacciones internacionales. El Estado vende oro a cambio de moneda nacional solamente a los que efectúan transacciones internacionales, y obliga a los residentes del país a cambiar por moneda nacional el oro recibido como resultado de transacciones internacionales.

Balanza de pagos

Las transacciones de la balanza de pagos no aparecen en realidad de forma distinta en este sistema que en el del patrón oro pleno. Cualquier superávit o déficit se salda con movimientos de oro, pero ahora el oro no pasa de una cuenta monetaria privada en un país a una cuenta monetaria privada en otro, sino de las existencias (oficiales) de un Estado a las de otro Estado. Siguiendo las convenciones usuales sobre balanza de pagos, podemos poner la información de la tabla 34.1 en la forma que recoge la tabla 34.3.

Como el dinero internacional (oro) está en poder del Estado, el Gobierno sabe directamente la cantidad que posee; en los períodos en que funcionaba algo parecido a un patrón oro pleno, parte de las existencias de oro estaban dispersas entre particulares y nadie conocía su cantidad. Por eso, cuando el oro se emplea solamente en transacciones oficiales, se tiene contabilizado y se aprecia el grado de equilibrio de las transacciones internacionales por el aumento o la disminución de las existencias de oro.

Obsérvese de nuevo la convención sobre signos. La *disminución* de las reservas de oro aparece como una partida *positiva* en las cuentas de la balanza de pagos, porque significa la *venta* de algo al extranjero, de acuerdo con la convención fundamental sobre el signo. Un aumento del oro representa una compra de oro al extranjero y tiene por lo tanto un signo negativo, como una importación.

Tabla 34.3

Balanza de pagos de Capitalia

(Patrón de cambio oro)	
Balanza de bienes y servicios	−20
Transacciones netas en reservas de oro oficiales	+20
(aumento de activos, signo −)	

Con el patrón de cambio oro, el efecto de un superávit o un déficit recae sobre las existencias oficiales de oro en lugar de afectar a la oferta monetaria total, a diferencia del patrón oro pleno. Esto hace que el Estado sea muy *consciente* de la existencia de un déficit, pues ve reducirse sus reservas de oro.

Crisis de la balanza de pagos

Si todos los países tuviesen reservas de oro muy grandes en relación con el valor de su comercio, y si las rentas fueran por término medio iguales a los gastos durante un largo período, no podríamos temer que aparecieran *crisis* de la balanza de pagos. Las reservas mundiales totales de oro a mediados de los años 60 eran inferiores a 50.000 millones de dólares, mientras que el comercio mundial por esas fechas era aproximadamente de 400.000 millones, y esas reservas, por otra parte, estaban muy desigualmente repartidas: los Estados Unidos poseían alrededor de una tercera parte, aunque su comercio internacional no era más que un octavo del comercio mundial.

De hecho, la transformación del sistema monetario internacional pasando de un patrón oro casi pleno al actual patrón de cambio oro modificado se ha debido a la escasez de las existencias de oro frente a la demanda de reservas y a la gradual concentración de esas reservas en manos oficiales y empleo suplementario de otras clases de reservas.

Cuando las reservas son pequeñas *en relación con las fluctuaciones potenciales de la posición de la balanza de pagos,* ésta se convierte en un importante indicador a vigilar. Un país que tiene unas reservas de oro de 5.000 millones de pesetas y mantiene un déficit anual de 2.000 millones, habrá agotado totalmente sus reservas al cabo de dos años y medio. Que entre o no en una *crisis* de su balanza de pagos cuando aparezca el primer déficit (por ejemplo durante un trimestre) depende de la probabilidad de que aparezca un superávit antes de que sus reservas se hayan agotado completamente.

Reservas óptimas

Las reservas oficiales representan para un país, en cierto modo, lo que su saldo monetario representa para un individuo. Su función es suavizar las fluctuaciones de los ingresos en relación con los pagos. Si las reservas son demasiado pequeñas en comparación con el nivel de las transacciones, pueden ser barridas por una secuencia no improbable de déficits. Por otra parte, la constitución de una gran reserva por medio de una serie de superávits significa que el gasto es menor que la renta: los ciudadanos del país están obteniendo menos bienes y servicios reales de los que podrían recibir.

Si un país agota de hecho las reservas, algo tiene que cambiar. Los importadores, que habían prometido pagar en oro a los extranjeros, se encontrarán con que el Estado no tiene oro para venderles: tendrán que cancelar las operaciones de importación, pedir a los extranjeros que acepten un aplazamiento de los pagos (lo que equivale a pedirles un préstamo) o persuadir a los extranjeros a que acepten moneda *nacional* (la del país importador) en lugar de dinero internacional.

Uno de los objetivos de la política económica, para el que es esencial la cooperación internacional, es el aumento de la *liquidez internacional* por medio de la expansión de las reservas en relación con el nivel del comercio. Uno de los sueños del economista es poder ahorrar oro en las operaciones internacionales, del mismo modo que los bancos ahorran efectivo en las operaciones internas, y existe un movimiento relativamente firme, aunque lento, en esta dirección.

Durante la segunda guerra mundial nació la idea de crear instituciones internacionales que contribuyeran a evitar los problemas del comercio internacional y las balanzas de pagos que con tanta fuerza se habían manifestado durante las décadas de 1920 y 1930.

El FMI

Una de las instituciones que surgieron fue el *Fondo Monetario Internacional* (FMI), concebido para ayudar a resolver los problemas de la liquidez internacional. La otra institución fue el *Banco Internacional de Reconstrucción y Fomento* (BIRF). (En lenguaje familiar, «el Fondo» y el «Banco».)

El FMI nació como una caja común de reservas. No creó inicialmente ningún nuevo dinero internacional, sino que fue ideado para ampliar el alcance del dinero internacional existente. Cada país miembro tiene una *cuota* en el FMI. Esta cuota se calcula mediante una fórmula compleja basada en la magnitud del país, su riqueza y la importanca de su comercio internacional, correspondiendo a los Estados Unidos la cuota mayor. Cada país miembro tiene que pagar en oro al Fondo una cuarta parte de su cuota, y el resto en su propia moneda nacional. De esta forma, el Fondo tiene un stock de reservas internacionales compuesto de oro y un surtido de monedas nacionales. (Cada país puede mantener, además, sus propias reservas, que quedan enteramente fuera del FMI.)

Los países miembros podían (y pueden) girar contra esta caja de reservas, pero con restricciones. Se tiene derecho a obtener cualquier moneda extranjera sin limitaciones, a cambio de la moneda propia, hasta un nivel igual a la suscripción en oro (un cuarto de la cuota), que se denomina usualmente el *tramo oro,* pero la moneda extranjera tiene que ser devuelta y cambiada por moneda nacional en un plazo inferior a cinco años. La obtención de una cantidad de moneda extranjera superior al tramo oro requiere un permiso especial que el FMI sólo concede normalmente si está conforme con la política económica que sigue el país y quizás después de exigir algunos cambios en esa política.

Por razones bastantes obvias, muchas de las monedas nacionales en poder del Fondo no interesan a nadie y nunca han sido solicitadas. El volumen efectivo del «pool» de reservas del Fondo lo constituyen de hecho sus existencias en monedas que tienen demanda: dólares, libras esterlinas, marcos, francos y unas cuantas más, aparte de su oro. Como, si un país tiene déficit, otro país, al menos, tiene que manifestar superávit, solamente algunos de los países miembros necesitarán girar simultáneamente contra las reservas, por lo que podrá sostenerse un volumen mayor de comercio que si cada país tuviera que mantener sus propias reservas.

Un nuevo dinero internacional

Al final de la década de 1960 se vio claro que la simple acumulación de las reservas existentes no permitiría llegar suficientemente lejos, y que el FMI debía convertirse gradualmente en un verdadero banco central internacional con la facultad de «crear» dinero. Este había sido uno de los objetivos de algunos de los fundadores del Fondo, pero no se había aceptado por los Estados Unidos, que sólo cambió en cierto modo de opinión cuando tuvo que hacer frente a una crisis de su propia balanza de pagos. El valor del comercio mundial se estaba duplicando cada diez años, mientras que las reservas mundiales solamente aumentaban a razón de un 20 por 100 decenal.

En 1970, el FMI inició con prudencia el proceso de creación de dinero bancario internacional. Este se presenta bajo la forma de «derechos especiales de giro» (DEG). Consisten éstos en anotaciones en el haber de la cuenta de cada país, en cantidad proporcional a la cuota del país en el Fondo, que pueden transferirse a los demás países. Si Gabon no tiene dólares para saldar su comercio con los Estados Unidos, puede pagar a este país con una parte

de sus DEG. Firma para ello un cheque contra su propia cuenta
en el FMI, exactamente igual que un banco comercial español
puede saldar su deuda con otro banco comercial por medio de un
cheque contra su cuenta de reservas en el Banco de España. Todos
los países miembros tienen que aceptar los DEG como medio de
pago, con lo que los DEG son tan buenos como el oro o cualquier
moneda extranjera.

El FMI puede aumentar en cualquier momento el volumen de
DEG, acordando simplemente que el saldo de la cuenta de cada
país se incremente en una determinada proporción de su cuota.
Por lo tanto, puede crear *dinero internacional nuevo.* Obsérvese
que la creación de este tipo de dinero es más directa que la creación de dinero por los sistemas bancarios nacionales, en los que el
nuevo dinero es casi siempre «vendido» (normalmente a cambio
de papel del Estado, como en las operaciones de mercado abierto)
en lugar de ser «dado» a todos en proporción a sus saldos bancarios.

RECAPITULACIÓN 34.3. *Los pagos internacionales pueden hacerse
con un medio de cambio que sea de aceptación universal en el comercio internacional pero no necesariamente dentro de cada país.
El oro puede cumplir esta función, aun cuando el oro ya no se emplea como dinero interior. La capacidad de un país para mantener
un déficit de la balanza de pagos durante un cierto período de tiempo depende de la magnitud de sus reservas de dinero internacional,
no de su oferta monetaria total. Un comercio fluido exige unas reservas adecuadas, y las reservas mundiales de oro monetario, que ha
sido tradicionalmente el dinero internacional, son demasiado escasas para cumplir adecuadamente esta función de reserva. El Fondo
Monetario Internacional (FMI) fue establecido para conseguir un
empleo más eficiente de las reservas mundiales de oro, pero recientemente ha iniciado la creación de un nuevo dinero internacional
de carácter especial, a fin de aumentar las reservas mundiales.*

34.4. Existencias de moneda extranjera

*Por qué un país está con frecuencia dispuesto a retener
la moneda nacional de otro país*

Al analizar el patrón de cambio oro, partíamos del supuesto
de que todo excedente de las importaciones sobre las exportaciones tenía que saldarse vendiendo oro. Esto será exacto si todos los
vendedores insisten en recibir inmediatamente el pago *en su propia moneda.*

Moneda de otros países

Pero consideremos el caso de un exportador de Nueva Zelanda que vendiera carne a Gran Bretaña con anterioridad a la segunda guerra mundial. En aquella época, la mayor parte de las exportaciones de Nueva Zelanda se dirigían hacia Gran Bretaña, y la mayor parte de sus importaciones *procedían* también de Gran Bretaña. Por lo tanto, si el exportador neozelandés aceptaba el pago en *libras esterlinas,* podría emplearlas para comprar bienes británicos e importarlos en Nueva Zelanda, o encontraría con facilidad, él o su banco, un importador neozelandés que utilizara las libras esterlinas. Aun cuando no gastara inmediatamente las libras, tendría confianza en poder comprar algo con ellas más adelante. En estas circunstancias, el residente en Nueva Zelanda estaba dispuesto a conservar las libras esterlinas en su cuenta bancaria: es decir, estaba dispuesto a mantener existencias en libras.

De hecho, las libras esterlinas eran, antes de la segunda guerra mundial, tan útiles a los residentes de un gran número de países, que se sentían muy satisfechos manteniendo saldos en libras en lugar de convertirlos en oro.

En el patrón de cambio oro, las reservas en oro se mantienen porque pueden emplearse para saldar *cualquier* transacción internacional cuando las exportaciones y las importaciones no están equilibradas entre sí. Si existen monedas extranjeras de aceptación general, pueden ser utilizadas para desempeñar la misma función. Incluso puede ser útil una moneda extranjera que *no* es de aceptación general: siempre puede emplearse para saldar un déficit con el país donde circula esa moneda.

Requisitos de una moneda de reserva

En general, mientras mayor sea el número de países en los que una moneda determinada pueda emplearse para saldar operaciones, más útil será dicha moneda. Los córdobas nicaragüenses pueden ser de utilidad en Panamá e incluso en los Estados Unidos, pero es poco probable que Japón los encuentre aceptables, pues tiene pocas ocasiones para liquidarlos con Nicaragua. Por el contrario, los dólares americanos, las libras británicas o los francos franceses tendrán más probabilidades de ser aceptados en el Japón, pues este país tiene un comercio importante con los anteriores.

Esta es la razón de que las monedas de los países con mayor participación en el comercio internacional, con los que la mayoría de las demás naciones realizan transacciones internacionales, sean las más aceptables para ser retenidas como reservas.

Aunque la mayoría de los países mantienen reservas de varias monedas extranjeras importantes, a veces una o dos monedas son tan útiles, tan generalmente retenidas y de aceptación tan universal, que se convierten en *monedas de reserva* o *monedas clave.*

Las libras esterlinas funcionaron como una moneda de reserva en el período entre las dos guerras mundiales. Algunos países (principalmente, pero no exclusivamente, de la Commonwealth y del entonces Imperio Británico) sostenían con Gran Bretaña una proporción tan grande de su comercio, que mantenían en libras esterlinas todas sus reservas. Si necesitaban ocasionalmente oro u otra moneda, la obtenían cambiando libras.

Después de la segunda guerra mundial, el dólar de los Estados Unidos se convirtió en la moneda clave, aunque las libras británicas continuaron desempeñando algunas funciones de la misma naturaleza. Sin embargo, durante la década de 1960 comenzó a desaparecer el anterior predominio de los Estados Unidos en el comercio mundial. Muchos países encontraron a menudo más deseable mantener reservas en marcos alemanes, francos franceses, o yens japoneses que en dólares. Ninguna de aquellas divisas llegó a ser una moneda clave, sencillamente porque no había *suficientes* marcos, francos o yens para desempeñar tal función, pero el dólar estaba dejando de ser la moneda preferida para mantener reservas. La crisis monetaria de 1971, en la que el dólar fue devaluado, inició una nueva fase en las prácticas monetarias internacionales.

Ventajas y desventajas

Como las reservas en monedas extranjeras desempeñan algunas de las funciones que de otro modo tendrían que ser realizadas mediante el oro o el dinero internacional especial, aquéllas vienen a aumentar la liquidez internacional del mundo. Las reservas monetarias internacionales de un país se componen de su oro, sus derechos en el FMI y sus existencias de moneda extranjera.

Las existencias de moneda extranjera, incluso las de monedas «sólidas», nunca son tan útiles como un verdadero dinero internacional. Se emplean porque hay una *escasez* de dinero internacional en relación con el total de transacciones internacionales. Como sustitutivos, no representan para los países que las mantienen tanto valor como el oro o los derechos de giro del FMI; además, constituyen un potencial quebradero de cabeza para el país cuya moneda está siendo empleada como reserva, pues a la primera señal de que esta moneda puede dejar de ser útil, sus poseedores intentarán cambiarla por oro o por otra moneda distinta y precipitarán una crisis, como ocurrió con el dólar en 1971. Todo país cuya moneda sea de amplio uso como moneda de reserva tiene que hacer que su valor monetario se mantenga firme tanto en el plano *internacional* como en el plano nacional. Mientras sostenga esta confianza internacional, el país obtendrá una ventaja, pues podrá pagar sus importaciones con su propia moneda (que no le cuesta nada) y quizá no tenga que aceptar su devolución sino al cabo de muchos años: obteniendo así un préstamo internacional a muy bajo coste. El coste para el país son las restricciones que ha de imponer a su política económica: Gran Bretaña tuvo que soportar varias recesiones para que la libra pudiera conservar su consideración de moneda clave.

RECAPITULACIÓN 34.4. *La moneda nacional de un país puede llegar a emplearse como dinero internacional, especialmente si son inadecuadas las reservas mundiales del verdadero dinero internacional. La mayoría de los países están dispuestos a aceptar como pago dólares de los Estados Unidos o francos suizos aunque su moneda propia sea otra distinta, porque están seguros de poder emplear los dólares o los francos para comprar en la mayoría de los demás países y no solamente en los Estados Unidos o en Suiza. Si Brasil mantiene una reserva de dólares, éstos se denominarán existencias en divisas extranjeras. Los países no mantienen reservas de moneda extranjera si no creen en su aceptabilidad casi universal; por esta razón, las existencias en moneda extranjera consisten en divisas de países estables e importantes en el comercio mundial, tales como los Estados Unidos, Gran Bretaña, Alemania o Francia. A pesar de su utilidad, las existencias en divisas extranjeras no son un perfecto sustitutivo del verdadero dinero internacional.*

34.5. Mercados de divisas

Cómo pueden efectuarse enteramente con monedas nacionales los pagos internacionales

Pasemos ahora a la antítesis del sistema de dinero universal y consideremos el caso en que cada país tiene su moneda propia (que podemos suponer constituida, típicamente, por papel moneda), la cual recibe una completa aceptación en el interior del país, pero es totalmente inaceptable en los demás países. En ausencia de dinero universal, todo vendedor querrá ser pagado en su *propia* moneda.

Mercados de divisas

Supongamos que un importador norteamericano quiere comprar bienes en Gran Bretaña por un valor total de 1.000 libras. Como el vendedor británico solamente aceptará libras, el importador norteamericano tendrá que encontrar libras en algún sitio. Supongamos que simultáneamente un importador británico quiere comprar bienes en los Estados Unidos que cuestan 2.400 dólares y que tienen que ser pagados en dólares. El importador británico tendrá que encontrar dólares en algún sitio.

Si estas dos transacciones fueran las únicas que tienen lugar en ese momento entre Gran Bretaña y los Estados Unidos, es obvio que los importadores británico y norteamericano encontrarían los dólares y libras que respectivamente necesitan, cambiándolos entre sí. Los dos podrían llevar a cabo sus transacciones si el importador norteamericano estuviera dispuesto a cambiar 2.400 dólares por 1.000 libras con el importador británico. Como dólares y libras son dos cosas distintas, podemos considerar que en la transacción se ha fijado un *tipo de cambio* entre libras y dólares (1 libra = 2,4 dólares), bien al *vender* dólares y *comprar* libras el norteamericano, o bien al vender libras y comprar dólares el británico.

Si a ninguno de ellos interesa la moneda del otro salvo para comprar bienes, la demanda norteamericana de libras será igual al valor total de las importaciones norteamericanas de Gran Bretaña *expresado en libras,* y la demanda británica de dólares será igual al valor de las exportaciones norteamericanas a Gran Bretaña *expresado en dólares.* Si las libras con las que han de pagarse las importaciones norteamericanas proceden solamente de los importadores británicos que necesitan dólares, el *tipo de cambio* vendrá dado por la siguiente relación:

$$\text{Tipo de cambio (número de dólares por libra)} = \frac{\text{valor en dólares de las exportaciones norteamericanas}}{\text{valor en libras de las importaciones norteamericanas}}$$

.Si Gran Bretaña y los Estados Unidos fueran los únicos países con comercio exterior, con unas exportaciones norteamericanas de 240 millones de dólares anuales y unas exportaciones británicas (= importaciones norteamericanas) de 100 millones de libras anuales el tipo de cambio sería de 2,4 dólares por libra.

Tipos de cambio flexibles

Supongamos ahora que las exportaciones norteamericanas se reducen a 220 millones de dólares, mientras que se mantienen invariadas las importaciones. El tipo de cambio *pasaría a ser* de 2,2 dólares por libra. Diríamos entonces que el valor del dólar había aumentado (pues podía obtenerse una libra a cambio de *menos* dólares) o que el valor de la libra había *disminuido.*

Un sistema en el que solamente se emplean las monedas nacionales y en el que la moneda *extranjera* necesaria para las transacciones internacionales se obtiene por medio del intercambio en un mercado libre, es un *sistema de tipos de cambio flexibles.*

Tipos fijos y flexibles

En las sencillas condiciones de nuestro ejemplo, con tipos de cambio flexibles *no existen déficits ni superávits de la balanza de pagos.* Las variaciones de las exportaciones en relación con las importaciones se traducen en variaciones del tipo de cambio, pero el valor de las exportaciones (en dólares) es siempre igual al valor de las importaciones (en dólares).

Por supuesto, con dinero universal no existe ninguna diferencia real entre los dólares y las libras (salvo las diferencias de acuñación de las distintas monedas de oro) y no cabe considerar un tipo de cambio flexible. Con el patrón de cambio oro, suponemos implícitamente que los individuos recibirían una cantidad *fija* de dinero de su país a cambio de su oro. Si los norteamericanos pueden intercambiar oro por dólares en la Tesorería al cambio fijo de un cierto número de dólares por onza de oro, y los británicos pueden intercambiar oro por libras a un cambio fijo en el Banco de Inglaterra, el tipo de cambio entre libras y dólares queda fijado de modo indirecto. Porque si el precio del oro es de 35 dólares por onza en los Estados Unidos y de 16 2/3 libras por onza en Gran Bretaña, el tipo de cambio es de 2,1 dólares por libra (35 dólares divididos entre 16 2/3 libras). Por lo tanto, con el patrón de cambio oro tenemos normalmente *tipos de cambio fijos.*

Con tipos de cambio fijos, las variaciones de las exportaciones en relación con las importaciones provocan variaciones de los déficits o superávits de la balanza de pagos y entradas o salidas de dinero internacional. Con tipos de cambio flexibles, aquellas variaciones originan variaciones del tipo de cambio.

Problemas de los mercados de divisas

En un sistema desarrollado de mercados de divisas, los tipos de cambio no fluctuarán violentamente para equilibrar hora a hora, ni siquiera día a día, la demanda y la oferta de una moneda determinada. Habrá *especulación* y *arbitraje en el tiempo,* mediante los cuales el comerciante especializado en divisas comprará, por ejemplo, libras si el precio actual de esta divisa es inferior al esperado en el futuro, o las venderá si es superior. Existen *mercados de futuros de divisas,* en los que se puede contratar la compra de divisas extranjeras en una fecha futura a un precio que se establece claramente ahora.

Cuando todo funciona con regularidad, los tipos de cambio tenderán a fluctuar sólo moderadamente alrededor de los tipos que igualen, como *promedio,* la demanda y la oferta a lo largo de un período. En algunas circunstancias, la especulación puede ser *desestabilizadora* y acentuar las fluctuaciones, pero la especulación es menos peligrosa con tipos de cambio verdaderamente flexibles que con tipos de cambio básicamente fijos que sólo se modifican de vez en cuando.

Incluso con tipos de cambio «fijos» hay una cierta flexibilidad y existen mercados de divisas. Cuando funcionaba abiertamente el patrón de cambio oro, resultaba incómodo convertir dinero en oro y transportar éste. Por lo tanto, aunque a un comerciante le fueran ofrecidas libras a cambio de dólares a un tipo ligeramente desfavorable respecto al que podría obtener empleando sus dólares en la compra de oro en los Estados Unidos, transportando después el oro a Gran Bretaña y vendiéndolo por último en este país a cambio de libras, aquél preferiría el intercambio directo al indirecto para ahorrarse la incomodidad y el coste del transporte del oro. Por lo tanto, el tipo de cambio podía fluctuar entre ciertos límites estrechos (llamados *puntos del oro*), por no merecer la pena el movimiento físico del oro.

RECAPITULACIÓN 34.5.   *Puede haber pagos internacionales aun cuando no exista ni dinero internacional ni siquiera un dinero nacional que se emplee internacionalmente. Si Gran Bretaña y los Estados Unidos comercian entre sí, los productores norteamericanos querrán ser pagados en dólares y los británicos en libras. Los bienes de los Estados Unidos se venderán en Gran Bretaña a cambio de libras, pero los abastecedores podrán obtener dólares vendiendo sus libras. Habrá compradores de libras porque productos británicos están siendo vendidos por dólares y sus abastecedores quieren comprar libras a cambio de dólares. Por lo tanto, los pagos internacionales pueden liquidarse por medio de los mercados de divisas en los que se intercambian dólares y libras. Si disminuye en Gran Bretaña la demanda de productos de los Estados Unidos, los abastecedores norteamericanos tendrán menos libras que ofrecer a cambio de dólares. Si no ha habido una variación equivalente de la demanda de los productos británicos en los Estados Unidos, se modificará el número de dólares que se pueden comprar con una libra, o sea, el tipo de cambio entre dólares y libras. Para equilibrar las transacciones sin un flujo de dinero internacional, será necesario que el mercado de divisas sea libre y pueda reflejar las variaciones de los tipos de cambio. Si las autoridades no impiden las variaciones, se dice que los tipos de cambio son flexibles. Si los tipos de cambio se mantienen fijos a un nivel específico, estamos en un sistema de tipos de cambio fijos, y tendrán que producirse flujos de oro o de otro tipo de dinero internacional.*

34.6. Otras partidas de la balanza de pagos

*Por qué existen otros pagos internacionales, además
de los originados por las exportaciones y las importaciones*

Las relaciones entre países son mucho más complejas que las recogidas en un modelo sencillo de comercio exterior. Aparecen otras transacciones además de las importaciones y exportaciones y los movimientos de oro y divisas.

Los recursos pueden trasladarse de un país a otro igual que los productos finales. Cuando hay trabajadores que emigran, no sólo cambia su residencia, sino también el lugar donde contabilizamos sus rentas de trabajo. Pero el *capital,* como recurso, puede pasar de un país a otro mientras sus propietarios permanecen donde estaban.

Movimientos de capital

El capital, que es el recurso con mayor movilidad internacional, aparece de dos formas distintas en la balanza de pagos: una de ellas refleja los movimientos del propio *stock de capital,* la otra se refiere al envío al extranjero de las *rentas de los servicios* del capital.

Consideremos el caso de una sociedad minera norteamericana que decide iniciar operaciones en Bolivia. Suponemos que la sociedad, constituida en los Estados Unidos, emplea sus propios recursos financieros para comprar en los Estados Unidos maquinaria por valor de 10 millones de dólares que se traslada a Bolivia. Cuando este equipo llega a Bolivia, se convierte en una importación de este país. El saldo de la balanza comercial boliviana ha variado en — 10 millones de dólares. ¿Pierde por ello Bolivia 10 millones de dólares de sus reservas? No, porque la importación no tiene que ser pagada. En realidad se trata de un *préstamo* a Bolivia por la sociedad norteamericana. Este préstamo aparece en la balanza de pagos como un *movimiento de capital privado.* En las circunstancias del caso, esta clase de movimiento de capital se denomina *inversión directa.* Aparece como un movimiento de capital de — 10 millones de dólares en los Estados Unidos (una *salida* de fondos) y de + 10 millones de dólares en Bolivia (una *entrada* de fondos).

La sociedad no tiene necesariamente que haber comprado el equipo en los Estados Unidos. Supongamos que lo haya comprado en Alemania. Seguirá apareciendo como una importación en Bolivia, y los fondos correspondientes a ella seguirán apareciendo como una entrada de capital en Bolivia.

Los flujos de capital pueden tomar formas más sencillas. Los norteamericanos pueden comprar simplemente acciones de una so-

——— **Cápsula suplementaria 34.2** ————————————————

LA BALANZA DE PAGOS DE LOS ESTADOS UNIDOS, 1960-71

En 1971, los Estados Unidos sufrieron la peor crisis de balanza de pagos desde los años 30, crisis que llevó a la devaluación del dólar con respecto a la mayoría de las monedas y abrió una nueva era en las relaciones monetarias internacionales. Con la ventaja que da al mirar hacia atrás, cualquiera que examine la tabla adjunta puede ver claramente el advenimiento de la crisis, como también pudieron verlo entonces quienes se preocuparon de observar las cifras de la balanza de pagos.

Medias anuales (miles de millones de dólares)

Período o año	Balanza comercial	Balanza por c/c	Superávit (+) o déficit (−) (a)	Financiado con Dólares (b)	Reservas (c)
1960-64	+5,4	+3,5	− 2,3	1,2	1,1
1965	+4,9	+4,3	− 1,3	0,1	1,2
1966	+3,9	+2,4	+ 0,2	−0,8	0,6
1967	+3,9	+2,1	− 3,4	3,4	—
1968	+0,6	−0,4	+ 1,6	−0,7	−0,9
1969	+0,7	−0,9	+ 2,7	−1,5	−1,2
1970	+2,1	+0,4	− 9,8	12,2	2,4
1971	−1,3	−1,3	−23,4	20,9	2,5

a) *Es la definición del superávit o déficit de la balanza de pagos de acuerdo con las «transacciones oficiales de reservas».*
b) *Aumento de los dólares en poder de extranjeros. El signo (−) indica una disminución de los dólares en poder de extranjeros.*
c) *Disminución de las reservas en oro o divisas de los Estados Unidos. El signo (−) indica que las reservas aumentaron.*

Los Estados Unidos habían sido el único gran país industrial que salió de la segunda guerra mundial con su capacidad de producción intacta. Los años inmediatamente posteriores a la guerra fueron un período de grandes superavits del comercio exterior de los Estados Unidos y de déficits para el resto del mundo, pues los Estados Unidos disponían de todo lo que cualquier otro país deseaba adquirir en bienes tanto de capital como de consumo. Había pocos bienes en los demás países que pudieran ser exportados a los Estados Unidos y, ciertamente, los Estados Unidos no querían en aquel momento las monedas de los demás países, por lo que los superavits comerciales tuvieron que ser financiados con donaciones o préstamos de ayuda exterior.

La guerra de Corea (1950-54) trajo los primeros déficits de la balanza de pagos de los Estados Unidos en la posguerra, al aumentar fuertemente en este país la demanda de materias primas y los gastos militares en el extranjero. La balanza comercial mejoró de nuevo después de la guerra, pero los Estados Unidos entraron en una fase de intensas inversiones privadas en el extranjero. En los años que registraron déficits, durante la década siguiente, la causa estuvo en que el flujo de salida de capitales fue superior al de ingresos del exterior procedentes del fuerte saldo positivo de la balanza de bienes y servicios de los Estados Unidos.

El primer período de la tabla, 1960-64, es representativo de la estructura general que acaba de indicarse. El saldo medio de la balanza comercial fue de 5.400 millones de dólares, y el de la balanza por cuenta corriente, que incluye además la ayuda exterior, el turismo y otras partidas corrientes, mostró también un saludable superávit medio de 3.500 millones de dólares. Pero la inversión en el exterior fue superior a 3.500 millones, resultando un déficit medio de la balanza de pagos de 2.300 millones de dólares. Este déficit fue financiado en una mitad por las salidas de oro, y en otra mitad por el deseo de los extranjeros de continuar reteniendo dólares en lugar de convertirlos en otras monedas.

Sin embargo, ya en los primeros años de la década de los 60 se estaban debilitando las bases de la capacidad de los Estados Unidos para sostener las enormes transferencias y salidas de capital que se sucedían desde la segunda guerra mundial. (Estas bases eran las ventajas tecnológicas y de costes que disfrutaban los Estados Unidos frente a los demás países industriales, con las cuales sostenían sus exportaciones y, por lo tanto, su balanza comercial.) En particular, se habían reconstruido las economías de Alemania y del Japón, y la posición competitiva de los Estados Unidos comenzaba a decaer. La primera columna de la tabla muestra con gran claridad el deterioro de la balanza comercial: se llegó en 1971, por primera vez desde 1894, a un déficit de esta balanza. El descenso de competitividad se debió en parte a la pérdida gradual del liderazgo tecnológico, y en parte a la inflación inducida por los gastos en el Vietnam, que se aceleró al final de los 60.

A pesar del empeoramiento de la balanza comercial, el déficit de la balanza de pagos no alcanzó niveles de crisis (excepto en 1967, año en el que hubo un pánico provocado por el estado de la balanza de pagos) hasta 1970, y hubo incluso superávits en 1968 y 1969. En estos dos años, los Estados Unidos cambiaron su tradicional papel de abastecedor de capitales a otros países —los extranjeros invirtieron en empresas de los Estados Unidos más que los norteamericanos en el extranjero— con lo que la balanza de pagos tuvo superávits a pesar de los déficits de la balanza por cuenta corriente. Pero era un fenómeno pasajero: en 1970 tuvo lugar una enorme salida de capital de los Estados Unidos (que probablemente incluyó una gran parte del capital extranjero que había entrado durante los años anteriores) lo que, unido a un superávit insignificante de la balanza por cuenta corriente, condujo a lo que entonces pareció un déficit enorme de la balanza de pagos. Para financiar este déficit, los extranjeros aumentaron (no muy felices por ello) sus existencias en dólares en más de 12.000 millones: aumento muy importante en comparación con la media anual de la década anterior, que había representado aproximadamente un aumento de mil millones de dólares en poder de extranjeros. Había demasiados dólares fuera de los Estados Unidos, y los extranjeros empezaron a preguntarse si los dólares que retenían les iban a ser de utilidad en el futuro.

Al empezar 1971, la balanza comercial empeoró aún más, y el flujo de dólares para financiar el déficit —cuyo volumen hizo parecer despreciable el déficit de 1970— alcanzó niveles fantásticos. Dado el serio peligro de que los extranjeros que retenían dólares trataran de cambiarlos por oro (lo que era posible a través del sistema bancario), los Estados Unidos suspendieron la convertibilidad del dólar en oro en agosto (por primera vez desde la década de 1930), y las únicas cuestiones pendientes para proceder a devaluar el dólar eran el momento y la cuantía de la devaluación. La devaluación efectiva vino más tarde, aquel mismo año, pasando el valor del dólar de ser 1/35 de una onza a ser 1/38 de una onza: la devaluación respecto al oro fue, pues, inferior a un 10 por 100, pero fue mayor (alrededor del 16 por 100) respecto a muchas otras monedas que habían aumentado simultáneamente su valor referido al oro.

ciedad boliviana por valor de 10 millones de dólares: esta operación se denomina *inversión de cartera*. Los fondos para comprar las acciones aparecerán también como una entrada de capital en Bolivia.

En la balanza de pagos, una salida de capital aparece con signo negativo porque el importe del pago está *saliendo* del país. A veces es útil considerar la salida de capital como equivalente a la compra de acciones en el extranjero (esto es literalmente cierto en el caso de la inversión de cartera); el país *importa* valores extranjeros, con lo que la salida de capital tiene el mismo signo que una importación. Si un país recibe una *entrada* de capital, el razonamiento es el inverso: la entrada tendrá signo positivo.

Rentas de la propiedad

Las acciones y el equipo de capital propiedad de los ciudadanos de un país, pero que se emplean para producir en otro, darán origen a un flujo de *dividendos e intereses* a favor de los propietarios o prestamistas. En nuestro ejemplo de la sociedad minera, los dividendos irán *de* Bolivia (signo —) *a* los Estados Unidos (signo +).

Puede evitarse también aquí fácilmente la confusión concentrándose en la dirección de la venta implícita en la transacción. Bolivia está *comprando* a los Estados Unidos servicios de capital, con lo que la transacción equivale a una *importación*.

Transferencias

No todas las transacciones entre países dan lugar a un intercambio. Existen numerosas *transferencias unilaterales*. Estas, como las transferencias internas, son flujos que no reflejan pagos de bienes y servicios. Entre las principales partidas de transferencias internacionales están las *remesas privadas* —especialmente las donaciones de los emigrantes a sus parientes en su país de origen— y las *transferencias estatales* (como la ayuda exterior) que no representan un pago directo de bienes o servicios. Si el Estado hace un *préstamo* a un país extranjero, se trata de un *flujo de capital*, no de una transferencia, porque existe la obligación de devolver el préstamo, pero si hace una donación se trata de una transferencia.

Partidas corrientes y de capital

Las partidas *corrientes* de la balanza de pagos se suelen separar de las partidas de *capital*. Las partidas corrientes comprenden todas las exportaciones e importaciones de bienes y servicios (incluyendo los intereses y dividendos, que se consideran pagos por los servicios del capital) más las transferencias unilaterales. Las partidas de capital son las transacciones de valores efectivas o implícitas, los préstamos y las promesas de pago. La venta de un bono al extranjero supone un *flujo de capital,* el pago de intereses es una partida *corriente.* El capital se mueve en las dos direcciones exactamente igual que lo hacen los bienes y servicios. Normalmente, anotamos sólo los movimientos de capital *netos,* es decir, la diferencia entre los flujos de capital en las dos direcciones. El flujo neto tendrá signo negativo si las salidas son mayores que las entradas, y signo positivo en el caso contrario.

Ejemplo: las cuentas de los Estados Unidos

La tabla 34.4 recoge una versión abreviada de las cuentas de los Estados Unidos para 1968, año bastante reciente y que no acusa circunstancias anormales en la balanza de pagos. Las seis primeras filas de la tabla reflejan las partidas que contribuyen al al superávit o déficit, que figura en la fila siete; las filas ocho y nueve muestran la forma en que se financió el superávit, para llegar al resultado final en la fila 10.

Vemos que en 1968 los Estados Unidos vendieron al extranjero más bienes y servicios (50.623 millones de dólares) que los que compraron en el extranjero (48.134 millones de dólares), lo que arrojó un saldo de + 2.489 millones de dólares en la balan-

Tabla 34.4

Balanza de pagos de los Estados Unidos, 1968

(Millones de dólares)

Transacciones básicas	
1. Exportaciones de bienes y servicios	+50.623
2. Importaciones de bienes y servicios	−48.134
3. Balanza de bienes y servicios (filas 1+2)	+ 2.489
4. Transferencias unilaterales	− 2.875
5. Balanza por cuenta corriente (filas 3+4)	− 386
6. Movimientos netos de capital	+ 2.027
7. Superávit (+) o déficit (−) de la balanza de pagos (filas 5+6)	+ 1.641
Transacciones financieras	
8. Dólares de los Estados Unidos aceptados y retenidos por extranjeros	− 761
9. Ventas (+) o entradas (−) de oro y divisas en los Estados Unidos	− 880
10. Total neto del conjunto de transacciones (filas 7+8+9)	0

za de bienes y servicios. Las transferencias unilaterales totalizaron 2.875 millones de dólares, de los que 1.707 millones correspondieron a la ayuda exterior y el resto fueron remesas o pensiones privadas y otros pagos al extranjero. Sumando el saldo de la balanza de bienes y servicios al de las transferencias unilaterales, obtenemos el saldo de la balanza por cuenta corriente —que incluye todas las partidas que no son flujos de capitales ni transacciones en divisas— saldo que arrojó un déficit de 386 millones de dólares. Pero este no es el déficit de la balanza de pagos, puesto que aún no hemos considerado las transacciones de capital.

Cada año tiene una característica especial en lo que se refiere a la balanza de pagos. La de 1968 fue que los Estados Unidos recibieron una *entrada neta* de capital aquel año: los extranjeros compraron más acciones y participaciones en empresas de los Estados Unidos que los inversores norteamericanos en países extranjeros. Esta entrada de capital (de 2.027 millones de dólares) fue superior al déficit de la balanza por cuenta corriente, con lo que se obtuvo un *superávit de la balanza de pagos*. Las últimas filas recogen lo que se hizo con ese superávit: aproximadamente la mitad sirvió para reducir el volumen de dólares en poder de extranjeros, y la otra mitad supuso un aumento del oro y las reservas de divisas en poder de los Estados Unidos.

Al examinar la balanza de pagos, lo que importa realmente no es el superavit o déficit definido oficialmente, ni la variación de las reservas, ni cualquier otra cifra aislada. Es en realidad la *estructura* de las transacciones y su variación de un año a otro (o de un trimestre a otro, en una política económica eficaz) lo que tenemos que considerar para juzgar si es necesario modificar la política económica.

RECAPITULACIÓN 34.6. *Los bienes no son lo único que se traslada de un país a otro; la balanza de pagos contiene otras partidas además de las importaciones y exportaciones y los flujos de oro o sus equivalentes. Entre estas otras partidas están los pagos por intereses y dividendos del capital empleado en un país pero propiedad de residentes de otro, las transferencias del tipo de la ayuda exterior y los movimientos de capital en forma de préstamos y adquisición de acciones en los que prestamista y prestatario residen en países distintos. Estas partidas son importantes: un país puede tener unas exportaciones superiores a sus importaciones pero resultar de estas otras partidas una salida neta de magnitud suficiente para dar lugar a un déficit de la balanza de pagos y una salida de oro. Al incluir estas otras partidas se presentan dificultades conceptuales y técnicas para definir lo que entendemos por «superávit» y «déficit» de la balanza de pagos.*

Resúmenes de las secciones. *Para repasar el contenido de este capítulo, hojéese el texto y vuélvanse a leer los trozos titulados «Recapitulación», que ponen fin a todas las secciones.*

Términos y conceptos del capítulo 34

> Patrón oro.
> Patrón de cambio oro.
> Reservas de divisas.
> Liquidez internacional.
> Moneda clave o de reserva.
> Tipos de cambio.
> Tipos de cambio flexibles.
> Balanza comercial.
> Balanza por cuenta corriente.
> Superávit (déficit) de la balanza de pagos.
> Transferencia unilateral.
> Movimientos de capitales.
> Transacción financiera.

Ejercicios

Los siguientes datos incluyen todas las partidas importantes de la balanza de pagos de un país imaginario, en 1973, exceptuados los movimientos de capitales. Todas las transacciones se liquidan en oro.

Ayuda exterior a otros países, 840; importaciones 1.100; pérdida de reservas de oro, 160; exportaciones, 2.720. (Cifras en millones de unidades monetarias del país en cuestión.)

1. Indíquese el signo apropiado a cada una de las transacciones citadas.

2. Fórmese la balanza de pagos, dejando espacio en el lugar adecuado para el movimiento de capitales.

3. ¿Tuvo el país un superávit o un déficit en su balanza de pagos?

4. ¿Cuál tiene que haber sido el valor y la dirección del movimiento neto de capitales?

Para reflexión y discusión

1. Indíquese el signo (positivo o negativo) con que entran, o dígase si no entran, en la balanza de pagos de los Estados Unidos, cada uno de los hechos siguientes:

Compra por un californiano de un billete de TWA para
el vuelo Nueva York-París. La misma operación, con un billete de Lufthansa. Venta a un francés de un título de la Deuda
Pública de los Estados Unidos. Recaudación procedente de la
venta de bonos del Estado de Israel en un acto público en
Nueva York. Alquiler de una casa en las Bahamas por un
agente de bolsa de Nueva York. Venta de un nuevo Boeing 747
a la compañía Iberia. Un regalo de cumpleaños de 50 dólares
enviado por un residente de Los Angeles a su madre que vive
en México.

2. Si los tipos de cambio fueran flexibles, ¿qué cree usted
que ocurriría al tipo de cambio entre libras y dólares si el aumento anual de los precios fuera del 10 por 100 en Gran Bretaña y
del 5 por 100 en los Estados Unidos?

3. Supóngase que una región española cualquiera se hiciese
independiente de la noche a la mañana. ¿Cuáles serían las principales partidas positivas y negativas de la balanza de pagos con
el resto de España para la región elegida por usted?

4. ¿Qué factores tendría usted en cuenta para decidir si mantener o no en la moneda de un país determinado una parte de las
reservas españolas de divisas?

5. Se ha sugerido en diversas ocasiones que cualquier escasez
de dinero internacional podría resolverse fácilmente aumentando
el precio del oro medido en unidades de todas y cada una de las
monedas. ¿Cómo se aumentaría con ello la oferta de dinero internacional?

Capítulo 35

LA POLITICA ECONOMICA
EN UNA ECONOMIA ABIERTA

35.1. La economía abierta, como restricción
para la política económica nacional

*Cómo es afectada la balanza de pagos por la actividad
económica del país y la política económica interna*

Las ganancias que se obtienen de ampliar las posibilidades económicas de la sociedad por medio del comercio exterior llevan consigo una cierta pérdida de autonomía en la política económica de
los países que participan en el comercio internacional. La balanza
de pagos, el tipo de cambio exterior o ambos se convierten en indicadores para la política económica, que han de ser vigilados a la vez
que el nivel de desempleo, las variaciones de los precios y otros
indicadores internos.

La estructura monetaria internacional se basa actualmente en
unos tipos de cambio relativamente fijos, que sólo varían en ocasiones especiales, y no en tipos de cambio flexibles. Con cambios
fijos, los efectos de las relaciones internacionales aparecen en forma
de variaciones de los superávits o déficits de la balanza de pagos
y no en forma de grandes fluctuaciones de los tipos de cambio.
Aceptaremos, como un supuesto, este contexto general para el análisis que a continuación se desarrolla.

La relación entre el funcionamiento interno de la economía y la
balanza de pagos opera en ambos sentidos. La situación interna de
la economía afecta a las partidas de la balanza de pagos, y la situación de la balanza de pagos influye sobre la situación interna de la
economía.

Actividad interna y balanza de pagos

En un país se importan bienes de consumo finales y también medios de producción para la actividad económica. Puede esperarse que en ambos casos las importaciones aumentarán o disminuirán en el mismo sentido que el nivel de la actividad económica. Cuando aumentan las rentas, aumenta el consumo, incluso el de bienes importados. Cuando aumenta la producción, aumenta la demanda de medios de producción, incluso los importados.

El efecto del nivel interno de actividad sobre las exportaciones consistirá, si acaso, en reducirlas al aumentar la actividad, pues habrá menos recursos disponibles sin emplear y aumentará el consumo interno de bienes exportables. Puede esperarse que una disminución del nivel interno de actividad aumente las exportaciones, y desde luego no las reducirá.

Por lo tanto, aun cuando no haya variaciones internas ni externas de los precios ni modificaciones de los tipos de cambio exterior, tendremos normalmente la siguiente relación.

Un aumento del nivel de la actividad interna tenderá a aumentar las importaciones y quizás a disminuir las exportaciones, empeorando la posición de la balanza de pagos del país. Un descenso de la actividad interna tendrá efectos opuestos, mejorando la posición de la balanza de pagos.

Inflación

El mismo tipo de efectos aparecerán si la economía está operando al nivel de su capacidad y el intento de gastar más provoca una inflación. Si el nivel general de precios del país se eleva en comparación con los niveles de precios del resto del mundo y los tipos de cambio son fijos, se apreciarán efectos adversos sobre la balanza de pagos. El aumento de precio de los productos del país en relación con las importaciones aumentará la demanda de importaciones mientras que el aumento de precio de las exportaciones reducirá (salvo en los casos infrecuentes de demanda inelástica) las ventas para exportación.

Un aumento del nivel general de precios de un país en comparación con los precios del exterior, cuando los tipos de cambio son fijos, empeorará la posición de la balanza de pagos. La contención de la inflación interna cuando domina la inflación en el exterior mejorará la balanza de pagos.

Tipos de interés

Incluso el tipo de interés, instrumento importante de la política económica interna, ejercerá influencia sobre la balanza de pagos. Si el tipo de interés se eleva respecto a los tipos de interés de los demás países, será más rentable prestar dinero en este país que en el exterior. Permanecerán en el país fondos que quizás hubieran salido

—————— **Cápsula suplementaria 35.1** ——————

¿QUE TIENE DE MALO UN DEFICIT?

En la jerga típica de las discusiones sobre la balanza de pagos, cuando un déficit crece se dice que «empeora» la balanza de pagos, mientras que si el déficit disminuye, se dice que refleja una «mejoría». Estas son las expresiones de los políticos que tienen que vigilar el nivel de las reservas internacionales del país, para quienes un déficit representa una amenaza a dichas reservas. El objeto del presente análisis es relacionar la balanza de pagos con el bienestar material del país en general, y no con el nivel de sus reservas.

El bienestar económico de un país depende de las cantidades de bienes y servicios *disponibles* para su utilización. Las exportaciones representan una producción interna que queda fuera del alcance de los consumidores del país, mientras que las importaciones representan unos bienes disponibles para el consumo interno aun cuando no hayan sido producidos en el país.

Por lo tanto, un déficit de la balanza de pagos representa una situación en la que la disponibilidad de bienes en el país supera a su propia producción: en un sentido directo de bienestar, el país está *mejor* con un déficit que con un equilibrio de su balanza de pagos. La situación es análoga a la de una persona que puede gastar más de lo que obtiene como renta, quien está claramente mejor que si sólo pudiera gastar su renta.

Naturalmente, existe un obstáculo oculto. El déficit acabará por reducir las reservas de moneda extranjera del país, y éste no podrá continuar manteniendo el déficit una vez que se hayan agotado las reservas después de acabarse todas las posibilidades de recurrir al crédito. Por lo tanto, el déficit significa que se está viviendo por encima de los medios del país, lo que solamente se puede sostener durante períodos cortos, y no es recurso que sirva para proporcionar un aumento permanente de bienestar.

Del mismo modo que el déficit origina una ganancia de bienestar, la eliminación del déficit causará una correspondiente *pérdida* de bienestar. Cualquier medida dirigida a devolver el equilibrio a la balanza de pagos después de un déficit tendrá *necesariamente* que causar quebrantos. La devaluación aumentará los precios de los bienes de importación, con lo que los consumidores podrán tener menos acceso a tales bienes, mientras que una macropolítica dirigida a combatir el déficit será contractiva y reducirá, por lo tanto, las rentas.

Para una política antiinflacionista, puede ser útil la mayor disponibilidad de bienes que se tiene con un déficit que con una balanza de pagos en equilibrio. Si el gasto planeado sobrepasa la capacidad de producción, el excedente puede derramarse sobre el mercado de bienes de importación, eliminando parte de la presión ascendente sobre los precios internos; pero si la economía atraviesa una fase de depresión, la demanda de productos de importación constituye una filtración de renta interior y es, por lo tanto, indeseable.

Un flujo de ayuda exterior permite a un país alcanzar el mismo nivel de gasto que si tuviera un déficit de la misma cuantía que la ayuda. Este es el objetivo de la ayuda exterior: elevar los niveles de gasto en el país receptor. La constitución de reservas de divisas significa un superávit, una pérdida de bienestar. Los países pobres no pueden permitirse el lujo de mantener un gasto inferior a la producción ni siquiera durante unos cuantos años, por lo que operan permanentemente con reservas muy escasas.

——————————————————————————————————

al extranjero con un tipo interno de interés más bajo, y a la vez
serán atraídos fondos exteriores. Disminuirá de esta forma la salida
neta de capital, o aumentará la entrada neta. Tanto la disminución
de las salidas de capital como el aumento de las entradas representan una *mejora* de la balanza de pagos en el sentido convencional
(aunque puede tratarse solamente de una mejora temporal), porque
la entrada de capital tiene el mismo efecto que el aumento de las
exportaciones. Por supuesto, un descenso del tipo de interés tendrá
un efecto opuesto y causará un empeoramiento de la balanza de
pagos.

Un aumento de los tipos de interés internos en comparación con
los del extranjero tenderá a mejorar la posición de la balanza de
pagos, al menos temporalmente, mientras que una disminución del
tipo de interés interno tenderá a empeorar la balanza de pagos.

Repercusiones generales

Por lo tanto, las medidas proyectadas esencialmente para conseguir objetivos internos, como el pleno empleo, repercutirán sobre
la balanza de pagos. Así pues, las opciones de la política económica
en una economía abierta están en principio limitadas por los efectos potenciales sobre la balanza de pagos. En la práctica, el alcance
restrictivo de esta limitación depende tanto de la estructura interna
como de la importancia internacional del país en cuestión. Estos
factores determinan la *magnitud* del efecto de las medidas internas
sobre la balanza de pagos y la importancia de los objetivos relativos
a la balanza de pagos dentro de la política económica global.

En los Estados Unidos, las importaciones de bienes y servicios
sólo representan alrededor del 5 por 100 del PNB. En Gran Bretaña esta proporción es casi del 20 por 100, y en Canadá es superior al 20 por 100. Por lo tanto, cabe esperar que las repercusiones
de una política interna de rentas sobre la balanza de pagos sean
apreciablemente mayores *en relación con el PNB* en Gran Bretaña
o Canadá que en los Estados Unidos.

Las repercusiones de la política del *tipo de interés* serán mayores en los países que son grandes mercados de capitales internacionales que en los que no lo son. Una diferencia entre los tipos de
interés en Estados Unidos y en Gran Bretaña puede originar grandes flujos de capital, mientras que una diferencia entre los tipos de
interés en Estados Unidos y en Indonesia no tendrá efecto alguno.

RECAPITULACIÓN 35.1. *La actividad y la política económica in-*
ternas ejercen efectos importantes sobre la balanza de pagos. Si
aumenta la actividad, aumentarán las importaciones y «empeora-
rá» la balanza de pagos del país. La inflación empeorará la balan-
za de pagos, al abaratarse en el país las importaciones. Las medi-
das que reduzcan el tipo de interés empeorarán la balanza de pa-

*gos, pues saldrá capital del país, atraído por el mayor rendimiento
en el extranjero. La importancia de estos efectos dependerá de la
magnitud del comercio exterior en relación con el PNB total.*

35.2. Transmisión internacional de actividad económica

*Cómo las variaciones del nivel de actividad de un país
pueden transmitirse a otros a través de la balanza de pagos*

Hemos esbozado en la sección anterior las formas en que el nivel interno de actividad puede ser afectado por la situación de la
balanza de pagos. Consideraremos ahora las influencias en dirección
contraria, para pasar después a los efectos conjuntos.

Ciñéndonos a la balanza comercial, podemos señalar que las exportaciones representan una *renta interior generada por el gasto
exterior.* Las importaciones representan lo contrario, es decir, un
gasto interior que *no* genera renta interior. En efecto, las importaciones representan una *filtración* o detracción del flujo circular de
la renta interior de la economía. Toda peseta que se gasta en
importaciones es una peseta que no genera renta interior. Las exportaciones son una *inyección,* como la inversión o el gasto público,
pues generan renta aun cuando no corresponden a un gasto interior.

Efectos de la balanza de pagos

Si las exportaciones son iguales a las importaciones, el gasto interior que se filtra al exterior se compensa exactamente con el gasto exterior que crea renta interior. No hay ningún efecto neto. Pero
si *disminuyen* las exportaciones (debido, por ejemplo, a las condiciones de la demanda en el extranjero), la filtración que suponen
las importaciones ya no es compensada por el gasto exterior. Las
detracciones del flujo de la renta serán ahora superiores a las inyecciones que recibe (en ausencia de medidas compensadoras), y descenderá el nivel de la renta de *equilibrio.*

Hay que contar con el efecto multiplicador. Esto se ve muy
fácilmente, observando que un descenso súbito de las exportaciones
reducirá la renta de las industrias exportadoras, con lo que descenderá en el país el gasto de las personas que viven de esas industrias,
poniéndose así en marcha una secuencia descendente multiplicado-
ra. Como es natural, un *aumento* repentino de las exportaciones
tendrá los efectos opuestos. Aumentará la renta interior de equilibrio, también en una forma multiplicada.

Aunque nos hemos concentrado en las exportaciones, efectos
similares tendrán lugar (pero en la dirección contraria) si hay un
súbito desplazamiento de la demanda de productos nacionales a la
de importaciones, o viceversa. En general, regirá la relación siguiente.

Las variaciones adversas de la balanza de pagos (un déficit mayor o un superávit menor) ejercerán una influencia reductora sobre el nivel de la actividad interna, mientras que las variaciones favorables ejercerán una influencia expansiva.

Efectos de doble dirección

Unamos este efecto a los efectos que el nivel interno de actividad ejerce sobre la balanza de pagos, analizados en la sección anterior. Los efectos conjuntos se ilustran en la figura 35.1. Para mayor sencillez, consideremos un mundo de dos países, «América» y «Europa», que inicialmente están en equilibrio de pleno empleo y con sus balanzas de pagos equilibradas. Consideremos lo que ocurre cuando la inversión interior en América disminuye de pronto, sin que el sector público adopte medidas compensadoras.

Por supuesto, el efecto inicial será un descenso del nivel de actividad en América: una recesión. Este descenso de las rentas reducirá las importaciones de América, y la balanza de pagos americana pasará a tener superávit.

Pero las importaciones de América son las exportaciones de Europa. Por lo tanto, el descenso de las importaciones americanas ejercerá una presión contractiva sobre la economía europea. Europa también pasará a tener una recesión: quizás menor, en términos relativos, que la de América. La balanza de pagos europea pasará a tener déficit.

Los efectos iniciales darán origen a efectos secundarios. El superávit de la balanza de pagos americana amortiguará algo la recesión en América, mientras que el correspondiente déficit europeo intensificará la recesión en Europa. Puede mostrarse que el efecto global será una recesión en América menos intensa que si América hubiera sido una economía cerrada, unida a una recesión en Europa, que no la habría sufrido en el caso de ser una economía cerrada.

Si, en vez de una recesión, tuviera lugar en América una *inflación,* los efectos internacionales serían similares. La demanda americana de importaciones aumentaría, con lo que su balanza de pagos pasaría a tener un déficit, imprimiendo una presión expansiva sobre la economía europea, ya en situación de pleno empleo, y generando inflación también en Europa.

El nivel de actividad económica se transmite a través del comercio. Una recesión interna en un país tenderá a extenderse, llevando la recesión a otros países. Una inflación interna también se extenderá internacionalmente de la misma forma.

Asimetría de los efectos

Estos efectos no son simétricos. Como el comercio exterior de los Estados Unidos es pequeño en relación con su propio PNB, pero grande en relación con el comercio mundial, el nivel de actividad de los Estados Unidos ejerce más efectos sobre *otros* países que el nivel de actividad de éstos sobre los Estados Unidos. Un ejemplo extremo es el del Canadá. El comercio de este país con los Estados Unidos es grande en relación con el PNB del Canadá, pero el de los Estados Unidos con Canadá es pequeño en relación con el PNB de los Estados Unidos. Una fuerte recesión en los Estados Unidos

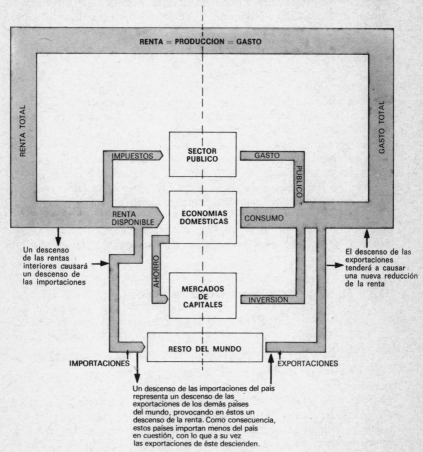

FIG. 35.1.—*Mecanismo de transmisión internacional de las variaciones del nivel de la actividad económica.*

tendrá inevitablemente efectos contractivos muy fuertes sobre la economía del Canadá, pero una recesión en el Canadá tendrá escasas repercusiones en los Estados Unidos.

Hay otro punto que conviene no olvidar. Así como una recesión (o una inflación) se transmite internacionalmente y con ello algunos de sus efectos se reducen en el país que la inició, igualmente las *medidas económicas* se diluyen internacionalmente.

Las medidas expansivas en un país aumentarán su renta interna, parte de la cual se empleará en la compra de importaciones, con lo que aumentarán las rentas de otros países. Por lo tanto, las inyecciones de gastos internos tienen que ser *mayores,* para un determinado aumento del PNB interior, de lo que hubiera sido necesario en el caso de una economía cerrada. Por el contrario, en el caso de una economía abierta, las rentas de otros países reciben un impulso de actividad.

RECAPITULACIÓN 35.2. *La balanza de pagos puede influir sobre el nivel de la actividad interna, pues las importaciones son una detracción y las exportaciones una inyección. El aumento de las exportaciones, mejorando la balanza de pagos, impulsará a la economía, mientras que un empeoramiento de la posición de la balanza de pagos la frenará. Como la actividad afecta a la balanza de pagos y la balanza de pagos afecta a la actividad, hay cierta transmisión internacional de la actividad económica. El descenso de la actividad en un país reducirá sus importaciones. Estas son las exportaciones de algún otro país, que por lo tanto sufrirá también un descenso de su actividad. La magnitud de los efectos dependerá de la importancia relativa del comercio exterior en los diversos países.*

35.3. Tipos de cambio y balanza de pagos

Efectos de las variaciones del tipo de cambio sobre la balanza de pagos

Utilizamos en el capítulo anterior un modelo muy simple de tipos de cambio flexibles, en el que el tipo de cambio variaba de manera que se equilibrasen la demanda de moneda extranjera (importaciones más otras compras en el extranjero) y la oferta de moneda de los países extranjeros (exportaciones más otras ventas al extranjero). En estas circunstancias, la balanza de pagos, tal como se mide convencionalmente, arrojaba siempre un saldo igual a cero.

Por varias razones, ni la práctica internacional más perfecta con tipos de cambio flexibles reaccionaría nunca de modo tan completo e inmediato. Seguirían registrándose movimientos de las reservas de divisas, con lo que el saldo de la balanza de pagos *fluctuaría* alrededor de cero.

Revisiones de los tipos de cambio

Los acuerdos internacionales hoy vigentes no significan unos tipos de cambio flexibles. Aunque éstos han sido defendidos por algunos economistas, han sido rechazados por quienes intervienen profesionalmente en los pagos internacionales. El mundo está en un régimen de tipos de cambio fijos, en el que cada país ha registrado un tipo en el Fondo Monetario Internacional y se ha comprometido a mantenerlo excepto en circunstancias especiales.

Con todo, los tipos de cambio no son absolutamente fijos, porque no pasan muchos años sin que surjan «circunstancias especiales». Desde la segunda guerra mundial (a cuyo término fueron establecidas las bases del actual sistema internacional) se han registrado varias revisiones considerables de los tipos de cambio de muchas monedas importantes, y muchas revisiones en países de monedas sin importancia. La más reciente de aquéllas fue la que modificó, al final de 1971, el tipo de cambio del dólar en relación con el oro, modificándose los tipos de cambio respecto al dólar de todas las monedas importantes. Pasemos ahora a examinar el efecto de una revisión del tipo de cambio de un país.

Devaluación y balanza de pagos

Consideremos el efecto de una *devaluación,* es decir, de una reducción del valor de la moneda de un país en relación con las demás monedas. Supongamos que con un dólar se podían comprar inicialmente 4 marcos alemanes y que se modifica este tipo, pasando el dólar a valer solamente 3,25 marcos. Como con un dólar se pueden comprar ahora *menos* marcos que antes, decimos que el dólar ha sido devaluado. Podríamos decir también que el marco se ha *revaluado,* pues su valor expresado en dólares ha aumentado. Si hubiera solamente dos países, Estados Unidos y Alemania, el efecto sería el mismo cualquiera que fuese el país que inició la variación, pero hablaríamos de devaluación norteamericana si fue Estados Unidos el país que tomó la iniciativa, y de revaluación alemana si fue Alemania. Si existen otras monedas (u oro), la variación se denominará devaluación de la moneda de los Estados Unidos o revaluación de la moneda de Alemania (o una combinación de ambas), según sean las variaciones con respecto al oro o a las demás monedas.

Nos limitaremos a un mundo compuesto por los Estados Unidos y Alemania, y observaremos la variación del tipo de cambio desde la perspectiva de los Estados Unidos, que consideraremos ha devaluado su moneda. Ahora bien, el precio de los productos norteamericanos se fija en dólares y el de los productos alemanes en marcos. Un avión americano que se vende por 1 millón de dólares habría costado en Alemania 4 millones de marcos antes de la devaluación y solamente 3,25 millones de marcos después de ella: *la devaluación abarata en el extranjero las exportaciones del país que devalúa.* En sentido contrario, un automóvil alemán que se vende por 8.000

──────── Cápsula suplementaria 35.2 ───────────────────────

MITOLOGIA DE LA DEVALUACION

En los últimos meses de 1971, el presidente Nixon dejó perfectamente claro que el dólar no iba a ser devaluado. Simultáneamente, el Banco del Japón estaba interviniendo activamente en el mercado japonés de divisas para sostener el dólar y evitar que disminuyera su valor con respecto al yen: *no* porque Japón estuviera tratando de ayudar a los Estados Unidos, sino para evitar la *revaluación* del yen. ¿No resulta extraño que los Estados Unidos actuaran como si la devaluación del dólar fuera una especie de desastre, mientras que Japón obraba como si la revaluación del yen fuera también un desastre? Si disminuir el valor de la moneda propia en relación con las otras es malo, aumentarlo debería ser bueno, y viceversa.

En esta situación de 1971 fueron los japoneses quienes mostraron un mejor sentido de su propia conveniencia: se opusieron a la revaluación porque ésta significaba un aumento de los precios de los productos japoneses en los Estados Unidos, con la correspondiente pérdida de ventas en su mayor mercado exterior. Por el contrario, Estados Unidos estaba sufriendo un tremendo déficit de la balanza de pagos que amenazaba seriamente sus reservas de oro y divisas, unido a un elevado desempleo justamente en las industrias más sujetas a la competencia exterior: un ejemplo clásico en el que la devaluación produce ventajas tanto en el plano internacional como en el interior. En gran parte, la resistencia norteamericana a la devaluación era sencillamente una cuestión de orgullo nacional, basado en la mitología: que la devaluación de la moneda nacional respecto a otras monedas (incluyendo el oro) es algo así como perder una guerra, que ningún presidente querría ser el primero en sufrir. El hombre de la calle, que en ningún caso podría cambiar sus dólares por oro, fue de algún modo inducido a creer que el dólar sería menos «sólido» si fuera devaluado.

Con todo, se presentaban complicaciones al modificar el tipo de cambio del dólar que no existían ante una modificación del tipo del yen, especialmente en lo referente al tipo de cambio entre el dólar y el oro. En 1971 las reservas de divisas internacionales de todo el mundo se componían todavía de dólares y oro principalmente. El precio del oro en dólares —35 dólares la onza— no se había alterado desde la década de 1930, y estas dos formas de dinero eran fuertemente sustitutivas. Al principio, los Estados Unidos habían mantenido su disposición a cambiar dólares por oro (aunque sólo los dólares en poder de los bancos centrales extranjeros), pero no hubieran tenido suficiente cobertura para pagar en oro todos los dólares a la vez. La devaluación del dólar frente al oro significaba que los países «buenos», que habían mantenido en dólares una fuerte proporción de sus reservas, saldrían perdiendo en comparación con los países «malos» (como Francia) que no habían cesado de cambiar por oro sus dólares. Se afirmaba también que la *primera* devaluación del dólar bastaría para convencer a los extranjeros de que el hecho podría repetirse: y los países serían reacios a mantener reservas en una forma de dinero que podía perder valor con respecto a otras monedas.

Al final, el dólar *fue* devaluado respecto al yen (y a la mayoría de las principales monedas) con un compromiso internacional por el cual Estados Unidos devaluaba algo respecto al oro mientras que otros países revaluaban también algo respecto al oro, llegándose así a una devaluación del dólar frente al oro menor que frente a las otras monedas.

marcos habría costado en los Estados Unidos 2.000 dólares antes
de la devaluación y 2.460 dólares (8.000 : 3,25) después de ella:
la devaluación encarece las importaciones en el país que devalúa.

Por lo tanto, las exportaciones norteamericanas se han abaratado en el extranjero, con lo que es de esperar que se exportará una
mayor cantidad de bienes norteamericanos, mientras que las importaciones se han encarecido en los Estados Unidos, con lo que
es de esperar que disminuirán. ¿Mejorará con todo esto la balanza
de pagos? No necesariamente, porque sólo hemos considerado las
variaciones de las cantidades.

Importancia de la elasticidad

Consideremos los ingresos norteamericanos procedentes de las
exportaciones, expresados en marcos, en comparación con los marcos que los Estados Unidos tienen que pagar por sus importaciones.
Como este país está importando menos productos alemanes y el
precio de éstos en marcos se supone que no ha variado, la cantidad
de marcos que se necesitan para las importaciones ha disminuido
evidentemente a consecuencia de la devaluación. ¿Qué ocurre con
sus ingresos de marcos? Estados Unidos está vendiendo *más* bienes
a Alemania, pero cada unidad de estos bienes se vende por *menos*
marcos que antes. Los ingresos totales en marcos aumentarán solamente si la reducción de los marcos percibidos por unidad de producto es más que compensada por el aumento de las cantidades
exportadas. Esto dependerá de *la elasticidad de demanda de los
productos norteamericanos en el extranjero* (las elasticidades se es-
tudiaron en el capítulo 5), y los ingresos en marcos aumentarán si
la elasticidad es suficientemente elevada. Se suele suponer que las
elasticidades son suficientemente altas, por lo que podemos hacer
la afirmación siguiente respecto a la devaluación.

*La posición de la balanza de pagos de un país suele mejorar
(aunque no siempre mejora) con la devaluación.*

Obsérvese que los efectos en Alemania serán opuestos a los que
se manifiestan en los Estados Unidos. El marco alemán se ha revaluado en relación al dólar, lo que «empeora» la posición de la balanza de pagos de Alemania. Pero como la justificación de la devaluación del dólar con respecto al marco estaría en que los Estados
Unidos tenían un déficit y Alemania un superávit en sus respectivas balanzas de pagos, la devaluación llevaría a *ambos* países a una
situación más próxima al equilibrio de sus balanzas de pagos.

RECAPITULACIÓN 35.3. *Con los actuales acuerdos monetarios
mundiales, los tipos de cambio son fundamentalmente fijos, pero
se revisan de vez en cuando. La moneda de un país se ha devaluado
si con una unidad de la misma puede comprarse menos moneda*

*extranjera que antes. En general, aunque no de modo invariable,
la devaluación mejorará la balanza de pagos de un país, pues sus
exportaciones se abaratarán en el extranjero y sus importaciones
se encarecerán en el interior del país.*

35.4. Política macroeconómica en una economía abierta

*Cómo pueden influir en la política macroeconómica
las consideraciones sobre la balanza de pagos*

Los problemas generales que se plantean cuando se pretende alcanzar, o mantener, el pleno empleo y es inadecuado el nivel de la
inversión o el de otros gastos del sector privado, se agravan en una
economía abierta, a consecuencia de los efectos que acabamos de
analizar.

Gran parte de ello depende de la sensibilidad de la balanza de
pagos al nivel de la renta interna, así como de la situación inicial
de la balanza de pagos y de las reservas de divisas.

Combinaciones de problemas

Quizás la peor situación en que puede encontrarse un país sea
la de una recesión profunda con un gran déficit de su balanza de
pagos y unas reservas internacionales muy escasas. No pueden utilizarse en este caso las medidas macroeconómicas normales contra
la recesión porque empeorarían el déficit de la balanza de pagos
y agotarían las últimas reservas. Podría remediarse el déficit con
una reducción mayor de los niveles de renta, pero esto empeoraría
todavía más la recesión. Sería éste un caso de *devaluación* (reducción del precio de la moneda del país respecto a las de los demás
países), que en general puede esperarse que corrija el déficit si se
aplica con la intensidad adecuada. La eliminación del déficit ejercerá por sí misma un efecto expansivo sobre la economía. Como
una nueva expansión, llevada a cabo, por ejemplo, mediante la política fiscal, provocaría nuevos efectos adversos sobre la balanza de
pagos, la devaluación debería ser lo suficientemente amplia para
obtenerse de ella el equilibrio de los pagos internacionales con una
renta de *pleno empleo* y no simplemente al nivel de depresión inicial.

La recesión en condiciones de *superávit* de la balanza de pagos
plantea pocos problemas de política económica. Una política expansiva reducirá el desempleo y a la vez acercará la balanza de pagos
al equilibrio. La combinación de inflación y déficit tampoco es con-
flictiva. Una política restrictiva desarrollada por métodos monetarios o fiscales movilizará tanto el nivel de actividad interna de la
economía como la balanza de pagos en la dirección deseada.

La combinación de inflación con superávit plantea más problemas al resto del mundo que al país donde se presenta. Una política restrictiva amortiguará la inflación, pero aumentará el superávit. Los países con superávit raras veces se sienten obligados a corregir la situación de su balanza de pagos, pues están acumulando activos (divisas) que tienen un valor potencial futuro. Pero todo superávit implica los correspondientes déficits en otros países, por lo que una política antiinflacionista en aquel país aumentará los déficits de *otros países*. Estos ejercerán fuertes presiones para que el país en cuestión ponga en práctica una *revaluación* (aumento del valor) de su moneda, en lugar de tomar ellos medidas restrictivas fiscales o monetarias: este fue el caso de Alemania occidental en 1969. La revaluación actúa de forma opuesta a la devaluación, reduciendo el superávit y amortiguando la actividad económica.

Interdependencia internacional

Debido a los efectos de transmisión internacional de los niveles de actividad, a todo país le conviene que *los demás* mantengan un elevado nivel de empleo, unos precios estables y una balanza de pagos en equilibrio. La política contra la recesión será más fácil para cada país si los demás países siguen las políticas correspondientes, en especial si existen conexiones estrechas.

Más aún, es difícil que países con fuertes relaciones entre sí empleen *medios* radicalmente distintos para alcanzar objetivos similares de política económica. Supongamos que tanto América como Europa viven una inflación. Europa se propone como remedio el empleo de la política monetaria, aumentando fuertemente los tipos de interés. América, que no quiere frenar la inversión en viviendas, mantiene bajos los tipos de interés pero aumenta los impuestos. En ausencia de controles directos, habrá un flujo masivo de capitales de América a Europa. Este hecho contribuirá a mantener el elevado nivel de gasto en Europa, que las medidas adoptadas por este continente tratan de disminuir, y reducirá los recursos financieros para la construcción de viviendas que América está tratando de sostener.

RECAPITULACIÓN 35.4. *Como el nivel de la actividad económica influye sobre la balanza de pagos, la política macroeconómica tiene que tener en cuenta estos efectos. Esta circunstancia puede o no presentar problemas importantes. Si la economía está en una depresión y la balanza de pagos en déficit, una política de impulsión mejorará el nivel de actividad, pero empeorará la balanza de pagos. Ahora bien, si la economía está en depresión pero con superávit, la política expansiva reducirá el desempleo y el superávit. Análogamente, la inflación con déficit no crea ningún conflicto importante de política económica, pero sí lo causa la inflación con superávit.*

──────── **Cápsula suplementaria 35.3** ────────────────────────────

¿PODEMOS DIVIDIR LA RESPONSABILIDAD DE LA POLITICA ECONOMICA?

Todo nuestro análisis nos dice que la política económica es un conjunto de decisiones muy interdependientes, y que la política interna afectará a las relaciones económicas internacionales, así como los acontecimientos internacionales afectarán a la política interna. Por lo tanto, la lógica directa nos lleva a concluir que debería existir un nivel de decisión en el que la política económica se considerase como un todo, en el que se examinasen las posibles repercusiones de cada medida fuera del área de su objetivo principal y se juzgase el paquete de medidas por su efecto total sobre la economía en sus diversos aspectos.

Es indudable que si se contara con unos políticos sin fallos humanos, unos datos perfectos y un buen análisis económico, el único paquete de medidas verdaderamente óptimo sería uno que se hubiera considerado en su totalidad y por su impacto total. Pero los políticos son imperfectos, y lo son especialmente en cuanto a su capacidad para asimilar la enorme cantidad de datos que entran en las decisiones económicas de carácter general. Por esta razón, se ha afirmado con frecuencia que un sistema en el que las decisiones de política económica estén divididas —por ejemplo, una autoridad se concentra en la balanza de pagos y otra en el pleno empleo interior— posiblemente no sea óptimo en principio, pero, en un mundo imperfecto, será más seguro en general y más fiable por término medio.

La posición extrema al respecto es la de la «Escuela de Chicago» o «neoliberal», para la cual los únicos decisores fiables son los consumidores, en cuanto a las decisiones sobre sus propios gastos, y los empresarios, en cuanto a las decisiones sobre sus empresas, por lo que debería reducirse a un mínimo absoluto la intervención del Estado por encima de dichas decisiones. No obstante, hemos visto en la Parte III (capítulos 9 a 14) que las divergencias del sistema de mercado libre con respecto al óptimo suelen ser muy grandes. Ahora bien, lo que nos interesa aquí son las posibilidades de una división mucho menos drástica de la responsabilidad política, con un Estado que cuente con un ámbito muy considerable de acción pero que divida la responsabilidad entre sus distintas ramas, cada una de las cuales tenga a su cargo algún instrumento de política y vigile la consecución de algún objetivo económico.

──

35.5. Protección de la autonomía en materia de política económica interna

Cómo conseguir la máxima libertad en la política económica interna sin cerrarse al resto del mundo

Debido a los efectos de la política económica interna sobre la balanza de pagos, y viceversa, los responsables de la política económica en una economía abierta no pueden perseguir objetivos de política económica interna sin tener en cuenta la balanza de pagos. En particular, la política de pleno empleo puede sufrir una seria limitación por consideraciones de balanza de pagos.

¿Cómo puede un país conservar su libertad en materia de política económica interna y mantener a la vez las ganancias potenciales

La división de atribuciones entre la política fiscal y la monetaria se ha considerado a veces como el punto más evidente para un importante reparto de responsabilidad. En los Estados Unidos, como en la mayoría de los países, la política monetaria está bajo el control de un banco central o de un organismo semiautónomo (como el Sistema de la Reserva Federal en los Estados Unidos), mientras que la política fiscal está bajo el control del gobierno propiamente dicho. Como ya están en distintas manos estos dos conjuntos de instrumentos de política económica, ¿por qué no formalizar la división diciendo al banco central que oriente la política monetaria hacia el fin de mantener el equilibrio de la balanza de pagos (por ejemplo) y no se preocupe del pleno empleo o la inflación, mientras que se dan instrucciones al Ministerio de Hacienda para que la política fiscal se dirija a mantener el pleno empleo sin preocuparse de la balanza de pagos? En este caso cada unidad de decisión tendrá un objetivo sencillo y claro.

En los modelos económicos simples se puede demostrar que este tipo de división de responsabilidades funciona, en el sentido de que si los dos únicos objetivos de la política económica son el pleno empleo y el equilibrio de la balanza de pagos, ambos se pueden alcanzar con un sistema de responsabilidad dividida; aunque no necesariamente con tanta rapidez como bajo una política económica de control centralizado. El problema fundamental es el de la *asignación* de objetivos: ¿debe la autoridad monetaria cuidar de la balanza de pagos y la autoridad fiscal preocuparse del pleno empleo, o debe la autoridad monetaria cuidar del pleno empleo y la autoridad fiscal encargarse de la balanza de pagos?

Por desgracia, la atractiva sencillez de este esquema comienza a desvanecerse en cuanto añadimos más objetivos y más instrumentos al sistema. Necesitamos para cada objetivo de política económica un instrumento no requerido para otros objetivos, y objetivos tales como una mejor distribución de la renta y el freno a la inflación no pueden asociarse fácilmente con un único instrumento de política económica. No obstante, el problema de la división de la política económica atraerá probablemente una considerable atención en el futuro.

---

derivadas del comercio exterior? Siempre podrá aislarse renunciando al comercio exterior y encerrándose dentro de una muralla de aranceles prohibitivos. Con esto perderá las ventajas derivadas del comercio; pero ocurre además que a la mayor parte de las economías les es *esencial,* en cierta medida, el comercio internacional, puesto que existen bienes que no pueden ser producidos en absoluto en el país, sencillamente por falta de recursos naturales, o capital, o fuerza laboral especializados. Por lo tanto, no consideraremos deseable ni posible la autonomía económica completa.

Importancia de las reservas

Con tipos de cambio fijos, el país tiene una mayor libertad en su política económica interna, y son menos *peligrosos* los períodos de déficit de la balanza de pagos. Ahora bien, el problema final de los déficits está sencillamente en que agotan las reservas de divisas. Cuanto menores sean las reservas iniciales, menos posibilidades de sostener una serie de déficits de la balanza de pagos tendrá el país.

Cuanto mayores sean las reservas exteriores de un país en relación con el volumen de su balanza de pagos, menos peligroso será un período de déficit y más libertad tendrá en su política económica interna.

La mayor ventaja que un país obtiene de la posesión de grandes reservas internacionales es la libertad que recibe para el ejercicio de su política económica interna. Esta consideración tuvo mucho peso cuando al final de la segunda guerra mundial se crearon las instituciones monetarias internacionales bajo las cuales operan todavía los pagos internacionales. El principal objetivo del *Fondo Monetario Internacional* (FMI) fue el de proporcionar mayor *liquidez internacional,* es decir, el aumentar las reservas de divisas, o sus equivalentes, de los países miembros, a fin de evitar que estos países, con el solo propósito de corregir posiciones de déficit *temporales* de la balanza de pagos, se vieran obligados a adoptar medidas internas indeseables.

Combinaciones de medidas económicas

Otro modo de intentar disminuir las posibles limitaciones de la política económica interna creadas por la balanza de pagos es el empleo de un *paquete de medidas económicas* adecuado, como se analizó en el capítulo 32. Como ya hemos visto, una política macroeconómica restrictiva corregirá un déficit de la balanza de pagos, pero deprime la actividad económica en el interior. Sin embargo, una combinación de medidas macroeconómicas internas y variaciones del tipo de cambio puede influir simultáneamente sobre la economía interna y sobre la balanza de pagos.

Si se quieren alcanzar por separado dos objetivos tales como el pleno empleo interior y el equilibrio de la balanza de pagos, no se pueden, en general y por las razones señaladas antes, alcanzar *los dos* con una *sola* medida de política económica. Se requerirá una combinación adecuada de medidas.

En algunos casos, un paquete monetario-fiscal puede ser mejor que una sola política, fiscal o monetaria. Una y otra afectarán al nivel de la actividad interna y a la balanza de pagos, pero en distintas proporciones. Y por medio de una combinación de ambas puede alcanzarse la proporción adecuada.

Uno de los argumentos más fuertes a favor de los *tipos de cambio flexibles* es que deben proporcionar mayor autonomía a la política económica interna que los tipos de cambio fijos. La balanza de pagos deja de ser un factor crítico, pero las continuas variaciones de la relación de cambio con las monedas extranjeras en una misma dirección (por ejemplo, descendente), pueden plantear también graves problemas. El aislamiento nunca es completo, pues la modificación de los tipos de cambio afecta a los precios relativos de los bienes producidos en el país y los importados. Una baja del tipo de cambio exterior tenderá a ser en cierta medida inflacionista y un alza será hasta cierto punto desinflacionista.

RECAPITULACIÓN 35.5. *Un país estará, en su política económica interior, menos limitado por consideraciones de la balanza de pagos si cuenta con grandes reservas, que le permitan sostener un déficit en caso necesario. A falta de grandes reservas, pueden alcanzarse los objetivos internos sin provocar una crisis de la balanza de pagos eligiendo un paquete adecuado de medidas económicas. Probablemente, los tipos de cambio flexibles conceden una mayor autonomía a la política económica interna que los tipos fijos.*

35.6. Crecimiento y desarrollo en una economía abierta

Los problemas específicos de la balanza de pagos de los países en desarrollo

Como vimos en el capítulo 24, el crecimiento, en una economía cerrada, está determinado por la tasa de cambio tecnológico y la tasa de acumulación de capital. Como el propio cambio tecnológico depende en gran medida de la instalación de nuevos tipos de capital, el principal determinante del crecimiento es la tasa de acumulación de capital, que está limitada principalmente por la tasa de ahorro.

En una economía abierta, y economías abiertas lo son muchos de los países más pobres, aparecen además otras limitaciones a la tasa de crecimiento y al desarrollo. Al propio tiempo, el hecho de que una economía sea abierta proporciona también ventajas potenciales.

Consideremos el caso de un país menos desarrollado (al que llamaremos PMD), con poca industria y un plan de desarrollo económico basado en un fuerte aumento de su tasa de acumulación de capital, especialmente en la industria manufacturera. Podemos suponer que su comercio exterior está inicialmente equilibrado y que sus principales exportaciones son productos agrícolas o mineros.

Para aumentar la tasa de acumulación de capital a partir de sus recursos internos, el país tendrá que aumentar su tasa de ahorro. Para un país pobre, cuyos niveles medios de consumo están muy por debajo de lo que en un país rico se consideraría nivel de pobreza, el aumento del ahorro —que significa la disminución del consumo— no es una tarea fácil, pero supondremos que se ha conseguido. Con todo, éste no es más que el primero de los problemas del PMD.

Equipo de capital

Como el PMD tiene poca o ninguna industria, el equipo de capital que de hecho necesita para aumentar su stock de capital no puede ser producido dentro del país, y tiene que ser importado. Partimos de suponer que el comercio exterior estaba en equilibrio antes de iniciarse el plan de desarrollo, por lo que el aumento de la tasa de acumulación de capital y, por lo tanto, de las importaciones de equipo de capital, solamente podrá alcanzarse por uno o varios de los métodos siguientes:

1) un aumento de las exportaciones suficiente para pagar el capital;

2) incurriendo en un déficit de la balanza de pagos y gastando oro, divisas y otras reservas internacionales;

3) consiguiendo entradas de fondos del exterior en forma de donaciones (ayuda exterior) o de préstamos de gobiernos o inversores privados extranjeros.

El segundo de estos métodos, gastar las reservas, es posible sólo a corto plazo y en circunstancias especiales. Ciertos países menos desarrollados (por ejemplo, Ghana y Malasia) iniciaron su existencia independiente con grandes reservas internacionales acumuladas en el pasado y pudieron emplearlas para sus objetivos de desarrollo. Pero la mayor parte de los países pobres no han contado nunca con grandes reservas.

La ayuda exterior directa, si no lleva consigo ningún compromiso expreso o tácito de devolución, no origina la necesidad de aumentar las exportaciones. En realidad, el nuevo equipo de capital es en este caso una *donación* directa, que representa una transferencia de un país a otro.

Necesidad de aumentar las exportaciones

En todos los demás casos se requiere el aumento de las exportaciones, inmediato o futuro, como una condición previa para el desarrollo. Si el capital importado tiene que ser financiado directamente por las exportaciones, está clara la necesidad de aumentar éstas inmediatamente. Si el capital se financia mediante algún tipo de préstamo exterior, existe un compromiso de aumentarlas en el *futuro,* aunque no será necesario ningún aumento inmediato. La razón es que un préstamo obliga al pago futuro de intereses —que sólo se aceptará en dinero internacional o en la moneda del país que hizo el préstamo— y a la futura devolución final del préstamo,

también en moneda extranjera. El aumento de las exportaciones
será imprescindible para obtener la moneda extranjera necesaria en
el futuro.

La doble limitación

El país en desarrollo se verá frenado en dos direcciones a consecuencia de su necesidad de equipo de capital extranjero. La limitación inmediata es el volumen disponible de financiación exterior,
tanto en ayuda como en préstamos, volumen que normalmente será
limitado. Esta limitación llegará a tener más importancia que la del
ahorro interno. El PMD puede, por ejemplo, ahorrar 10.000 millones de pesetas anuales, cifra que permitiría una inversión de
10.000 millones de pesetas si todo el equipo pudiera producirse en
el país, pero solamente puede financiar una importación de 5.000
millones anuales. Por lo tanto, la tasa de acumulación de capital
que puede alcanzar será menor que la tasa de ahorro, excepto si los
5.000 millones de excedente del ahorro interno pueden emplearse
en la producción de capital sencillo (por ejemplo, carreteras cons-
truidas por procedimientos manuales) que no exige importaciones.

Pero existirá una segunda limitación, incluso si pudiesen obtenerse préstamos que cubrieran todo el capital que el PMD está en
condiciones de financiar con su ahorro. A consecuencia del compromiso de aumentar las exportaciones futuras, el capital tiene que ser
empleado, al menos en parte, en el desarrollo de industrias de *exportación* y no en el de las productoras de bienes para el interior.
Podemos modificar algo esta afirmación: si el capital se emplea
para producir bienes que *ahorran importaciones,* es tan válido como
si se producen bienes de exportación. Una producción interna de
1.000 millones de pesetas que sustituye a una importación de esa
misma cantidad es tan útil para la balanza de pagos como un aumento de 1.000 millones de pesetas en las exportaciones. En cualquiera de los dos casos, el cambio de *estructura* de la economía en
desarrollo está limitado por la necesidad de crear los medios para
pagar en el futuro los intereses y la devolución del préstamo.

¿Significa esto que el comercio exterior es *nocivo* para los países en desarrollo? De ninguna manera, pues todo el problema surge de suponerse que el equipo necesario para el desarrollo *sólo* se
puede obtener en el extranjero. Sin comercio exterior, el país no
podría desarrollarse *en absoluto.* En la realidad, las opciones no se
presentan tan claras. Quizás el PMD pueda producir equipo en el
interior del país, pero solamente si emplea para ello muchos más
recursos que los que necesitaría para producir exportaciones con
las que pagar el mismo equipo.

RECAPITULACIÓN 35.6. *Un país en desarrollo necesita una acumulación de capital. Si su industria es insuficiente para fabricar*

dentro del país el equipo de capital, éste tendrá que ser importado. El crecimiento puede verse limitado por la necesidad de exportaciones para financiar el equipo importado, tanto o más que por el nivel de ahorro del país. La ayuda exterior en forma de donaciones reducirá o eliminará esta limitación, pero los préstamos del exterior exigen un aumento futuro de las exportaciones para financiar el reembolso.

35.7. Política distributiva internacional

Nota sobre la distribución internacional de la renta

Considerando el mundo en su conjunto, la distribución de la renta es hasta tal punto desigual que, si se diera *dentro* de cualquier país, precipitaría una revolución instantánea. Incluso la renta real *mínima* garantizada en los Estados Unidos (que representa una acción de beneficencia) está muy por encima del nivel de las rentas reales de casi todos los habitantes del mundo que viven fuera de América del Norte, Europa y Japón. Esto continúa siendo prácticamente cierto aun después de realizadas todas las correcciones de las estadísticas normales (PNB real per cápita) que pueden estar justificadas.

Con anterioridad a la segunda guerra mundial, apenas si se prestó atención alguna al problema de la distribución internacional de la renta, pero después se ha dedicado a este tema una considerable atención (y alguna acción práctica).

Distribución de los recursos, no de las rentas

Dada la fantástica desigualdad de la distribución y el hecho de que la unidad política es el país y no el mundo, la política distributiva internacional se reduce principalmente a los problemas de distribuir los *medios para aumentar las rentas* de los países pobres, sin ocuparse, al menos directamente, de la redistribución de la propiamente dicha *renta mundial*. Como una redistribución solamente puede tener lugar si se induce a los países ricos a ayudar voluntariamente a los pobres, será muy limitada y dependerá estrechamente de la insistencia en los argumentos que afirman que la ayuda beneficia a los países donantes.

Los países obtienen unos bienes produciéndolos directamente, y otros produciendo exportaciones e intercambiándolas por bienes de importación. La importancia relativa de la producción interior frente al comercio exterior varía muchísimo de unos países a otros. Si aceptamos medirla por el cociente de dividir la importación total por el PNB, obtenemos valores que van del 72 por 100 para Trinidad y Tobago (Indias occidentales) y el 82 por 100 en Luxemburgo, a sólo el 5 por 100 en los Estados Unidos y el 1 por 100 en la Unión Soviética.

Relación real de intercambio

En los países con un comercio exterior importante —como muchos de los países menos desarrollados— la renta real está determinada en buena medida por la productividad de las industrias de exportación y por *la relación real de intercambio,* o cantidad de bienes importados que se obtienen por unidad de bienes exportados.

Las exportaciones típicas de los países menos desarrollados se componen de productos agrarios, materias primas o manufacturas sencillas, y entre sus importaciones están los productos industriales más complejos. Por lo tanto, la distribución de la renta entre los países más ricos y los más pobres está influida por la relación real de intercambio (precios relativos) entre las manufacturas técnicamente avanzadas y las materias primas o las manufacturas sencillas. En la medida en que esta relación real de intercambio ha sido influida por decisiones políticas, lo ha sido normalmente en desventaja de los países más pobres.

Un grupo de propuestas para llevar a cabo una cierta redistribución a favor de los países más pobres se pueden condensar en el *slogan*: «comercio, no ayuda». Según éstas, los países ricos deben conceder un trato especialmente favorable a las importaciones procedentes de los países más pobres, o a las importaciones que son típicas de los países más pobres. Con todo, tales propuestas ofrecen una redistribución desigual, pues sus efectos favorecerían más a los países que más comercian. De todas formas, suponen un argumento auxiliar importante contra las tendencias de los países ricos (entre ellos los Estados Unidos) a elevar los aranceles de las manufacturas sencillas, como los productos textiles, que se producen principalmente en los países más pobres.

Ayuda exterior

La mayoría de los intentos para mejorar la distribución mundial han atacado el problema en otros terrenos, concentrándose en la elevación del nivel tecnológico y del stock de capital de los países más pobres. Los programas típicos de *ayuda exterior* de los países más ricos —a la cabeza de los cuales están los Estados Unidos, Gran Bretaña, Francia, Alemania, Japón, Bélgica, Italia, Holanda, Canadá y Australia— se componen de donaciones directas o préstamos a bajo tipo de interés para proyectos de capital, acompañados de asistencia técnica.

Los programas nacionales de ayuda exterior no se basan en una política concertada que contemple el problema de la distribución mundial. Gran parte de la ayuda exterior va a antiguas colonias o semicolonias o a países en los que el donante tiene interés estratégico o político. El fracaso de la ayuda exterior en la consecución de ciertos objetivos políticos («comprar amigos») ha conducido a su incapacidad para aumentar a medida que crece la economía mundial.

La ayuda de los Estados Unidos en «donaciones» (sin contar los préstamos) se elevó de poco menos de 2.000 millones de dólares en 1960 a poco más de 2.000 millones en 1969, pero descendió, respecto al PNB de los Estados Unidos, entre las mismas fechas, de 0,4 céntimos por dólar de PNB a menos de 0,25. En su punto máximo, tres años después de la segunda guerra mundial, había alcanzado los 2,0 céntimos por dólar de PNB. La evolución de los préstamos en condiciones de favor, para el desarrollo, ha sido similar. Aunque los Estados Unidos siguen siendo el país que aporta el mayor volumen total de ayuda exterior, ocupa actualmente un lugar bastante bajo en la lista de países si se los clasifica según su ayuda en proporción a su PNB.

Programas multilaterales

A fin de evitar la relación de dependencia inherente a la ayuda directa de un determinado país rico a un determinado país pobre, ha habido una fuerte presión sobre los países ricos para que la ayuda se distribuyese sobre una base *multilateral*. La ayuda multilateral implica que los países ricos aportan una ayuda, de acuerdo con algún criterio como la renta per cápita, a una «caja» internacional, para su distribución entre los países pobres de acuerdo con sus necesidades o el alcance de sus proyectos de desarrollo. La ayuda que llega a cada país concreto la determina un organismo internacional y no uno de los países ricos, y la fuente de la ayuda no puede identificarse de modo específico con ningún donante determinado. Esta idea multilateral tiene cada día más aceptación, pero aún no se opera con este criterio.

Tras la segunda guerra mundial funciona un sistema multilateral restringido, que aporta ayuda en forma de préstamos más que de donativos, a través del Banco Internacional de Reconstrucción y Fomento (BIRF). El BIRF obtiene recursos de la venta de los bonos que emite con la garantía conjunta de sus países miembros (la mayoría de los países pertenecen a él, así como al FMI), y presta sumas para proyectos específicos de desarrollo en los países menos desarrollados. La función del BIRF es obtener fondos, utilizando como garantía básica los países ricos, en condiciones más favorables que las que podrían obtener los países pobres si intentaran directamente el préstamo.

Considerados en conjunto toda la ayuda exterior y los demás sistemas distributivos internacionales existentes, no redistribuyen más que una fracción minúscula de la renta de los países ricos; como lo reflejan las cifras antes mencionadas de la ayuda de los

Estados Unidos al compararlas con el PNB de ese mismo país. Podríamos señalar que los gastos militares mundiales alcanzaron en 1967 la cifra de 181.000 millones de dólares: más de 50 dólares por cada ·habitante del mundo. Esta cantidad es más de la mitad del PNB per cápita de los países muy pobres, como Indonesia y Tanzania, y el 10 por 100 del de un PMD de tipo medio, como México.

RECAPITULACIÓN 35.7. *La desigualdad de las rentas es mucho mayor entre los distintos países que dentro de la mayoría de ellos. Aunque existen algunas medidas, como el tratamiento arancelario favorable a los países pobres, que aumentan directamente las rentas de los países pobres en comparación con las de los ricos, la mayor parte de la política distributiva internacional se basa en proporcionar recursos a los países pobres para su desarrollo. La ayuda exterior es una donación de los países ricos a los países pobres, y los préstamos a bajo tipo de interés también llevan un componente de donación. La ayuda típica va en forma de equipo de capital, y representa una proporción muy pequeña del PNB de los países donantes.*

RESÚMENES DE LAS SECCIONES. *Para repasar el contenido de este capítulo, hojéese el texto y vuélvanse a leer los trozos titulados «Recapitulación», que ponen fin a todas las secciones.*

TÉRMINOS Y CONCEPTOS DEL CAPÍTULO 35

Devaluación.
Revaluación.
Bienes que ahorran importaciones.
Ayuda multilateral.

EJERCICIOS

1. En 1972, la corona noruega se cambiaba por 15 céntimos de dólar. Había valido 14 céntimos de dólar en 1971. ¿Se había devaluado o revaluado la corona respecto al dólar?
2. Por un dólar se obtenían 10 pesos argentinos en 1972, y 25 en 1971. Durante el mismo período, el valor del escudo chileno había pasado de 14 céntimos de dólar (1971) a 27 céntimos (1972). ¿Se había devaluado o revaluado el peso respecto al escudo?
3. Un país obtiene en el exterior un préstamo de capital de 10.000 millones de pesetas, y el aumento de renta generado por

el desarrollo a que ha dado lugar este capital provoca un aumento de las importaciones de 50 millones de pesetas anuales. Si el capital rinde un interés anual del 5 por 100, que ha de pagarse en moneda extranjera, ¿en qué cantidad tendrán que aumentar las exportaciones anuales del país para que la balanza de pagos no empeore a causa del préstamo?

PARA REFLEXIÓN Y DISCUSIÓN

1. La economía canadiense, debido a sus estrechas relaciones con la de los Estados Unidos, se comporta prácticamente igual que ésta en sus variaciones. ¿Deberían tener los responsables de la política económica de los Estados Unidos la obligación de consultar con el Gobierno canadiense?

2. Aunque los Estados Unidos han tenido durante muchos años un déficit en su balanza de pagos, la balanza de pagos es cuestión que apenas se menciona en las discusiones sobre la política económica. En Gran Bretaña, la balanza de pagos es una preocupación permanente incluso a nivel del hombre de la calle. ¿Cuál es la razón de esta diferencia?

3. Dada una suma fija de ayuda exterior potencial de España, ¿la asignaría usted (a) ¿a los países más pobres?, (b) ¿a los países pobres más amigos de España?, (c) ¿a los países con más probabilidades de desarrollarse rápidamente con la ayuda?, (d) ¿la dejaría en casa para dedicar su importe a eliminar suburbios pobres?

4. ¿Por qué los países con superávit en su balanza de pagos suelen adoptar menos acciones correctoras que los países con déficit?

5. Si la base final de la oferta monetaria de un país fueran sus reservas de oro, ¿cuál sería el efecto de un déficit de la balanza de pagos, dentro del guión monetarista?

LECTURAS RECOMENDADAS. *Para los capítulos 33 a 35 (parte IX).*

Kenen, Peter B., y Raymond Lubitz. *International Economics.* Prentice-Hall, 1971.
Findlay, Ronald. *Trade and Specialization.* Penguin Books, 1970 *.
La obra de Kenen y Lubitz cubre tanto la teoría del comercio internacional como la de los acuerdos monetarios internacionales, pero fue escrita antes de la crisis monetaria de 1971. Findlay analiza solamente la teoría del comercio internacional.

* Traducción española: *Comercio y especialización.* Madrid, Alianza Editorial, 1975.

Balassa, Bela (ed.), *Changing Patterns in Foreign Trade and Payments,* W.W. Norton, 1964.

Cooper, R. N. (ed.), *International Finance.* Penguin Books, 1969.

Bhagwati, Jagdish (ed.), *International Trade.* Penguin Books, 1969.

Bhagwati, Jagdish, y R. S. Eckaus (eds.), *Foreign Aid.* Penguin Books, 1970.

Todos estos libros son selecciones de lecturas. Al tiempo de redactarse la versión original del presente libro no existía ninguna fuente disponible que analizara la crisis monetaria de 1971.

Parte X

POLITICA ECONOMICA TOTAL

Esta parte, que comprende solamente el capítulo 36, es un breve análisis de las interrelaciones de la política económica, con ejemplos dirigidos a ilustrar la idea de que los principales problemas económicos llevan normalmente a decisiones que afectan a la vez a diversas áreas de la política económica.

Capítulo 36

PROBLEMAS DE LA POLITICA ECONOMICA TOTAL

36.1. Todas las medidas económicas están interrelacionadas

Por qué todo cambio importante en la política económica, cualquiera que sea su objetivo principal, tiene que ser considerado en el contexto de la política económica total

A efectos de análisis, es cómodo subdividir la política económica en distintas categorías, tales como política microeconómica, política distributiva, política macroeconómica y política internacional. Sin embargo, la economía tiene que contemplarse en último término como un sistema total en el que las medidas clasificadas en una categoría producirán también efectos sobre aspectos de la economía que pueden considerarse dentro de otra categoría.

Un ejemplo

Consideremos una medida sencilla de redistribución que aumente las rentas de los miembros más pobres de la sociedad transfiriéndoles rentas de los miembros más ricos. Estamos ante una medida distributiva «pura», pero podemos esperar que provoque los efectos señalados a continuación.

1) Como la proporción de renta ahorrada tiende a aumentar con el nivel de renta disponible, es de esperar que la redistribución en favor de los pobres desplace la función de consumo de la sociedad de tal modo que aumente la propensión marginal a consumir. El valor del multiplicador simple aumentará, y a cada nivel

total de inyecciones corresponderá ahora un nivel más alto de producción y de renta. Si se mantienen constantes la inversión privada y el gasto público, se registrará una presión ascendente sobre la economía. Si la economía está ya en «pleno empleo», aparecerán tendencias inflacionistas. Las medidas macroeconómicas que mantenían la economía en la situación deseada antes de la redistribución, serán ahora inadecuadas, y se requerirán nuevas medidas, menos expansionistas. Para evitar que se anule la redistribución, su efecto macroeconómico principal —aumento de la demanda para consumo— tiene que ser contrarrestado por una reducción de la inversión, del gasto público o de ambos, con lo que tenderá a disminuir la tasa de crecimiento de la economía.

2) Como las elasticidades de la demanda respecto a la renta varían mucho de unos bienes a otros, la redistribución de rentas en favor de los pobres reducirá la demanda de los bienes consumidos ampliamente por los ricos y aumentará la demanda de los bienes consumidos por los pobres. Disminuirá la demanda de servicios personales, automóviles y vestidos caros, y aumentará la de alimentos, transportes públicos y ropa más sencilla. Variarán los precios relativos de los bienes, las rentabilidades relativas de las diversas industrias y el empleo relativo en las distintas ocupaciones. Estos efectos directos aumentarán por los efectos indirectos provenientes de las influencias macroeconómicas. Las consecuencias macroeconómicas de la redistribución tenderán a originar un descenso de la inversión, que originará a su vez un descenso de la demanda y la producción de bienes de inversión y del empleo en las industrias relacionadas con estos bienes, como la construcción y la fabricación de maquinaria.

3) Se registrarán efectos sobre el comercio internacional y la balanza de pagos, aunque la dirección de estos efectos dependerá de la estructura del comercio exterior del país. En los Estados Unidos, los alimentos proceden principalmente de la producción nacional, pero existe un considerable comercio de importación de artículos de vestir baratos y de otros bienes de consumo cuya demanda aumentaría con la redistribución. La demanda de viajes al extranjero (equivalente a una importación de servicios) puede esperarse que disminuya. Podríamos predecir un cambio de la *estructura* del comercio y los pagos exteriores de los Estados Unidos, pero no es predecible si el efecto neto sobre la balanza de pagos sería adverso o favorable.

Vemos, pues, cómo una medida cuyo objetivo no era otro que cambiar la distribución de la renta puede afectar a la estructura macroeconómica del país, la tasa de crecimiento, los precios y producciones relativos y la estructura del comercio exterior; es decir, acaba por afectar a diferentes aspectos macroeconómicos, microeconómicos e internacionales de la economía tanto como a la distribución de la renta.

Generalidad de las interconexiones

Estas interconexiones actúan en todas las direcciones posibles. Una medida monetaria restrictiva que opere principalmente elevando los tipos de interés y reduciendo los préstamos bancarios tendrá efectos no solamente macroeconómicos, sino también microeconómicos (reduciendo la producción y el empleo en las industrias de bienes de capital, especialmente en la construcción), efectos distributivos (aumentando las rentas en forma de intereses y reduciendo los beneficios y los salarios al contraerse la actividad económica), e incluso efectos internacionales, pues habrá un flujo de fondos procedentes del extranjero para aprovecharse de la elevación del tipo de interés, con lo que mejorará (al menos, temporalmente) la posición de la balanza de pagos. Las grandes medidas microeconómicas, tales como el sostenimiento de los precios agrarios, que cambia la distribución, a favor de los agricultores y en contra de los pobres (pues éstos gastan una mayor proporción de sus rentas en alimentos, los cuales se encarecen a consecuencia de dicha política), afectan a la función de consumo de la sociedad y, a través de la redistribución, a la economía en su conjunto e influyen asimismo sobre el comercio internacional de los productos agrarios.

Medidas secundarias

Existen, naturalmente, medidas secundarias que ocasionan débiles efectos colaterales, para las cuales pueden ignorarse con suficiente margen de seguridad las interconexiones. Un impuesto sobre el consumo de ciertos tipos de gasolina, cuyo objetivo es reducir la contaminación atmosférica, afectará a la demanda de automóviles de alta compresión más que a los de compresión baja, y manifestará una variedad de efectos sobre 'la tecnología del automóvil, el coste del transporte en automóvil y el refino de gasolina, pero no puede esperarse que conduzca a cambios macroeconómicos ni a variaciones importantes en la estructura industrial.

Política económica total

No obstante, todas las grandes medidas económicas deben ser consideradas desde el punto de vista de la *política económica total*. ¿Cuáles serán los efectos sobre la distribución? ¿Cuáles sobre los precios relativos y el empleo? ¿Cuáles sobre la estructura macroeconómica? ¿Cuáles sobre las relaciones internacionales de la economía?

El propósito del presente capítulo es considerar algunos ejemplos escogidos de medidas económicas fundamentales y sus repercusiones sobre los diversos campos de la política económica.

RECAPITULACIÓN 36.1. *Si bien es cómodo clasificar la política económica en diversos tipos —por ejemplo, macroeconómica, microeconómica, distributiva e internacional—, toda medida de política económica está relacionada con otras. Una medida importante de distribución de la renta puede esperarse que afecte a la estructura macroeconómica del país, a la composición de la producción y los precios relativos y probablemente a la estructura de su comercio exterior. Así, toda medida fundamental deberá ser considerada en el contexto de la política económica total.*

36.2. El paso de la guerra a la paz

La transferencia de recursos de los usos de guerra a los usos de paz, con especial referencia a la intervención de los Estados Unidos en Vietnam

Una guerra como la segunda mundial, en la que se comprometen la totalidad de los recursos de los principales participantes, da necesariamente origen a una considerable reestructuración de la economía, y la vuelta a la paz obliga a una segunda reestructuración, incluso para un participante que, como los Estados Unidos, no sufrió ningún daño bélico interior.

No vamos a considerar aquí las grandes transiciones entre guerra y paz como la que exigió la segunda guerra mundial, sino que estudiaremos las transiciones menores tipificadas por la expansión seguida de desaceleración de la economía de los Estados Unidos provocada por la guerra del Vietnam. El caso de la guerra del Vietnam ilustra el problema de la política económica total dentro del funcionamiento normal de la economía.

El caso de la guerra del Vietnam

Como la intervención americana en el Vietnam empezó por desarrollarse gradualmente, no hubo dramáticos cambios de una economía de paz a una economía de guerra como los que tuvieron lugar en las dos guerras mundiales. Los gastos militares totales aumentaron menos del 50 por 100 desde antes de la guerra (1961-1964) hasta el período 1965-69, considerado en su promedio. (En la segunda guerra mundial, el aumento correspondiente había sido del 4.100 por 100 y en la guerra de Corea, el 177 por 100.)

La variación relativamente pequeña en el paso de la situación de «paz» a la de guerra fue debida a los considerables gastos de defensa que ya se habían llevado a cabo antes de verse envueltos en gran escala los Estados Unidos en el Vietnam. En la historia de los ciclos paz-guerra-paz de los Estados Unidos siempre ha existido un marcado «efecto trinquete»: los gastos militares aumentan durante la guerra, pero no caen luego a sus niveles iniciales. Después de la primera guerra mundial, los gastos militares reales (después de ajustarlos con arreglo a las variaciones de los precios) eran el doble que antes del conflicto. Después de la segunda guerra mundial, los gastos militares reales eran seis veces mayores que antes de la guerra, y después de la de Corea eran el doble que antes.

Tomemos 1965 como punto de referencia para estudiar los efectos del conflicto de Vietnam. Los gastos militares totales ascendieron a 47.000 millones de dólares (ligeramente menos que en los tres años precedentes), de los cuales solamente 100 millones se dedicaron al entonces pequeño compromiso en el Vietnam. Los gastos militares en el Vietnam llegaron a 6.000 millones de dólares en 1966 y continuaron aumentando hasta alcanzar su máximo en 1969. Como Vietnam no era la única causa del aumento de los gastos de defensa (la subida de los precios era otra) no puede saberse con certeza qué parte de los gastos debe asignarse directamente a la guerra del Vietnam, pero se han efectuado diversas estimaciones que dan cifras del orden de los 22.000 millones de dólares al llegar a su punto más alto en 1969. En este mismo año, los gastos totales de defensa alcanzaron los 79.000 millones de dólares.

En 1965 se dedicó a defensa en los Estados Unidos el menor porcentaje de la producción total desde el principio de la guerra de Corea en 1950. A pesar de ello, los gastos de defensa representaron el 7,6 por 100 del PNB.

Consideraciones estructurales

El impacto de los gastos de defensa sobre la economía no puede medirse simplemente en términos macroeconómicos como un porcentaje del PNB. El punto esencial de nuestro análisis está en que la defensa *no* absorbe la misma proporción de las distintas producciones que componen el PNB, sino una elevada proporción de algunas y una menor de otras, y que las variaciones del nivel de los gastos de defensa tienen efectos importantes sobre las producciones relativas.

No podemos medir el impacto completo de la defensa (o de cualquier otro tipo determinado de gasto) contemplando simplemente las compras *inmediatas*. Si el Estado adquiere helicópteros para la guerra del Vietnam y después reduce gradualmente el número de helicópteros comprados, habrá, evidentemente, una disminución de la producción y el empleo en la industria productora de helicópteros. Pero los helicópteros emplean muchos elementos de producción: aluminio, acero, material electrónico, motores aeronáuticos, incluso material para tapicería. La reducción de la producción de helicópteros disminuirá también la demanda de estos elementos, cuya producción se reducirá también. Pero las industrias productoras de piezas para helicópteros emplean elementos específicos, cuya producción requiere a su vez otros elementos.

Input-output

Todas las ramificaciones a que dan lugar las vinculaciones existentes entre una industria cualquiera y todas las demás que integran la economía nacional se recogen en las llamadas *Tablas Input-Output*. Una de estas tablas refleja, para cada industria, el valor de los productos de todas las demás industrias directamente necesarios para obtener producto por valor de una unidad monetaria en la industria en cuestión [1].

La tabla 36.1 recoge algunas de las casillas de los medios necesarios en la industria aeronáutica, y está basada en la versión condensada de la Tabla Input-Output para los Estados Unidos. Las cifras iniciales han sido multiplicadas por 100, para representar los medios empleados por cada 100 dólares (en lugar de por cada dólar, para evitar números decimales con varios ceros antes del primer dígito significativo) de producción aeronáutica. Para un producto bruto de 100 dólares, la industria aeronáutica requiere 15,80 dólares de medios de otras empresas de la misma industria, 4,42 dólares de producción de la industria de equipo de comunicaciones, 4,07 dólares de productos de maquinaria mecánica, etcétera. Obsérvese que para producir 100 dólares de aeroplanos parecen requerirse también 1,11 dólares de viajes de negocios y diversiones, ¡casi lo mismo que se gasta en productos de la industria de fabricación de instrumentos!

---

[1] En los Estados Unidos, estos datos son preparados por el Departamento de Comercio, habiéndose publicado en 1969 la última Tabla, que corresponde a las estadísticas industriales recogidas en 1963. La versión completa de la Tabla contiene 370 grupos industriales separados. Como hay casillas para los medios de producción (inputs) necesarios de cada uno de los 370 grupos para las producciones de los 370 grupos, el número total de casillas de la Tabla es de 136.900 (=370×370). Existe una versión condensada, en la que las industrias están agregadas en 83 agrupaciones principales (2.739 casillas), que no es tan exigente en trabajo de ordenador y se emplea cuando la versión completa no es necesaria. El desarrollo de la idea y la aplicación del método input-output en los Estados Unidos procede totalmente de la obra seminal de Wasily Leontief, profesor de Harvard.

Viendo la tabla, podemos hallar la reducción directa de la demanda de todos los medios cuando la producción aeronáutica desciende en un millón de dólares: basta multiplicar todas las cifras por 10.000. Existirá una reducción directa de la demanda de metales no férreos por valor de 40.500 dólares. Pero las cifras

TABLA 36.1

Input-Output, Estados Unidos: Principales medios productivos («inputs») requeridos por la industria aeronáutica

Industria	Valor (en dólares) del producto de la industria correspondiente necesario por cada 100 dólares de producción aeronáutica.
13 Accesorios de armamento	1,45
37 Hierro y acero	2,20
38 Metales no férreos	4,05
41 Metal prensado, etc.	1,36
42 Otros materiales	1,47
47 Maquinaria para trabajar metales	2,18
50 Maquinaria mecánica	4,07
56 Equipo de comunicaciones	4,42
60 Aeronáutica	15,80
62 Instrumentos	1,59
69 Comercio mayorista y minorista	2,02
73 Servicios de empresas	2,23
81 Viajes de negocios y diversiones	1,11
Todo lo demás	12,82
Valor añadido por la industria aeronáutica	43,23
	100,00

Fuente: Departamento de Comercio de los Estados Unidos.

de esta tabla no dan por sí solas todo el impacto de la reducción de la producción de aeroplanos sobre la demanda de metales no férreos, porque varias de las industrias proveedoras de medios de producción para la industria aeronáutica también utilizan metales no férreos entre *sus* medios de producción propios, y cuando disminuya su producción a consecuencia de la reducción de la demanda procedente de la industria aeronáutica, disminuirá a su vez la demanda de metales no férreos para su uso propio. Por lo tanto, la disminución de la demanda de metales no férreos resultante de la contracción de la industria aeronáutica se compondrá de una disminución del empleo *directo* de metales no férreos por la industria aeronáutica, más una disminución del empleo *indirecto* de metales no férreos que son medios productivos para las industrias proveedoras de la industria aeronáutica.

Para hallar el empleo indirecto de metales no férreos en la industria aeronáutica, tomamos cada una de las industrias proveedoras de la industria aeronáutica y buscamos sus casillas en la Tabla input-output para averiguar el valor de los metales no férreos que requiere. Por ejemplo, la industria aeronáutica emplea 40.700 dólares de medios de la industria de maquinaria mecánica por cada millón de dólares de producción aeronáutica. La industria de la maquinaria mecánica requiere, entre otros medios, 4,06 dólares de metales no férreos por cada 100 dólares de producción de maquinaria mecánica, dato que se ha obtenido de una parte de la Tabla input-output no recogida en la tabla 36.1. Por lo tanto, la reducción de 40.700 dólares en la producción de maquinaria mecánica derivada de la reducción de un millón de dólares en la producción aeronáutica ocasionará una disminución de 1.630 dólares en la demanda indirecta de metales no férreos a través de la industria de maquinaria mecánica. Esta reducción tiene que sumarse a los 40.500 dólares de reducción de la demanda directa de metales no férreos por la industria aeronáutica, y tendremos que añadir además las demás reducciones de la demanda indirecta a través de todas las demás industrias, aparte de la de maquinaria mecánica, que son proveedoras de la industria aeronáutica. Todavía hay más ramificaciones, pues algunas de las industrias proveedoras de las industrias que abastecen de medios productivos a las empresas proveedoras de la industria aeronáutica emplearán también metales no férreos, lo que dará lugar a más reducciones.

No obstante, empleando los ordenadores modernos para operar con los datos de input-output, pueden encontrarse todas las necesidades directas e indirectas de todo lo que se emplea en la industria aeronáutica, a través de sus interconexiones, con lo que pueden hallarse los efectos totales de una variación de la producción aeronáutica. Pueden realizarse los cálculos correspondientes para todas las industrias de la economía.

Menús de producción

Una vez realizados dichos cálculos, podemos hallar los efectos, a lo largo de la economía, de un «menú» determinado de gastos de defensa (o de cualquier otro tipo de gastos). Hallamos la demanda total de, por ejemplo, metales no férreos sumando las necesidades directas e indirectas de ellos para todos los productos adquiridos para la defensa nacional, y hacemos lo mismo para todas las demás cosas empleadas en la defensa.

De la misma forma, podemos calcular toda la demanda de *trabajo* (y de tipos específicos de trabajo) utilizando datos sobre el trabajo necesario tanto directa como indirectamente. En los Estados Unidos se estimó sobre esta base, en 1965, que los puestos de trabajo de 5.750.000 personas (8,6 por 100 del empleo total) procedían directa o indirectamente de la defensa. Casi la mitad de los «puestos de trabajo» eran desempeñados por personal militar de las fuerzas armadas. Del empleo civil relacionado con la defensa, 925.000 puestos de trabajo correspondían a empleo directo por el Estado, y 2.101.000 a empleo en la industria privada.

El empleo relacionado con la defensa representó el 3,9 por 100 de toda la ocupación privada, pero no estaba distribuido uniformemente dentro del sector privado. Mientras que solamente el 1 por 100 del empleo agrícola podía ser atribuido a la defensa, el 7,9 por 100 del empleo en la industria manufacturera estaba relacionado con la defensa, así como el 4,7 por 100 del minero y el 2 por 100 del empleo en los servicios: incluidos en éstos los viajes y diversiones necesarios para la industria aeronáutica.

La desigual distribución de los efectos del gasto en defensa sobre industrias, empresas y ocupaciones así como sobre la localización geográfica se traduce en que las actividades relacionadas con la defensa tienen gran importancia para unas y escasa importancia para otras. La denominación *complejo industrial-militar* es un término general para definir el conjunto de actividades económicas —y de intereses oficiales e industriales asociados con esas actividades— en las que la defensa desempeña un papel clave.

Puestos de trabajo relacionados con el Vietnam

El incremento de los gastos de defensa hasta 1969 como consecuencia de la escalada en el Vietnam aumentó la proporción, tanto del PNB como del empleo total, afectada a la defensa. En 1969, aproximadamente uno de cada nueve puestos de trabajo en los Estados Unidos (incluidas las Fuerzas Armadas) estaba relacionado con la defensa. Se calculó que alrededor de 1.400.000 puestos de trabajo se relacionaban específicamente con la guerra del *Vietnam;* es decir, esta última cifra venía a añadirse a las necesidades regulares de la defensa sin incluir el Vietnam.

La tabla 36.2 recoge el número de puestos de trabajo en los Estados Unidos *relacionados* específicamente con el *Vietnam* a mediados de 1968, cerca de su punto máximo. Como puede observarse, una anulación inmediata de los gastos de defensa relacionados con el Vietnam hubiera causado una reducción del 42 por 100 del empleo en la industria de armamento (como era de esperar), del 27 por 100 en la aeronáutica, del 14 por 100 en la de maquinaria mecánica y del 10 por 100 o más en las de material de comunicaciones, electrónica y textil.

Efectos profesionales y regionales

El impacto de los gastos de defensa en general, y el del gasto adicional para el Vietnam en particular, no varía solamente de unas a otras industrias sino también de unas a otras ocupaciones y de unas a otras localizaciones.

TABLA 36.2

*Puestos de trabajo relacionados con la guerra del Vietnam:
Estados Unidos, 1968*

Industria	Puestos de trabajo relacionados con el Vietnam (Millares)	% del empleo en la industria
Aeronáutica	233	27
Transporte	165	6
Armamento	140	42
Comercio mayorista y minorista	76	0,5
Material de comunicaciones	74	11
Servicios de empresas privadas	50	2
Electrónica	41	11
Textil	41	10
Medicina, educación, actividades no lucrativas	36	0,7
Manufacturas primarias de hierro y acero	33	4
Maquinaria mecánica	33	14
Construcción	29	1
Material eléctrico	24	6
Manufacturas primarias de metales no férreos	24	7
Financiera y de seguros	24	0,9
Caucho y derivados	20	4
Construcción naval	20	7
Todas las demás	359	—

Fuente: Bureau of Labor Statistics. U.S.A.

La tabla 36.3 recoge algunas profesiones en las que está dedicada a la defensa una elevada proporción de los puestos de trabajo. El efecto de una reducción de los gastos de defensa sobre las profesiones plantea más problemas que sus efectos sobre las industrias. Si las industrias de defensa empleasen a las distintas profesiones en las mismas proporciones generales que las demás industrias, la reducción de la producción de defensa dejaría libre una fuerza laboral que podría contratarse en cualquier otra industria. Los contables y empleados de oficina, por ejemplo, tienen una formación que no es específica de las industrias de armamento, y estas personas pueden cambiar de puesto de trabajo si la producción de otras industrias crece. Pero una reducción de 10.000 millones de dólares en la producción de defensa, unida a un aumento de 10.000 millones de dólares en la producción no destinada a la defensa, dejará sin empleo a una parte de los ingenieros aeronáuticos, pues el número de los cesantes por el corte de los gastos de defensa será mayor que el de los absorbidos por la expansión de la industria no dedicada a la defensa.

TABLA 36.3

Puestos de trabajo, en determinadas profesiones,
relacionados con la defensa: Estados Unidos, 1968

Profesión	% de puestos de trabajo relacionados con la defensa
Ingenieros aeronáuticos	59
Ingenieros eléctricos	22
Ingenieros mecánicos	20
Ingenieros metalúrgicos	19
Ingenieros industriales	16
Físicos (sin incluir los puestos universitarios)	39
Mecánicos de aviación	54
Trabajadores en laminación metálica	25
Proyectistas y constructores de maquetas	25
Delineantes	14

La reducción de los gastos de defensa y la expansión de los no defensivos tendrá probablemente lugar en localizaciones distintas, lo que presentará problemas específicos en algunas zonas. Por ejemplo, la industria aeronáutica es una de las mayores fuentes de empleo en el sur de California y en Seattle. En un estudio de tipo input-output se estimó que una vuelta a los niveles del gasto de defensa anteriores a la guerra del Vietnam (1965) se traduciría, aunque hubiera cierta expansión compensadora en la producción no destinada a la defensa, en una elevación de las tasas de desempleo en ciudades como Lawton (Oklahoma), Duluth (Minnesota), Superior (Wisconsin) y Fayetteville (North Carolina), donde el empleo relacionado con la defensa es muy importante, del 12½ por 100 o más.

El problema del conjunto ocupacional

Por lo tanto, aunque en términos generales es fácil hablar de desplazar recursos de una industria de defensa declinante a la industria civil en expansión, en la práctica no resulta tan sencillo. El conjunto ocupacional que ha quedado sin trabajo al contraerse la defensa no es necesariamente, ni siquiera normalmente, el conjunto ocupacional que necesita la expansión civil. Lo más probable es que un desplazamiento de la producción de defensa a la

──────── **Cápsula suplementaria 36.1** ──────────────────

POLITICA DE LA FUERZA DE TRABAJO

Cada vez se ha ido viendo más claro, a lo largo del último cuarto de siglo, que un simple enfoque macroeconómico del desempleo puede no ser suficiente para reducirlo a niveles socialmente aceptables. Puede no conseguirse el equilibrio de las ofertas de las distintas clases de trabajo con sus demandas respectivas, aun cuando exista igualdad entre el número total de personas que buscan trabajo y el número total de personas solicitadas por las empresas. Operando a plena capacidad, la economía puede necesitar, por ejemplo, 10 millones de obreros especializados y 10 millones de trabajadores sin cualificar y no haber en ese momento más que 8 millones de los primeros pero 12 millones de los últimos: la agregación da un equilibrio entre los 20 millones de trabajadores disponibles y los 20 millones de trabajadores que se necesitan, pero oculta el desajuste existente dentro de cada uno de los grupos. En estas circunstancias, la economía puede encontrarse con 2 millones de trabajadores sin empleo en el grupo sin cualificar cuando simultáneamente existe una demanda insatisfecha de trabajo especializado.

A consecuencia de las tendencias tecnológicas y la explosión de conocimientos, que conducen a una especialización creciente de las personas, cada vez son mayores los problemas de desequilibrio que dan lugar a un desempleo estructural. En la enseñanza universitaria, por ejemplo, un profesor en el siglo XIX podía muy bien enseñar a la vez economía e historia, filosofía o ciencia política, o matemáticas y física, mientras que ahora los profesores se especializan incluso dentro de sus propias materias, de manera que un doctor en ciencias económicas especializado en economía monetaria puede no encontrar empleo y a la vez haber en todas partes puestos vacantes para especialistas en economía del urbanismo.

Esta clase de problemas estructurales es un importante motivo para la existencia simultánea de inflación y desempleo (como en la curva de Phillips, analizada en el capítulo 22), pues puede aparecer escasez de algunos bienes —debido a la escasez de ciertos tipos de trabajo especializado— aun cuando siga habiendo un fuerte desempleo entre los demás trabajadores. Estos problemas estructurales adquieren una importancia especial en períodos como el final de la década de los 60, cuando la economía atraviesa una gran transformación en la composición del producto nacional.

──

producción civil que licencia un millón de hombres y crea un millón de nuevos puestos de trabajo conduzca a un fuerte desempleo «estructural», pues, por ejemplo, 10.000 ingenieros aeronáuticos no podrían encontrar trabajo en la industria civil, mientras que quedarían sin cubrirse 10.000 puestos de trabajo para ingenieros de la construcción. Por otra parte, la expansión civil puede no tener lugar en las mismas localidades que la contracción de la defensa, lo que hará necesaria una fuerte emigración geográfica incluso en profesiones que cuentan con demanda en la industria civil.

El cambio de situación que supone el paso de la guerra a la paz no plantea por lo tanto un simple problema macroeconómico

La política de la fuerza de trabajo es un intento de minimizar el desequilibrio entre las condiciones de la demanda y la oferta de los distintos tipos de trabajo, y suele presentar dos aspectos bastante distintos. Uno es la planificación a largo plazo de la fuerza de trabajo, con la preocupación principal de intentar predecir la demanda de cada profesión u oficio al cabo de un período de tiempo suficientemente largo (por ejemplo, de cinco a diez años) y ajustar la oferta futura a esta demanda. Esta política podría, por ejemplo, canalizar los recursos educativos y la ayuda escolar hacia la capacitación en las especialidades que se espera cuenten con una oferta escasa y restárselos a aquellas otras en las que se prevé un exceso de oferta, o sencillamente aumentar las dotaciones para educación y capacitación si es probable que continúe disminuyendo la demanda futura de trabajo sin cualificar. La planificación a largo plazo trata de orientar a la gente para que entre en profesiones con buenas perspectivas. Por su parte, la planificación a corto plazo de la fuerza de trabajo se ocupa del cambio de ocupación de quienes ya se encuentran en un campo profesional sobresaturado: quizás readaptando profesionalmente a los ingenieros excedentes, o adiestrando a personas sin cualificar que ya están en el mercado de trabajo. Aunque estamos dando preferencia a la consideración de la oferta, también forma parte de la planificación de la fuerza de trabajo la vigilancia de los efectos de otras medidas de política económica sobre la composición del producto nacional y, por lo tanto, de las demandas relativas de las diferentes especialidades profesionales.

La política de la fuerza de trabajo ha entrado en la escena norteamericana apenas hace diez años, pues antes no se había concedido atención suficiente a los problemas estructurales del mercado de trabajo. Los programas de capacitación profesional financiados por el gobierno de los Estados Unidos sólo alcanzaron a 59.000 personas en 1963. Este número creció rápidamente, llegando al medio millón en 1965 y superando el millón en 1971. En 1972, los diversos programas, diseminados hasta entonces, empezaron a convertirse en una verdadera política de la fuerza de trabajo, con medios para observar el grado de ajuste de la fuerza de trabajo considerado como un objetivo de la política económica merecedor de la misma atención que la balanza de pagos, la tasa de desempleo total y la tasa de variación de los precios.

de mantener la demanda agregada, es decir, de asegurar que el aumento del gasto civil compensará la reducción del gasto de defensa. Es preciso un enfoque más microeconómico para minimizar el desempleo estructural y otras dislocaciones resultantes del cambio de situación. Si es coherente con los demás objetivos, la política económica debe dirigirse a aumentar la producción no destinada a defensa en aquellas industrias que emplean muchas de las especializaciones profesionales afectadas por los despidos al reducirse los gastos de defensa. Con todo, no debemos producir un paquete de productos no deseable simplemente para dar empleo a esa fuerza laboral. El equilibrio macroeconómico es *necesario*, en el sentido de que aparecerá una recesión general si la demanda

civil no aumenta hasta compensar las reducciones de los gastos
de defensa. *No basta* asegurarse de que no habrá un importante
desempleo por razones estructurales.

La política económica para el cambio de situación

En principio, podemos emplear el método input-output. Cuando hayamos obtenido por este método el número de personas que
deben su puesto de trabajo, en las distintas ocupaciones, ya sea
de forma directa o indirecta, a la defensa, podremos calcular a la
inversa y obtener un «menú» de producciones de uso civil que
proporcione (en la medida de lo posible) empleo a las especializaciones afectadas de hecho por una determinada reducción de la
defensa.

No podemos conseguir un cambio de situación sin trastornos
si nos limitamos a considerar el gasto de defensa que puede ahorrarse, al terminar la guerra de Vietnam o cualquier otra actividad
de defensa, como un gran *dividendo de la paz* disponible para ser
gastado en cualquier cosa que se considere deseable. Los recursos
que han quedado libres son unos *recursos específicos,* y lo que
tiene a su disposición la sociedad es lo que estos recursos podrían
producir si se utilizasen. Pasado un tiempo suficiente, las personas
pueden ser preparadas para otras ocupaciones, pero la fuerza de
trabajo disponible no puede ser trasladada en su totalidad e inmediatamente a fin de obtener un «menú» arbitrariamente elegido
de producción para usos civiles.

El problema de conseguir un cambio de situación sin trastornos, unido al objetivo del empleo de los recursos en la forma que
proporcione la máxima ventaja social, requiere una cuidadosa elección de medidas para favorecer los tipos de expansión civil que
deben ser estimulados. El valor social tiene que equilibrarse con
los problemas de la transición: los ingenieros aeronáuticos pueden producir aviones civiles, pero ésta no es una razón suficiente
para estimular la aviación civil si no se desean realmente más aviones de esta clase. Puede ser mejor la reconversión profesional de
estos ingenieros o incluso otorgarles un subsidio de paro.

Entre las propuestas que se han hecho figura la de estimular
una expansión masiva del transporte urbano colectivo. Por ejemplo, los vagones de ferrocarril ligeros emplean muchos de los materiales y pueden utilizar algunas de las técnicas (y por lo tanto,
algunas de las especialidades profesionales) de la industria aeronáutica. La mejora del transporte colectivo en las ciudades reduciría la contaminación producida por los automóviles y aportaría
otros efectos externos deseables. Por lo tanto, una política de este
tipo sería apropiada y estaría de acuerdo con los resultados de
nuestros análisis.

Así pues, la transición entre guerra y paz es un problema de política total que no sólo encierra consideraciones macroeconómicas, sino también microeconómicas.

RECAPITULACIÓN 36.2. *El paso de la guerra a la paz es un caso para el estudio de la política económica total. La reducción del gasto militar no se convierte necesariamente de forma inmediata en un aumento equivalente de la producción civil, pues la estructura de la producción y las necesidades ocupacionales serán distintas.*

36.3. Política de desarrollo económico

Los problemas asociados con el desarrollo en muchos de los países más pobres del mundo

Desarrollo económico y crecimiento económico están en una relación muy estrecha. El desarrollo sin crecimiento es imposible, pero es útil establecer una distinción entre los dos términos. Los Estados Unidos muestran un crecimiento económico bastante sostenido como término medio, pero no podríamos llamar a este hecho desarrollo económico, pues esta estructura de crecimiento no requiere, ni tampoco origina, ningún cambio estructural importante. Podemos caracterizar el crecimiento como el hecho de seguir teniendo lo mismo, pero en mayor cantidad, mientras que el desarrollo implica algún cambio significativo en la tasa de crecimiento, en la estructura de la economía, o en ambas cosas a la vez.

El problema del desarrollo

En su mayoría, los países pobres solamente pueden hacerse ricos mediante un proceso de *desarrollo,* y no meramente de *crecimiento,* porque su tasa de crecimiento apenas si excede de cero y, sin cambios fundamentales, un país en esas condiciones no puede dejar de ser pobre. Por el contrario, Japón tiene una tasa de crecimiento tan rápida, que dentro de una generación se acercará a los niveles de renta per cápita de los Estados Unidos, si no ocurre nada que lo frene efectivamente.

El problema esencial del desarrollo es la *transición* de una economía pobre, de crecimiento lento, a una economía que para alcanzar un nivel digno de renta per cápita sólo necesita seguir creciendo a una nueva tasa más alta. Históricamente, el desarrollo económico no ha sido el fruto de una política económica deliberada. En el ejemplo clásico —la industrialización europea durante los siglos XVIII y XIX— el desarrollo se basó evidentemente en la existencia de medidas favorables (o, al menos, no hostiles), pero estas medidas no se tomaron deliberadamente como parte de un

──────── **Cápsula suplementaria 36.2** ────────────────────────

NO HAY UNA RECETA PERFECTA PARA EL DESARROLLO

Cualquiera que sea la definición que se acepte del subdesarrollo, existen en el mundo más de cien países que se clasificarían como «subdesarrollados», setenta de los cuales son naciones nuevas que han surgido de la ruptura de los imperios coloniales después de la segunda guerra mundial. Con una muestra tan grande, podía suponerse que de su examen se obtendrían conclusiones suficientemente claras para establecer qué medidas de política económica son eficaces para el desarrollo y cuales no lo son. Por desgracia, no es así, principalmente porque es muy pequeño el número de los países que han mostrado un verdadero desarrollo y por las grandes diferencias entre ellos.

Escasos son los ejemplos espectaculares de desarrollo durante el último cuarto de siglo, siendo Israel uno de los poquísimos países que han pasado de una situación definible como de «subdesarrollo» a la de país «desarrollado». Aparte de Israel, Formosa, China y las dos Coreas, el desarrollo ha sido en general descorazonador si se lo compara con las optimistas expectativas que se alimentaron inmediatamente después de la segunda guerra mundial. Estos escasos países citados tienen poco en común: dos son países comunistas, prácticamente sin sector privado, dos están fuertemente orientados hacia la empresa privada, mientras que Israel es nominalmente socialista pero con un muy extenso sector privado. Formosa, Israel y Corea del Sur han recibido una fuerte ayuda exterior (oficial, privada o de ambos tipos) de los Estados Unidos, mientras que China recibió poca ayuda exterior después de interrumpirse la ayuda soviética inicial.

Ha habido algunos ejemplos espectaculares de ausencia de desarrollo, en especial Ghana e Indonesia, países que iniciaron su existencia independiente en medio de grandes expectativas (compartidas por el resto del mundo) y vastos recursos. Los períodos de desastre de estos dos países no nos proporcionan ninguna lección recóndita: ambos dilapidaron capital y divisas extranjeras en proyectos que era evidente que no podían originar ningún aumento de la producción (y no lo originaron), con lo que sus experimentos no nos han enseñado nada.

──

gran plan de desarrollo económico. La teoría económica moderna, que creció paralelamente a este desarrollo, se mantuvo al margen, *explicando* lo que estaba sucediendo, pero no provocándolo.

Nacimiento de la política de desarrollo

El desarrollo económico forma actualmente parte de la *política económica,* por varias razones:

1) los países pobres han visto los resultados del desarrollo (cosa que no pudo ver la Europa del siglo XVIII) y, en conjunto, les gusta lo que ven;

2) esperar que el desarrollo se produzca por sí mismo, como ocurrió en Europa, probablemente no serviría de nada;

3) una repetición de la experiencia europea supondría un desarrollo demasiado lento para unos países que son desespera-

En términos generales, en los veinticinco últimos años se ha visto efectivamente un aumento de la producción en los países subdesarrollados, pero que apenas ha superado el crecimiento de la población. Las rentas per cápita han aumentado muy lentamente, mucho más lentamente que las del conjunto de los países desarrollados, con lo que, en lugar de estrecharse, se ha ensanchado la brecha entre los países ricos y los pobres.

Algunos países muy subdesarrollados se han hecho muy ricos, pero no merced a ningún proceso que pudiera denominarse en realidad de desarrollo económico. Por ejemplo, según los últimos cálculos, la Unión de Emiratos Arabes —un minúsculo país nuevo (1971) del Golfo Pérsico— tenía un nivel de renta per cápita superior al de los Estados Unidos, gracias exclusivamente al petróleo. Por el contrario, el descubrimiento de nuevas reservas petrolíferas puede conducir a un auténtico desarrollo económico (esto es, a un cambio de la economía que no es la simple presencia de las torres de perforación), como ha sido el caso de Libia y Tunicia, o contribuir al desarrollo de otros países que proporcionan servicios a los enriquecidos por el petróleo, como es el caso de Líbano, con sus servicios bancarios y financieros. El descubrimiento de petróleo es probablemente la mejor receta para acelerar el desarrollo, pero el petróleo solamente puede descubrirse donde existe.

Por lo tanto, la conclusión obligada es que no existe ninguna receta plenamente acreditada para que un país pobre se eleve por sus propios medios. La ayuda exterior ha tenido trascendencia en algunos casos, pero ha sido un fracaso notable en otros. No hay una correlación destacable entre desarrollo e ideología. La planificación ha sido un éxito en algunos casos y un fracaso en otros, y la empresa privada sin restricciones ha servido bien en algún caso. Los niveles relativamente altos de educación (Israel, Corea) parecen haber sido de utilidad, como lo son evidentemente los recursos naturales, pero también una buena dotación de recursos naturales puede derrocharse.

damente pobres y quieren alcanzar en mucho menos de un siglo unos niveles de vida dignos;

4) los economistas cuentan ahora con un conocimiento del funcionamiento del sistema económico suficiente para formular políticas de desarrollo;

5) existen actualmente muchos ejemplos de desarrollo económico resultantes de los esfuerzos de una política deliberada: en casi ninguno de ellos el desarrollo ha sido tan rápido como habían supuesto los políticos más optimistas, pero, de todas formas, ha habido desarrollo.

Por definición, la política de desarrollo es una política *total*. La conversión de una economía pobre y estancada en otra impulsada, gracias a un crecimiento sostenido, hacia una modesta abundancia requerirá cambios en su estructura macroeconómica, en la composición global de su producción y, probablemente, en su comercio exterior y en su forma de distribución de la renta.

Problemas típicos

Describamos nuestro país pobre, al que llamaremos PMD (país menos desarrollado). Podemos suponerle una renta real per cápita de unos 100 dólares anuales —típica de un país pobre— y una tasa de crecimiento cercana a cero. Para mayor sencillez, supondremos que su población no crece. La mayor parte de la población activa de este país estará ocupada en el sector agrario (en la India, en 1960, lo estaba el 70 por 100), el nivel de educación será muy bajo, las tasas de mortalidad, muy altas (en especial la mortalidad infantil) y la distribución de la renta, muy desigual, con unas cuantas personas muy ricas y una gran masa terriblemente pobre. El país exportará productos agrarios y mineros con los que pagará sus importaciones de maquinaria y otras manufacturas técnicamente avanzadas.

Para empezar nuestra historia, supondremos que PMD está atrancado en la situación típica de un país pobre: las rentas son tan bajas que las gentes gastan la totalidad en bienes de consumo, sin dejar ningún margen de ahorro para financiar bienes de inversión, ni capacidad productiva alguna para fabricarlos. Como prácticamente no existe inversión neta, el stock de capital no crece, el progreso tecnológico incorporado es lento o inexistente y no existe crecimiento económico.

Posibilidades

Supongamos que se instaura un nuevo gobierno, tal vez después de una revolución o al conseguir el país su independencia de la antigua potencia colonial. El nuevo gobierno tiene como objetivo principal el rápido desarrollo económico. ¿Qué tiene que hacer para alcanzar su objetivo?

En primer lugar, puede explorar la posibilidad de conseguir un aumento de la productividad en algún sector de la economía aun sin aumentar la inversión. La agricultura, que es el sector más importante, puede ser muy ineficaz por una serie de razones. Puede que las explotaciones agrarias sean propiedad de los campesinos que las cultivan, pero, a causa de las divisiones por herencia en el transcurso de los años, ser su dimensión demasiado pequeña, en el sentido directo de que cada familia campesina podría llevar con eficiencia una finca un 50 por 100 mayor que la que efectivamente posee. Vista la situación desde otro ángulo, cada familia podría seguir llevando perfectamente su finca con solamente dos de sus tres miembros actuales. Existe un *paro encubierto* igual a un tercio de la población activa agraria, y esta parte de la población podría ser transferida a otras actividades sin originar ninguna disminución de la producción agraria. Podemos llamar a esta situación el caso «asiático».

Esta población activa agraria excedente es un importante recurso potencial. Por desgracia, su empleo más evidente —como población activa industrial— requiere capital y, por lo tanto, inversión.

Cabe que tenga otra forma distinta la estructura agraria, que podría ser cambiada. En lugar de una agricultura campesina, podrá existir una agricultura de grandes fincas, con un pequeño grupo de terratenientes que tienen bajo su control prácticamente toda la tierra. En el antiguo régimen, el status social podría haber dependido del número de hectáreas poseídas, con pocos incentivos para que el terrateniente maximizase la producción por hectárea o por persona ocupada. La partición y redistribución de los fundos, convirtiendo a los pastores en agricultores (un cambio social que pudiera no ser de su agrado), puede aumentar la producción agraria con la misma cantidad total de tierra y de trabajo. En este caso, el proceso de desarrollo parte de un buen comienzo, pues existe un *excedente* de producción nuevo (respecto a la situación previa) que puede constituir la base del crecimiento. Podemos llamar a esta situación el caso «latinoamericano».

Tal vez sea posible provocar un aumento puramente *tecnológico* de la productividad, por ejemplo con el empleo de fertilizantes y semillas selectas, o simplemente de mejores métodos de cultivo. Al obtenerse de esta forma más producción, con los mismos recursos, también aquí aparece un excedente disponible. Con todo, la experiencia demuestra que la agricultura campesina tradicional se resiste con frecuencia a cambios tecnológicos de esta naturaleza, y el cambio puede requerir muchos años.

Inversión

Cualesquiera que sean las acciones posibles para cambiar la estructura del gran sector agrario, la *inversión* es necesaria para el desarrollo. Aun cuando el país no se proponga crear un sector industrial importante o una agricultura intensiva en capital, será necesaria una inversión en carreteras y ferrocarriles que haga posible el transporte de los productos del campo, así como en escuelas y hospitales, redes de comunicaciones y otros aspectos de lo que frecuentemente se llama la *infraestructura* de la economía.

El punto verdaderamente crucial del proceso de desarrollo está en la capacidad de provocar un fuerte aumento del nivel de inversión. Supongamos que nuestro PMD se ajusta al caso «asiático» y que la ayuda exterior o la inversión privada extranjera no representa, en el mejor de los casos, más que una pequeña fracción de la inversión necesaria.

Opciones difíciles

Si la renta per cápita inicial es de 100 dólares, con una inversión nula, y se desea elevar el nivel de inversión al 10 por 100 del PNB, el consumo tendrá que *disminuir* en el 10 por 100, al menos durante un período inicial. Cuando la población está ya en un nivel de vida muy bajo, una disminución (aunque sólo sea temporal) de ese nivel de vida no será una medida fácil de aplicar. Puede significar sencillamente que una parte mayor de la población tenga que morir de hambre.

De salida, la fase inicial del desarrollo plantea un problema de *distribución intertemporal:* las gentes tienen que aceptar ahora una disminución del consumo, e incluso el hambre, para que otras gentes obtengan más tarde un nivel de vida superior al actual.

Todo gobierno que dependa del apoyo popular, ya de forma implícita o por los votos, intentará minimizar el efecto sobre la mayoría de la población actual extrayendo del pequeño grupo de los ricos la mayor parte posible del ahorro necesario. No obstante, es lo normal que aunque se llegue a la confiscación total de los ingresos de los ricos sólo se obtendrá una fracción pequeña del ahorro necesario, y ello solamente durante un año o dos: pues los ricos y sus rentas desaparecerían con ello.

Por razones políticas, el gobierno quizá no desee obtener sus recursos financieros para el desarrollo de las mismas fuentes de donde los ricos obtienen sus ingresos, a menos que los ricos desempeñen el papel de intermediarios, lo que no estarán dispuestos a aceptar sin obtener algo a cambio.

Para poner un ejemplo extremo, supongamos que todos los ricos obtienen sus ingresos prestando dinero a los campesinos a tipos de interés muy elevados. ¿Qué gobierno deseará obtener sus ingresos *directamente* de esta forma? Pero si son confiscados los ingresos de los ricos, éstos no estarán dispuestos a representar el papel de «hombres malos» recaudando los intereses en su propio nombre y entregándoselos después al gobierno.

A fin de cuentas, el aumento necesario del ahorro se traducirá en sacrificios para los pobres. Quizá estos sacrificios sean en parte voluntarios, si el gobierno de PMD puede apelar a motivos patrióticos y al carácter vital del programa de desarrollo, pero es muy probable la creación de alguna forma de tributación, explícita o implícita, sobre los campesinos. La imposición implícita puede recaudarse por medio de la inflación: dejando que los precios aumenten más deprisa que las rentas monetarias, con lo que las rentas *reales* se reducirán sin, al parecer, ningún impuesto directo, mientras que los nuevos ingresos públicos se obtendrán por expansión directa de la oferta monetaria.

El aumento del ahorro será mucho más fácil si puede elevarse la producción agraria gracias a una mejor tecnología. Puede utilizarse entonces la imposición para evitar que el consumo aumente con la misma rapidez que la producción, con lo que se obtendrá un excedente sin ninguna reducción efectiva del consumo por debajo de sus niveles anteriores: sólo habrá una reducción respecto al nivel que ahora sería posible.

Una vez superadas las fases iniciales, el crecimiento sostenido rápido dependerá de un desplazamiento en la distribución de la renta a favor de los que ahorran mucho (como durante la revolución industrial europea) o de una tributación continua, implícita o explícita, que mantenga el consumo a un nivel suficientemente inferior al de la producción (como en el desarrollo soviético).

Estructura de la inversión

El desarrollo no es solamente el problema macroeconómico de asegurar la existencia de un excedente de la producción sobre el consumo, que pueda emplearse para inversión. La inversión tiene que tener lugar en las direcciones adecuadas, pues de lo contrario puede no conseguirse el aumento de producción que constituye el objetivo del desarrollo.

Una planta siderúrgica que produce acero para el que no existe ningún empleo local y que no puede venderse en el extranjero a ningún precio añade producción física y, con una base falsa de contabilización, puede parecer que aumenta el PNB. Pero el valor social que hay que conceder a esa siderúrgica es cero. Esto se vería con toda claridad si la siderúrgica fuese de propiedad privada y no tuviera subvenciones (en cuyo caso pararía sencillamente la producción y se declararía en quiebra), pero puede ocultarse por medio de subvenciones o si la siderúrgica es propiedad del Estado.

Sin embargo, una siderúrgica quizá sea una inversión valiosa como parte de un complejo industrial que emplee el acero en algo en definitiva útil a los consumidores, o en maquinaria para otras industrias que a su vez produzcan bienes para uso directo. No obstante, puede ser *menos* valiosa que una inversión equivalente en agricultura o transporte que aumentase las exportaciones y permitiese al país importar más acero o productos derivados que los que podría obtener por medio de la producción local con los mismos recursos.

Excedente de mano de obra agrícola

En el caso «asiático», al que suponemos se ajusta PMD, el principal recurso disponible para el desarrollo es el paro encubierto resultante del excedente de mano de obra agrícola en relación con la tierra. Este excedente es en efecto un recurso de coste *social* cero para la economía en su conjunto, pues su empleo alternativo (la permanencia en el campo) no contribuye en nada a la producción. Sin embargo, las gentes no abandonarán el campo para irse a trabajar en la industria por un salario nulo, por lo que los costes *privados* del trabajo para el sector industrial serán mayores que los costes sociales. Un cálculo de las ventajas netas de la industrialización que se base en los salarios efectivamente pagados puede por lo tanto subestimar la verdadera ventaja social neta. Quizás sea este un caso justificado para conceder una subvención directa o indirecta a la industria, pagada con un impuesto sobre la agricultura.

Para concretar, supongamos que cada explotación agraria sostiene inicialmente a tres personas, todas trabajadores adultos, y rinde una producción anual de 30.000 pesetas. Debido al excedente de mano de obra en relación con la tierra, podría obtenerse la misma producción de 30.000 pesetas con dos personas solamente. Si la tercera persona pasara a la industria, esta explotación agraria proporcionaría una renta de 15.000 pesetas a cada una de las dos personas que se quedaron, en lugar de 10.000 pesetas para cada una. En ese caso, un impuesto de 5.000 pesetas sobre la explotación, dejaría libres 25.000 pesetas a dividir entre dos, o sea, 12.500 pesetas por persona, mejorando a los que se quedaron en el campo y proporcionando además al Estado unos ingresos que pueden servir para conceder una subvención de 5.000 pesetas a cada trabajador de la industria.

No existe economía real que se ajuste a un análisis tan sencillo como éste, pero el ejemplo ilustra sobre el tipo de problemas que pueden surgir en política económica.

Estructura industrial

Supongamos ahora que el país se ha decidido por la industrialización. ¿Qué industrias deben desarrollarse? ¿En qué orden?

A primera vista, PMD no tiene bastantes fondos para inversión, pero cuenta con una gran fuerza potencial de trabajo por su excedente de mano de obra agrícola, por lo cual parecería que las industrias más deseables son las más *intensivas en trabajo,* que emplean una alta proporción de trabajo en relación con el capital.

Sin embargo, debemos ir más al fondo de la cuestión. Un verdadero sector industrial es un complejo de industrias interrelacionadas y no simplemente un conjunto de fábricas aisladas. No podemos limitarnos a elegir las industrias más intensivas en trabajo y ponerlas en marcha. Estas industrias necesitarán, entre otros medios de producción, electricidad: y la producción de electricidad es el objeto de una de las industrias más intensivas en capital. Por otra parte, las industrias más intensivas en trabajo —las de servicios— ofrecen unos productos de escasa demanda a bajos niveles de renta. Las gentes necesitan vestidos antes que tintorerías para limpiarlos.

Como en el problema de la transición de la guerra a la paz, que se analizó en la sección precedente, con el empleo de los datos de la tabla *input-output* pueden evaluarse los efectos totales de los

planes de industrialización alternativos. Por supuesto, un país sin
industria no cuenta con tablas input-output propias, pero con prudencia se pueden utilizar los datos input-output de otros países: preferentemente de países más cercanos al nivel de desarrollo de PMD
y no de los Estados Unidos.

El empleo del método input-output asegura que se tienen en
cuenta todos los medios de producción requeridos por cada industria, y no sólo el trabajo y el capital. Una industria textil necesita
como medios de producción fibras naturales, fibras sintéticas, tintes
y productos químicos diversos, agua y electricidad, servicios de
transporte y almacenes para sus materiales y su producción. Para
cada medio de producción existe una alternativa entre importarlo
o desarrollar fuentes locales de oferta. A su vez, cada una de estas
industrias requiere unos medios de producción propios, y así sucesivamente. Más aún, las tablas input-output nos permiten distinguir
las industrias *básicas*, cuyos productos serán necesarios directa o indirectamente en *muchas* otras industrias, de las industrias que no
resultan fundamentales para las demás.

Los términos *enlaces hacia adelante* y *hacia atrás* son utilizados con frecuencia para describir las relaciones entre una industria
y las demás industrias que emplean su producción (hacia adelante),
y entre esa industria y las industrias que producen los medios de
producción de aquélla (hacia atrás).

Criterios de elección

Pueden considerarse diversos «menús» industriales y para cada
uno de ellos calcularse las necesidades de trabajo y capital *totales,*
a la vez que la combinación de productos. Al elegir el «menú»,
PMD tendrá que atender a las consideraciones típicas siguientes.

1) La deseabilidad de una elevada proporción de trabajo respecto al capital dentro del sector industrial *en su conjunto.* Esto
no significa necesariamente que todas las industrias que se elijan
para el sector (o para los procesos dentro de una industria determinada) hayan de ser intensivas en trabajo, sino quizá la elección de
una combinación de producciones intensivas en capital con otras
intensivas en trabajo.

2) El potencial de progreso técnico y de economías de escala en
las diversas industrias y en el complejo industrial en su conjunto.
En general, este potencial será mayor en las industrias más intensivas en capital.

3) El potencial de expansión continuada a largo plazo del sector industrial y el de crecimiento por entrada de nuevas industrias.
Esta consideración puede llevar a favorecer el desarrollo inicial de
industrias básicas (eléctricas, metálicas, químicas) que tienen importantes enlaces hacia adelante. Sin embargo, debe considerarse

——— **Cápsula suplementaria 36.3** ————————————————————

PREMIOS NOBEL 1972: JOHN HICKS Y KENNETH ARROW

La comisión que otorga el premio Nobel decidió que el correspondiente a 1972 fuera compartido por dos economistas de distintas generaciones, inglés uno de ellos y norteamericano el otro. Se deben a ambos contribuciones fundamentales a la teoría del equilibrio general (la interconexión de todos los elementos de la economía) y ambos estuvieron en la vanguardia de la economía matemática y la teoría económica de sus respectivas generaciones, pero, por otra parte, son muy distintos en su estilo científico y personal.

Los diecisiete años de diferencia entre Hicks (el de más edad de los dos) y Arrow no representan adecuadamente la diferencia de visión técnica de sus respectivas generaciones. Cuando Hicks trabajaba en su obra maestra, *Valor y Capital,* durante los años 30, se veía con mucho recelo el empleo de las matemáticas en la teoría económica, por lo que Hicks relegó sus pruebas matemáticas a un apéndice. En la década de 1950, cuando Arrow presentó sus principales aportaciones, se había roto el hielo y aceptado las matemáticas, aunque éstas no siempre eran comprendidas. Pero Arrow y Hicks difieren en algo más que en el ambiente intelectual de sus propias generaciones. La educación de Arrow siguió el curso normal de un muchacho de Brooklyn de su tiempo, pobre pero brillante, a través de las escuelas públicas de Nueva York, el City College de la misma ciudad y la Escuela de estudios graduados de la Columbia University, mientras que Hicks pasó por las aulas, llenas de prestigio social, del Balliol College de Oxford. Hicks es el solitario de temperamento reservado, que tiene poco que decir en grupos o seminarios (pero mucho que escribir acerca de todo ello), mientras que Arrow es un carácter abierto, de charla rápida y extraordinariamente eficaz en el trabajo en colaboración.

Hicks no obtuvo los máximos honores al graduarse en Oxford, por lo que no fue aceptado de inmediato en el «establishment» académico de aquella universidad. Abandonó Oxford para enseñar en la London School of Economics y después en la Universidad de Manchester, y su reputación (y más tarde su premio Nobel) se derivan principalmente de su trabajo en estas dos instituciones y en especial de su *Valor y Capital.* Completamente afianzada ya su reputación, Oxford lo recuperó y en esta

——

también la posibilidad de operar en sentido inverso: empezar con industrias productoras de bienes de consumo que satisfacen las necesidades inmediatas pero tienen pocos enlaces hacia adelante. Sus medios de producción pueden ser importados al principio, para ser después reemplazados por productos locales.

4) La limitación impuesta por la balanza de pagos en lo que se refiere a los fondos disponibles para inversión y a la necesidad técnica de importar maquinaria extranjera. Si la cantidad de moneda extranjera que se necesita para comprar maquinaria no es grande en relación con el total de los fondos para inversión, la mejor compra por unidad monetaria gastada en el extranjero será la maquinaria tecnológicamente avanzada. El mejor plan de industrialización quizá consista en el desarrollo simultáneo de unas cuantas insta-

Universidad regentó la cátedra más prestigiosa de economía hasta su jubilación en 1965. Con *Valor y capital*, Hicks puso fin al dominio total de Marshall sobre la microeconomía anglosajona e introdujo en ella la idea del equilibrio general de Walras. (Para mayores detalles, el lector puede acudir a las cápsulas suplementarias sobre Marshall, pág. 131, y Walras, página 226.) No fue un mero traductor de Walras, pues añadió muchas ideas propias e introdujo el análisis de la estabilidad del equilibrio general y de la economía en su conjunto. Aunque son muchas las aportaciones de Hicks de gran importancia para la ciencia económica, tanto antes como después de *Valor y Capital*, es indudable que ese libro es la mayor de sus contribuciones.

Arrow comparte con Samuelson (premio Nobel 1970) la distinción de haber escrito tesis doctorales que se convertirían en clásicos, aunque, también como Samuelson, no batiera ningún record de velocidad para completar, con la tesis, su doctorado. Su tesis versó sobre *Elección social y valores individuales*, obra en la que demostró la imposibilidad de establecer reglas para formular juicios de valor sociales que sean completamente satisfactorios en todas las circunstancias: esta obra ha tenido una influencia fundamental en la teoría económica del bienestar y en la teoría política. Aunque se graduó de doctor en la Columbia University, Arrow escribió su tesis cuando ya estaba como profesor en Stanford, y por eso se asocia más estrechamente su nombre con esta institución. Estuvo en Stanford diecinueve años, de 1949 a 1968, antes de pasar a su actual puesto en Harvard, y a su presencia se debió en gran medida el alto nivel de aquel departamento durante los años de su permanencia. Después de su *Elección social...*, Arrow emprendió una serie de trabajos en colaboración que ataron prácticamente todos los cabos sueltos del equilibrio general que quedaban flotando desde *Valor y capital*. Con Gerard Debreu, mostró en forma plenamente satisfactoria y bajo condiciones muy amplias la existencia del equilibrio general, mientras que con Leo Hurwicz dio una respuesta general a los problemas de estabilidad que Hicks había planteado anteriormente. Estas dos contribuciones (y, más recientemente, una perspectiva global del análisis del equilibrio general, con Frank Hahn) son las que ligan a Arrow con su compañero de premio Nobel, aun cuando a él se deben otras muchas aportaciones.

laciones industriales muy complejas, que requieren maquinaria importada, y otras fábricas, relativamente simples, que utilizan trabajo local y maquinaria sencilla. A medida que el sector crezca y aumente la disponibilidad de maquinaria producida en el país, esas fábricas sencillas podrán ser ampliadas y perfeccionadas.

5) La demanda potencial de distintos tipos de combinaciones de producción. Un complejo industrial cuyos productos no tienen demanda interior ni pueden exportarse será inútil, por muy bien que se ajuste a los demás criterios.

¿Elección planificada o elección privada?

Por último, ¿necesita todo esto *planificación,* o puede dejarse el desarrollo en manos de la iniciativa privada? El hecho del estancamiento inicial de PMD es prueba evidente de que se necesitaba una política económica; de modo que si el desarrollo se entrega a la iniciativa privada, tendrá que ser dentro del marco de una manipulación de precios por el Estado, la cual puede llevarse a cabo por medio de subvenciones, aranceles, concesiones de monopolios, exoneraciones fiscales, beneficios garantizados, y otras muchas medidas.

Una vez que se ha generalizado la manipulación de los precios, los costes sociales y privados y las ventajas sociales y privadas ya no coinciden, lo que obliga a los planificadores a mantener su atención sobre el cuadro total. La elección entre industrias socializadas e industrias privadas que operen dentro de un sistema de precios deliberadamente manipulado tenderá a descender hasta los más pequeños detalles. La socialización puede traducirse en nombramientos políticos de personal y en burocracia, es decir, en mala administración, pero las industrias privadas que funcionan con garantías oficiales pueden carecer también de incentivos para una administración eficiente. Por otra parte, la libertad de entrada de empresas privadas (aun en el caso de que existan muchas empresas nacionalizadas) dirigirá la atención hacia las oportunidades que los planificadores puedan haber ignorado.

Si su gobierno no está dominado por una ideología, PMD quizás escoja el popular camino de enmedio, nacionalizando las industrias clave (aunque quizá cediendo su gestión a empresas privadas experimentadas), pero dejando relativamente libre la entrada a las pequeñas empresas privadas.

RECAPITULACIÓN 36.3.   *La política de desarrollo económico obliga a elegir entre opciones en casi todos los aspectos de la economía: distribución de la renta entre personas y entre generaciones, cambios ocupacionales que afectan a una proporción considerable de la población, estructura industrial, alcance del sistema de precios y formas de mercado. Dentro de la política económica total, la política de desarrollo es la de más alcance y, en realidad, lo abarca todo.*

RESÚMENES DE LAS SECCIONES.   *Para repasar el contenido de este capítulo, hojéese el texto y vuélvanse a leer los trozos titulados «Recapitulación» que ponen fin a todas las secciones.*

TÉRMINOS Y CONCEPTOS DEL CAPÍTULO 36

   Política económica total.
   Tabla input-output.
   Medio de producción directo.

Medio de producción indirecto.
Paro encubierto.
Infraestructura.
Enlaces hacia adelante y hacia atrás.

EJERCICIOS

1. Por cada 100 millones de pesetas de producción, la industria requiere 60 millones de pesetas de medios productivos procedentes del sector primario y 400 trabajadores. El sector primario no requiere otros medios, pero necesita 1.000 trabajadores por cada 100 millones de pesetas de producción primaria. No existen más sectores que el industrial y el primario. ¿Cuál será la reducción *total* del empleo si a causa de una recesión disminuye en 10.000 millones de pesetas la producción industrial?

2. Solamente existen en la economía dos categorías de trabajadores, maquinistas y electricistas, y los unos no pueden llevar a cabo el trabajo de los otros sin un período muy largo de reconversión profesional. La producción de defensa necesita 50 maquinistas y 50 electricistas por cada 100 millones de pesetas de producción; la construcción de viviendas requiere 20 maquinistas y 80 electricistas para la misma cifra de producción, y los transportes utilizan 70 maquinistas y 30 electricistas, también para la misma producción de 100 millones de pesetas. Estos tres son los únicos sectores de la economía. Si la producción de defensa se reduce en 100.000 millones de pesetas, ¿cuánto deberá aumentar la construcción de viviendas y el transporte para dar empleo a todos los trabajadores de las dos categorías?

3. Un país pobre obtiene solamente productos agrarios, por un total de 4.000 millones de pesetas anualmente, con una población activa de 1 millón. Debido a la escasez de tierra, existe un paro encubierto del 20 por 100. La industria de manufacturas exigiría un capital de 25.000 pesetas por persona empleada y obtendría una producción per cápita de 10.000 pesetas. ¿Cuál sería el máximo tipo de interés que el país podría pagar si pretendiese obtener créditos exteriores? (Supóngase que no hay que reembolsar el capital tomado a préstamo, pero que hay que pagar intereses durante un tiempo ilimitado.)

PARA REFLEXIÓN Y DISCUSIÓN

1. El Estado decide suprimir todos los programas existentes de subsidios para elevar las rentas personales y reemplazarlos por un nuevo programa mediante el cual *todos* los habitantes del país

reciben mensualmente un cheque de 10.000 pesetas. Esta cantidad
se considera parte del ingreso regular sujeto al impuesto sobre la
renta, y los tipos impositivos (progresivos como los actuales) se
modifican para financiar el programa. Señale todos los efectos de
esta medida que a usted se le ocurran.

2. A consecuencia de las reducciones de los gastos militares, hay
muchos ingenieros de armamento de mediana edad que no pueden
ser preparados para otras profesiones con un grado equivalente de
especialización. ¿Deberá el Estado dedicar estos ingenieros a la fabricación de bombas que habrían de destruirse inmediatamente, con
el fin de proporcionarles un empleo? ¿Deberá concederles una pensión equivalente a su antiguo salario? ¿Les obligará a trabajar como
obreros manuales por haber contribuido a la muerte de seres humanos? ¿Deberá suponer que habrán previsto correctamente la pérdida final de sus puestos de trabajo y tomado sus medidas para el
futuro? ¿Deberá olvidarse de ellos y dejarles que busquen otros
empleos o se acojan a la beneficencia?

3. Existen en los países desarrollados algunas regiones, como
Appalachia en los Estados Unidos, las provincias marítimas en el
Canadá y el Mezzogiorno italiano, que presentan muchas de las características de los países subdesarrollados. ¿Deben ser estas regiones objeto de una política de desarrollo, o dejarse simplemente que
sus poblaciones continúen emigrando a otras áreas de sus respectivos países?

LECTURAS RECOMENDADAS. *Para el capítulo 36 (Parte X)*

Uno de los escasos intentos de análisis de la política económica
total es el de:
Benson, Robert S., y Harold Wolman (eds.), *National Urban Coali-
tion: Counterbudget.* Praeger, 1971.
Esta obra estudia la economía norteamericana en la década de
1970 desde el punto de vista de la política económica integral.

Sobre input-output, ofrece un análisis no matemático y orien-
tado empíricamente el libro
Miernyk, Willian H., *The Elements of Input-Output Analysis.* Random House, 1965.
La revista *Fortune* ha publicado una tabla input-output, juntamente con el material descriptivo, basada en las tablas del Departamento de Comercio de los Estados Unidos —pero no idéntica a
éstas— publicadas en el *Survey of Current Business* (publicación
mensual del Office of Business Economics del citado ministerio)
de noviembre de 1969.

Existe una enorme literatura sobre el desarrollo económico, escrita en su mayor parte en los años finales de la década de los 50 y comienzos de los 60. Una muestra representativa podría ser:

Hirshman, Albert O., *The Strategy of Economic Development*. Yale University Press, 1952.

Lewis, W. Arthur, *Development Planning*. Harper & Row, 1966.

Novack, David E., y Robert Lekachman (eds.), *Development and Society*. St. Martin's Press, 1964.

GLOSARIO

Acelerador. Hipótesis según la cual la tasa de inversión es proporcional a la tasa de variación del producto o renta nacional. Se denomina así también al valor numérico de esta relación.

Activo. Cualquier cosa que se espera posea un valor en el futuro.

Agregación. Sustitución de un gran número de variables por una sola variable. La agregación puede realizarse por procedimientos sencillos, como la suma de valores en pesetas, o más complejos, como la construcción de números índices.

Anillo renta-consumo. En teoría macroeconómica, el flujo que va de la renta al gasto para consumo, que genera después nueva renta.

Antitrust. En el contexto de la política económica de los Estados Unidos, este término se aplica a todas las medidas oficiales referentes a la competencia imperfecta en cualquiera de sus formas.

Arancel. En general, es una escala de cantidades a pagar, pero se aplica específicamente en el comercio internacional al impuesto que tiene que pagarse a la importación de bienes.

Arbitraje. Operaciones basadas en diferencias de precio del mismo bien en diferentes mercados.

Asignación eficiente de recursos. Una asignación de los recursos totales entre todos los usos posibles tal que no existe ninguna reorganización de la misma que permita obtener más de algo sin reducir la producción de alguna otra cosa.

Balanza comercial. Diferencia entre el valor total de los bienes exportados y el valor total de los bienes importados. Es una de las secciones fundamentales de la *balanza de pagos*.

Balanza de pagos.   Resumen de los pagos e ingresos internacionales de un país (se suele presentar en forma de una *tabla de la balanza de pagos*) o, más específicamente, diferencia entre ingresos procedentes del exterior y pagos al extranjero, después de restar las transacciones en oro y divisas extranjeras y algunos otros activos financieros. Un excedente de los ingresos sobre los pagos es un *superávit* de la balanza de pagos, y un excedente de los pagos sobre los ingresos es un *déficit* de la balanza de pagos.

Banco central.   Banco en el que se mantienen las reservas de los otros bancos y que posee el control final del sistema bancario en su conjunto, lo que le hace ser la institución responsable de la política monetaria.

Barrera a la entrada.   Cualquier factor financiero, institucional o legal que dificulta o hace imposible la entrada de nuevas empresas en una industria.

Beneficio.   Para una empresa, la diferencia entre los ingresos y todos los costes de producción y gastos de ventas, incluyendo los costes implícitos (valor del tiempo del propietario de la empresa y utilización del capital propiedad del empresario) que no aparecen como desembolsos directos en dinero. El rendimiento del capital se considera un interés y no un beneficio, por lo cual lo que obtiene el propietario, o propietarios, de la empresa es una suma de interés del capital y beneficio puro.

Beneficio del monopolio.   Término utilizado para designar la diferencia entre el beneficio obtenido efectivamente y el beneficio de una industria equivalente en competencia perfecta; se emplea para todos los tipos de competencia imperfecta y no sólo para el monopolio propiamente dicho.

Beneficio residual.   El término «residual» se utiliza a veces para resaltar que los pagos por la utilización del capital y los servicios empresariales no se consideran parte de los beneficios.

Beneficios dinámicos.   Beneficios a corto plazo surgidos de un desequilibrio en la economía, y que suelen proceder de impulsos que mueven a la economía hacia el equilibrio.

Bien de club.   Un bien cuyas ventajas pueden ser compartidas por más de una persona sin que haya pérdida para ninguna de las demás, pero de cuyo disfrute es posible excluir a las demás personas (como un campo de golf). Compárese con *Bien público.*

Bien inferior.   Véase *Bien normal.*

Bien normal.   Un bien del que se compra mayor cantidad cuando aumenta la renta, en oposición a un *bien inferior,* cuya cantidad comprada se reduce cuando aumenta la renta, para un precio constante.

Bien público.   Un bien cuyas ventajas pueden ser compartidas por muchas personas sin que ninguna otra persona pierda, y de cuyas ventajas no es fácil excluir a nadie. (Compárese con *Bien de club.*)

A la inversa, un *mal público* es algo que tiene una consideración negativa pero que es necesariamente compartido por muchas personas y del que es difícil que alguien pueda excluirse: el aire contaminado es el típico ejemplo.

Bienestar social. Indicador conceptual que señala una mejoría cuando se aplica una «buena» política y un empeoramiento con una «mala» política. Una política que resulta deseable según el *criterio de Pareto,* podría suponerse que mejora el bienestar social. A diferencia de las preferencias individuales, el bienestar social encierra juicios interpersonales cuando el criterio de Pareto no puede aplicarse, y no puede estar libre de juicios de valor.

Bienestar, teoría económica del. Rama de la teoría económica que se ocupa de los criterios para formular juicios normativos sobre el funcionamiento de la economía y de las prescripciones basadas en estos criterios.

Brecha inflacionista. Excedente del gasto planeado, a los precios existentes, sobre el valor de la producción al nivel de la capacidad, para esos precios, que da típicamente lugar a una presión al alza sobre los precios.

Capital. Término colectivo para designar toda la variedad de máquinas, edificios y otros bienes duraderos que contribuyen a la producción y han sido fabricados por el hombre. También puede referirse a su valor corriente total en unidades monetarias (por ejemplo, en pesetas), o a los recursos financieros utilizados en su adquisición. Cuando se habla del capital como medio productivo, se trata en realidad de la utilización de los servicios del capital. El stock, o existencias, de capital se aumenta, o se mantiene constante, a pesar de su inevitable desgaste, por medio de la inversión.

Capital humano. Por analogía con el capital físico, este concepto ha nacido del hecho de que los conocimientos, la especialización e incluso la fortaleza física de los seres humanos pueden aumentarse mediante la inversión en enseñanza, capacitación y atenciones especiales, de manera que el resultado de esta inversión es, desde el punto de vista económico, análogo al resultado de la inversión en capital físico, pues puede originar un aumento de la producción.

Característica (a veces, atributo). Cualquier propiedad de un bien que afecta al modo en que el consumidor relaciona el bien con su propio interés.

Cártel. Acuerdo formal y de carácter obligatorio entre los productores, en cuanto a precios u otras materias que afectan a la competencia potencial entre ellos. Es ilegal dentro de los Estados

Unidos, pero las empresas de este país pueden pertenecer a veces a cárteles internacionales (por ejemplo, en el transporte aéreo).

CMa.   Abreviatura de coste marginal. Véase *Coste.*

CMe.   Abreviatura de coste medio. Véase *Coste.*

Coeficiente de reserva.   En la organización bancaria, es el cociente de dividir el valor de las reservas que el banco comercial mantiene en el banco central por el valor de los activos totales del banco comercial. El banco central suele exigir un coeficiente de reserva mínimo.

Colusión.   Acuerdo informal entre empresas en cuanto a materias que afectan a la competencia potencial entre ellas. Se distingue del cártel por la ausencia de sanciones formales establecidas por las mismas empresas. Compárese con *Cártel.*

Competencia ajena al precio.   Competencia por medio de variantes del producto, publicidad, servicios especiales o cualquier otro medio que no sea la variación del precio nominal.

Competencia imperfecta.   Toda estructura competitiva en la que el comprador o el vendedor pueden influir con sus propias acciones sobre el precio de la transacción; se opone a *competencia perfecta,* en la que cada comprador o vendedor individual realiza una transacción tan pequeña respecto al volumen total que no influye sobre el precio.

Competencia monopolística.   Estructura de mercado con muchas empresas que venden productos similares pero no idénticos, sin empresas dominantes y con ausencia de rivalidad oligopolística.

Competencia perfecta.   Estructura de mercado en la que el número de participantes es tan grande, y la participación individual de cada uno tan pequeña, que la acción particular de ninguno de ellos tendrá efecto perceptible alguno sobre el conjunto del mercado. En competencia perfecta, todos los participantes aceptan el precio de mercado como algo sobre lo que no tienen ningún control. Compárese con *Competencia imperfecta.*

Complementariedad.   Dos bienes son complementarios si un aumento en la cantidad de uno está asociado a un aumento de la demanda del otro. (Una cantidad mayor de automóviles va ligada a un aumento de la demanda de gasolina.)

Conglomerado.   Una gran sociedad anónima cuyo tamaño se debe a la variedad de actividades en muchos terrenos, y no al dominio de una sola industria.

Consumidor.   En la ciencia económica, es la persona que actúa por cuenta propia y cubre actividades tales como las decisiones acerca de la oferta de trabajo y la compra de bienes de consumo.

Consumo.   En macroeconomía, una de las tres grandes categorías en que se divide el gasto agregado (las otras son la inversión y el gasto público). En este contexto, consumo es todo gasto (excluido el gasto público) cuyo objetivo no es ni una transacción financiera ni la producción. Véase *Función de consumo.*

Corto plazo. Período insuficiente para llevar a cabo todos los ajustes que los agentes decisores desearían hacer, dadas unas circunstancias.

Coste. En el análisis económico, este término no se refiere necesariamente a un simple desembolso en dinero, sino a aquello a lo que se tiene que renunciar para alcanzar un objetivo prefijado. Este concepto *(coste de oportunidad)* abarca no sólo los pagos directos sino también otras cosas como el valor de las oportunidades perdidas por un propietario a consecuencia de tener que dedicar tiempo a su empresa. *Coste medio* de producción es el coste total de producir una cierta cantidad (definido de la forma anterior) dividido por la cantidad. *Coste marginal* es el aumento del coste total resultante de la producción de una unidad adicional. *Costes fijos* son los costes que no varían con el nivel de la producción; *costes variables* son los que sí varían.

Coste marginal, fijación del precio por el. En los monopolios regulados por el Estado, la política de fijar como precio el valor del coste marginal. Esta política no maximiza el beneficio, pero es óptima desde el punto de vista social en determinadas circunstancias.

Coste social. Véase *Bienestar social.*

Costes, empujón de los. Véase *Empujón de los costes.*

Criterio de Pareto. Con este criterio, una política se juzga deseable si hace que alguien mejore sin que nadie empeore, e indeseable si hace que alguien empeore sin que nadie mejore. Con este criterio no puede juzgarse una política que mejore a unos y empeore a otros.

Cuasi-dinero. Todo lo que es casi tan líquido, pero no igualmente líquido, que lo que se considera dinero. En los Estados Unidos (y, en general, en el mundo occidental), los saldos de las cuentas corrientes a la vista se consideran dinero y los saldos de las cuentas de ahorro se consideran cuasi-dinero.

Curva de Engel. Curva que refleja la relación entre el gasto en dinero en un bien y el nivel de la renta, para un precio constante de este bien.

Curva de indiferencia. Véase *Preferencias.*

Curva de Phillips. Curva que representa la relación, determinada empíricamente, entre el nivel de desempleo y la tasa de variación de los salarios en un país. Se utiliza también para representar la relación entre el nivel de desempleo y la tasa de inflación derivada de éste; en términos estrictos, esta última es la *curva modificada de Phillips.*

Curva de renta-consumo. Curva que refleja la variación de la colección de bienes elegida por el consumidor cuando varía la renta,

permaneciendo constantes los precios de los bienes. (Compárese
con la *Curva de Engel*.)

Curva de transformación. Esencialmente, es la *curva de posibilidades de producción*. Véase *Frontera de posibilidades de producción*.

Demanda. Puede ser la cantidad que los compradores proyectan
comprar a un determinado precio, en unas circunstancias dadas,
o puede ser la lista de las cantidades que los compradores com-
prarían a los diversos precios, en unas circunstancias dadas. Esta
última acepción se refiere, con mayor propiedad, a la *tabla de
demanda*, y su representación gráfica es la *curva de demanda*.

Demanda derivada. Cuando la cosa demandada no lo es por sí misma, sino porque se requiere para obtener otra que sí se desea
por sí misma. La demanda de los medios productivos se deriva
de la demanda de los productos que se obtienen a partir de
aquéllos.

Demanda, tirón de la. Véase *Tirón de la demanda*.

Descuento. En el sistema bancario de los Estados Unidos, la operación por la que los bancos comerciales pueden aumentar sus
reservas, la cual puede considerarse análoga a la de una persona
que obtiene un préstamo de un banco comercial. En España se
denomina *redescuento* esta operación.

Desempleo estructural. Situación en la que habría poco o ningún
desempleo si cualquier trabajador pudiera desempeñar cualquier
puesto de trabajo, pero en la cual existe en realidad un excedente
de oferta de algunas clases de trabajo a los salarios existentes,
junto a un excedente de demanda para otras clases. (Compárese
con *Paro encubierto*.)

Desequilibrio. Véase *Equilibrio*.

Detracción. Término en el análisis macroeconómico para designar
la parte de la renta que no es gastada dentro de la economía
directamente por la persona que obtiene la renta: por ejemplo,
el ahorro, los impuestos y el gasto en el extranjero.

Devaluación. Variación del tipo de cambio exterior de la moneda
de un país por la cual ésta vale menos en relación con las monedas extranjeras. Véase *Revaluación*.

Dinámica. Análisis de la trayectoria de la economía para pasar de
un estado a otro; se contrapone a *estática comparativa*, en la que
sólo se comparan estados de equilibrio. Véase *Estática comparativa*.

Dinero, cantidad nominal de. Sinónimo de *saldos monetarios* o
saldos en dinero. (Compárese con *Saldos reales*.)

Dirección del precio («*price leadership*»). Situación de mercado en
la que el precio establecido por una empresa predominante (la
empresa «líder» en materia de precios) es generalmente adoptado

por las demás empresas del grupo, alcanzándose los efectos de
una *colusión* sin que haya consultas directas entre las empresas.
(Compárese con *Colusión.*)

Discriminación de precios. La política de cargar diferentes precios
por el mismo producto a distintos compradores o grupos de compradores.

Distribución. En la ciencia económica, se refiere a la forma general
en que se divide la producción de la sociedad (o las ventajas de
que ésta dispone) entre sus miembros.

Duopolio. Véase *Oligopolio.*

Economías de escala. Véase *Escala.*

Efecto renta. En la teoría del comportamiento del consumidor, se
refiere al hecho de que una variación del precio de un bien, permaneciendo constante la renta monetaria, tiene dos efectos, uno
de los cuales es similar al efecto de una variación de la renta con
los precios constantes.

Eficiencia. Obtener la máxima producción partiendo de una determinada cantidad de un medio productivo, o utilizar la mínima
cantidad de un medio productivo en la obtención de una producción determinada. Un proceso es *técnicamente ineficiente* si
utiliza más cantidad de un medio productivo, y no menos de
otro, para un nivel dado de producción, midiéndose los medios
productivos en cantidades físicas. Un proceso es *económicamente
ineficiente* si utiliza una cantidad total de medios productivos
cuyo valor social es mayor que el de los requeridos por otro
procedimiento para obtener la misma producción. La ineficiencia
técnica implica la ineficiencia económica, pero el que no exista
ineficiencia técnica no implica necesariamente que no existe ineficiencia económica. Proceso eficiente es aquel que no es ineficiente.

Elasticidad. Término de amplio uso en la ciencia económica, que
designa el cociente de dividir la variación porcentual de una variable por la variación porcentual de otra. Por ser el cociente
de dos relaciones, es un número abstracto y es independiente de
las unidades de medida. Se llama *elasticidad de la demanda* (*de
la oferta*) al cociente de dividir la variación porcentual de la cantidad demandada (ofrecida) por la variación porcentual del precio. La *elasticidad respecto a la renta* (por abreviación, elastici-
dad-renta) es el cociente de dividir la variación porcentual de la
cantidad demandada (o de los servicios ofrecidos) por la variación
porcentual de la renta. Estas relaciones pueden tener una *elasticidad unitaria* (el valor numérico del cociente es igual a la unidad), ser relativamente *inelásticas* (elasticidad menor que la
unidad) o relativamente *elásticas* (de valor numérico elevado),

Empresa. Término comúnmente utilizado en teoría económica para designar toda actividad económica bajo propiedad privada (y a veces de propiedad pública) para la producción de bienes o servicios, lo mismo si se trata de una sola persona que de una sociedad anónima gigante. Se considera a la empresa como una unidad de adopción de decisiones en la producción.

Empresario. Expresión utilizada en la ciencia económica para describir el papel de la persona o institución que localiza oportunidades de mercado y posibilidades de producción y organiza el intercambio o la producción para sacar de esta situación un beneficio.

Empujón de los costes. Proceso inflacionista cuyo principal impulso se supone ser el efecto que una subida de los salarios ejerce sobre los costes, lo que da lugar a un alza de los precios, que origina una subida de los salarios, y así sucesivamente.

Enlaces. En la teoría del desarrollo, se denomina así a los efectos de la expansión de una industria sobre la necesidad o deseabilidad de la expansión de otras industrias.

Equilibrio. Toda situación que está compensada, en el sentido de que tendería a persistir si no la perturbara un cambio exterior. Tal como se utiliza tanto en micro como en macroeconomía, el equilibrio implica que todos los agentes de decisión están haciendo lo que habrían pensado hacer en las circunstancias dadas. Un mercado está en equilibrio a un precio dado (el *precio de equilibrio*) si la cantidad que los oferentes proyectan vender a ese precio es igual a la cantidad que los compradores proyectan comprar. Esa cantidad es la *cantidad de equilibrio.* En macroeconomía, la economía está en equilibrio para un nivel dado de la renta agregada si el gasto planeado para ese nivel de renta es igual a la producción planeada y, por lo tanto, a la renta prevista. El término «equilibrio» no tiene ninguna connotación normativa. *Desequilibrio* significa todo estado distinto del de equilibrio.

Equilibrio general. La concepción de la economía como un sistema interconectado, en el que el resultado de los acontecimientos en cada mercado o sector depende de los acontecimientos en todos los demás mercados o sectores, de manera que el verdadero equilibrio en un mercado sólo se alcanza cuando existe equilibrio en todos.

Escala, rendimientos a. Se refiere a la medida en que aumenta la producción cuando todos los medios productivos aumentan en la misma proporción. Por ejemplo, si todos los medios productivos aumentan en un 50 por 100 y la producción aumenta también en un 50 por 100, tenemos *rendimientos constantes a escala.* Si la producción aumenta en más de un 50 por 100, tenemos *rendimientos crecientes a escala,* y si lo hace en menos de un

50 por 100, tenemos *rendimientos decrecientes a escala.* Los rendimientos crecientes a escala se denominan a veces *economías de escala,* término este último que abarca algunos efectos (como los descuentos comerciales en la compra de grandes cantidades de medios productivos) que no son verdaderos rendimientos crecientes a escala.

Escasez. Una cosa es escasa en sentido económico si se podría aumentar el bienestar social en caso de disponer de una mayor cantidad de ella. La tierra del desierto no es escasa en Africa del Norte, pero el trabajo es escaso en la mayoría de las economías la mayor parte de las veces.

Especulación. Transacciones de mercado realizadas con miras a una compra o venta futura a precios diferentes, cuando existe incertidumbre sobre esos precios.

Espiral inflacionista. Proceso dinámico autosostenido por el cual los precios continúan subiendo aun después de haber desaparecido la causa inicial de la inflación.

Estabilizadores automáticos. Propiedades estructurales de ciertas instituciones económicas (el impuesto progresivo sobre la renta, los subsidios de paro) que tienden a amortiguar los movimientos de la economía que la alejan del equilibrio.

Estática comparativa. La técnica básica del análisis económico a nivel elemental, que consiste en la comparación de dos posiciones de equilibrio sin preocuparse de la trayectoria dinámica seguida para pasar de una a otra.

Estructura del activo. La proporción en que entran los diferentes componentes que constituyen un activo total.

Excedente de demanda (de oferta). Si un mercado no está en equilibrio, la cantidad demandada no será igual a la cantidad ofrecida al precio vigente. La diferencia es el *excedente de demanda* (si la cantidad demandada es mayor que la cantidad ofrecida) o el *excedente de oferta* (en el caso contrario).

Excedente del consumidor. Si un consumidor estaba dispuesto a llegar a pagar hasta 1.000 pesetas por una entrada para la final de la Copa de fútbol, pero la compra en taquilla por 250 pesetas, las 750 pesetas de diferencia es su excedente del consumidor en esa transacción.

Exceso (o excedente) de reservas. En el sistema bancario, situación en la que los bancos comerciales tienen más reservas en el banco central que las necesarias para respaldar su nivel presente de préstamos.

Externalidad. Cualquier efecto que, como consecuencia de un acto, recaiga sobre personas (o empresas) distintas de las que participan directamente en aquel acto. Si el acto es de consumo, tenemos una *externalidad de consumo;* si es de producción, una *externalidad de producción.* Las externalidades pueden ser «buenas», si los efectos indirectos se consideran como ventajas, o «malas», si se consideran como adversidades. Un motorista que atraviesa un pueblo genera unas externalidades de consumo (ruido) que se suelen considerar «malas». La existencia de unos grandes almacenes en una localización determinada puede aumentar la clientela potencial de las tiendas especializadas cercanas: una externalidad de producción.

Factor.   Se utiliza con frecuencia este término en teoría económica en un sentido técnico, especialmente para designar amplias categorías de recursos, tales como «trabajo», «capital» y «tierra». Los *mercados de factores* son los mercados de estos recursos básicos, y entre los *precios de los factores* se incluyen los salarios, las rentas de la tierra y los alquileres del equipo de capital.

Flujos (o movimientos) de capital.   En las transacciones internacionales, se denomina así a los pagos por motivo de inversiones y a otras partidas ligadas al capital.

Frontera de posibilidades de producción.   Límite al que pueden llegar todas las posibles colecciones de cosas que la economía es capaz de producir con los recursos y la tecnología de que dispone.

Función de consumo.   Una relación estable entre el consumo agregado y la renta agregada, posiblemente con efectos retardados. La *propensión media a consumir,* para un determinado nivel de renta, es el cociente de dividir el consumo por la renta, según los datos de la función de consumo; la *propensión marginal a consumir,* para un determinado nivel de renta, es el aumento de consumo resultante del aumento de una peseta en la renta.

Gasto de transferencia.   Véase *Pago de transferencia.*

Gastos de ventas.   Gastos en publicidad o de cualquier otro tipo realizados para aumentar las ventas de un producto a un precio dado.

Hiperinflación.   Una tasa de inflación tan alta que la gente no está dispuesta a retener dinero ni siquiera durante unos cuantos días, a causa de la rapidez con que disminuye su valor de cambio por bienes.

Ilusión monetaria.   Cuando se reacciona frente al valor nominal en pesetas de los salarios u otros precios sin tener en cuenta las variaciones del nivel general de precios.

IMa.   Abreviatura de ingreso marginal.

IMe.   Abreviatura de ingreso medio.

Impuesto negativo sobre la renta.   Una medida económica con fines de redistribución de la renta por la cual las personas con rentas inferiores a cierto nivel reciben un pago (impuesto negativo) en cierta relación con esa diferencia, pero que no llega al 100 por 100 de la misma.

Impuesto por una suma fija.   Impuesto que establece la cantidad a pagar sin que pueda ser afectada por ninguna variable que el contribuyente pueda alterar. Un impuesto sobre la renta no es un impuesto por una suma fija, pues la persona puede pagar menos impuesto si opta por ganar menos renta; un impuesto sobre las ventas también puede variarse gastando menos.

Impuesto progresivo.   Un impuesto es *proporcional* si la cuota representa la misma proporción de la renta a todos los niveles de ésta; *progresivo,* si representa una proporción creciente de la renta cuanto más alto es su nivel, y *regresivo* si representa una proporción creciente de la renta cuanto más baja es la renta.

Industria.   En sentido estricto, es el conjunto de empresas que obtienen productos idénticos. No obstante, se utiliza también para designar el conjunto de empresas que obtienen productos estrechamente similares.

Industria naciente.   Término utilizado en la teoría del comercio internacional y en la teoría del desarrollo para referirse a las primeras etapas de una industria que, cuando alcance un tamaño mucho mayor, se espera que producirá a un coste unitario más bajo.

Inflación.   Término relativo para una situación en la que la tasa de aumento de los precios en general es mayor que la considerada «normal».

Infraestructura.   El capital social en forma de unas redes de transportes y comunicaciones y unas instituciones administrativas y educativas que en los países desarrollados se dan por supuestas pero que faltan en las sociedades menos desarrolladas.

*Ingreso («revenue») *.*   En su acepción más general, es la suma de dinero procedente de las ventas de la empresa. *Ingreso medio* es el ingreso total por la venta de una determinada cantidad de producto dividido por la cantidad. *Ingreso marginal* es el aumento del ingreso total obtenido por la venta de una unidad adicional de producto.

Intensivo en capital.   Se dice que un proceso de producción es intensivo en capital, en comparación con otro, si en él se utiliza

---

* En esta traducción, el término español «ingreso» corresponde así, lo más frecuentemente, al inglés *revenue*; aunque en ciertas ocasiones se ha empleado «ingreso» como traducción de *income* y sinónimo de renta —por ejemplo, los ingresos (rentas) de los consumidores— para evitar la confusión con la «renta» (*rent*) como remuneración del factor tierra. *(N. del T.)*

una mayor proporción de capital en relación con otros medios productivos.

Intensivo en trabajo. Un proceso de producción es intensivo en trabajo, en comparación con otro, si en él se utiliza una mayor proporción de trabajo en relación con otros medios productivos.

Intermediario financiero. Institución, como un banco o una compañía de seguros, que recibe fondos de las economías domésticas y las empresas y los coloca en otras empresas que necesitan fondos para invertir.

Inversión. El acto de fabricar o comprar nuevos bienes de capital, o las transacciones financieras relacionadas con dicho acto. En el conjunto de la economía, el valor en unidades monetarias de todas las inversiones es la *inversión bruta.* La *inversión neta* es la diferencia entre la inversión bruta y el valor de las cosas utilizadas solamente para reemplazar los elementos del antiguo capital que se han hecho inservibles, y por lo tanto representa el valor del aumento del stock de capital.

Inyección. En macroeconomía, significa el gasto (como, por ejemplo, el gasto público o la inversión de los empresarios) que no es función directa de la renta y es, por lo tanto, «inyectado» en el anillo renta-consumo.

Isocuanta. La lista de todas las combinaciones de medios productivos con las que puede obtenerse un cierto nivel de producción de algún bien, o la curva que representa dichas combinaciones.

Largo plazo. No se refiere a ningún período de tiempo fijo, sino a un período de tiempo suficiente para la completa acción de todos los efectos dinámicos y para que se alcance el equilibrio pleno.

Liquidez. La propiedad de un activo de ser fácil e inmediatamente cambiable por otras cosas, a un tipo de cambio previsible. El dinero se considera el activo con la máxima liquidez posible.

Liquidez internacional. Es la disponibilidad a escala mundial de cosas aceptables en las transacciones monetarias internacionales.

Macromodelo. Representación simplificada de la economía, concebida para mostrar la relación entre los agregados importantes de la economía.

Mal público. Véase *Bien público.*

Marginal. Término de amplia utilización en la teoría económica para referirse a pequeñas variaciones a partir de una posición dada.

Medio productivo indirecto. Si el petróleo no se utiliza directamente en la producción textil, pero la electricidad sí se utiliza

directamente en esta producción y la electricidad emplea petróleo, el petróleo es un medio productivo indirecto para los textiles.

Mercado. Puede referirse a un mercado individual o a una estructura institucional general que permite intercambiar las cosas sin
coacción; este último sentido es el de las frases «a través del
mercado» o «por medio del mercado».

Mercado abierto, operación de. Acto por el que un banco central
vende, o compra, al público valores mobiliarios a través del mercado regular («abierto»). Estas operaciones pueden utilizarse para
influir tanto sobre los tipos de interés como sobre el volumen
global de los saldos bancarios.

Moneda clave. La moneda de un país que se mantiene corrientemente como reserva en países extranjeros y se utiliza para liqui-
dar transacciones internacionales incluso entre países en los que
no circula como moneda interna.

Monopolio. Estructura de mercado con una sola empresa vendedora
del producto y ninguna otra empresa que venda productos estrechamente relacionados con éste. Si, como sucede con frecuencia
con los servicios públicos, la tecnología es tal que la existencia
de más de un oferente daría lugar a una duplicación de la capacidad con evidente derroche de recursos, la estructura es un
monopolio natural.

Multiplicador. En el análisis keynesiano, es el aumento de la renta
total expresado como relación por cociente con el aumento de
las inyecciones que lo originaron.

Negociación. Todo proceso por el que comprador y vendedor llegan
a un acuerdo mutuo sobre las condiciones específicas de una
transacción entre ellos. Se contrapone a la transacción normal
del mercado, en la que el precio del mercado es aceptado como
un hecho.

Número índice. Una forma de agregación en la que los movimientos de un gran número de variables, diferentes pero relacionadas
entre sí, se resumen en los movimientos de una sola variable;
un ejemplo es el de los movimientos de un gran número de precios de los artículos que adquieren los consumidores, cuando se
resumen en el movimiento del índice de precios al consumo.

Oferta. La cantidad potencial que los vendedores estarían dispuestos a vender a un determinado precio, o la tabla completa de
las cantidades que se ofrecerían a los diferentes precios. La *tabla
de oferta* y la *curva de oferta* se corresponden con los conceptos
análogos en la demanda. (Compárese con *Demanda.*)

Oligopolio. Estructura de mercado que se caracteriza por un número relativamente pequeño de empresas dominantes, de manera que los actos de cada una de ellas ejercen un impacto importante sobre cada una de las demás. La característica de una situación de oligopolio es la existencia de estrechas rivalidades y la necesidad que tiene cada empresa, al formular su propia política, de considerar las potenciales reacciones de sus rivales. La forma más extrema de rivalidad aparece en el *duopolio,* en el que sólo hay dos empresas dominantes.

Pago de transferencia. Percepción de una renta, como las pensiones de la seguridad social o los subsidios de paro, que no representa el pago por unos servicios productivos aportados en contrapartida. Una renta de esta clase tiene que derivarse de la transferencia, a través del sistema fiscal, de rentas originadas en la oferta de servicios corrientes.

Paro encubierto. Situación, asociada con frecuencia a las economías campesinas, en la que el número de personas nominalmente empleadas es superior al de las que pueden utilizarse en la práctica. (Compárese con *Desempleo estructural.*)

Patrón de cambio oro. Sistema monetario internacional de tipos de cambio fijos en el que el saldo de las transacciones internacionales se realiza por medio del oro, pero no así las transacciones en el interior del país.

Patrón oro. Sistema monetario interno e internacional en el que el oro se utiliza como dinero tanto en el interior del país como internacionalmente, complementado quizá por otras formas de dinero que se cambian libremente por oro a unos tipos fijos.

Pesos económicos. Ponderaciones cuyo objeto es representar los valores económicos relativos.

Pleno empleo. Se suele designar así a un nivel de desempleo convencionalmente aceptado como correspondiente a una situación satisfactoria de la economía, y no a la ausencia total de desempleo.

PMaC Abreviatura de propensión marginal a consumir. Véase *Función de consumo.*

PMeC. Abreviatura de propensión media a consumir. Véase *Función de consumo.*

PNB. Abreviatura de producto nacional bruto.

PNN. Abreviatura de producto nacional neto.

Pobreza distributiva. Pobreza que se debe enteramente a una distribución no igualitaria dentro de la sociedad; se opone a *pobreza general,* cuando la producción de la sociedad es demasiado baja para que sea posible eliminar la pobreza en todas partes.

Política directa.   Política económica que se realiza por medio del manejo directo de los componentes fundamentales de la economía, por ejemplo, del gasto público.

Política discrecional.   Medidas opcionales de política económica a las que el agente decisor no está obligado de antemano por la legislación u otros compromisos restrictivos.

Política distributiva.   El aspecto de la política económica general relativo a la forma en que las ventajas de un acto (o sus costes) van a ser distribuidas en la sociedad.

Política fiscal.   Política macroeconómica que se lleva a cabo principalmente variando el gasto público o los ingresos públicos o ambas cosas. (Compárese con *Política monetaria.*)

Política indirecta.   Política económica desarrollada por medidas cuyo objetivo es inducir a las gentes a variar algunos componentes importantes de la economía; un ejemplo es la variación de los tipos de interés para inducir a un cambio en la inversión.

Política monetaria.   Política macroeconómica que se lleva a cabo a través del sistema bancario y no por la variación de los presupuestos del Estado. (Compárese con *Política fiscal.*)

Política monetaria automática.   Política monetaria basada en una tasa constante de variación de la oferta monetaria, sin ajustarla a las condiciones económicas a corto plazo.

Precio sombra.   Precio «ideal» que representa el verdadero valor social de una unidad adicional de un bien o recurso, y que puede o no aproximarse mucho al precio efectivo de mercado.

Preferencias.   Se supone que el consumidor tiene preferencias coherentes, en el sentido de que, frente a dos colecciones de bienes, sabe si prefiere la primera a la segunda, la segunda a la primera, o las dos le son igualmente deseables. En este último caso, se dice que es indiferente entre las dos colecciones. En un mundo de dos bienes, la curva que representa todas las colecciones que el consumidor considera igualmente deseables que otra determinada colección, representada por un punto, es la *curva de indiferencia* que pasa por ese punto. Se supone que los consumidores actúan de acuerdo con sus preferencias, y estas preferencias se toman como base a partir de la cual tienen que formularse los juicios sobre el bienestar.

Presupuesto.   Se refiere, o al gasto máximo que el consumidor puede distribuir entre las diversas compras que desea hacer, o al resumen de los ingresos públicos previstos y los gastos públicos proyectados que representan la política fiscal del Estado.

Presupuesto equilibrado.   El presupuesto del Estado está equilibrado si los ingresos son iguales a los gastos; en caso contrario tendrá un *superávit* (si los ingresos son mayores que los gastos) o un *déficit* (si los gastos son mayores que los ingresos).

Proceso de producción. Una receta específica para producir una unidad, en cantidad, de un cierto bien, que da las cantidades que se requieren de todos los medios productivos necesarios. Si el producto no se puede expresar en unidades de cantidad, nos referimos a él designándolo como un nivel del proceso.

Producción. Abarca toda actividad por la que el producto difiere en forma, lugar o tiempo de cualquiera de los medios productivos empleados; incluye el transporte y gran parte del comercio, igual que las manufacturas o la agricultura.

Productividad. Cociente de dividir la cantidad obtenida de producto por la cantidad empleada de un medio productivo específico (con frecuencia, el trabajo) o de un agregado de medios productivos. El *producto marginal* de un medio productivo es el aumento de la producción total resultante del empleo de una unidad adicional del medio productivo. El *producto medio* de un medio productivo es su productividad.

Productividad en ingreso marginal (de un medio productivo). El aumento del ingreso obtenido con la venta del aumento de producción resultante del empleo de una unidad más del medio productivo en cuestión. En competencia perfecta, es igual al *valor del producto marginal.*

Producto marginal. Véase *Productividad.*

Producto medio. Véase *Productividad.*

Producto nacional bruto. Véase *Renta nacional.*

Producto nacional bruto real. El producto nacional bruto expresado en unidades monetarias de poder adquisitivo constante.

Producto nacional neto. Véase *Renta nacional.*

Productos conjuntos. Dos productos son conjuntos si la tecnología obliga a producir uno de ellos cuando se produce el otro, aun cuando puedan variarse sus proporciones dentro de ciertos límites.

Productos diferenciados. Bienes que en muchas de sus características son idénticos o muy similares, pero que en otras son diferentes. (Como dos modelos diferentes de automóviles de la misma cilindrada.)

Progreso tecnológico. La disponibilidad de nuevos procesos tecnológicos que permiten un aumento de la productividad. Si los nuevos procesos requieren nuevas máquinas y sólo pueden emplearse conforme se van instalando éstas, se denomina progreso tecnológico *incorporado.*

Propensión marginal a consumir. Véase *Función de consumo.*

Propensión media a consumir. Véase *Función de consumo.*

Proporciones variables. Indica la existencia de procesos de producción alternativos que permiten la utilización de medios productivos en diferentes proporciones o la obtención de productos conjuntos en diferentes proporciones.

Real. Calificativo utilizado en teoría económica para significar que la variable así calificada ha sido ajustada para corregir los efectos de las variaciones del nivel general de precios.

Redescuento. Véase *Descuento.*

Regulación de precios y salarios. Política, asociada normalmente a los intentos de dominar la inflación, que establece unos límites específicos a la tasa de aumento de salarios y precios en el sector privado.

Relación de cambio. En general, la proporción en que se cambia un artículo por otro en una transacción.

Relación real de intercambio. La relación de cambio de las exportaciones por las importaciones en el comercio internacional.

Rendimientos constantes a escala. Véase *Escala.*

Renta *:

de la economía doméstica (*income*). Es el valor total de las remuneraciones percibidas por la unidad de consumo en pago de sus específicas prestaciones de servicios de factores productivos de todas clases. Se usa frecuentemente en la teoría del consumo refiriéndose al presupuesto asignado al gasto para consumo y no a la renta propiamente dicha.

de la tierra (*rent*). Término técnico en teoría económica para designar el pago por el uso de la tierra como espacio y localización solamente, y excluye, por consiguiente, toda parte, en el pago total, que se refiera a la utilización de mejoras o de edificaciones. En este sentido, el término *renta* se emplea también, técnicamente, para designar los pagos por el uso de cualquier otro recurso que, como la tierra pura, exista en cantidad total estrictamente limitada.

del empresario (*income*). Es el valor total de los ingresos netos del empresario (diferencia entre sus ingresos y sus pagos), que incluye, aparte del eventual beneficio de la empresa, las remuneraciones por sus aportaciones de trabajo y capitales a la empresa.

---

* Es a estas alturas imposible traducir al español por tres términos diferentes las palabras inglesas *income, rent* y *revenue.* Teniendo que emplearse sólo dos palabras españolas: «renta» e «ingreso», había que elegir entre la costumbre adoptada en España (*income* y *rent,* por renta, y *revenue,* por ingreso) o la generalmente aceptada en Hispanoamérica (*income* y *revenue,* por ingreso, y *rent,* por renta). Se ha elegido la que es normal en España, lo que crea verdaderos peligros de confusión en la teoría de la distribución de la renta (*income*) cuando en la argumentación interviene la renta de la tierra (*rent*). Para soslayar la dificultad se ha traducido en algunos casos *income* por ingreso. No existe en cambio problema en la teoría de las formas de mercado, pues no hay posibilidad de confusión entre ingreso (*revenue*) y renta (*income*). (*N. del T.*)

diferencial (*differential rent*). La parte de la renta pura de la tierra que nace de diferencias locacionales o de otra naturaleza entre dos terrenos de igual superficie.

disponible (*disposable income*). La parte de la renta de una economía doméstica de la que ésta puede libremente disponer. Se admite generalmente que es su renta total menos los impuestos sobre la renta y otros pagos coactivos similares.

nacional (*national income*). Es concretamente la suma de todas las rentas generadas en la economía. En términos más generales, abarca todos los conceptos agregados que aparecen en las *cuentas de la renta nacional* del país. El más corrientemente usado de ellos es el *producto nacional bruto,* o valor total de cuantos bienes y servicios finales ha producido la economía en una unidad de tiempo, sin descontar de él la depreciación del capital. El *producto nacional neto* es igual a la diferencia entre el producto nacional bruto y la cuota de depreciación del capital. El producto nacional neto y la renta nacional son conceptos muy afines, pero no idénticos.

Retardo distribuido. Relación entre dos variables según la cual los valores de la variable causal en varios puntos del pasado siguen influyendo sobre el valor corriente de la otra variable.

Revaluación. En sentido estricto, significa cualquier variación del tipo de cambio de la moneda del país por monedas extranjeras. A falta de otra palabra mejor, frecuentemente se aplica sólo a la modificación en alza del tipo de cambio, es decir, al aumento de valor de la moneda del país expresado en moneda extranjera, utilizándose el término *devaluación* para la modificación en el sentido contrario.

Salario real. Salario expresado en unidades monetarias de poder adquisitivo constante.

Saldo presupuestario en pleno empleo. Saldo que el presupuesto corriente presentaría si la economía estuviera en pleno empleo y no se hubiese variado la estructura de los impuestos.

Saldos para transacciones. Dinero, en forma de efectivo o saldos bancarios, mantenido para salvar el lapso de tiempo que transcurre entre los desembolsos previstos y la percepción de los ingresos.

Saldos reales. Saldos monetarios (=saldos en dinero) reducidos a unidades monetarias de poder adquisitivo constante.

Segunda preferencia, problema de la. Si la política económica que verdaderamente representa la mejor solución es inalcanzable por razones institucionales o de otra índole, la mejor política después de aquélla puede ser de un tipo completamente distinto.

Stock de regulación. Cualquier stock de un bien que se mantiene con el objeto de suavizar las fluctuaciones del precio, vendiendo parte del stock cuando los precios son anormalmente altos y comprando para ampliar el stock cuando los precios son bajos.

Sustitución. Refleja la idea básica de que un mismo objetivo puede ser alcanzado por distintos caminos. Hay una *sustitución de medios productivos* cuando un cambio de proceso se traduce en la utilización de una cantidad mayor de un medio productivo y una cantidad menor de otro, para obtener la misma cantidad del producto. En el consumo, una variación de los precios relativos de los bienes llevará a cambiar la colección comprada: una parte del efecto total será el *efecto sustitución,* por el que una cierta cantidad del bien que se ha encarecido será sustituida por una cantidad del bien abaratado.

Tasa al usuario. Precio de un servicio público basado en el uso que cada persona hace de él, en contraposición a las contribuciones u otros tipos de gravámenes no dependientes del uso.

Tecnología. Colección de todas las formas conocidas de hacer cosas. La colección de todas las formas conocidas de fabricar cosas es la *tecnología de la producción*; la colección de todas las características conocidas de los bienes de consumo es la *tecnología del consumo.*

Teoría cuantitativa. Hipótesis según la cual, cuando la actividad económica ha llegado al límite de capacidad de la economía, el nivel de precios variará en razón directa con la cantidad de dinero.

Tipo de cambio. La relación en que se cambia una moneda extranjera por la moneda del país (tantas pesetas por un dólar).

Tipos de cambio fijos. Sistema monetario internacional en el que cada país fija el tipo de cambio entre su moneda y otras monedas y adopta las medidas adecuadas para mantener ese tipo de cambio.

Tipos de cambio flexibles. Sistema monetario internacional en el que la moneda de cada país se vende a un precio, expresado en otras monedas, que se determina continuamente por la interacción de la demanda y la oferta de la moneda del país.

Tirón de la demanda. Proceso inflacionista en el que la fuerza principal es la expansión de las rentas, la cual da lugar al aumento de la demanda, ésta a la elevación de los precios (si se está produciendo al límite de la capacidad), a la subida de los salarios y a un nuevo aumento de las rentas, que inicia otra ronda del proceso.

Transferencia unilateral. En la balanza de pagos, un ingreso procedente del extranjero, o un pago al extranjero, que no representa una cesión, o una adquisición, de bienes o servicios y que no implica una devolución. La ayuda exterior (si no adopta la forma de un préstamo) y las remesas de los emigrantes a su país de origen son formas importantes de este tipo de transferencias.

Utilidad. Término empleado con frecuencia en teoría económica para representar aquello, sea lo que fuere, que se supone se acrece en el consumidor cuando éste pasa a una nueva situación que considera preferible a la situación anterior. Equivalente, la mayoría de las veces, a *ventaja personal* o bienestar personal.

Valor del producto marginal. Expresión técnica que significa el producto marginal debido a un medio productivo, en una utilización específica, multiplicado por el precio del producto obtenido. En condiciones de competencia perfecta es igual a la *productividad en ingreso marginal.* Véase *Productividad en ingreso marginal.*

Velocidad del dinero. Cociente de dividir la renta por el saldo monetario.

Ventaja *. Intento (necesariamente tosco) de asignar un número a la ganancia que una persona o la sociedad obtiene de un acto económico o una medida de política económica. Una pérdida aparecerá como una *ventaja negativa.* Cuando la ganancia sólo llega a la persona o grupo que efectúa la acción, se trata de una *ventaja privada.* La ganancia total para la sociedad es la *ventaja social.*

Ventaja comparativa. La idea de que el intercambio (especialmente en el comercio internacional) alcanza su mayor eficiencia si cada participante ofrece aquel bien en cuya producción tiene alguna ventaja en comparación con la producción del bien que obtiene en intercambio.

---

* Hay que señalar que el término *benefit* se ha traducido en este libro por «ventaja», aunque se traduce corrientemente, sobre todo en evaluación de proyectos, por «beneficio». De esta manera, se ha reservado en el presente texto la palabra «beneficio» para traducir el término *profit,* que se traduce también así corrientemente a pesar de que *benefit* y *profit* tienen significados muy distintos. *(N. del T.)*

INDICE ANALITICO